Hans-Werner Sinn

Ist Deutschland noch zu retten?

Econ

Econ Verlag
in der Ullstein Buchverlage GmbH, München

5., korrigierte Auflage 2004

© by Ullstein Buchverlage GmbH, München
Gesetzt aus der Janson Willberg
bei Franzis print & media GmbH, München
Druck und Bindearbeiten: Clausen & Bosse, Leck
Alle Rechte vorbehalten
Printed in Germany

ISBN 3-430-18533-5

Stimmen zum Buch

»Hans-Werner Sinn analysiert in seinem Buch vortrefflich die gegenwärtige wirtschaftliche, politische und gesellschaftliche Situation in Deutschland. Nur durch umfassende Reformen kann unsere gefesselte Wirtschaft wieder zu nachhaltigem Wachstum, unser bedrohter Wohlstand wieder auf ein gesundes Niveau gehoben werden. Wie diese Aufgabe zu meistern ist, beschreibt Hans-Werner Sinn scharfsinnig und brillant in seinem 6+1-Punkte-Programm.«

Roland Berger, Chairman Roland Berger Strategy Consultants

»Hans-Werner Sinn hat mit spitzer Feder ein weitsichtiges, wirtschaftlich höchst fundiertes und doch lesbares Buch über die bedrohliche Lage Deutschlands geschrieben: offensiv und ohne Angst vor schmerzhaften Wahrheiten. Niemand muss mit allen Einzelheiten übereinstimmen, aber würde die Mehrheit der Deutschen den ›Sinn‹ begreifen – wir kämen wieder auf guten Kurs.«

Klaus von Dohnanyi, Mitglied des Club of Rome

»Sinn ist unter den deutschen Ökonomen einer der ganz wenigen, die sich auf allgemein verständliche Weise energisch für politische Belange engagieren. Seine überzeugenden Reformvorschläge für Deutschland finden hoffentlich bei den Entscheidungsträgern Gehör ... dafür ist in der Tat höchste Zeit.«

Bruno S. Frey, Professor für Politische Ökonomie, Universität Zürich

»Endlich einmal ein Wirtschaftswissenschaftler, der Tacheles redet. Dieses Buch gehört auf den Schreibtisch aller Mitglieder des Bundeskabinetts und aller Mitglieder des Deutschen Bundestags.«

Hans-Olaf Henkel, Präsident Wissenschaftsgemeinschaft Gottfried Wilhelm Leibniz

Hans-Werner Sinn
Ist Deutschland noch zu retten?

Für Annette, Philipp und Rüdiger

INHALT

PROLOG · 13
Zurück in die Wirklichkeit · 13

1. SCHLUSSLICHT DEUTSCHLAND · 19
Vom Wirtschaftswunderland zum kranken Mann Europas · 19
Der Aufstieg Englands · 26
Auch Frankreich, Holland und Österreich
     überrunden Deutschland · 31
Dichter, Denker und der schiefe Turm von Pisa · 38
Japanische Pleitegeier im Anflug · 43
Maastrichter Vertrag: Wer anderen eine Grube gräbt,
     fällt selbst hinein · 47

2. WIE WIR DIE WETTBEWERBSFÄHIGKEIT
VERLOREN · 57
Der Globalisierungsschock: China, Indien, USA und
     die vielen anderen · 57
Die Flucht der Mittelständler nach Osteuropa · 63
Basar-Ökonomie · 67
Exporte und Wettbewerbsfähigkeit:
     ein schwieriges Thema · 69
Der DAX im Wind des Turbo-Kapitalismus · 76
Drei Schocks auf einmal: Euro, Binnenmarkt und
     Osterweiterung der EU · 80
Internationale Arbeitsteilung: von der Globalisierung
     profitieren · 85

Zu hohe Lohnkosten · 89
Dr. Fritzchen Müllers Denkfehler bei den Lohnkosten · 96
Warum es auf die Nachfrage nicht ankommt · 100
Was wir bei den Lohnkosten von den Amerikanern und den
    Holländern lernen können · 104

3. ARBEITSMARKT IM WÜRGEGRIFF DER
   GEWERKSCHAFTEN · 115
Gewerkschaften damals und heute · 115
Mokka im Ozean · 118
Flächentarifvertrag als Kartellvereinbarung · 129
Mehr Autonomie für die Betriebe · 134
Weniger Kündigungsschutz, mehr Sicherheit
    des Arbeitsplatzes · 139
Der Sozialstaat als heimlicher Komplize · 144
Sparlohn statt Barlohn: ein möglicher Weg · 146

4. DER SOZIALSTAAT: MÄCHTIGSTER KONKURRENT
   DER WIRTSCHAFT · 155
Versicherung und moralisches Risiko · 155
Lohnersatzeinkommen als Jobkiller · 161
Gering Qualifizierte im Abseits · 166
Anspruch und Wirklichkeit: Ungleichheit
    am Arbeitsmarkt · 177
Der Michel vor der Eiger-Nordwand · 180
Minijobs mit Miniwirkung: der Verdrängungseffekt · 184
Das Mainzer Modell: nur eine Höhle in der
    Eiger-Nordwand · 189
Frühverrentung: die Blüm'sche Teufelsspirale · 192
Frühverrentung mit freiem Hinzuverdienst:
    der bessere Weg · 197
Aktivierende Sozialhilfe: eine scharfe Waffe
    gegen die Arbeitslosigkeit · 199

5. Der verblühende Osten · 215

Der deutsche Mezzogiorno · 215
Geld, Geld und noch mal Geld · 225
Überholmanöver bei den Löhnen · 233
Gleicher Lohn für gleiche Arbeit am gleichen Ort · 239
»Nur keine Japaner!«: die zweifelhafte Rolle der
    westdeutschen Tarifpartner im Osten · 246
Die Holländische Krankheit · 249
Ein Befreiungsversuch · 256

6. Der Steuerstaat: Fass ohne Boden · 267

Der Staat: Leviathan oder Lastenesel? · 267
Die Mär von der geringen Steuerquote · 273
Der Weg in den Steuer- und Schuldenstaat · 276
Wohin fließt das viele Geld? · 282
Leistungsempfänger gegen Steuerzahler:
    Wie Energien verpulvert werden · 291
Die Jagd nach Subventionen · 294
Zu viele Abgaben: Weltmeister bei der Grenzabgabenlast · 298
Schwarzarbeiterparadies Deutschland · 304
Die Neidsteuern des Frank Bsirske · 307
Warum man das Kapital nicht wirklich besteuern kann · 311
Steuerreform 2000: ein kleiner Schritt
    in die richtige Richtung · 317
Das Versiegen der Körperschaftsteuer · 319
Eine wirklich mutige Steuerreform · 323

7. Land der Greise · 337

Warum werden wir immer älter? · 337
Land ohne Kinder · 340
Der Weg in die Gerontokratie: die Herrschaft der Alten · 347
Rentenversicherung vor dem Kollaps · 351
Die Scheinlösungen · 358

Humankapital oder Realkapital: von nichts kommt nichts · 362
Warum die Einwanderung nur einen kleinen Beitrag zur
    Lösung leisten kann · 364
Adenauers Denkfehler oder: Warum wir eine aktive
    Bevölkerungspolitik brauchen · 369
Das französische Beispiel · 379
Kinderrente für Eltern und Riester-Rente für Kinderlose · 389
Gewappnet für die Zukunft: die vier Rentensäulen · 395

8. Spiel ohne Grenzen: EU-Erweiterung, Migration und neue Verfassung · 405

Prinzipiell positiv: die europäische Vereinigung · 405
Das Problem: extreme Niedriglohnkonkurrenz · 409
Viele werden kommen · 412
Warum die Wanderung eigentlich gut ist · 415
Zuwanderung in die Arbeitslosigkeit · 418
Zuwanderungsmagnet Sozialstaat · 429
Abschreckungswettbewerb der Sozialstaaten · 434
Die neue EU-Verfassung:
    zwanzig Mezzogiorni in Europa · 436
Die Lösung: verzögerte Integration in das Sozialsystem · 443

Das 6+1-Programm für den Neuanfang · 451

Kehrtwende bei den Tarifvereinbarungen · 455
Weniger Macht für die Gewerkschaften! · 457
Weniger Geld für das Nichtstun, mehr Geld für Jobs · 460
Den Zuwanderungsmagneten abschalten · 466
Eine wirklich radikale Steuerreform · 469
Mehr Kinder, mehr Rente, mehr Fortschritt · 472
Neuer Schwung in den neuen Ländern · 476

Epilog
Einsicht oder Erfahrung · 483

Danksagung · 487

Stichwort-, Firmen-
und Namensverzeichnis · 491

PROLOG

Zurück in die Wirklichkeit

Was ist nur geschehen? Mut und Fortune scheinen Deutschland zu verlassen. Die Wirtschaft stagniert, die Hiobsbotschaften häufen sich. Monat für Monat gibt es neue Pleiterekorde, viele Unternehmen stecken in einer schweren Krise, die Arbeitslosigkeit nimmt immer bedrohlichere Ausmaße an, und dennoch drängen die Armen der Welt in unser Land. Ein europäischer Nachbar nach dem anderen zieht beim Pro-Kopf-Einkommen an uns vorbei. Deutschland ist der kranke Mann Europas, ist nur noch Schlusslicht beim Wachstum, außerstande, mit Österreich, Holland, England oder Frankreich mitzuhalten. War da nicht einmal ein Wirtschaftswunder? Das muss lange her sein. Wunder gibt es heute anderswo.

Der Tanz auf dem Vulkan geht aber weiter. Beim Tourismus bleiben die Deutschen Weltmeister, und ihre Kreuzfahrtschiffe durchpflügen die Ozeane trotziger denn je. Das Rentensystem wird verteidigt, obwohl Kinder, die es finanzieren könnten, fehlen. Die jungen Leute haben den Kinderwagen gegen den Zweitwagen eingetauscht. Verliebt sein und vom Glück träumen will jeder, doch Kinder kommen in den Träumen immer weniger vor. Die Rente kommt vom Staat, und der Strom kommt aus der Steckdose.

Die Politik blendet die Probleme aus, denn auch die Wähler mögen aus ihrem Traum von der heilen Welt nicht erweckt werden. Die Arbeitslosigkeit wird in Frühverrentungsmodellen versteckt, die Zahlen aus Nürnberg werden mit neuen Messmethoden verkleinert, das Staatsbudget wird gestylt, der von Deutschland selbst geforderte Stabilitätspakt zum Maastrichter Vertrag wird uminterpretiert, und Steuererhöhungen werden als »Steuervergünstigungsabbau« kaschiert. Je dümmer die Gesetze, desto schöner die Namen.

Schuld an der wirtschaftlichen Misere hat nicht nur die herrschende Regierung. Auch ihre Vorgänger tragen ein gerüttelt Maß an Mitverantwortung. Die sozialliberale Koalition der siebziger Jahre hat den Sprung in den Schuldenstaat getan, die Regierung Kohl hat die wirtschaftliche Vereinigung des Landes mit absurden Versprechungen und irrealen Politikprogrammen vergeigt, und der Bundesregierung fehlt die Kraft für die notwendigen Reformen. Die Agenda 2010 zupft zaghaft am Steuerrad, ohne es wirklich herumzudrehen.

Wir brauchen eine ähnlich radikale Kulturrevolution, wie England sie unter Margaret Thatcher erlebt hat, wenn auch nicht die gleiche, denn irgendwie unterscheiden wir uns von den Manchester-Liberalen in England schon. Jedes Land braucht eine Kulturrevolution, wenn der Filz über 50 Jahre akkumuliert wurde. Jetzt ist Deutschland so weit.

Wir müssen unsere Institutionen an Haupt und Gliedern erneuern, unbequeme Fragen stellen und radikal umdenken. Können wir die Macht der Gewerkschaften weiter hinnehmen? Warum nur lassen wir unseren Sozialstaat so viel Geld für das Nichtstun ausgeben? Wie lange können wir das Siechtum der Wirtschaft in den neuen Bundesländern ertragen, und wann geht uns das Geld aus, mit dem wir dort einen westlichen Lebensstandard finanzieren? Dürfen Staatsquote und Schuldenquote immer weiter wachsen? Muss es sein, dass der Staat bereits dem wenig verdienenden Arbeiter zwei Drittel der Früchte seiner Anstrengung wegnimmt? Warum vergreist unser Land, und was können wir dagegen tun? Sollen auch Kinderlose die volle Rente bekommen? Sind Zuwanderer eine Hilfe oder ein Problem für die Deutschen? Sind wir auf den Wettbewerb mit den Polen, Tschechen, Slowaken und Ungarn vorbereitet, die jetzt in die EU kommen? Wohin treibt uns eigentlich das neue Europa, was führt die EU mit uns im Schilde? Diese Fragen brauchen mutige und ehrliche Antworten, und dann braucht Deutschland eine große Wirtschafts- und Sozialreform, die dem Land seine Zukunft zurückbringt.

Die notwendigen Reformen sind hart und unangenehm, und meistens wirken sie auch erst mit Verzögerung. Die Politik aber wagt sich bislang nicht an sie heran. Das Gutachten des Sachverständigenrates zur Begutachtung der gesamtwirtschaftlichen Entwicklung, immerhin ein gesetzlich verankertes Beratungsgremium, wird vom Kanzler mit Glacéhandschuhen angefasst, weil es unangenehme Wahrheiten und Empfehlungen enthält. Und, welch Schande, es argumentiert sogar »neoliberal«, obwohl eine Mehrheit seiner Mitglieder der SPD angehört und von der Regierung selbst ausgewählt wurde. Da hält man sich lieber an die gut verpackten Vorschläge der Hartz-Kommission, die wenig bewirken und niemandem wehtun. Bei der Zusammensetzung der fünfzehnköpfigen Hartz-Kommission hatte man von vornherein darauf geachtet, dass ihr kein Volkswirt angehört. So war man auf der sicheren Seite.

Leider begreifen auch die deutschen Intellektuellen nicht, welch schlechter Film hier abläuft: Ihr Blick reicht von Goethe bis Habermas, doch über die harten Gesetze der Ökonomie streift er hinweg, außerstande, selbst die banalsten wirtschaftlichen Zusammenhänge zur Kenntnis zu nehmen. Die Fernsehdemokratie meidet die wirklichen Themen und plätschert an der Oberfläche dahin. Bei den Talkshows siegt Eloquenz über Fachwissen, und wer die Ökonomik des ersten Augenscheins beherrscht, der hat, bejubelt von seinen bestellten Claqueuren im Hintergrund, die Gunst des Millionenpublikums auf seiner Seite. Ernsthafte Analyse, die den Problemen auf den Grund geht, hat bei all der Kurzweil, die die Sender im Wettkampf um die Quoten bringen müssen, kaum eine Chance. Das Land steht am Abgrund, und dennoch ist nichts wichtiger als die Frage, wie

Schalke am Samstag abschneidet, wie der Bundeskanzler seine Haare färbt oder welche Besenkammern Boris Becker bevorzugt. So verdrängen wir unsere Wirklichkeit.

Die Partikularinteressen der Lobbys und Parteien verhindern gemeinsame Lösungen. Die Gewerkschaften und die Arbeitgeber streiten sich immer noch erbittert um die Zehntelprozentpunkte bei den Lohnabschlüssen. Die Parteien schieben einander die Schuld für die Wirtschaftsmisere in die Schuhe und sind nicht bereit, aufeinander zuzugehen. Jeder schaut ängstlich auf die Wählerstimmen, und keiner wagt es, bei den nötigen Reformen in Vorlage zu treten, weil er Angst hat, dass der politische Gegner sogleich Kapital daraus schlägt, indem er das Volksgewissen für sich reklamiert. Wenn die SPD einmal einen zaghaften Bremsversuch beim Sozialstaat startet, wird sie sogleich von der CDU/CSU links überholt.

Zorn erfüllt mich, wenn ich sehe, wie die Zeit nutzlos verstreicht und wir nicht vorankommen, wie Deutschland weiter absackt und dem Zustand näher kommt, wo es als ein Land der kinderlosen Greise seine Kraft verliert und sich schicksalsergeben aus der Geschichte verabschiedet.

Wir können die Kurve noch kriegen. Aber das verlangt unser aller Bereitschaft zu umfassenden Änderungen des Sozialstaates und der Wirtschaftsordnung, also der Gesetze und institutionellen Regeln, die den Spielraum festlegen, innerhalb dessen die Unternehmen und Verbraucher agieren können. Was derzeit politisch diskutiert wird, reicht noch lange nicht. Ein schwieriger Prozess des Umdenkens muss einsetzen, bei dem viele Tabus über den Haufen geworfen werden und der Widerstand mächtiger gesellschaftlicher Gruppen überwunden wird. Möglicherweise wird dieser Prozess erst dann beginnen, wenn der Putz in den neuen Ländern erneut von den Wänden fällt und die Achsen der Autos dort wieder in den Schlaglöchern zerbrechen. Doch das dauert noch. So lange dürfen wir nicht warten. Die Zahlen und Fakten liegen schon jetzt auf dem Tisch, und jetzt muss gehandelt werden.

Mit diesem Buch will ich dazu beitragen, den Gang der Diskussion auch in einer breiteren Öffentlichkeit zu beschleunigen. Ich fühle mich in der Verantwortung meinem Land gegenüber wie jene Professorenkollegen vom Verein für Socialpolitik, die im 19. Jahrhundert die Reformen Bismarcks vorbereitet hatten und von ihren Widersachern als Kathedersozialisten beschimpft wurden, obwohl sie keine waren. Ich will über den Stand unserer Wirtschaft, über zentrale Grundtatbestände einer funktionierenden Marktwirtschaft und über offenkundige Fehler unseres Systems aufklären. Ich beschreibe Wege aus der Sackgasse. Ich möchte, dass endlich auch einmal die wirklichen ökonomischen Argumente Gehör finden und dass Sie, liebe Leser, in die Lage versetzt werden, die Ökonomik des ersten Augenscheins zu entlarven, und mithelfen, die richtigen Entscheidungen zur Gesundung unseres Landes durchzusetzen. Wie Sie will auch ich für meine Kinder und Kindeskinder ein besseres, ein wirklich zukunftsfähiges Deutschland.

München, August 2003
Hans-Werner Sinn

*Für Franz Müntefering, der
glaubt, Deutschland wachse nur
deshalb so langsam, weil wir schon
da sind, wo die anderen erst noch
hinwollen.*

I.
SCHLUSSLICHT DEUTSCHLAND

Vom Wirtschaftswunderland zum kranken Mann Europas – Der Aufstieg Englands – Auch Frankreich, Holland und Österreich überrunden Deutschland – Dichter, Denker und der schiefe Turm von Pisa – Japanische Pleitegeier im Anflug – Maastrichter Vertrag: Wer anderen eine Grube gräbt, fällt selbst hinein

Vom Wirtschaftswunderland zum kranken
Mann Europas

Die Deutschen haben nach dem Krieg Großes vollbracht. Zwei verlorene Weltkriege hatten es nicht geschafft, die Dynamik dieses Volkes, die während der wilhelminischen Zeit ihren Höhepunkt erreicht hatte, auszulöschen. Auf den Schutthalden, die der englische Bombenkrieg hinterlassen hatte, wurden die deutschen Städte wieder errichtet, und es gelang, eine leistungsfähige Exportwirtschaft aufzubauen. Die Kombination aus hoch stehender Ingenieurkunst und niedrigen Löhnen machte Westdeutschland schon früh zu einem unschlagbaren Wettbewerber auf den Weltmärkten, einem Globalisierungsgewinnler der ersten Stunde. Der Volkswagen, den Deutschland damals nach Amerika exportierte, ist nur ein Beispiel für eine breite Palette von Produkten, mit denen das »Made in Germany« nach dem Krieg neuen Glanz erhielt.

Gleichzeitig sorgte ein gut funktionierendes Geflecht an staatlichen Institutionen verbunden mit einem leistungsfähigen Rechtssystem für die Rahmenbedingungen, die die immer noch junge Bevölkerung brauchte, um ihre Kraft produktiv einsetzen zu können. Der Krieg hatte die Städte der Deutschen und mit ihnen einen großen Teil ihrer Kulturdenkmäler ausgelöscht, aber das Wissen in den Köpfen der Überlebenden hatte er nicht zerstört. Die Deutschen kannten die Spielregeln der Marktwirtschaft, die geschriebenen und ungeschriebenen Gesetze der produktiven Zusammenarbeit in einer arbeitsteiligen Wirtschaft, die auf geheimnisvolle Weise dafür sorgen, dass Millionen von Menschen sinnvoll miteinander kooperieren, und diszipliniert hielten sie diese Spielregeln ein. Viele liebäugelten zwar anfangs mit sozialistischen Gesellschaftsmodellen. Selbst das Ahlener Programm der CDU aus dem Jahr 1947 war nicht frei davon. Doch als es Ludwig Erhard und seinem Ministerium gelungen war, die Marschrichtung festzulegen, und die Aufhebung der Rationierung rasche Erfolge zeigte, gab es kein Halten mehr. Das Wirtschaftswunder begann.

Mit atemberaubendem Tempo wuchs die deutsche Wirtschaft, und bald gab es Arbeit für jeden. Von 1950 bis 1960 nahm das Sozialprodukt real um 114 % zu, und auch im nachfolgenden Jahrzehnt stieg es noch einmal um 54 %.[1] 1970 gab es in Deutschland praktisch keine Arbeitslosen. Man zählte gerade einmal 150.000 Personen, ein Dreißigstel der heutigen Zahl. Das Land stand in einer wirtschaftlichen Blüte, die ihm bei Kriegsende kaum jemand zugetraut hätte und um die es von seinen Nachbarn beneidet wurde.

Auferstanden aus Ruinen war allerdings nur der Westen. Der Osten besang die Auferstehung stattdessen in seiner Nationalhymne. Die sozialistische Kommandowirtschaft war außerstande, die Produktivkräfte des Landes zu entfesseln und dem Proletariat auch nur annähernd den Lebensstandard des Westens zu verschaffen. Anfang der siebziger Jahre waren die ostdeutschen Städte immer noch übersät von Ruinen, und die Fresspakete aus dem Westen waren nach wie vor hoch begehrt, um den mageren sozialistischen Speisezettel aufzubessern. Nur bei den geschönten Statistiken über Produktionsrekorde und bei den Plakatwänden, die die Industriehalden und Trümmergrundstücke verdeckten, war die DDR Spitze. Bekanntlich hatten irgendwann auch die Helden der Arbeit genug von dem Unsinn und forderten den westlichen Konsumstandard, den sie allabendlich im Fernsehen beobachten konnten, auch für sich ein. Die Konsequenzen sind bekannt.

Der Keim des Abschwungs war indes bereits auf dem Höhepunkt der westdeutschen Wirtschaftsblüte gelegt, denn dies war die Zeit, in der der Verteilungskampf an Schärfe gewann und die Belastbarkeit der deutschen Wirtschaft ausprobiert werden sollte, so jedenfalls der SPD-Politiker Jochen Steffen in einer Rede am 19. November des Jahres 1971. Der Wohlfahrtsstaat wurde ausgebaut, um alle an den wirtschaftlichen Erfolgen partizipieren zu lassen. Arbeitslosengeld und Sozialhilfe wurden verbessert, die Arbeitszeit wurde reduziert, und Frühverrentungsmöglichkeiten wurden geschaffen. Gleichzeitig wurde die Rentenversicherung auf Betreiben der FDP regelrecht ausgeplündert, indem Rentenansprüche für nur symbolische Beitragsleistungen an Selbständige verschenkt wurden. Die Staatsquote, die 1970 erst bei 39 % gelegen hatte, stieg unter der sozialliberalen Regierung binnen eines Jahrzehnts auf knapp 50 % an, wo sie bis zum heutigen Tage verharrt (vergleiche Kapitel 6).

Ermutigt durch die wirtschaftlichen Erfolge schraubten die Gewerkschaften ihre Lohnforderungen immer weiter in die Höhe. Jedes Jahr gab es erkleckliche Zulagen, und die Lohnkosten der Unternehmen wuchsen so schnell wie in kaum einem anderen entwickelten Industrieland. So stiegen die realen Stundenlohnkosten der in der Industrie Beschäftigten von

1970 bis 1980 um 60 %, und von 1980 bis zum Jahr 2000 nahmen sie noch einmal um gut 35 % zu.[2] In der Summe stiegen die realen Stundenlohnkosten von 1970 bis 2000 um 117 %; innerhalb von 30 Jahren also auf mehr als das Doppelte. Noch stärker als der Durchschnitt stiegen die Löhne am unteren Ende der Lohnskala, weil die Gewerkschaften mit ihrer Politik der festen Sockelbeträge auf eine allmähliche Nivellierung der Löhne hinarbeiteten.

Die steigenden Löhne und Abgaben setzten die Wirtschaft unter Druck und unterminierten ihre innere und äußere Wettbewerbsfähigkeit. Es fiel der deutschen Wirtschaft immer schwerer, den neuen Wettbewerbern die Stirn zu bieten, die in aller Welt auf den Plan traten und nun ebenfalls, ähnlich wie es Deutschland während der fünfziger Jahre selbst getan hatte, einen Niedriglohnwettbewerb auf den Absatzmärkten entfesselten.

Gleichzeitig machte der Sozialstaat der Wirtschaft zu schaffen, indem er Menschen immer lukrativere Alternativen zur Erwerbsarbeit anbot. Der Sozialstaat entwickelte sich zu einem mächtigen Wettbewerber der Privatwirtschaft, der ihr in vielen Fällen die Arbeitskräfte abspenstig machte, weil er bequemere Einkommensalternativen anbieten konnte. Immer weniger Firmen gelang es in der Folge, den doppelten Wettbewerb mit den Niedriglohnanbietern aus aller Welt und dem Sozialstaat zu Hause zu bestehen. Die Standortqualität verschlechterte sich dramatisch, und die Investoren suchten ihr Glück in anderen Teilen der Welt.

Der Anteil des Sozialprodukts, der für private Investitionen aufgewendet wird, hatte im Durchschnitt der sechziger Jahre bei 27 % gelegen. In den Siebzigern betrug er noch 24 %, in den Achtzigern 21 % und in den Neunzigern, bedingt durch die Vereinigungskosten, mit 22 % wieder etwas mehr.[3] Anteilig haben deutsche Unternehmen immer weniger Kapital in Deutschland und immer mehr sonst wo auf der Welt investiert, wo sie mittlerweile etwa 2,5 Millionen Arbeitsplätze schufen (vergleiche Kapitel 2). Deutschland ist heute nicht mehr das Land, wo die Unternehmer glauben, durch die Schaffung von Arbeitsplätzen Gewinne machen zu können.

Die Konsequenz der abnehmenden Investitionsquote war ein dramatischer Rückgang des Wachstumstempos und eine Zunahme der Arbeitslosigkeit. Während die westdeutsche Wirtschaft, wie erwähnt, in den ersten beiden Jahrzehnten nach der Gründung der Bundesrepublik um 114 % beziehungsweise 54 % gewachsen war, nahm sie in den siebziger Jahren (1970 – 1980) noch um 31 % zu, in den achtziger Jahren (1980 – 1990) um 23 % und in den neunziger Jahren (1990 – 2000) nur noch um 12 %.[4] Und aus den 150.000 Arbeitslosen des Jahres 1970 wurden bis zum Jahr 2003 nicht weniger als 2,8 Millionen Arbeitslose in Westdeutschland, zu denen noch einmal 1,6 Millionen Arbeitslose in Ostdeutschland hinzutraten. Dabei sind die vielen versteckten Arbeitslosen noch nicht gezählt, die auf dem Wege der Frühverrentung und der Altersteilzeit, im Rahmen von Qualifikations- und ABM-Programmen und ähnlichen Tricks aus der Arbeitslosenstatistik entfernt wurden und mit nochmals mindestens etwa einer Million zu Buche schlagen.[5]

Abbildung 1.1 zeigt, dass die Arbeitslosigkeit in Westdeutschland seit 1970 einem linearen Trend folgend anstieg, der zwar alle zehn Jahre zyklisch unterbrochen wurde, sich jedoch über drei Jahrzehnte hinweg mit unverminderter Geschwindigkeit fortgesetzt hat. Und immer, wenn es gegen Ende eines Jahrzehnts zu einer temporären Abnahme der Arbeitslosenzahlen kam, klopfte sich die jeweils amtierende Regierung auf die Schulter und sprach von einer Trendwende, die sie selbst herbeigeführt habe, aber nie war der Jubel berechtigt. Besonders deplatziert war der Jubel das letzte Mal, als die Regierung Schröder den Aufschwung der Wirtschaft, der schon vor der Wahl 1998 eingesetzt hatte, für sich reklamierte.

Die Problemlage wurde verschärft durch die deutsche Vereinigung, die wahrlich nicht so glatt vonstatten ging, wie es die Politiker vorher behauptet hatten. Weder von einem sich selbst

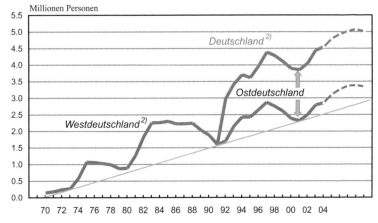

Entwicklung der Arbeitslosigkeit[1] 1970 – 2004

1) Ab 1991 Westdeutschland ohne Berlin, Ostdeutschland einschließlich Berlin.
2) 2005 – 2009 fortgeschrieben auf Basis der Trendschätzung eines strukturellen
   Zeitreihenmodells.
Quelle: Bundesanstalt für Arbeit; 2003 und 2004: Prognose des ifo Instituts, Juni 2003.

ABBILDUNG I.I

tragenden Aufschwung noch von den blühenden Landschaften, die nach »drei, vier, fünf Jahren«, so der damalige Bundeskanzler Kohl, entstehen sollten, kann die Rede sein. Die Lücke in der Wirtschaftskraft zwischen Ost und West wird seit dem Auslaufen des Fördergebietsgesetzes, das mit riesigen Subventionen anfangs ein Strohfeuer erzeugt hatte, von Jahr zu Jahr größer. Die ostdeutsche Industrie hat sich vom Kahlschlag unter der Ägide der Treuhandanstalt, bei dem drei Viertel der industriellen Arbeitsplätze verloren gingen, bis heute nicht erholt. Der Anteil der privaten Erwerbstätigen, die in der Industrie beschäftigt sind, ist im Osten nur halb so groß wie im Westen und bleibt selbst hinter dem Niveau des italienischen Mezzogiorno zurück. Obwohl ein im Vergleich zum Westen immer noch übergroßer Teil der Erwerbstätigen beim Staat beschäftigt ist, ging die Gesamtzahl der Erwerbstätigen von 9,8 auf 6,4 Millionen, also um ein gutes Drittel, zurück.

Die ostdeutsche Wirtschaft hängt seit der Vereinigung am westdeutschen Tropf und wird auf absehbare Zeit nicht auf eigenen Beinen stehen können. Jede dritte Mark, die in den neuen Bundesländern vom Staat, von den Investoren und von den privaten Konsumenten für Güter und Leistungen ausgegeben wird, ist nicht selbst erarbeitet worden, sondern kommt als geliehenes oder geschenktes Geld aus dem Westen. Noch nie hat es eine Region gegeben, die in einem prozentual so erheblichen Umfang von einer Unterstützung von außen abhängig war. Die Steuer- und Abgabenlasten, die der westdeutschen Wirtschaft durch vermeidbare Fehler bei der wirtschaftlichen Vereinigung Deutschlands auferlegt wurden (mehr dazu in Kapitel 5 und 6), tragen in nicht unwesentlichem Maße zu den aktuellen Problemen des Arbeitsmarktes bei und belasten den Standort. Unternehmen, die ihr Geld in Deutschland investieren, haben keine Illusionen darüber, dass sie die ungelösten Probleme der deutschen Vereinigung direkt oder indirekt werden mitfinanzieren müssen.

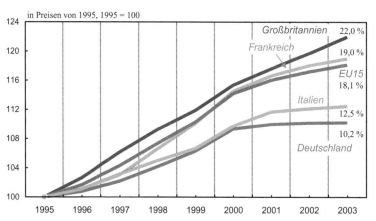

Bruttoinlandsprodukt ausgewählter EU-Länder

in Preisen von 1995, 1995 = 100

Großbritannien 22,0 %
Frankreich 19,0 %
EU15 18,1 %
Italien 12,5 %
Deutschland 10,2 %

Quelle: Eurostat, Statistisches Bundesamt und Berechnungen des ifo Instituts (Juni 2003).

ABBILDUNG I.2

Einst war Deutschland die Wachstumslokomotive Europas. Das ist nun lange vorbei. Seit Mitte der neunziger Jahre ist das Land beim Wirtschaftswachstum nur noch das Schlusslicht des Zuges. Die deutsche Wirtschaft hat sich, wie Abbildung 1.2 zeigt, in den Jahren von 1995 bis 2003 real zwar um 10,2 % vergrößert, doch die europäische Wirtschaftskraft insgesamt stieg um 18,1 % an. In der Tat wuchs Deutschland in dieser Zeitspanne mit der geringsten Wachstumsrate aller europäischen Länder. Deutschland ist der kranke Mann Europas.

Der Aufstieg Englands

Die wirtschaftliche Entwicklung der Länder verläuft in Zyklen. Mal ist das eine Land oben, mal das andere, aber vom einen Zustand zum anderen kann es Generationen dauern. Natürlich gibt es auch kurzfristige Konjunkturzyklen, die im Rhythmus von etwa zwei Jahren den Auslastungsgrad des Produktionspotenzials verändern, und es gibt Zyklen im Zehn-Jahres-Intervall, wie sie in der Abbildung 1.1 deutlich werden. Wichtiger sind aber die wirklich langen Zyklen, die über viele Jahrzehnte laufen. Insbesondere diese langfristigen Zyklen sind es, die die relative Position der Länder nachhaltig und spürbar verändern. Deutschland und England sind Paradebeispiele für das zyklische Auf und Ab im Laufe der Geschichte.

Blicken wir zurück. Die erste Hälfte des 19. Jahrhunderts gehörte Großbritannien, denn dort begann die Industrielle Revolution, und dort lag der Beginn der wirtschaftlichen Neuzeit. Dann aber zog Deutschland nach. Nach dem Sieg über Frankreich 1871 erreichte das unter preußischer Leitung wieder gegründete deutsche Kaiserreich eine ungeahnte wirtschaftliche und wissenschaftliche Blüte. Großbritannien wurde auf den Weltmärkten bedrängt, und Deutschland kam dank des stürmischen Wachstums seiner Industrieproduktion wirtschaftlich immer näher an Großbritannien heran. Im Jahr 1870 lag das deutsche Sozialprodukt pro Kopf bei 57 % des britischen, doch bis zum Jahr 1914 war es auf knapp 80 % gestiegen.[6]

Dann verlor Deutschland den Krieg und rappelte sich in der Weimarer Republik nur mühsam wieder auf. Das Land schaffte es nicht, näher an Großbritannien heranzukommen. Das Sozialprodukt pro Kopf lag im Jahr 1938 immer noch bei knapp 80 % des britischen Wertes, wo es schon vor dem Ersten Weltkrieg gelegen hatte.[7] Bei den Wissenschaften kamen in dieser Zeit die Amerikaner nach vorn, und die Kultursprache Deutsch verlor an Ansehen.

Die Situation änderte sich dann wieder nach dem Zweiten Weltkrieg. Kulturell und wissenschaftlich konnte Deutschland die Kriegsfolgen zwar bis heute nie überwinden, doch die Wirtschaft entwickelte sich zu aller Erstaunen günstig, insbesondere im Vergleich zu Großbritannien. Großbritannien konnte sich zwar im Glanz des gewonnenen Krieges sonnen, doch kam die britische Wirtschaft kaum vom Fleck. Das alte System war ja bestätigt worden, und deshalb schienen wirtschaftliche Strukturreformen überflüssig zu sein. Nur der erstarkenden Arbeiterpartei, die alsbald die Regierung übernahm, gelang es, umfangreiche sozialstaatliche Reformen durchzusetzen und die Verstaatlichung der britischen Wirtschaft voranzutreiben. Wenn dies Strukturreformen waren, so gingen sie in die falsche Richtung, denn sie trugen nicht dazu bei, die Wettbewerbsfähigkeit der Wirtschaft zu stärken. Im Gegenteil, die extrem hohen Steuern und Sozialabgaben und der weitreichende Kündigungsschutz, den die britischen Arbeiter genossen, verhinderten jeden Wandel. Die englische Wirtschaft wuchs nur noch langsam und hatte immer mehr Schwierigkeiten, mit dem Rest Europas Schritt zu halten.

So kam es, dass das britische Sozialprodukt pro Kopf in den fünfziger Jahren von Deutschland erreicht und in der Mitte der sechziger Jahre sogar überholt wurde. Ehe sich Großbritannien versah, war es zum kranken Mann Europas geworden. Die einstige Weltmacht hatte sich schmählich aus ihrer glorreichen

Geschichte verabschieden müssen, so schien es. Deutschland hingegen stürmte im Rausch seines Wirtschaftswunders so rasch davon, dass es im Jahr 1978 einen mehr als doppelt so hohen Pro-Kopf-Wert des Sozialprodukts wie Großbritannien erreichte.

Der Schock, den diese Entwicklung bei den Briten hervorrief, als sie ihrer im Laufe der Zeit endlich gewahr wurden, saß tief. Er war die Voraussetzung dafür, dass die ultra-liberale Vorsitzende der konservativen Partei, Margaret Thatcher, im Jahre 1979 die Macht erobern und sie über mehr als zwei Legislaturperioden hinweg bis zum Jahr 1990 halten konnte. In dieser Zeit hatte England seine Kulturrevolution.

Margaret Thatcher krempelte das gesamte Wirtschaftssystem Großbritanniens um, indem sie auf dem Wege umfangreicher Gesetzesreformen marktwirtschaftlichen Prinzipien und der Idee der Eigenverantwortung der Menschen mehr Gewicht verschaffte.[8] Sie scheute dabei keine Konflikte und legte sich mit mächtigen Interessengruppen an, so insbesondere mit den Gewerkschaften. Mit den Employment Acts der Jahre 1980, 1982 und 1984 schränkte sie jene Streikmaßnahmen ein, die Auswirkungen auf Dritte haben, und schaffte die verbreiteten betrieblichen Verpflichtungserklärungen zur Anerkennung der Gewerkschaften ab. Sie dünnte die »Closed-shop«-Praktiken aus, mit denen die Gewerkschaften versucht hatten, nicht organisierte Arbeitnehmer aus den Betrieben zu verbannen, und sie ergriff Maßnahmen zur Stärkung der innergewerkschaftlichen Demokratie, um mafiöse Seilschaften bei den Gewerkschaften aufzutrennen. Margaret Thatcher privatisierte öffentliche Unternehmen mit hohem gewerkschaftlichen Organisationsgrad. Sie begünstigte die Einführung gewinnbezogener Lohnbestandteile und förderte den Wechsel in die Selbständigkeit. Vor allem trieb sie die Deregulierung der Wirtschaft voran, indem sie unter anderem den Arbeitsmarkt von staatlichem Regelwerk befreite. Sie führte eine große Einkommensteuerreform durch, mittels derer der Spitzensteuersatz der persönlichen Einkommensteuer von 60% auf 40% gesenkt wurde. Die Staatsquote fiel während der Regierungszeit von Margaret Thatcher, also in der Zeit von 1979 bis 1990, um fast vier Prozentpunkte. Margaret Thatcher grub der staatlichen Rentenversicherung das Wasser ab, indem sie den Umstieg vom staatlichen Umlagesystem auf ein privates, kapitalgedecktes System prämierte. Sie betrieb einen harschen Sozialabbau in vielen Bereichen, der sich von der Wohngeldkürzung bis zur Kürzung der Sozialhilfe erstreckte. Sie schuf indes auch ein neues System der Unterstützung der Armen, das an die Aufnahme von Arbeit geknüpft war. Sie privatisierte die staatlichen Monopolbetriebe und öffnete die jeweiligen Märkte dem Wettbewerb. Sie stieß mit ihren Reformen in ganz Europa eine Privatisierungswelle an, die das Gesicht des alten Kontinents veränderte. Davon hat übrigens auch Deutschland profitiert, denn ohne die Thatcher'schen Reformen wäre hier zu Lande weder der Strommarkt noch der Telekommunikationsmarkt liberalisiert worden, und die erheblichen Preissenkungen, von denen die deutschen Verbraucher in den letzten Jahren profitieren konnten, hätte es nicht gegeben.

Freilich waren die Sozialreformen Margaret Thatchers nicht über jeden Zweifel erhaben. Dem klassischen deutschen Sozialpolitiker steht das blanke Entsetzen ins Gesicht geschrieben bei der Vorstellung, dass solche Reformen eines Tages in Deutschland realisiert werden könnten. In der Tat ist Margaret Thatcher über ihr Ziel hinausgeschossen. Die Armut, die ihre Politik hervorgerufen hat, kann der Tourist bei den Londoner Bettlern sehen, die sich neben den Abluftschächten der Häuser wärmen, und wer einmal mit der englischen Eisenbahn gefahren ist, wird merken, dass man nicht alles privatisieren kann, was sich in Staatshand befindet.

Dennoch war der Thatcherismus, wie man ihr Programm bald nannte, ein Riesenerfolg für Großbritannien. Die Eiserne Lady hat ihr Land zurück auf einen Erfolgskurs gebracht, der alle Erwartungen übertraf und die Kritiker und Zauderer verstummen ließ. Die Erfolge zeigten sich zwar großenteils erst nach dem Verlust ihres Regierungsamtes, waren dafür aber umso nachhaltiger. John Major und Tony Blair konnten sich in ihnen sonnen, und viele britische Regierungschefs werden es ihnen nachtun können.

Die Arbeitslosigkeit, die vor Beginn der Amtszeit von Margaret Thatcher deutlich über dem deutschen Niveau gelegen hatte, stieg zwar bis zur Mitte der achtziger Jahre weiter an, fiel danach aber mit Schwankungen und unterschritt 1997 schließlich das deutsche Niveau. Seit Mitte der neunziger Jahre sank die Arbeitslosenquote rasch und beständig weiter ab. Selbst in der weltwirtschaftlichen Flaute des Jahres 2002, als Deutschlands Arbeitslosenquote bereits auf 7,8 % geklettert war, hatte Großbritannien nur eine Quote von 5,2 %.[9]

Besonders erfolgreich war die Politik bei der Ankurbelung des Wirtschaftswachstums. Wie Abbildung 1.2 zeigt, ist die reale Wirtschaftskraft Großbritanniens in der Zeitspanne von 1995 bis 2003 um fast 12 % mehr gewachsen als die Wirtschaftskraft Deutschlands und sogar um 4 % mehr als jene der EU insgesamt. Es ist bemerkenswert, dass das Land sogar in den Flautenjahren 2002 und 2003 weiter zulegen und stolze Wachstumsraten von gut eineinhalb Prozent verzeichnen konnte. Das sind Werte, über die Deutschland sich schon in besseren Jahren gefreut hat und die auf jeden Fall weit über den jämmerlichen Raten von 0,2 % und 0 % liegen, die Deutschland in den Jahren 2002 und 2003 aufzuweisen hat.

Das genau zeigt das Problem. Deutschland ist von weltwirtschaftlichen Flauten genauso betroffen wie andere Länder, zusätzlich aber stimmt etwas nicht beim langfristigen Wachstumstrend. Die Dynamik des Landes ist erloschen. Deutschland hat nicht in erster Linie ein von der Weltwirtschaft her kommendes Konjunkturproblem, wie manche Politiker immer wieder behaupten, sondern ein hausgemachtes Strukturproblem. Deshalb sind auch keine konjunkturbelebenden Maßnahmen zur Lösung des Problems erforderlich, sondern strukturelle Reformen, die jenseits des Konjunkturzyklus eine langfristige Verbesserung der Rahmenbedingungen des Wirtschaftens bedeuten.

Auch Frankreich, Holland und Österreich überrunden Deutschland

Im Wahlkampf des Jahres 2002 hatte Franz Müntefering, der damalige SPD-Generalsekretär, behauptet, die vergleichsweise schlechte Figur, die Deutschland beim Wachstum mache, erkläre sich daraus, dass die anderen Länder aufholen. Deutschland habe eben schon ein hohes Wohlstandsniveau erreicht, und nun würden die anderen europäischen Länder im Zuge der fortschreitenden Integration des Kontinents zu Deutschland aufschließen. Deshalb hätten sie temporär, bis zum Abschluss des Aufholprozesses, eine höhere prozentuale Wachstumsrate.

Das ist eine schöne Theorie, aber nicht alle schönen Theorien stimmen. Die bittere Wahrheit ist nämlich, dass Deutschland derzeit auch beim absoluten Wohlstandsniveau von einem Land nach dem anderen überrundet wird. Deutschland ist heute in der gleichen Lage wie England gegen Ende der sechziger Jahre. Die Wirtschaftskraft wächst nicht nur langsamer, sondern ist bereits niedriger als in vielen anderen Ländern.

Abbildung 1.3 illustriert dies anhand der Kurven der Sozialproduktswerte je Kopf der Bevölkerung von 1960 bis zum Jahr 2003, wie sie in den offiziellen Statistiken angegeben sind. Der Anstieg dieser Kurven ist durch die reale Wirtschaftsentwicklung, durch die Inflation und durch die Wechselkursentwicklung bestimmt. Insofern entspricht er nicht unbedingt der realen Verbesserung der Wirtschaftskraft. Der Vergleich zwischen den Ländern ist aber gleichwohl aufschlussreich, weil er die relative Marktbewertung der Sozialprodukte der ver-

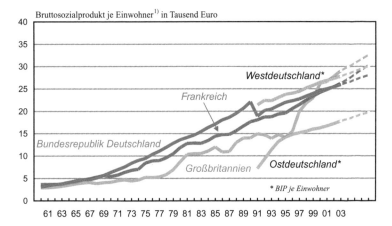

Frankreich und England auf der Überholspur

Bruttosozialprodukt je Einwohner[1] in Tausend Euro

*Westdeutschland**

Frankreich

Bundesrepublik Deutschland

Großbritannien *Ostdeutschland**

* BIP je Einwohner

61 63 65 67 69 71 73 75 77 79 81 83 85 87 89 91 93 95 97 99 01 03

1) In jeweiligen Preisen und Wechselkursen. Trendrück- und -vorausrechnung auf der
Basis der BIP-Wachstumsraten für die Jahre 1960 – 1969 und 2002 – 2003.
Quelle: OECD, National Accounts, 2002; Arbeitskreis Volkswirtschaftliche Gesamtrechnungen der Länder,
Januar 2003; Deutsche Bundesbank, 2003; Berechnungen des ifo Instituts.

ABBILDUNG 1.3

schiedenen Länder widerspiegelt. Über lange Zeiträume kann
man den Vergleich zwischen den Ländern immer nur sinnvoll
zu herrschenden Preisen und Wechselkursen vornehmen.[10]

Die deutsche Kurve zeigt die Entwicklung des Bruttosozialprodukts pro Kopf für die Bundesrepublik Deutschland in ihrem
jeweiligen Umfang, also bis 1990 ohne die neuen Länder und
danach mit ihnen. Man sieht, dass das Sozialprodukt der Bundesrepublik zum Zeitpunkt der Wiedervereinigung nach unten
abknickt. Dies ist der rechnerische Effekt der Eingliederung
Ostdeutschlands in die Bundesrepublik Deutschland. Wegen
der niedrigen Wirtschaftskraft im Osten fällt der bundesdeutsche Durchschnitt. Aber auch danach geht die Reise nicht mehr
so zügig voran wie zuvor. Andere Länder kommen immer näher
und haben Deutschland zum Teil auch schon überholt.

Bemerkenswert ist die Entwicklung Großbritanniens. Die

Stagnation des Landes in den siebziger Jahren, die der Wahl von Margaret Thatcher im Jahr 1979 vorausging, ist deutlich zu erkennen. Man sieht, dass der prozentuale Abstand zwischen der britischen und der deutschen Kurve im Bereich des Jahres 1977 maximal war. Damals war das britische Sozialprodukt pro Kopf nur halb so groß wie das deutsche. Das war die Konstellation, die Margaret Thatcher an die Macht brachte. Mit ihrer Amtsübernahme hat sich das Blatt aber total gewendet. Es gab in Großbritannien einen gewaltigen Wachstumsschub, der bereits in den achtziger Jahren einsetzte, sich dann in den neunziger Jahren abermals beschleunigte und schließlich bewirkte, dass Großbritannien Deutschland im Jahr 2000 überholte. Sicherlich ist in dem Anstieg seit Mitte der neunziger Jahre auch die Aufwertung des Pfundes enthalten, doch wie wir aus Abbildung 1.2 wissen, wuchs die englische Wirtschaft trotz des schon seit längerem hohen Kurses des britischen Pfundes auch in realer Rechnung stürmisch weiter. Sie hat heute tatsächlich die Nase vorn. Wenn das Pfund wieder an Wert verlieren sollte, dann wird auch von daher die Kurve wieder nach unten gedrückt, doch ist der reale Wachstumsschub in Großbritannien in den letzten Jahren so erheblich gewesen, dass der britische Wert für das Pro-Kopf-Einkommen in den nächsten Jahren nur bei einer erheblichen Abwertung wieder unter das deutsche Niveau gedrückt werden kann. Fest steht jedenfalls, dass England Deutschland nach den Rechenmethoden der offiziellen Statistik, also bei einer Bewertung des Sozialproduktes zu den tatsächlichen Marktpreisen, bereits sehr deutlich überholt hat.

Angesichts der Begleitumstände des fehlgeschlagenen Engagements von BMW bei Rover und des in Deutschland nach wie vor schlechten Images der britischen Wirtschaft müssen die Zahlen ungläubiges Erstaunen hervorrufen. Sie passen so gar nicht zum deutschen Selbstverständnis der international führenden Wirtschaftsnation. Aber dieses Selbstverständnis reflektiert ein Bild aus der Vergangenheit, das schon lange nicht mehr stimmt. Es berücksichtigt nicht die britischen Erfolge bei den modernen Technologien inklusive der Computer- und Softwarebranche, und auch nicht die Erfolge im Dienstleistungsbereich, insbesondere nicht den Umstand, dass um London herum, getragen durch einen stürmisch wachsenden Markt für Finanzdienstleistungen, die reichste Region Europas entstanden ist. Wahrnehmung und Wirklichkeit klaffen bezüglich Großbritanniens gerade bei den Deutschen erheblich auseinander.

Dass Großbritannien Deutschland überholt hat, liegt nicht allein an der deutschen Vereinigung. Selbst wenn man nur die Zahlen für Westdeutschland zum Vergleich nimmt, hatte Großbritannien im Jahr 2003 die Nase bereits vorn.[11]

Das Wahrnehmungsdefizit der Deutschen beschränkt sich nicht auf Großbritannien. Von Frankreich wurden wir gleichfalls gerade überholt. Da der Wechselkurs zu Frankreich schon lange vor dem Euro konstant war, kommen hier Wechselkurseffekte nicht zur Erklärung des Überholmanövers in Frage. Auch Frankreich hatte früher eine sehr viel geringere Wirtschaftskraft als die Bundesrepublik. Mitte der siebziger Jahre lag es mit Großbritannien bei ungefähr der Hälfte des deutschen Wertes, und Mitte der achtziger Jahre betrug die französische Wirtschaftskraft je Kopf nur etwa 80 % der deutschen.

Dies war einer der Gründe dafür, dass die Franzosen Deutschland in die EU einbinden wollten und die enge wirtschaftliche Kooperation suchten, die zur Schaffung des Binnenmarktes und zum Euro führte. Die französische Strategie ist aufgegangen. Die EU war für Frankreich nicht nur politisch, sondern auch wirtschaftlich eine Erfolgsstory, viel mehr, als sie es jemals für Deutschland werden konnte. Die Krönung dieses Erfolgs war die Überholung Deutschlands im Jahr 2002. Die Korken der Champagner-Flaschen knallten laut, als die Franzosen die neuen Statistiken vernahmen.

Auch dieses Ereignis haben die Deutschen noch nicht

34

bemerkt. Das Bild von der französischen Wirtschaft, das sie sich machen, läuft der Wirklichkeit um Jahrzehnte hinterher. Frankreich ist nicht mehr das Land der klappernden Ente und des rostigen Renault. Es ist ein Hightech-Land geworden, das insbesondere bei der Atomtechnik, der Raumfahrt und der Gentechnologie Spitzenleistungen vollbringt, und selbst in der Automobilindustrie, der einzigen noch verbleibenden Domäne Deutschlands, gewinnt Frankreich in letzter Zeit Marktanteile in Europa.

Die Liste der Länder, die Deutschland überholt haben, lässt sich verlängern. Abbildung 1.4 zeigt die kleinen Tiger Europas, nämlich Holland, Österreich und Irland. Die beiden Nachbarländer Deutschlands lagen lange Zeit etwas zurück, haben sich aber im Jahr 1999 vor Deutschland geschoben. Vorbei ist die Zeit, als man mitleidig auf die etwas rückständige Alpenrepublik schauen und den holländischen Nachbarn mehr Mumm wünschen konnte.

Die kleinen Tiger der EU

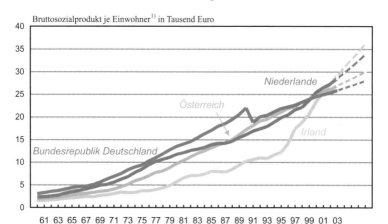

1) In jeweiligen Preisen und Wechselkursen. Trendrück- und -vorausrechnung auf der Basis der BIP-Wachstumsraten für die Jahre 1960 – 1969 und 2002 – 2003.

Quelle: OECD, Annual National Accounts, 2002; Deutsche Bundesbank, 2003; Berechnungen des ifo Instituts.

ABBILDUNG 1.4

Die Entwicklung Österreichs ist wirklich beeindruckend. Noch im Jahr 1970 lag das Sozialprodukt Österreichs bei nur 59 % des westdeutschen Wertes. Der Austro-Marxismus hielt das Land umklammert, und man traute sich nicht, den Neutralitätspakt mit der Sowjetunion durch die Entscheidung für liberalere Wirtschaftsgesetze zu unterlaufen. Bruno Kreisky hatte das Land mit seiner SPÖ fest im Griff. Dann aber begann die Zeit der Entspannung. Michail Gorbatschow schien mehr Freiheiten zu gewähren, und Österreich wagte es, sich zu öffnen, zuletzt vor allem durch die Mitgliedschaft in der Europäischen Union, die man trotz des Vertrags mit der Sowjetunion anstrebte und im Jahr 1995 dann auch erhielt. Das alles hat das Wachstum beflügelt und schließlich dazu geführt, dass das durch die Vereinigung geschwächte Deutschland überholt werden konnte. Nun schauen die Österreicher von ihren hohen Bergen mitleidig auf die Deutschen herab und sind zu Recht stolz auf das, was sie erreicht haben.

Bemerkenswert ist auch die Entwicklung Irlands. Irland gehörte in den sechziger Jahren zu den Armenhäusern Europas und lag mit seiner Pro-Kopf-Produktion unter 50 % des deutschen Wertes. Verschiedene Effekte haben dann aber zusammengewirkt und diesem Land auf lange Zeit die bei weitem höchsten Wachstumsraten Europas beschert. Zu nennen ist hier neben dem EG-Beitritt im Jahr 1973 vor allem die Niedrigsteuerpolitik mit einem Einkommensteuersatz von nur 10 % für die großen Unternehmen, die ganz bewusst darauf ausgerichtet war, international mobiles Kapital anzulocken. Hinzu kam eine extrem liberale Wirtschaftspolitik nach amerikanischem Muster, die das Maß der Regulierung der Unternehmen gering hielt, sowie ein weit gehender Verzicht auf sozialstaatliche Einrichtungen. Irland hat heute mit nur 32 % eine der niedrigsten Staatsquoten ganz Europas[12], und es hat auch dank seiner niedrigen Sozialabgaben erst etwa 60 % der westdeutschen Lohnkosten erreicht (vergleiche Abbildung 5.5, Kapitel 5). Das Land schaffte im Durchschnitt der neunziger Jahre eine reale jährliche Wachstumsrate von 6,5 %. Selbst im Flautejahr 2002, als die deutsche Wirtschaft überhaupt nicht mehr wuchs, legten die Iren immer noch real um 3,3 % zu. Irland ist bei seinem Pro-Kopf-Sozialprodukt inzwischen weit über den europäischen Durchschnitt und auch über Deutschland hinausgeschossen, ohne dass eine Abschwächung des Wachstumstrends erkennbar wäre. Irland ist heute das Wirtschaftswunderland Europas.

Manchmal wird behauptet, die irischen Leistungsdaten, die die offizielle Statistik ausweist, seien insofern übertrieben, als bekanntlich Steuerflüchtlinge aus aller Welt ihre Gewinne nach Irland verlagerten. Da diese Gewinne bei der Wirtschaftskraft mitgezählt würden, habe das Land Deutschland in Wahrheit erst ganz knapp überholt.[13] Das aber ist nicht richtig, denn Abbildung 1.4 bezieht sich auf das Bruttosozialprodukt, also das Brutto*inländer*produkt, und nicht etwa das Brutto*inlands*produkt pro Kopf. Letzteres enthält in der Tat die Gewinneinkommen, die an Ausländer fließen, und es liegt um 18 % über Ersterem. Die Kurve Irlands läge noch sehr viel höher, wenn sie das Bruttoinlandsprodukt statt des Bruttosozialprodukts zeigen würde. Nein, die Abbildung zeigt tatsächlich die niedrigere der beiden Größen, nämlich das Sozialprodukt, und damit das von den Iren selbst erwirtschaftete Einkommen. Dass dieses Einkommen unter anderem deshalb so schnell ansteigen konnte, weil die massiven Kapitalimporte, die Irland durch niedrige Steuern und Löhne anlocken konnte, die irischen Löhne und Bodenerträge über indirekte Effekte erhöht haben, ist natürlich richtig. Aber das ist es eben, was eine hohe Standortqualität ausmacht. Wir Deutschen könnten uns im Hinblick auf die Entwicklung in den neuen Ländern vom irischen Beispiel eine Scheibe abschneiden.

Und Deutschland wurde ja schließlich nicht nur von Irland überholt. Zu der immer länger werdenden Liste der Länder, die die Nase vorn haben, gehört auch ein so unverdächtiges Land wie Finnland. Da die finnische Währung eher im Ver-

dacht steht, unterbewertet als überbewertet in den Euro über-
führt worden zu sein, ist dies sicherlich kein Wechselkurseffekt.
Bei einem den wirklichen Verhältnissen angemesseneren Kurs
läge die finnische Kurve noch höher, als es in der Abbildung
verdeutlicht ist.

Finnland ist heute nicht mehr nur das kleine Land im Norden an der russischen Grenze, in dem neben den Saunas, Seen
und Holzproduzenten nur noch ein konkursreifer Fernsehproduzent namens Nokia zu finden ist. Das Land hatte zwar beim
Untergang der Sowjetunion eine große Wirtschaftskrise, die
man an der Kurve sehr deutlich sieht, aber dann hat es sich,
auch gestützt durch den EU-Beitritt im Jahre 1995, aufgerap-
pelt und zu einem soliden Wachstum gefunden. Auch Finnland
liegt seit dem Jahr 2000 vor Deutschland, und der ehemalige
Fernsehproduzent Nokia ist heute die Firma mit der höchsten
Börsenkapitalisierung in ganz Europa.

Dichter, Denker und der schiefe Turm von Pisa

Mit dem wirtschaftlichen Niedergang Deutschlands ging leider auch ein erheblicher Verlust der kulturellen Bedeutung und
Leistungskraft unseres Landes einher. Auch dort, wo das Land
der Dichter und Denker seine Stärken vermutet, stehen die
Dinge nicht mehr zum Besten.

In der Zeit von der zweiten Hälfte des 19. Jahrhunderts bis
zum Ersten Weltkrieg war Deutschland das Land, von dem
wissenschaftliche und kulturelle Impulse ausgingen wie von
keinem anderen Land. Das deutsche Rechtssystem wurde in
eine Reihe von anderen Ländern exportiert und mit ihm die
Institutionen, die die moderne Industriegesellschaft kennzeichnen. Auch die deutschen Sozialgesetze wurden in sehr vielen Ländern kopiert und entwickelten sich zur Basis der sozialen Marktwirtschaft europäischer Prägung.

Besonders ausgeprägt war die Führung im wissenschaftlichen Bereich. Das Schulsystem Wilhelm von Humboldts galt als vorbildlich, und die deutschen Universitäten beherbergten die Forschereliten dieser Welt. Zwischen 1901 und 1933 gingen 10 der 31 Physik-Nobelpreise, 14 der 28 Chemie-Nobelpreise und 6 der 27 Medizin-Nobelpreise nach Deutschland.[14] Zugleich kam der Löwenanteil der Erfindungen aus diesem Land. Die Naturwissenschaften waren damals unangefochten die Domäne der Deutschen, und noch heute basiert ein Großteil des technischen Wissens, das die moderne Industriegesellschaft begründet und ihren wirtschaftlichen Wohlstand erklärt, auf Erfindungen und Forschungsergebnissen, die aus Deutschland stammen. Der Bogen der technischen Erfindungen umschließt das Telefon des Johann Philipp Reis (1861), die Elektrolokomotive des Franz von Siemens (1879), das erste Motorrad des Gottlieb Daimler (1885), das erste Auto des Karl Benz (1885), den Viertaktmotor von Nikolaus August Otto (1876), den Dieselmotor von Rudolph Diesel (1892), das erste Düsenflugzeug, die Heinkel HE 178, des Hans Joachim-Pabst von Ohain (1939), die erste Flüssigkeitsrakete des Wernher von Braun (1926) und den ersten Elektronenrechner des Konrad Zuse (1941). Die Atomphysik mit den zentralen theoretischen Erkenntnissen stammt genauso aus Deutschland wie die moderne organische Chemie. Die Dominanz der deutschen Naturwissenschaften war bis in die dreißiger Jahre des letzten Jahrhunderts so allgegenwärtig, dass Deutsch zeitweilig sogar zur internationalen Wissenschaftssprache wurde. Ausländische Wissenschaftler publizierten ihre Ergebnisse in deutscher Sprache, und in Amerika gab es sogar wissenschaftliche Zeitschriften, die auf Deutsch herauskamen.

In der Tat war der Einfluss auf die Entwicklung der Wissenschaften in den Vereinigten Staaten von Amerika erheblich. Ausgehend von der Johns Hopkins University in Baltimore bauten die amerikanischen Universitäten Graduiertenprogramme nach deutschem Muster auf, und der deutsche »Wissenschaftsgeist« und die »Lehr- und Lernfreiheit« wurden das intellektuelle Denkmodell vieler amerikanischer Universitäten. Noch heute lautet das deutschsprachige Motto der Universität Stanford in Kalifornien »Die Luft der Freiheit weht«. Es handelt sich dabei um eine Übersetzung eines lateinischen Ausspruchs des deutschen Reformators Ulrich von Hutten in die deutsche Sprache, die der erste Präsident der Stanford University, David Starr Jordan, zum Sinnspruch für seine Universität gemacht hatte.[15]

Seit der intellektuellen Hochblüte unseres Landes sind inzwischen 100 Jahre vergangen, und nichts ist mehr so, wie es einmal war. Die deutschen Wissenschaftler erkämpfen nach den kriegsbedingten Rückständen mühsam wieder einen Platz als gleichberechtigte und gleich befähigte Partner in der Weltgemeinschaft, aber sie tun sich schwer in diesem Land. Sie sind nicht mehr die »weltlichen Fürsten«, die sie in der Kaiser-Wilhelm-Gesellschaft, der heutigen Max-Planck-Gesellschaft, hatten sein sollen, nicht mehr Eliten, die den Weg in die Weltspitze gingen, sondern Sachbearbeiter eines egalitären Wissenschaftsbetriebs, dem herausragende Positionen verdächtig sind und der sie durch das »Besserstellungsverbot« des öffentlichen Dienstes wirksam ausbremst. Nur einige Star-Disziplinen, wie die Physik und die Chemie, haben unter den schwierigen Verhältnissen der heutigen Zeit immer noch guten Anschluss an die Forschungsfront behalten. Die meisten Disziplinen werden international kaum noch zur Kenntnis genommen. Aber auch die Star-Disziplinen sind lange nicht mehr das, was sie einmal waren. Zwischen 1970 und 2002 gingen von 33 Physik-Nobelpreisen 5, von 33 Chemie-Nobelpreisen 3 und von 33 Medizin-Nobelpreisen 2 nach Deutschland.[16]

Besonders groß sind auch die Rückstände im Schulwesen. Das hat die PISA-Studie der OECD dem letzten Optimisten klar gemacht.[17] In praktisch allen Tests, insbesondere aber auch bei der Sprachkompetenz und der Mathematik, liegt die Leistung deutscher Schüler von 15 Jahren deutlich unter dem OECD-Durchschnitt. Abbildung 1.5 zeigt nur einmal das Ergebnis für

Schulleistung im internationalen Vergleich: Mathematik

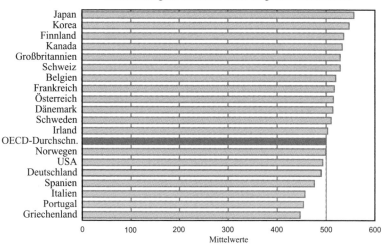

Japan
Korea
Finnland
Kanada
Großbritannien
Schweiz
Belgien
Frankreich
Österreich
Dänemark
Schweden
Irland
OECD-Durchschn.
Norwegen
USA
Deutschland
Spanien
Italien
Portugal
Griechenland

0   100   200   300   400   500   600
Mittelwerte

Quelle: OECD, Knowledge and Skills for Life, First Results from the OECD Programm for
International Student Assessment (PISA) 2000: Annex B1, P. 264, table 3.6, Paris 2001.

ABBILDUNG 1.5

die Mathematik, weil dieses Ergebnis eher einen objektiven Vergleich über Ländergrenzen hinweg gestattet als zum Beispiel die Sprachtests. Es wundert wenig, dass unser Schulsystem nicht mit den fast militärisch geführten Schulsystemen Japans und Koreas mithalten kann, doch es muss zu denken geben, dass Deutschland so weit abgeschlagen hinter Finnland, der Schweiz, Österreich, Großbritannien oder Frankreich liegt. Deutschlands Schüler haben sogar noch schlechtere Noten als die Schüler der USA, wo die Schulen, abgesehen von den privaten Spitzeninstituten, bekanntlich in einem beklagenswerten Zustand sind. Der Turm von Pisa hängt schief, aber in Deutschland hängt er so schief, dass man Angst davor haben muss, dass er umfällt.

Sicher, die Studie erfasst vielleicht insofern nicht den wahren Sachverhalt, als es die spezifischen Leistungen des deutschen Berufsschulsystems, das in aller Welt bewundert wird, nicht berücksichtigt. Dazu sind die Fünfzehnjährigen, die untersucht wurden, zu jung. Auch berücksichtigt die Studie nicht, dass die Einschulung in Deutschland später als in anderen Ländern stattfindet und dass es in Deutschland die Möglichkeit des Sitzenbleibens gibt, was bei den Fünfzehnjährigen einen Leistungsrückstand impliziert, der später großenteils wieder aufgeholt wird. Dennoch: Im Ganzen gesehen kann man die Studie, die in Deutschland übrigens unter Beteiligung des Berliner Max-Planck-Instituts für Bildungsforschung durchgeführt wurde und auf die Besonderheiten des deutschen Systems sehr wohl Rücksicht nahm, nicht kritisieren. Sie zeigt in aller Deutlichkeit, dass wir Deutschen unsere Kraft aus der Vergangenheit ziehen, und nicht aus der Gegenwart. Wir wiegen uns in der Illusion, immer noch das Land der Dichter und Denker zu sein, doch in Wahrheit können wir bei der Bildung bestenfalls ein Mittelmaß unter den 28 OECD-Ländern halten, also jenen Ländern, die als entwickelt gelten können.

Das kann so nicht hingenommen werden. Nicht nur die Wirtschaft, auch das Bildungssystem muss dringend verbessert werden. Die Palette der Maßnahmen, über die man wird diskutieren müssen, um das Bildungssystem zu verbessern, umschließt die Einführung von Ganztagsschulen, die Verbesserung der vorschulischen Ausbildung, Zentralprüfungen, höhere Lehrergehälter zwecks Anwerbung besseren Personals, Qualitätskontrollen für Schulen und bessere Anreize für Lehrer, eine spätere Trennung der Schulzweige zur Hebung von Leistungsreserven und die Herstellung von Wettbewerb zwischen den Hochschulen. Dieses Buch kann das alles nicht diskutieren, sondern wird das Bildungsthema nur am Rande streifen, sofern es für die Erörterung unserer schon heute sichtbaren wirtschaftlichen Probleme von Bedeutung ist. Eine umfassende Analyse muss den Fachleuten überlassen werden.

Ob die Bildungsschwäche bereits zu den Gründen für die aktuelle wirtschaftliche Krise unseres Landes gehört, lässt sich schwer sagen. Sie mag, wie in Kapitel 4 diskutiert wird, ihren Beitrag zur ausgeprägten Arbeitslosigkeit im Niedriglohnsek-

tor geleistet haben. Auf jeden Fall sind aber die Bildungsschwäche und die Wirtschaftkrise das gemeinsame Ergebnis
einer falschen Schwerpunktsetzung der Politik, die in den letzten 30 Jahren alles daransetzte, den deutschen Sozialstaat auszubauen. Der Sozialstaat hat das Geld verschlungen, das man
auch in die Bildung hätte investieren können, und er hat den
Arbeitsmarkt ausgehebelt, indem er bequeme Alternativen zur
Erwerbstätigkeit geschaffen hat. Noch sind die Rückwirkungen der schlechten Bildung auf die Wirtschaft nicht offenkundig. Noch leben wir davon, dass wir eine gut ausgebildete Facharbeiterschaft und erstklassige Ingenieure haben. Dass
Deutschland bei den Patent-Statistiken immer noch in der
internationalen Spitzengruppe rangiert, ist hierauf zurückzuführen. Aber Gefahr ist im Verzug, und ihr gilt es rechtzeitig
entgegenzuwirken. Maßnahmen, die heute ergriffen werden,
um das Bildungsniveau zu verbessern, werden sich ab den
zwanziger Jahren am Arbeitsmarkt auszahlen, denn dann werden die anders ausgebildeten Schüler im Arbeitsleben stehen.

Japanische Pleitegeier im Anflug

Lenken wir den Blick zurück von der Bildung zur Wirtschaft.
Ein Land, das bei der Bildung ganz oben, doch beim Wirtschaftswachstum ganz unten steht, ist Japan. Japan leidet schon
über zehn Jahre unter ganz ähnlichen Problemen wie Deutschland heute. Das Land steckt in einer Dauerkrise mit massen-
haften Konkursen, aus der es sich, wie es scheint, nicht befreien
kann. Japan ist für Deutschland von großem Interesse, weil es
möglicherweise eine Entwicklung vorweggenommen hat, die
uns noch bevorsteht. Hoffentlich sind die japanischen Pleitegeier nicht schon im Anflug auf unser Land.
  Die japanische Wirtschaft ist seit Beginn der neunziger Jahre kaum noch gewachsen. In den acht Jahren von 1995 bis 2003,
während derer das europäische Schlusslicht Deutschland nur

um 11 % wuchs, legte die japanische Wirtschaft nicht einmal um 7 % zu, und in den Jahren 2001 und 2002 ist das Sozialprodukt sogar geschrumpft. Japan befindet sich in einer schleichenden Stagnation, die in eine Krise des gesamten Staatswesens zu münden droht.

Japan war nach der Abwertung des Dollar, die im Gefolge der amerikanischen Steuerreform des Jahres 1986 und massiver Notenbankinterventionen (Plaza Agreement) zustande kam, in eine Situation der Überbewertung seiner Währung geraten. Japanische Produkte wurden dadurch für Ausländer teurer, und die Wettbewerbsfähigkeit der japanischen Wirtschaft wurde gegenüber den neu erstarkenden asiatischen Tigerstaaten erheblich beeinträchtigt. Das Land war zwar produktiv, aber doch auch sehr teuer, und noch heute gehören die japanischen Löhne zu den höchsten der Welt. Die Zeiten des Billiglohnlandes Japan sind lange vorbei. Zugleich ist die japanische Wirtschaft durch außerordentlich starre Arbeitsmärkte mit praktisch lebenslangem Kündigungsschutz gekennzeichnet, der selbst das in Deutschland gewohnte Maß überschreitet. Zusammen haben diese Aspekte eine Strukturkrise größeren Ausmaßes hervorgerufen oder ermöglicht, für deren Lösung sich keinerlei Anhaltspunkte zeigen, zumal China beginnt, mit seinen Produkten den asiatischen Markt zu überschwemmen.

Die japanische Notenbank hat sich gegen die Krise gestemmt, indem sie die kurzfristigen Zinsen nun schon seit Jahren bei null hält, und der Staat hat mittels gigantischer Ausgabenprogramme versucht, die Konjunktur anzukurbeln. Aber das alles hat nicht geholfen. Stattdessen sind die Staatsschulden innerhalb eines Jahrzehnts von 60 % auf 150 % des Sozialprodukts hochgeschnellt, was die Glaubwürdigkeit des gesamten Staatswesens unterminiert hat.

Die Strukturkrise wird insbesondere an den enormen Problemen japanischer Banken sichtbar. Anfangs, in den Jahren 1990 und 1991, waren die Banken durch den dramatischen Ver-

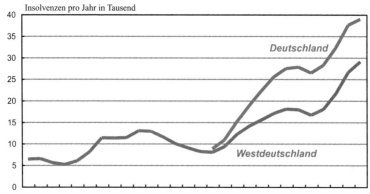

Unternehmensinsolvenzen[1] in Deutschland

Insolvenzen pro Jahr in Tausend

Deutschland

Westdeutschland

76 77 78 79 80 81 82 83 84 85 86 87 88 89 90 91 92 93 94 95 96 97 98 99 00 01 02 03

1) 1999: Änderung des Insolvenzrechts, mit geringfügigen Auswirkungen auf die Unternehmensinsolvenzen; Westdeutschland ohne Berlin-West, 2003: Insolvenzverfahren für das 1. Quartal, hochgerechnet auf das Jahr.

Quelle: Statistisches Bundesamt, Fachserie 2 Unternehmen und Arbeitsstätten, Reihe 4.1 Insolvenzverfahren.

ABBILDUNG I.6

fall der Aktienkurse eines Teils ihrer Vermögensbestände beraubt worden. Dann machte ihnen die wachsende Zahl von Unternehmensinsolvenzen zu schaffen. Die Banken blieben auf einem immer größeren Teil ihrer Kredite sitzen und rutschten Jahr um Jahr tiefer in eine Krise, die sie nun aus eigener Kraft kaum noch bewältigen können.

Diese Aspekte der japanischen Entwicklung müssen auch in Deutschland Besorgnis auslösen, denn auch hier zu Lande sind die Banken und Lebensversicherer in den letzen drei Jahren in eine Krise geraten, die in der Nachkriegszeit ihresgleichen nicht hatte. Auslöser der Krise war auch in Deutschland der Aktienkursverfall, der dramatische Ausmaße angenommen hatte und sowohl den Verfall der europäischen als auch den Verfall der amerikanischen Kurse weit übertraf. Hinzu kommt aber die wachsende Zahl an Unternehmensinsolvenzen, die sich insbesondere in den neuen Bundesländern konzentrieren und mittlerweile beängstigende Ausmaße erreicht haben. Die Zahl der Insolvenzen ist heute dreimal so hoch wie noch vor zehn Jahren und, selbst wenn man Westdeutschland allein rechnet, fünfmal so hoch wie vor 30 Jahren. Jede Insolvenz bedeutet, dass der Gläubiger sein Geld nicht zurückbekommt, und in den allermeisten Fällen ist dieser Gläubiger eine Bank. Abbildung 1.6 verdeutlicht diese Entwicklung.

Deutsche Geschäftsbanken müssen wegen dieser Insolvenzen sehr hohe Wertberichtigungen für faule Kredite vornehmen. Die Summen sind wahrhaft bedrohlich, viel größer, als es sich selbst die größten Pessimisten vor kurzem noch haben vorstellen können. So mussten allein die Commerzbank, die Deutsche Bank, die Dresdner Bank, die HVB Gruppe und die WestLB in den Jahren 2000 bis 2002 in der Summe nicht weniger als 22,3 Milliarden Euro für faule Kredite reservieren.

In Verbindung mit dem Verfall der Aktienkurse vom Jahr 2000 bis zum Jahr 2003 vernichten die Wertberichtigungen für faule Kredite wertvolles Eigenkapital und zwingen die deutschen Banken und Lebensversicherer zur Einschränkung der Kreditvergabe an den privaten Unternehmenssektor sowie des Erwerbs privat emittierter Schuldverschreibungen bis hart an den Rand einer allgemeinen Kreditklemme. Die Bundesbank leugnet eine solche Kreditklemme für Deutschland zwar tapfer, aber die Kennzeichen sind zu offenkundig. Banken streichen Kreditlimits, verlängern Kredite nicht und sind außerordentlich zurückhaltend bei der Neuvergabe von Krediten. Das müssen sie tun, weil sie andernfalls von den mächtigen amerikanischen Bewertungsagenturen noch schneller herabgestuft werden, als es ohnehin schon der Fall ist, und dann für das von ihnen selbst auf den europäischen Kapitalmärkten aufgenommene Geld höhere Zinsen bezahlen müssen. Die Folge der Kreditklemme ist ein Mangel an realen Investitionen, was die Investitionsgüterbranchen in zusätzliche Schwierigkeiten bringt und die Schaffung von Arbeitsplätzen behindert.

Trotz dieser beängstigenden Parallelen herrschen in Deutschland bislang noch keine japanischen Verhältnisse. Ein Lichtblick ist sicherlich, dass der deutsche Immobilienmarkt nicht so überhitzt war wie seinerzeit der japanische und es deshalb, zumindest bislang, noch keine Anzeichen für einen ähnlich breitflächigen Zusammenbruch der Immobilienpreise gibt, wie er in Japan stattfand. Nur in den neuen Bundesländern stürzte der Immobilienmarkt in sich zusammen, aber zum Glück sind die neuen Länder nur ein kleiner Teil des Ganzen, sodass die dort sich anhäufenden Verluste aus Immobilienkrediten rein mengenmäßig nicht in der Lage sind, das deutsche Bankensystem in den Konkurs zu treiben. Die Langfristkultur bei den ausgereichten Hypothekendarlehen und den zu ihrer Finanzierung begebenen Pfandbriefen und öffentlichen Schuldverschreibungen hat im Westen eine wesentlich höhere Grundstabilität des Finanzierungskreislaufs impliziert, als sie in Japan vorlag. Zudem liegen die deutschen Staatsschulden in der Gegend von 60 % statt bei 150 % des Sozialprodukts und können auch nicht dorthin kommen, wenn der Stabilitäts- und Wachstumspakt eingehalten wird, den die Länder der EU im Jahr 1996 abgeschlossen haben. Dennoch: Die Situation ist schlimm genug, und Deutschland muss höllisch aufpassen, dass nicht doch bald japanische Verhältnisse einsetzen.

Maastrichter Vertrag: Wer anderen eine Grube gräbt, fällt selbst hinein

Sorgen macht in diesem Zusammenhang die Entwicklung der öffentlichen Finanzen. Bedingt durch die deutsche Vereinigung, die fälschlicherweise auf Pump statt mit Steuern finanziert wurde, und wegen des immer weiter ausufernden Sozialstaates sind die Staatsschulden, die ihren ersten Schub in der sozialliberalen Koalition erhielten, in den letzten Jahren erneut enorm gestiegen. Seit der deutschen Vereinigung (1990 – 2002) sind sie von 539 Milliarden Euro auf 1.269 Milliarden Euro angewachsen. Der Schuldenanstieg war so riesig, dass Deutschland im Vorfeld der Euro-Einführung das im Maastrichter Vertrag festgeschriebene Ziel verfehlte, die Staatsschulden stets unter 60 % des Sozialprodukts zu halten.

Die Sorgen werden nun zusätzlich durch die aktuelle Wirtschaftsflaute vergrößert. Wenn die Wirtschaft nicht läuft, dann kommen weniger Steuereinnahmen herein, und vor allem wird der Sozialstaat rasch teurer, weil die wachsende Arbeitslosigkeit vom Staat finanziert wird. Der bequemste Weg für den Finanzminister besteht darin, den Einnahmeausfall durch eine weitere Erhöhung der Schulden abzudecken, also ein größeres Budgetdefizit entstehen zu lassen. Dieser Weg wird zwar im Prinzip durch den europäischen Stabilitäts- und Wachstumspakt verbaut, der die Nettoneuverschuldung auf 3 % des Sozialprodukts begrenzt, aber Deutschland scheint den Pakt nicht mehr ernst zu nehmen.

Jedenfalls hat Deutschland den Pakt im Jahr 2002 in eklatanter Weise verletzt. Noch kurz vor der Wahl hatte der Finanzminister versichert, dass man die 3 %-Grenze würde einhalten können, wenngleich er sich scheute, fristgerecht die von der EU dazu verlangte formelle Erklärung abzugeben. Nach der Wahl stellte sich aber bald heraus, dass diese Einschätzung zu optimistisch war. Mit einem höheren Defizit musste gerechnet werden, und am Ende wurden es gar 3,6 %. Gegen Deutschland wurde daraufhin bei der EU ein formelles Verfahren eingeleitet, wie es der Pakt vorsieht, und wenn sich die Situation nicht bessert, muss Deutschland an die EU für jedes Jahr, in dem es die Grenze überschreitet, eine Strafe von etwa 5 Milliarden Euro zahlen.

Das ist insofern pikant, als Deutschland den Stabilitäts- und Wachstumspakt selbst gewollt, ja gegen den Widerstand anderer europäischer Staaten regelrecht erzwungen hat. Im Maastrichter Vertrag des Jahres 1991 hatten die EU-Länder grundsätzlich vereinbart, eine neue Währung einzuführen, aber der genaue Zeitplan war noch offen. Deutschland zierte sich, seine D-Mark tatsächlich abzuschaffen, und verlangte von seinen drängelnden europäischen Partnern als Bedingung, dass die Euro-Länder die ursprünglich nur für die Vorphase vor der Einführung der neuen Währung beschlossene Defizitgrenze dauerhaft einhalten sollten. Außerdem verlangte es wirksame Strafen für den Fall der Überschreitung der Grenze. Die anderen Länder, die die D-Mark und damit das Diktat der Bundesbank über die Zinspolitik Europas unbedingt loswerden wollten, waren über diesen Vorschlag gar nicht glücklich, folgten ihm aber notgedrungen. Nicht ohne heimliche Schadenfreude wurde deshalb die Blamage der formellen Verletzung des Defizitkriteriums durch Deutschland im Jahr 2002 registriert, und es ist mehr als verständlich, dass die anderen Länder nun darauf beharren, dass Deutschland die von ihm selbst geforderten Strafen im Falle einer nochmaligen Verletzung der Grenze tatsächlich bezahlt.

Auf die Vertragsverletzung musste die Regierung deshalb reagieren. Aber bedauerlicherweise hat sie nicht mit einer Ausgabensenkung reagiert, wie es der private Bürger tut, wenn seine Einnahmen wegbrechen, sondern hat stattdessen ein umfangreiches Steuererhöhungspaket beschlossen. Der Weg in den Steuerstaat, der vor 30 Jahren gewählt wurde, wird damit konsequent weitergegangen.

Dennoch reichten selbst diese Maßnahmen noch immer nicht für einen Sicherheitsabstand zur Defizitgrenze aus. Zu Beginn des Jahres 2003 war von der Regierung bereits eine Quote von 2,8 % für das Jahr 2003 vorausgeschätzt worden, und dann hatte der Bundeskanzler in seiner Rede vom März den Gemeinden angeraten, sich im Umfang von 7 Milliarden Euro oder 0,35 % des Sozialprodukts bei der Kreditanstalt für Wiederaufbau zu verschulden. Damit hatte die Regierung bereits implizit zugestanden, dass sie den Vertrag trotz der Steuererhöhungen nicht würde einhalten können. Die neueste Schätzung für das Defizit des Jahres 2003 liegt bei 3,7 %.[18]

Im späteren Verlauf des Jahres, als klar wurde, dass sie wieder nicht zurechtkommen würde, wechselte die Regierung dann den Kurs. Sie kündigte an, dass sie die dritte Stufe der schon beschlossenen Steuerreform, die ursprünglich für 2005 vorgesehen war, schon zum 1. Januar 2004 in Kraft setzen wolle, zusammen mit der ursprünglich schon für 2003 geplanten zweiten Stufe, die man wegen der Finanzknappheit gerade erst verschoben hatte. Zur Deckung der Steuerausfälle wurde offen eine weitere Verschuldung ins Spiel gebracht. Damit ist der Damm gebrochen. Es gibt auch im Jahr 2004 keine Chance mehr, die Defizitgrenze zu unterschreiten. Das ifo Institut hatte schon vor der Ankündigung des Vorziehens der Reform ein Defizit von 3,2 % für das Jahr 2004 geschätzt.[19] Mit dieser Reform wird das Defizit auf 4,2 % ansteigen, wenn keine echte Gegenfinanzierung in Form einer Ausgabensenkung gefunden wird, und auf 3,6 %, wenn die eine Hälfte in dieser Form gegenfinanziert und die andere durch Kredite abgedeckt wird. Deutschland wird den Stabilitäts- und Wachstumspakt zum dritten Mal in Folge verletzen und muss dann, wenn es mit rechten Dingen in Europa zugeht, eine saftige Strafe im Umfang von etwa 15 Milliarden Euro bezahlen.

Die Regierung hofft freilich bis heute noch auf einen Ausweg und beruft sich darauf, dass der Stabilitäts- und Wachstumspakt für den Fall außergewöhnlicher Ereignisse und auch für den Fall der Konjunkturabschwächung die Möglichkeit der Nichtbestrafung eröffnet. Die Hoffnung hat aber keine rechtliche Basis. Mit den außergewöhnlichen Ereignissen könnte ein Krieg gemeint sein, aber sicherlich keiner, an dem man sich nicht beteiligt. Auch die Flut im Herbst 2002 könnte gemeint sein, aber die durch sie verursachten Kosten sind viel kleiner als der Betrag, um den die Defizitgrenze überschritten wird. Im Übrigen sticht der Hinweis auf die Wirtschaftsschwäche nicht, denn für diesen Fall sieht der Pakt explizite Regelungen vor. Der Ministerrat *kann* von der Bestrafung absehen, wenn das Sozialprodukt um mehr als 0,75 % schrumpft, und wenn es gar um mehr als 2 % sinkt, dann *muss* er von der Bestrafung absehen. Beide Bedingungen sind in Deutschland trotz der schwierigen Wirtschaftslage nicht erfüllt, und weil sie so explizit definiert sind, ist es völlig unmöglich, sich auf die Konjunkturschwäche zu berufen, wodurch auch immer sie verursacht sein sollte.

Deshalb koordiniert sich Deutschland bereits intensiv mit Frankreich, um die lästige Schuldengrenze auf irgendeine Weise umgehen zu können. Dass dieses Bemühen letztlich doch die Zustimmung jener Länder finden wird, die Deutschland bei seinem Verlangen seinerzeit unter Druck gesetzt hat, ist zu erwarten, aber Deutschland wird dafür mit Zugeständnissen in anderen Politikbereichen teuer bezahlen müssen. Der Versuch, die unvergleichliche Blamage, die unser Land durch die Verletzung des Schuldenkriteriums bereits erlitten hat, durch die Abwendung eines formellen Strafbeschlusses zu verringern, wird vermutlich mindestens so teuer wie die Zahlung der Strafe selbst.

Zudem wird die Glaubwürdigkeit des europäischen Finanzsystems unterminiert. Bei der ersten Gelegenheit, bei der der Stabilitäts- und Wachstumspakt hätte greifen können, wird er schon wieder in Frage gestellt. Nicht nur das Ansehen Deutschlands wird mit einer solchen Politik gefährdet, sondern auch die Stabilität der jungen Währung, die man durch den Stabilitäts- und Wachstumspakt hatte gewährleisten wollen.

Zuzugeben ist, dass der Stabilitäts- und Wachstumspakt anders hätte formuliert werden können. Die vorgesehenen Schuldengrenzen waren im vergangenen Boom, als der Finanzminister im Geld schwamm, viel zu lasch, und sie gaben viel zu wenig Anlass, auf Vorrat Ausgabendisziplin zu üben, um in der Flaute die Zügel lockerer lassen und die gesamtwirtschaftliche Nachfrage beleben zu können. Deshalb hat der von der CESifo-Gruppe eingesetzte internationale Sachverständigenrat empfohlen, den Pakt so zu ändern, dass ein Land sich die gewünschte Flexibilität für Krisenzeiten während guter Perioden erarbeiten kann, indem es dann viel Geld spart und seinen

Schuldenbestand reduziert.[20] Ein Land, dem es gelingt, seinen Schuldenbestand unter 55 % des Sozialprodukts zu drücken, soll sich temporär um mehr als 3 % des Sozialprodukts neu verschulden dürfen. Aber diese Regel ist noch nicht beschlossen, und sie würde Deutschland in der aktuellen Lage auch nicht helfen, weil hier zu Lande der Schuldenbestand bereits über 60 % des Sozialproduktes liegt.

Wie man es dreht und wendet, Deutschland ist in die Grube gefallen, die es anderen gegraben hat, und sitzt jetzt dort fest. Obwohl es extrem hohe Abgabenlasten hat (vergleiche Kapitel 6), die im internationalen Vergleich kaum Parallelen finden, reicht das Geld hinten und vorne nicht, um neben der immer noch teuren deutschen Vereinigung den überbordenden Sozialstaat weiter zu finanzieren. Über 30 % des Sozialprodukts werden für den Sozialetat gebraucht, und die Ausgaben wachsen wegen der zunehmenden Arbeitslosigkeit und der Rentenprobleme auch weiterhin überproportional an.

Das Land bewegt sich in einem Teufelskreis. Drei Jahrzehnte lang hat der Staat die Konsequenzen der zunehmenden Wirtschaftsschwäche durch immer mehr Staatsausgaben abzufangen versucht. Das hat die Steuern weiter in die Höhe getrieben und die Staatsschulden in einem gigantischen Maße ausgeweitet, ohne dass damit irgendwelche Probleme gelöst wurden. Im Gegenteil, die heutigen Steuern und vielleicht mehr noch die Steuern, die Investoren später zur Bedienung der Staatsschulden erwarten, haben die Standortqualität weiter verschlechtert und dazu beigetragen, die Investitionen zu vertreiben. Zudem haben die Einkommensalternativen, die der Sozialstaat zur Erwerbsarbeit geschaffen hat, den Druck gemindert, das Schicksal in die eigene Hand zu nehmen. Die wirtschaftlichen Probleme wurden dadurch nur noch verschlimmert, und der Ruf nach staatlicher Hilfe wurde abermals lauter. So geht es nicht weiter.

SCHLUSSLICHT DEUTSCHLAND

1 Statistisches Bundesamt, 1990, Fachserie 18, Reihe S.15.
2 Institut der deutschen Wirtschaft, 2002 (auf Anfrage).
3 Statistisches Bundesamt, 1990, Fachserie 18, Reihe S.15; 2002, Fachserie 18, Reihe 1.1, Ausgabe Januar 2003.
4 Statistisches Bundesamt, 1990, Fachserie 18 Reihe S.15; Arbeitsgemeinschaft Volkswirtschaftliche Gesamtrechnungen der Länder, 2002.
5 Bundesanstalt für Arbeit, Mitteilungen aus der Arbeitsmarkt- und Berufsforschung 1/2002, S.34.
6 Vergleiche A. Maddison, Monitoring the World Economy 1820 – 1992, OECD, Development Centre Studies, Paris 1995.
7 J. G. Williamson, Regional Inequality and the Process of National Development, University of Chicago Press, Chicago 1965, S.68-70.
8 Vergleiche D. Card und R. B. Freeman, What Have two Decades of British Economic Reform Delivered?, NBER Working Paper Nr. 8801, 2002.
9 OECD, Economic Outlook Nr. 72, Paris 2002.
10 Für die Umrechnung in reale Größen bräuchte man absolute Kaufkraftparitäten, doch sie gibt es in der offiziellen Statistik nicht, weil die Struktur der Warenkörbe in den Ländern sehr unterschiedlich ist und insofern keine sinnvolle Vergleichsbasis existiert. Die vorhandenen relativen Kaufkraftparitäten sind nur für Wachstums-, nicht aber für Niveauvergleiche verwendbar, denn für sie braucht man keine einheitlichen Warenkörbe. Abbildung 1.2 enthält einen solchen realen Wachstumsvergleich.

11 Leider sind die Zahlen über das Bruttosozialprodukt (BSP) beziehungsweise das Bruttonationaleinkommen nicht getrennt für Ost- und Westdeutschland verfügbar. Die Zeichnung enthält deshalb nachrichtlich die entsprechenden Werte des Bruttoinlandsproduktes (BIP), die nicht ganz mit den britischen BSP-Werten vergleichbar sind. Der Vergleich kann nur konsistent auf der Basis der BIP-Werte vorgenommen werden, und hier liegt Großbritannien in der Tat knapp vor Westdeutschland. Im Jahr 2002 lag das britische BIP je Einwohner bei 27.348 Euro, das westdeutsche BIP je Einwohner lag bei 27.280 Euro.

12 OECD, Economic Outlook Nr. 72, Paris 2002, Anhangtabelle 26, S.206.

13 M. Dauderstädt, Deutschland: Schlusslicht im alten Europa? Kritische Nachfragen und alternative Angebote. Reihe Globalisierung und Gerechtigkeit, Materialien zur Modernisierung sozialer Demokratie, Friedrich-Ebert-Stiftung, Bonn 2003. Dauderstädt leitet seinen Schluss aus einer Grafik ab (Grafik 2), bei der das deutsche *Inlands*produkt (BIP) neben das irische *Inländer*produkt (BSP) gestellt wird und die bereits im Jahr 2001 endet.

14 Vergleiche Nobel Foundation, Website, http://www.nobel.se.

15 Zur Geschichte des Mottos vergleiche Gerhard Casper, Die Luft der Freiheit weht – On and Off, Rede des Präsidenten der Universität Stanford vom 5. Oktober 1995 (http://www.stanford.edu). Das Motto wurde im Ersten Weltkrieg bestritten, und Jordan, der als Pazifist in Verbindung mit der deutschen Kriegsgegnerin Bertha Freifrau von Suttner stand und sich gegen den Krieg gegen Deutschland wandte, wurde politisch erheblich bedrängt. Dennoch wurde das Motto zwischen den Kriegen gerade auch als Zeichen der Opposition zu Hitler beibehalten und hat seine Rolle bis zum heutigen Tage nicht eingebüßt.

16 Vergleiche Nobel Foundation, Website, http://www.nobel.se.

17 OECD, Knowledge and Skills for Life, First Results from the OECD Programme for International Student Assessment (PISA) 2000, Paris 2001. Vergleiche auch Max-Planck-Institut für Bildungsforschung, Pisa 2000, OECD PISA. Zusammenfassung zentraler Befunde, Programme für International Student Assessment, Berlin 2001.

18 W. Nierhaus, E. Hahn, O.-E. Kuntze, E. Langmantel, W. Meister, M. Meurers, M. Ruschinski, ifo Konjunkturprognose 2003/2004, ifo Homepage: http://www.ifo.de.

19 W. Nierhaus et al., a.a.O.

20 European Economic Advisory Group at CESifo, Report on the European Economy 2003, Ifo Institute for Economic Research, Munich 2003.

Meinem Klassenkameraden, der
mittlerweile Hohner-Akkordeons
in China produziert und hoffent-
lich dafür sorgen wird, dass wir
beim Export von Dienstleistungen
an chinesische Touristen wettbe-
werbsfähig werden.

2.
WIE WIR DIE WETTBEWERBSFÄHIGKEIT
VERLOREN

Der Globalisierungsschock: China, Indien, USA und die vielen anderen
– Die Flucht der Mittelständler nach Osteuropa – Markenschwindel aus
purer Not – Exporte und Wettbewerbsfähigkeit: ein schwieriges Thema – Der DAX im Wind des Turbo-Kapitalismus – Drei Schocks auf
einmal: Euro, Binnenmarkt und Osterweiterung der EU – Internationale Arbeitsteilung: von der Globalisierung profitieren – Zu hohe
Lohnkosten – Dr. Fritzchen Müllers Denkfehler bei den Lohnkosten –
Warum es auf die Nachfrage nicht ankommt – Was wir bei den Lohnkosten von den Amerikanern und den Holländern lernen können

Der Globalisierungsschock:
China, Indien, USA und die vielen anderen

Die wirtschaftlichen Probleme, die sich in den letzten 30 Jahren aufgetürmt haben, haben viel mit eigenen Fehlern der
Deutschen zu tun. Die hausgemachten Gründe hätten aber
nicht zu der krisenhaften Zuspitzung der letzten Jahre führen
können, wenn es nicht dramatische Änderungen in der internationalen Wettbewerbssituation gegeben hätte, mit der die

deutsche Wirtschaft zu kämpfen hat. Man muss diese Änderungen verstehen, bevor man die Reformen definiert, die Deutschland wieder wettbewerbsfähig machen.

Deutschland leidet nämlich nicht nur unter einem Umsetzungsproblem, wie es manche Politiker immer wieder sagen, sondern vor allem auch an einem Erkenntnisproblem. Kaum jemand in Deutschland, weder Politiker noch Bürger, möchte sich der bitteren Erkenntnis stellen, dass wir dabei sind, unsere Wettbewerbsfähigkeit zu verlieren, weil wir zwar kaum noch besser als die anderen Länder sind, stattdessen aber umso teurer. Bei der Bildung sind wir inzwischen nicht einmal mehr Mittelmaß unter den OECD-Ländern (vergleiche Kapitel 1), dafür sind wir bei den Lohnkosten aber definitiv an der Spitze. Die Kombination aus Preis und Qualität der deutschen Arbeit passt nicht mehr zusammen. Die Folge ist, dass die deutsche Wirtschaft Jahr um Jahr weiter ins Abseits gerät und dass die Arbeitslosigkeit weiter ansteigt. Das ist das Thema dieses Kapitels. Es zeigt die Veränderungen des Wettbewerbs auf, die in Fernost, in der EU und in Osteuropa derzeit im Turbogang ablaufen, und es widmet sich dann ausführlich der Lohnfrage, insbesondere auch den kontroversen Positionen, die von Seiten der Gewerkschaften dazu eingenommen werden.

Wer sind die Wettbewerber, die uns bedrängen? Ursprünglich hatte Japan den deutschen Unternehmen Marktanteile geraubt, aber Japan ist heute nur noch ein Papiertiger, der selbst Probleme mit seiner Wettbewerbsfähigkeit hat. Die wirklichen Tiger sind die aufstrebenden Staaten Südostasiens, also Vietnam, Korea, Malaysia, Singapur, Taiwan und Thailand, um nur einige zu nennen. Korea hat seine Stärken beim Schiffbau, bei der Automobilproduktion und bei der Konsumelektronik; Malaysia ist stark bei der Elektronik und bei den Nicht-Eisen-Metallen; Singapur setzt auf Kommunikation und Information; Taiwan nimmt eine Spitzenstellung bei der Produktion von elektronischen Bauelementen ein; Thailand produziert Textil- und Bekleidungserzeugnisse im Billigsegment. In den letzten Jahren haben diese Länder ihre Produkt- und Prozesstechnologien erheblich verbessert und konnten ihren Marktauftritt so ansprechend gestalten, dass es ihnen gelang, auf den relevanten Weltmärkten Terrain zu gewinnen.

Der große Vorteil der asiatischen Länder liegt bei den Löhnen, die noch heute in der Gegend von 20 % der unsrigen liegen. Dabei holt die Produktivität schneller auf, als die Löhne es tun, was die Wettbewerbsfähigkeit weiter verbessert. Die asiatischen Tigerländer verfügen über eine extrem fleißige und lernwillige Bevölkerung, die sich sehr schnell in komplizierteste Produktionsprozesse hineindenken kann. Zugleich handelt es sich bei ihnen um alte Kulturnationen, die bereits hohe intellektuelle Leistungen vollbracht hatten.

Kein Wunder, dass heute auch viele deutsche Unternehmen ihre Waren bevorzugt aus Asien beziehen oder dort auch selbst produzieren. Zu den Käufern der Waren gehören sämtliche Großunternehmen des deutschen Einzelhandels wie zum Beispiel Karstadt, Quelle oder Metro. Ihr Angebot an Billigartikeln im Bereich der Bekleidung und Heimtextilien stammt großenteils aus Vietnam, Malaysia und Indonesien. Die Gruppe der Produzenten, die sich auf dem Wege der Direktinvestitionen selbst in Asien niedergelassen haben, umfasst praktisch alle großen deutschen Unternehmen des verarbeitenden Gewerbes. Ein Beispiel ist die Siemens AG, die mit einer kaum noch überschaubaren Zahl von Produktionsstätten engagiert ist. Große Produktionsbetriebe liegen in Indonesien, Malaysia, Südkorea und Japan, doch gibt es kaum ein Land, in dem die Firma nicht vertreten ist. Die Produktionspalette umfasst das ganze Siemens-Spektrum, vor allem aber Erzeugnisse der Informations- und Kommunikationstechnik, der Automobiltechnik, der Beleuchtungstechnik sowie der Medizintechnik. Ein anderes Beispiel ist die DaimlerChrysler AG, die als global agierender Konzern ein weit verzweigtes Netz von Produktions- und Montagebetrieben in Japan, Thailand und Indonesien unterhält.

Noch wichtiger als die kleinen Länder werden in Zukunft

China und Indien sein, jene zwei Länder, die zusammen über 38 % der Weltbevölkerung verfügen. Besonders China hat sich in den letzten 15 Jahren mit atemberaubender Geschwindigkeit entwickelt, nachdem es sich aus seinen ideologischen Verstrickungen im Marxismus-Leninismus weitgehend gelöst hat und zu einer Marktwirtschaft geworden ist. Wenn man den Statistiken glauben darf, ist das chinesische Sozialprodukt in nur einem Jahrzehnt, von 1990 bis 2000, real um sage und schreibe 162 % gewachsen.[1] Dabei produziert China keineswegs nur für den Eigenbedarf, sondern entwickelt sich gerade wegen der Einbindung in den ostasiatischen Handel besonders stürmisch. Bislang wird das Wachstum praktisch allein von den Küstenregionen getragen, die über das Chinesische Meer als Handelsstraße verfügen. Von der Provinz Guangdong im Süden des Landes mit der Stadt Kanton, die neben der 1997 von den Briten abgetretenen Stadt Hongkong liegt, über Jiangsu mit dem Freihafen Shanghai bis zur Provinz Liaoning mit der Stadt Schenyang im Norden erstreckt sich über 2200 km, gleich einer langen Banane, die derzeit am schnellsten wachsende Großregion dieser Erde. Shanghai, das etwa in der Mitte liegt, hat schon jetzt eine Skyline, die sich mit jener von New York messen kann.

Auch in China ist die deutsche Industrie seit langem präsent. Volkswagen hat dort in Form von Joint Ventures zwei große Automobilwerke in Shanghai und Changchun gebaut, in denen auch Audi-Modelle gefertigt werden. BMW hat im Jahr 2003 ein Gemeinschaftsunternehmen mit dem chinesischen Hersteller Brilliance gegründet. Die DaimlerChrysler-Gruppe, die bereits über Chrysler mit einer Jeep-Fertigung vertreten ist, plant auch im Transporter- und Nutzfahrzeugbereich weitere Engagements in China. Siemens ist mit allen seinen Arbeitsgebieten in China vertreten. Bekanntlich hat Siemens sogar schon den Transrapid auf der neuen Strecke zwischen dem Flughafen und der Innenstadt von Shanghai eingesetzt, der in Deutschland noch nicht einmal gelaufen ist.

In allen asiatischen Ländern zusammengenommen beschäftigt Siemens nicht weniger als 45.000 Menschen. Dazu gehört auch Indien, das mit einem dichten Netz von Siemens-Niederlassungen durchzogen ist. Indien ist China mittlerweile gefolgt und hat ebenfalls zu einem großen Entwicklungssprung angesetzt. In Bangalore, in der südindischen Provinz Karnataka, liegt heute das hinter dem Silicon Valley in Kalifornien weltweit größte Zentrum für die Software-Entwicklung. Alle namhaften Hersteller von IT-Produkten haben sich dort engagiert. Den Namen Bangalore müssen sich die Deutschen gut merken, denn mit den neuen Wirtschaftszentren, die dort im Entstehen begriffen sind, wird sich auch die deutsche Wirtschaft auseinander setzen müssen.

Bei all den faszinierenden und für Deutschland auch beunruhigenden Entwicklungen in Asien sollte man die USA nicht aus dem Blick verlieren. In den neunziger Jahren haben die USA ein beachtliches Entwicklungstempo vorgelegt, obwohl sie beim Pro-Kopf-Einkommen bereits weit vor Deutschland lagen. Die Entwicklung war einerseits getragen von der so genannten New Economy, also der Computer- und Softwareindustrie, und ihren indirekten Auswirkungen auf den Rest der Wirtschaft. Andererseits resultierte sie aus den massiven Anstrengungen der Politik, den Niedriglohnsektor zu entwickeln. Amerika ist ein Land des Hightech, gleichzeitig ist es wegen seiner niedrigen Löhne zu einem bevorzugten Standort für arbeitsintensive Produktionsprozesse bei weniger hochkarätigen Technologien geworden. Viele deutsche Firmen haben in den letzten Jahren riesige Direktinvestitionen in den USA getätigt, um den amerikanischen Markt nicht mehr vom teuren Standort Deutschland, sondern direkt von den kostengünstigen amerikanischen Produktionsstätten aus beliefern zu können. Das Geld, mit dem amerikanische Arbeitsplätze geschaffen wurden, fehlt jetzt in Deutschland.

Nach einer Schätzung des Deutschen Industrie- und Handelskammertages verlagerten deutsche Unternehmen in letzter Zeit pro Jahr 45.000 Arbeitsplätze aus Kosten- und Standortgründen ins Ausland, und nach einer Erhebung der deutschen Bundesbank haben deutsche Unternehmen in der Zeit von 1998 bis 2000, aus welchen Gründen auch immer, tatsächlich pro Jahr 85.000 Arbeitsplätze im Ausland geschaffen.[2] Die Gesamtzahl der von deutschen Unternehmen im Ausland bereitgestellten Arbeitsplätze stieg bis zum Jahr 2000 auf 2,4 Millionen. Mittlerweile, im Jahr 2003, dürften es 2,6 Millionen sein.

Dabei scheint sich der Abwanderungstrend noch weiter zu verstärken. Nach dem Ergebnis einer Umfrage des Deutschen Industrie- und Handelskammertages vom Mai 2003 will fast jedes vierte Industrieunternehmen in den nächsten drei Jahren zumindest Teile der Produktion ins Ausland verlagern.[3] Bei einer ähnlichen Umfrage im Jahr 2000 hatte nur jedes fünfte Unternehmen diese Absicht geäußert.

Als Motive für die Abwanderung nennen die Unternehmen an erster Stelle (zu 45 %) die Höhe der Arbeitskosten und an zweiter Stelle (zu 38 %) die Höhe der Steuern und Abgaben. Danach kommen Wechselkursrisiken und die deutsche Bürokratie, aber diese Gründe werden mit nur 7 % beziehungsweise 5 % der Nennungen als weitaus weniger wichtig eingestuft. Mit den Steuern und den Arbeitskosten werden sich denn auch gesonderte Kapitel dieses Buches eingehend beschäftigen.

Je nach Branche sind die Abwanderungswünsche unterschiedlich intensiv. In der Bekleidungsindustrie wollen innerhalb der nächsten drei Jahre 47 % der Unternehmen mit Teilen der Produktion ins Ausland gehen, in der Elektroindustrie 40 %, im Textilgewerbe 33 %, in der Rundfunk-, Fernseh- und Nachrichtentechnik 32 % und im Maschinenbau immerhin noch 28 %. Dem Heimatstandort treu bleibt demgegenüber der Sektor Steine und Erden, das Verlagsgewerbe und das Druckgewerbe. Dort tragen sich jeweils nur weniger als 10 % der befragten Unternehmen mit Abwanderungsabsichten.

Welch ein Trost! Die Häuser, die wir bewohnen, werden auch in Zukunft mit deutschen Steinen gebaut, und die morgendliche Zeitung wird auf absehbare Zeit *nicht* in der Tschechischen Republik gedruckt werden. Als Redakteure wird man im Übrigen derweil noch Personen nehmen, die der deutschen Sprache mächtig sind.

Die Flucht der Mittelständler nach Osteuropa

Naturgemäß fällt den Großunternehmen die Produktionsverlagerung ins Ausland leichter als den kleinen Unternehmen, denn die erheblichen Rüst- und Anlaufkosten sowie die Fixkosten für das Management in einem fremden rechtlichen und kulturellen Umfeld fallen bei ihnen weniger ins Gewicht. Zunehmend gerät aber auch der deutsche Mittelstand in den Sog der Globalisierung, und das ist das eigentliche Problem für Deutschland. Deutschland war in der Vergangenheit nicht in erster Linie deshalb so erfolgreich, weil es Großunternehmen mit Weltgeltung hatte, sondern weil es über eine leistungsfähige mittelständische Industrie verfügte. Die meisten Deutschen arbeiten im Mittelstand, und dort wird der weitaus größte Teil des Bruttoinlandsprodukts erzeugt. Es gibt allerdings keine klare Definition dessen, was ein mittelständisches Unternehmen ist. Manche ziehen die Grenze bei 5.000 Mitarbeitern, andere bei 1.000 und wieder andere bei gar nur 500. Wenn man sie bei 500 Mitarbeitern zieht, gehören derzeit knapp 80 % aller im privaten Sektor beschäftigten Personen zum Mittelstand und produzieren dort circa die Hälfte des privaten Bruttoinlandsprodukts.[4]

Viele mittelständische Unternehmen haben trotz ihrer geringen Größe in ihren jeweiligen Marktsegmenten führende Positionen auf den Weltmärkten inne. Deutschland ist das Land der stillen Stars, die in ihren Marktnischen Weltmarktführer sind, die aber in der Öffentlichkeit kaum jemand kennt, selbst wenn es sich bereits um recht große mittelständische Unternehmen handelt. Wer weiß denn schon, dass die Firma Trumpf aus Ditzingen der Weltmarktführer für lasergestützte Metall-

bearbeitungsmaschinen ist, dass die Firma Krones AG aus Neu-
traubling die technologische Weltmarktführung für Getränke-
abfüllanlagen innehat oder dass die Firma Heraeus aus Hanau
der Spitzenreiter für Vakuumtechnologien ist? Noch überra-
schender ist die Riege der kleineren Stars. Aesculap aus Tutt-
lingen ist mit 2.300 Mitarbeitern die Nummer 1 oder 2 bei chir-
urgischen Instrumenten, die Firma Grenzebach aus Asbach-
Bäumenheim ist mit 900 Mitarbeitern Champion im Bereich
von Schneide-, Beschick- und Stapelanlagen für die Flachglas-
herstellung, Hill & Müller aus Düsseldorf sind mit 480 Mitarbeitern Marktführer bei kaltgewalztem Bandstahl, und die Firma Hensold aus Wetzlar steht mit sage und schreibe 75
Mitarbeitern bei der Produktion von Ferngläsern und Zielfern-
rohren an der Spitze. Beispiele dieser Art gibt es zu Hunderten.

Dank der deutschen Ingenieurkunst und des Einfallsreich-
tums der deutschen Unternehmer gelang es unserem Land,
Weltmeister bei der Nischenproduktion zu werden. Es sind
nicht die jedermann bekannten Produkte aus dem Konsumbe-
reich, sondern Tausende von Spezialprodukten, die nur Insi-
dern bekannt sind und zum größten Teil zum Bereich der
industriellen Vorprodukte zählen, mit denen wir auf den Weltmärkten unser Geld verdienen. Ohne die Exportleistungen des
Mittelstandes hätten wir die Devisen nicht, die wir als Konsumenten für amerikanische Computer, koreanische Stereoanla-
gen oder Urlaubsreisen nach Mallorca wieder ausgeben. Wenn
der Mittelstand sich von unserem Land abwendet, dann »Gute
Nacht, Deutschland!«.

Ob der Mittelstand die Stellung halten wird, ist unklar. Zum
einen geben viele mittelständische Unternehmen ihre Produktion auf und überlassen das Feld ihren ausländischen Konkurrenten. Über den dramatischen Pleitenrekord, der in diesen
Jahren zu verzeichnen ist, war in Kapitel 1 (vergleiche Abbildung 1.6) schon berichtet worden. Zum anderen verlagern
gerade auch die Mittelständler ihre Produktion zunehmend
nach außen. Die heimliche Flucht der stillen Stars ist wenig

spektakulär, weil sie nicht bekannt sind und weil es in jedem Einzelfall nur um eine geringe Zahl von Arbeitsplätzen geht. Aber in der Summe zeichnet sich mittlerweile ein Trend ab, der geradezu beängstigende Ausmaße annimmt.

Nicht weniger als 59 % der vom Institut der deutschen Wirtschaft befragten mittelständischen Unternehmen mit weniger als 5.000 Beschäftigten haben bereits Standorte in anderen EU-Ländern errichtet, und 57 % haben sich in Nicht-EU-Ländern niedergelassen. Selbst kleinere Unternehmen mit bis zu 500 Beschäftigten haben sich zu je knapp einem Drittel in anderen EU-Ländern sowie außerhalb der EU engagiert.[5]

Unter den Zielländern für Investitionen des Mittelstandes nehmen die ehemaligen Ostblockstaaten, die im Jahr 2004 der EU beitreten oder ihre Aufnahme in die EU für die nächsten Jahre erwarten können, eine besondere Stellung ein. Im Gegensatz zu einem Engagement in Ostasien ist der logistische Aufwand dort auch für kleinere Unternehmen beherrschbar. Gerade der Mittelstand sieht in Osteuropa seine Chance, den immer härter werdenden internationalen Wettbewerb zu bestehen.

Schon bald nach dem Fall des Eisernen Vorhangs hatten sich deutsche Unternehmen in Mittel- und Osteuropa als wichtigste Direktinvestoren etabliert, indem sie Zehntausende von Niederlassungen gründeten. Sie setzten sich damit weit vor die USA und weit vor jedes andere Land, aus dem Investoren nach Osteuropa kamen.[6] Inzwischen wurden die Niederlassungen ausgebaut, denn die politischen Verhältnisse haben sich stabilisiert, die EU-Mitgliedschaft ist sicher, und die Lohnkosten liegen noch immer bei nur einem Fünftel bis Siebtel der deutschen (vergleiche Abbildung 8.1, Kapitel 8). Die Investitionen der deutschen Unternehmen haben inzwischen einen solch gewaltigen Umfang erreicht, dass sie erhebliche Teile der Produktion in den osteuropäischen Ländern hervorbringen. An der Spitze der Entwicklung liegt Ungarn, das deutsche Investoren schon früh willkommen hieß. So behauptet die ungarische Regierung, dass mittlerweile 40 % des ungarischen

Bruttoinlandsprodukts in deutschen Unternehmen erarbeitet werden.[7]

Die Liste der wenig bekannten mittelständischen Unternehmen, die wesentliche Aktivitäten nach Osteuropa verlagert haben, ist schier grenzenlos, und sie wird von Monat zu Monat länger. Dazu gehört, um nur wenige Beispiele zu nennen, die Firma Behr GmbH und Co. aus Stuttgart, die Klimaanlagen in der Tschechischen Republik produziert, die Hako-Holding GmbH aus Bad Oldesloe, die Reinigungsmaschinen in Polen baut, die Edscha AG aus Remscheid, die in der Tschechischen Republik und der Slowakei Karosserieteile fertigt, die Hugo Kern und Liebers GmbH aus Schramberg, die in der Tschechischen Republik und Estland Autofedern herstellt, oder die Firma Leoni aus Kitzingen, die in der Slowakischen Republik und Ungarn Kabelsätze baut. Besonders groß ist der Anreiz zur Auswanderung für die lohnintensive Textilindustrie. Die Firma Steilmann Mode aus Wattenscheid und die Gerry Weber Gruppe aus Halle in Westfalen erzeugen ihre Damenoberbekleidung großenteils in Rumänien. Wer die sportliche Damenmode der Firma Frankenwälder schätzt, wird zunehmend aus Rumänien und Bulgarien statt aus Münchberg bedient, und wer auf hochwertige Eleganz Wert legt, den beliefert die ebenfalls in Münchberg ansässige Firma Hammer Fashion aus Tschechien und Ungarn.

Es gibt natürlich immer noch sehr viele Unternehmen, die nur in Deutschland produzieren und hier nach wie vor eine gesicherte Marktposition haben. Es wäre ja auch schlimm, wenn das nicht so wäre. Aber das ist nicht der Punkt. Das Problem ist die enorme Beschleunigung bei der Produktionsverlagerung des Mittelstands in den letzten Jahren, die hier zu Lande sichtbar zu mehr Arbeitslosigkeit geführt hat. Diese Beschleunigung ist keine gesunde Entwicklung, der man gleichgültig gegenüberstehen kann, und sie ist auch keine bloße Randerscheinung.

Basar-Ökonomie

Für viele deutsche Unternehmen stellt sich angesichts der Intensität des internationalen Wettbewerbs nur die Wahl, entweder ganz zu schließen oder sukzessive immer größere Teile der Wertschöpfungskette in Niedriglohnländer zu verlagern. Die hohen Löhne und Einkommen, die hier zu Lande verdient werden, erzwingen die Verlagerung geradezu. So gesehen sind die Auslandsinvestitionen aus deutscher Sicht immer noch die bessere Alternative. Dann fließen wenigstens noch die Gewinne an deutsche Gesellschaften und deutsche Eigentümer.

Dennoch ist es bedenklich, dass viele Firmen von der Billigproduktion im Ausland profitieren wollen, doch gar nicht daran denken, den Verbraucher über die Herkunft ihrer Produkte zu informieren und ihre Waren stattdessen weiterhin unter den traditionellen deutschen Markennamen anbieten. Die Verbraucher glauben, deutsche Produkte zu erwerben, aber in Wahrheit wird in Deutschland häufig nur die Endmontage durchgeführt, und in manchen Fällen wird nicht einmal mehr das Firmenschild aufgeklebt. Das Produkt kommt fix und fertig mit seinem deutschen Markennamen aus Fernost oder »Nahost« im Sinne der neuen EU-Beitrittsländer. Nur der Vertrieb findet noch in Deutschland statt, und nur hinter dem Verkaufstresen gibt es noch deutsche Arbeitsplätze. Ansonsten wird das Geld bei der Produktion im Ausland verdient. Deutschland entwickelt sich schleichend zu einer Basar-Ökonomie.

Das ist volkswirtschaftlich wenig sinnvoll, denn es fehlt an der Kaufkraft für all die schönen Waren, die man unter seinem Namen hier zu Lande verkaufen möchte. Jede Firma ermuntert die andere, doch bitte zu bleiben, damit die aus Löhnen gespeiste Nachfrage erhalten bleibt, aber sie selbst verlagert die Produktion klammheimlich in Niedriglohnländer. So entsteht mehr und mehr Arbeitslosigkeit, und Deutschland fällt weiter zurück.

Neuerdings scheint selbst die Automobilbranche, das Paradepferd der deutschen Industrie, nicht mehr gegen den Markenschwindel gefeit zu sein. Die Marke ist alles, wo produziert wird, ist unerheblich. Audi hat bereits große Teile der aufwendigen Motorenfertigung nach Ungarn verlagert. Volkswagen produziert seinen Touareg vollständig in der Slowakei, verkauft ihn aber unter seinem deutschen Markennamen. Die meisten Firmen verlagern immer größere Teile der Wertschöpfungskette ins Ausland, indem sie mehr und mehr Teile und Aggregate von Zulieferern beziehen, die sie sich irgendwo auf der Welt suchen. Dieser Prozess des so genannten Outsourcing hat sich in letzter Zeit auch wegen des Einsatzes der Internet-Ausschreibung dramatisch beschleunigt.

Man erkennt diesen Effekt daran, dass das Wachstum der Wertschöpfung der deutschen Industrie in den letzten Jahren sehr deutlich hinter das Wachstum der Produktion zurückgefallen ist. So nahm die reale Produktion der Industrie von 1995 bis 2003 um circa 17 % zu, doch die reale Wertschöpfung, also die Summe aller Gewinne, Zinsen, Löhne, Gehälter, Pachten und anderer in Deutschland entstandenen Industrieeinkommen, stieg real nur um etwa 5 %.[8]

Es ist sicher eine Karikatur, dass die deutschen Hersteller bloß noch Montagefirmen sind, die die benötigten Teile per Internet irgendwo auf der Welt bestellen und sie dann in Deutschland nach einem Baukastensystem zusammenstecken. Auch ist unsere Wirtschaft bislang noch keine Basar-Ökonomie. Die Realität kommt diesen Karikaturen aber schneller näher, als es die meisten glauben mögen.

Es wäre naiv, den Firmen den Markenschwindel vorzuwerfen und mit erhobenem Zeigefinger durch das Land zu laufen. Das wird der wahren Sachlage nicht gerecht, denn die Firmen reagieren aus der puren Not und kämpfen um das Überleben in einem immer erbarmungsloser werdenden Wettbewerb. Wenn ein Vorwurf angebracht ist, so muss er sich gegen die Politik richten, die die weltwirtschaftlichen Entwicklungsprozesse und die Fehlentwicklungen in unserem Land nicht rechtzeitig erkannt hat und es versäumte, durch marktwirtschaftliche Reformen des Arbeitsrechts und des Sozialstaats gegenzusteuern.

Exporte und Wettbewerbsfähigkeit: ein schwieriges Thema

Viele Deutsche sehen die Gefahren nicht, oder sie wollen sie nicht sehen. Sie glauben noch immer, dass sie das alles nichts angehe, dass die deutsche Wirtschaft robust genug sei, um die internationalen Wettbewerber in die Flucht schlagen zu können. Bevor der Putz nicht von den Wänden fällt, bleiben die Warnungen der Ökonomen Schall und Rauch.

Aber Vorsicht, da unsere Häuser gut gebaut sind, könnten die Reaktionen zu spät kommen, wenn man darauf wartet, bis man die Probleme mit bloßem Auge erkennen kann. Auch die DDR hat noch sehr lange von der Substanz leben können, bis eine breite Mehrheit der Menschen den Irrweg bemerkt hat. So weit sollte man es jetzt nicht wieder kommen lassen. Deshalb muss man die Fakten zur Kenntnis nehmen, die die Statistik bereits heute liefert. Die Zahlen und Kurven auf dem Papier zeigen die Schadstellen und Gefährdungen zehn Jahre früher, als es der Zustand unserer Immobilien und der öffentlichen Infrastruktur vermag, und diesen Erkenntnisvorsprung gilt es zu nutzen.

Im ersten Kapitel wurde bereits dargelegt, dass Deutschland in diesen Jahren beim Pro-Kopf-Einkommen von einem Land nach dem anderen überholt wird. Auch wurde gezeigt, wie dramatisch die Arbeitslosigkeit in den letzten 30 Jahren zugenommen hat. Das belegt den Verlust der Wettbewerbsfähigkeit in aller Deutlichkeit. Arbeitslose sind Menschen, die nicht wettbewerbsfähig sind, weil sie gemessen an ihrer Leistung zu teuer sind, als dass sie für ihre Arbeitskraft Abnehmer finden könnten. Die Arbeitslosigkeit liegt in Deutschland im Schnitt des Jahres 2003 bei etwa 4,4 Millionen Menschen.

Ein möglicher Indikator für die Entwicklung der Wettbewerbsfähigkeit kann auch in den Exportstatistiken gesehen werden. Die Zusammenhänge sind aber keineswegs trivial und entziehen sich einer vordergründigen Betrachtung. Abbildung 2.1 zeigt die Entwicklung des deutschen Weltmarktanteils seit 1960, wobei vor und nach der deutschen Vereinigung stets das Rechtsgebiet der Bundesrepublik Deutschland dargestellt ist. Weder der innerdeutsche Handel noch der Außenhandel der DDR sind erfasst. Man erkennt, dass der deutsche Exportanteil bis etwa 1970 laufend stieg und in der Spitze einen Wert von rund 13 % erreichte. Das war die Phase des deutschen Wirtschaftswunders, in dem die deutschen Waren ihren Siegeszug um die Welt antraten. Seitdem ging die Reise aber wieder bergab, nicht weil Deutschland weniger exportierte als zuvor, sondern weil andere Exporteure auf den Markt drängten und das Welthandelsvolumen sehr rasch vergrößerten.

Die Entwicklung des Exportanteils ist extrem zyklisch, weil Wechselkursänderungen zu zeitlich verschobenen Preis- und Mengenreaktionen bei den Exporten führen. Eine Aufwertung des Euro oder der D-Mark führt unmittelbar zu einem Anstieg des wertmäßigen Exportanteils bei gegebenen Exportmengen, ruft danach aber eine sich im Laufe der Zeit verstärkende Mengenreduktion hervor, weil die ausländischen Importeure auf die Aufwertung mit einer Nachfrageeinschränkung reagieren. So stieg der deutsche Exportanteil nach dem rapiden Kursverfall des Dollar ab Februar 1986, als der Dollar den Wert von 3,45 DM erreicht hatte, zunächst sehr rasch an und erreichte um das Jahr 1990 abermals einen Wert von etwa 12 %. Doch war die sich anschließende negative Mengenreaktion der Exporte umso stärker und führte den Anteilswert bis zum Jahr 2002 auf etwa 9 % zurück, obwohl sich die deutsche Wirtschaft durch die Vereinigung erheblich vergrößerte. Innerhalb nur eines Jahrzehnts nahm der Exportanteil um etwa ein Viertel ab.

In den Jahren 2001 und 2002 war ein erneuter Anstieg des Anteils zu verzeichnen. Man erkennt dies an der letzten Zacke

Wieder von den Weltmärkten verdrängt

%, Anteile am Welthandel

Deutschland

60 63 66 69 72 75 78 81 84 87 90 93 95 99 02

Quellen: 1960–1998: IMF, Direction of Trade Statistics, verschiedene Ausgaben;
1999–2002: IMF, International Financial Statistics, Oktober 2003, S. 70;
Exporte f.o.b. US $, Anteile in %; Trendkurve: Polynom 5. Grades.

ABBILDUNG 2.1

der dargestellten Kurve. Dies ist zum einen die positive Mengenreaktion auf die extreme Unterbewertung des Euro im Vorfeld seiner physischen Einführung und zum anderen der kurzzeitige Effekt der starken Aufwertung nach dem Februar 2002, der selbst die innereuropäischen Exportumsätze rechnerisch um etwa ein Viertel aufblähte. Der Wertanstieg der deutschen Exporte wird alsbald wieder von einer negativen Mengenänderung überlagert werden. Schon im Jahr 2003 hatten die Wirtschaftsforschungsinstitute ihre Exportschätzung weit zurücknehmen müssen.[9]

Insofern ist auch der Jubel einiger Journalisten über den kurzzeitig zu beobachtenden Anstieg des Wertanteils der deutschen Exporte und den raschen Abfall des Wertanteils der amerikanischen Exporte verfrüht. Auch wenn der Verfall des Dollarkurses im Jahr 2003 sogar zur Überholung Amerikas geführt haben sollte, wie es vermutet wird, ändert dies wenig an dem insgesamt nach unten gerichteten Trend. Gerade auch in den USA war bislang in den Folgejahren nach einer Dollar-Abwertung stets eine starke Ausweitung des Exportvolumens zu beobachten, die den reinen Preiseffekt, der sich kurzfristig in den Statistiken zeigte, überkompensiert hat.

Davon abgesehen kommt dem Export nicht die Bedeutung für die Beurteilung der Wettbewerbsfähigkeit zu, die ihm gemeinhin gegeben wird. Er ist einer von vielen Indikatoren, doch die wahren Probleme Deutschlands kann dieser Indikator nur sehr bedingt erfassen. Sicher: Wenn Deutschland bei gegebenen Produktionsmethoden weniger Waren an das Ausland verkauft, dann kann man auf eine Verringerung der Wettbewerbsfähigkeit schließen. Indes sind die Produktionsmethoden nicht gegeben. Vielmehr werden, wie in den vorigen Abschnitten beschrieben wurde, immer mehr Wertschöpfungsanteile in Niedriglohnländer verlagert. Dieses Phänomen wird in den Exportstatistiken nicht erfasst, denn sie beziehen sich nur auf die Werte der exportierten Waren und berücksichtigen nicht, wie groß der Wertschöpfungsanteil ist, der auf Deutschland entfällt. Wenn Audi die Motoren und andere Teile seiner Exportautos in Ungarn produzieren lässt, fällt der deutsche Export nicht. Im Gegenteil, da die ungarischen Arbeiter mehr Einkommen haben und mehr deutsche Waren kaufen, steigt er sogar. Dieser Effekt könnte zu einem wichtigen Thema werden, wenn sich Deutschland von einem Industriestandort zu einer Basar-Ökonomie wandelt, die die in Osteuropa produzierten Waren in alle Welt verkauft. Insofern untertreibt die in der Abbildung dargestellte Kurve die wahre Verschlechterung der Wettbewerbsfähigkeit. Sie zeigt vielleicht die Wettbewerbsfähigkeit der deutschen Firmen als Träger der in Deutschland registrierten Marken, nicht aber die Wettbewerbsfähigkeit der deutschen Arbeitsplätze.

Es sei deshalb nochmals wiederholt, dass das einzig sichere

Kriterium für die Beurteilung der Wettbewerbsfähigkeit der deutschen Arbeitsplätze in der Höhe der Arbeitslosigkeit selbst liegt. Derzeit sind bald viereinhalb Millionen Deutsche arbeitslos. Viereinhalb Millionen Deutsche sind nicht mehr wettbewerbsfähig.

Manchmal wird als Beleg dafür, dass die deutsche Wirtschaft ihre Wettbewerbsfähigkeit nicht eingebüßt habe, auf den deutschen Leistungsbilanzüberschuss verwiesen. Im Jahr 2002 lag dieser Überschuss bei 59,7 Milliarden Euro oder 2,8 % des deutschen Bruttoinlandsproduktes, und er könnte in den folgenden Jahren noch weiter steigen.[10] Bei der Berechnung des Leistungsbilanzüberschusses werden die Importe von den Exporten abgezogen. Insofern wird die beschriebene Verlagerung von Teilen der Wertschöpfungskette ins Ausland korrekt erfasst, und es scheint, dass der Leistungsbilanzüberschuss ein tauglicher Indikator der Wettbewerbsfähigkeit ist.

Auch dieser Schluss ist freilich voreilig. Der Überschuss in der Leistungsbilanz wird dem Ausland im Austausch für Aktien, festverzinsliche Wertpapiere und reale Vermögensobjekte verkauft, zu denen nicht zuletzt die vielen Firmen und Niederlassungen gehören, die deutsche Unternehmen im Ausland in diesen Jahren aufbauen oder erwerben. Der Überschuss in der Leistungsbilanz mit dem Ausland ist, wenn man von Schenkungen absieht, identisch mit dem deutschen Kapitalexport, und so gesehen erscheint er keineswegs als Zeichen hoher Wettbewerbsfähigkeit. Im Gegenteil, er könnte eher ein Indikator der Kapitalflucht aus Deutschland heraus denn ein Zeichen einer hohen Wettbewerbsfähigkeit sein. Ein Land, dem Kapital davonläuft, wie es bei Deutschland derzeit ganz offenkundig der Fall ist, verbilligt seine Waren im Vergleich zu anderen Ländern, indem es eine niedrigere Inflationsrate hat oder indem es seine Währung abwertet, und es erzielt dann den Leistungsbilanzüberschuss, der den Kapitalexport ermöglicht. Ein Land, das Kapital anzieht, verteuert seine Waren durch Inflation oder Aufwertung und hat ein Defizit in der Leistungsbilanz. Auch dieses triviale Faktum darf man bei der Interpretation der Daten nicht übersehen.[11]

Deutschland ist heute eindeutig in der Situation der relativen Verbilligung seiner Waren. In den ersten vier Jahren nach der Einführung der Währungsunion lag seine Inflationsrate bei 1,4 %, während der EU-Durchschnitt bei 1,9 % (Euro-Raum 2,0 %) lag, und im Jahr 2002 betrug die deutsche Inflationsrate nur noch 1,3 % bei weiterhin sinkender Tendenz. Es gibt sogar Anzeichen dafür, dass in den nächsten Jahren eine Deflation der Güterpreise entstehen könnte. Das alles spricht wahrlich nicht dafür, dass dieses Land der Standort ist, um den sich die Investoren reißen.

Ob ein Land wettbewerbsfähig ist, kann man nicht an seiner Leistungsbilanz erkennen. Wenn die Wettbewerbsfähigkeit steigt, dann wird das Land mehr exportieren. Das ist wohl wahr. Aber es wird auch mehr Güter importieren, unter anderem um den Aufbau seines rasch wachsenden Kapitalstocks zu ermöglichen. Ob aufgrund der verbesserten Wettbewerbsfähigkeit ein Überschuss oder ein Defizit in der Leistungsbilanz herauskommt, ist nicht generell vorherzusagen. Noch einmal: Das Leistungsbilanzdefizit eines Landes misst den Kapitalimport dieses Landes. Das Leistungsbilanzdefizit eines Jahres ist deshalb der in diesem Jahr zu verzeichnende Zuwachs der ausländischen Vermögensansprüche in Form von Eigen- und Fremdkapital gegenüber diesem Land. Dieser Zuwachs kann zustande kommen, weil die Wettbewerbsfähigkeit steigt oder weil sie fällt. So kann es sein, dass er entsteht, weil das Land über seine Verhältnisse lebt. Es ist aber auch möglich, dass er entsteht, weil das Land viele gute Investitionsmöglichkeiten bietet, die ausländische Investoren anlocken. Dann ist der Zuwachs der ausländischen Vermögensansprüche, also das Defizit in der Leistungsbilanz, ein Zeichen von Stärke und gestiegener Wettbewerbsfähigkeit.

Die Verhältnisse sind ähnlich wie bei einer Firma. Wenn der Eigentümer einer Firma in Schwierigkeiten kommt, kann er gezwungen sein, sich neue Partner zu suchen, die Eigenkapital beisteuern, oder er kann sich mehr verschulden. Dann hat er ein Leistungsbilanzdefizit mit seiner Umwelt, das ein Problem anzeigt. Es kann aber auch sein, dass der Eigentümer das Eigen- und Fremdkapital deshalb von außen hereinholt, weil er eine tolle Idee, aber nicht das Geld hat, diese Idee zu vermarkten. Dann hat er ebenfalls ein Leistungsbilanzdefizit mit seiner Umwelt, aber dieses Defizit ist ein Zeichen von Stärke. Entsprechend wäre ein Leistungsbilanzüberschuss des Inhabers einer Firma, das entsteht, weil er in der Lage ist, seine Partner auszuzahlen und seine Schulden zu tilgen, ein Zeichen von Stärke, doch wäre ein Leistungsbilanzüberschuss, der darauf zurückzuführen ist, dass die Partner sich aus dem Staube machen und Banken Kredite nicht mehr prolongieren, weil die Geschäfte nicht mehr laufen, ein Zeichen von Schwäche. Man muss also schon sehr genau hinschauen, um zu verstehen, welcher Fall vorliegt. Auch am Vorzeichen der Leistungsbilanz kann man bezüglich der Wettbewerbsfrage nur wenig erkennen.

Bill Gates hatte mit seiner Softwarefirma Microsoft zwei Jahrzehnte lang ein Leistungsbilanzdefizit, weil er stets einen Nettostrom an Finanzmitteln für die stürmische Expansion seines Unternehmens absorbierte. Er emittierte Aktien und verkaufte sie an der Börse, um das Wissenskapital seiner Firma vorfinanzieren zu können. Zugleich zwang er seine Partner, die verdienten Erträge stets wieder zu re-investieren, schüttete also keine Dividenden aus. Auch der so entstandene Zuwachs an Ansprüchen anderer zählte zum Leistungsbilanzdefizit von Bill Gates. Bei einer ganzen Volkswirtschaft würde man diesen Posten unter der Rubrik »ausländische Direktinvestitionen« verbuchen, die empirisch in der Tat vornehmlich die einbehaltenen Gewinne im Inland ansässiger ausländischer Unternehmen sind. Microsoft hat wegen seines gigantischen Leistungsbilanzdefizits mittlerweile (April 2003) einen Börsenwert erreicht, der dem gemeinsamen Börsenwert der 30 deutschen Topfirmen gleicht, die mit ihren Kursen im DAX erfasst sind.[12] Erst im Jahr 2003 zeigen sich erste Anzeichen dafür, dass die Expansion zu Ende gehen könnte und dass das Leistungsbilanzdefizit von Bill Gates sich verringert, denn in diesem Jahr schüttet die Firma zum ersten Mal in ihrer Geschichte Dividenden aus. Es wäre wirklich schön, wenn auch Deutschland Firmen hätte, die das Kapital der Welt attrahieren und aus diesem Grunde zu einem Leistungsbilanzdefizit Deutschlands beitragen.

Der DAX im Wind des Turbo-Kapitalismus

Die Abwanderung von Kapital, die hinter dem deutschen Leistungsbilanzüberschuss steckt, zeigt sich nur zu einem geringen Teil in den Statistiken der Direktinvestitionen.[13] Der Löwenanteil des internationalen Kapitalverkehrs entfällt auf Finanztransaktionen, also Käufe und Verkäufe von Aktien und Obligationen sowie internationale Kreditgeschäfte. Wenn ein Land wie Deutschland Finanzkapital exportiert, dann ermöglicht es den Firmen anderer Länder, den Kauf von Maschinen, Bauten und ähnlichen Investitionsgütern zu finanzieren und somit mehr Realkapital zu bilden, mehr Arbeitsplätze zu schaffen und schneller zu wachsen, als es aus eigener Kraft möglich gewesen wäre. Auf diese Weise geht der deutschen Wirtschaft wesentlich mehr Kapital verloren als durch die Direktinvestitionen, über die oben berichtet wurde. Die Standortverlagerung findet fast unmerklich und unspektakulär statt, weil sie nicht mit einer eindeutig zu benennenden Investition in anderen Ländern einhergeht. Dennoch ist sie viel umfassender als die Verlagerung durch Direktinvestitionen und kostet sehr viel mehr Arbeitsplätze.

Der internationale Finanzkapitalmarkt hat sich in den letzten Jahren besonders rasch entwickelt, schneller noch als das Welthandelsvolumen und viel schneller als die Produktion selbst. Das Weltsozialprodukt wuchs (nominal) von 1990 bis 2000 um 44,5 %. Die internationalen Handelsströme nahmen wertmäßig in der gleichen Zeitspanne um das Doppelte, nämlich

88 %, zu, und das Volumen der internationalen Finanztransaktionen wuchs in Europa und Zentralasien um unglaubliche 1.236 %, also in Worten: eintausendzweihundertundsechsunddreißig Prozent. Das ist gemeint, wenn man vom Turbo-Kapitalismus spricht.[14]

Den deutschen Aktienmärkten weht der Wind des Turbo-Kapitalismus besonders stark entgegen. Nach dem Platzen der TMT-Blase, also dem jähen Ende des Höhenflugs der Aktien aus dem Bereich Technologie, Medien und Telekommunikation, sackten die einst stolzen Unternehmen an der Börse in sich zusammen. Nicht nur die so genannte New Economy, also alle Unternehmen, die mit neuen technologischen Entwicklungen im weitesten Sinne zu tun haben, sondern auch die Standardwerte sind gewaltig unter Druck geraten. Nur 1929 in der großen Weltwirtschaftskrise hatte es einen ähnlich dramatischen Zusammenbruch der Kurse gegeben, wie Deutschland ihn in den letzten drei Jahren beobachten musste. Aktienmärkte sind empfindliche Seismographen, die Erschütterungen registrieren und größere Stöße vorwegnehmen. Es steht zu hoffen, dass die aktuellen Kursverluste nicht noch einmal die Vorboten einer größeren Krise sind, die unser Land erschüttert.

Abbildung 2.2 verdeutlicht die Entwicklung des deutschen Aktienkursindexes im Vergleich mit dem Kursindex der amerikanischen Wertpapiere, dem so genannten Dow Jones Index, sowie mit dem Euro-STOXX 50, dem Index der führenden europäischen Firmen. Man sieht, dass Deutschland von der Krise der Aktienmärkte viel stärker erfasst ist als Amerika. Unser Land fällt sogar gegenüber den anderen Ländern Europas noch etwas zurück. Trotz einer gewissen Erholung der Kurse nach dem Ende des Irak-Krieges sind viele deutsche Aktien immer noch zu Spottpreisen zu haben. Sie werden wie Ramschware auf den internationalen Märkten gehandelt.

Die internationalen Finanzmärkte misstrauen Deutschland, der deutschen Wirtschaft und der deutschen Politik. Das hat sich vor kurzem niemand vorstellen können. Die Aktien der

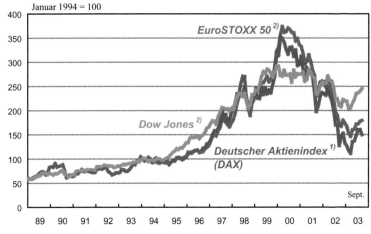

Abstrafung durch die Börse

Januar 1994 = 100

400
350 — EuroSTOXX 50 2)
300
250
200
150 — Dow Jones 2)
100 — Deutscher Aktienindex 1)
     (DAX)
50
                                                      Sept.
0

89 90 91 92 93 94 95 96 97 98 99 00 01 02 03

1) Stand am Monatsende.
2) Dow Jones Industrial und Euro-STOXX, Monatsdurchschnitte.
Quelle: Deutsche Börsen AG, Dow Jones & Company, Inc.

ABBILDUNG 2.2

Elite der deutschen Industrielandschaft wechseln wie heiße
Kartoffeln zwischen den Händen der internationalen Kapital-
anleger hin und her. Keiner will sie lange haben, um sich die
Finger nicht zu verbrennen. So sehr ist das weltweite Vertrau-
en in den Standort Deutschland lädiert.

Parallel zu dieser Entwicklung und zum Teil auch ursächlich
für sie wurden die Stars der deutschen Wirtschaft von den
internationalen Rating-Agenturen Moody's und Standard &
Poor's abgewertet. So mussten selbst so renommierte Firmen
wie die Allianz, die Münchener Rück, die Dresdner Bank, die
HVB Gruppe und die Commerzbank Herabstufungen hinnehmen. Die Aktien der Firma Thyssen wurden durch die Herabstufung auf Baa1, was der zehnten Rangstufe entspricht, in die
Nähe von Junk Bonds, also Schrottpapieren, gerückt.

Das alles ist nicht nur erniedrigend für die angeblich stärk-

ste Wirtschaft des europäischen Kontinents, es ist auch gefähr-
lich, denn wegen der gegenseitigen Verschachtelung der deutschen Industriefirmen und Banken kann es zu negativen Ket-
tenreaktionen über die notwendigen Bilanzkorrekturen
kommen. Die ausgewiesenen Eigenkapitalbestände fallen, die
Risiken der Aktionäre werden größer, die Aktienkurse fallen
abermals und so fort. Es entwickelt sich eine Spirale nach
unten, die man nur schwer zum Halten bringen kann.

Den Unternehmen ist es bei den niedrigen Kursen kaum
noch möglich, sich über Kapitalerhöhungen neue Investitions-
mittel zu besorgen. Auch die Aufnahme von Fremdkapital wird
erheblich erschwert, weil jede Herabstufung seitens der Agen-
turen auf den europäischen Märkten für Schuldverschreibungen, wie sie die Großfirmen oder die Banken zur eigenen
Finanzierung ausgeben, eine erhebliche Erhöhung der zu zah-
lenden Zinsen bedeutet. Das ist eine äußerst schwierige
Gemengelage. Das Eigenkapital schwindet wegen der Kursverluste, und der Kapitalmarkt steht eben deshalb als Lieferant
neuen Kapitals nicht mehr zur Verfügung.

Das ist insofern paradox, als die deutschen Haushalte derzeit mehr denn je sparen, weil auch sie der Zukunft nicht trau-
en und deshalb mehr Geld auf die hohe Kante legen wollen, als
sie es noch vor einiger Zeit für nötig hielten. Geld zum Investieren ist deshalb zur Genüge vorhanden. Aber die Deutschen
haben Angst davor, nach dem Aktiencrash der Jahre 2000 bis
2003 ein zweites Mal auf die Nase zu fallen, und suchen stattdessen lieber sichere Finanzanlagen, indem sie ihr Geld zur
Sparkasse tragen oder es mündelsicher und festverzinslich
anlegen.[15] Dieses Geld fließt über die kommunizierenden
Röhren des internationalen Finanzkapitalmarktes in die entle-
gensten Ecken der Welt, zumindest in entlegene Ecken Europas, und hilft dort mit, Arbeitsplätze zu schaffen und die Wettbewerber der deutschen Firmen weiter zu stärken. Dies ist die
Kehrseite des deutschen Leistungsbilanzüberschusses, von
dem oben die Rede war.

Drei Schocks auf einmal: Euro, Binnenmarkt und Osterweiterung der EU

Viele europäische Länder sind von einer ähnlichen Entwicklung betroffen wie Deutschland, aber die meisten lösen die Probleme, die mit der Globalisierung einhergehen, viel besser. Das sieht man nicht nur an der relativ besseren Entwicklung des europäischen Aktienkursindexes, wie er in Abbildung 2.2. dargestellt ist, und an den Wachstumskurven aus Abbildungen 1.2 bis 1.3 im ersten Kapitel, sondern auch an der Entwicklung des deutschen Anteils am Gesamtexport jener Länder, die im Jahr 2003 zur EU gehören. Dieser Anteil fiel von 27,4 % im Jahr 1990 auf 25,6 % im Jahr 2002.[16] Offenbar findet auch innerhalb Europas eine Veränderung der Marktanteile zu Lasten der deutschen Firmen statt, obwohl die deutschen Firmen stärker vom Outsourcing nach Osteuropa profitieren als andere.

Die Gründe dafür, dass Deutschland mehr Schwierigkeiten mit der Globalisierung zu haben scheint als andere europäische Länder, können unter anderem auch in der fortschreitenden Integration der Europäischen Union gefunden werden. Diese Integration hat den meisten Ländern mehr Vorteile als Deutschland gebracht.

Die großen Gewinner der Integration sind die kleineren Länder Europas, sie sind die neuen Tiger im Hinterhof. Diese Länder waren im alten Europa, das noch viele Handelsschranken kannte, gegenüber Deutschland benachteiligt, weil ihre Märkte viel kleiner als der deutsche Markt waren. Deutsche Firmen konnten dank der großen Zahl heimischer Konsumenten die industrielle Großserienproduktion betreiben und auf diese Weise hohe Produktivitätsvorsprünge gegenüber den kleineren Ländern realisieren. Von diesem Effekt hat die gesamte deutsche Industrie von der Elektronikbranche bis zur Automobilproduktion profitiert, und er kann als einer der wesentlichen Gründe für ihre früher überlegene Produktivität gesehen werden. Damit ist es seit der Schaffung des europäischen Binnenmarktes und der Abschaffung sämtlicher Zollschranken nun aber vorbei. Jetzt haben auch kleinere Länder uneingeschränkten Zugang zu einem großen Markt, der die Großserienproduktion ermöglicht. Die 450 Millionen Konsumenten Europas, die nach der Osterweiterung, also ab Mai 2004, zur EU gehören, stehen den Firmen der kleinen Länder genauso als Käufer ihrer Waren zu Verfügung wie den deutschen Firmen.

Nokia hätte es ohne Finnlands Beitritt zur EU im Jahr 1995 niemals schaffen können, zum Marktführer der europäischen Elektronikbranche zu werden, weil es den Heimvorteil von Siemens nicht hätte aufwiegen können, und Irland hätte nicht zu einem Zentrum des IT-Dienstleistungs- und Produktionssektors werden können, wenn es nicht über den europäischen Markt verfügt hätte. Genauso wenig hätten Portugal oder Griechenland bevorzugte Standorte für die industrielle Großserienproduktion der Elektro-Haushaltsindustrie werden können. In den kommenden Jahren wird es noch viele innereuropäische Verschiebungen der Marktanteile zu Lasten Deutschlands geben, die in ähnlicher Weise auf die Verstärkung der europäischen Binnenkonkurrenz zurückzuführen sind.

Es ist bemerkenswert, dass sich gerade auch die Vertreter der deutschen Wirtschaft in diesem Punkte lange getäuscht hatten. Sie hatten stets argumentiert, Deutschland sei wegen seiner produktiven Industrie, der nun größere Absatzmärkte geschaffen würden, der Hauptprofiteur des europäischen Binnenmarktes, und deshalb sei es schon in Ordnung, wenn es der größte Nettozahler in der EU ist. Ein vergrößerter europäischer Binnenmarkt werde zu einem Verdrängungswettbewerb führen, bei dem die deutschen Firmen die größeren Marktanteile würden erobern können, lautete ihre These. Übersehen hatten sie aber, dass mit der Schaffung des Binnenmarktes der Hauptgrund für die deutschen Produktivitätsvorsprünge verloren ging und dass plötzlich auch kleinere Länder als Standorte für industrielle Großbetriebe in Frage kamen.

Ein ganz ähnliches Problem ist speziell für die deutsche

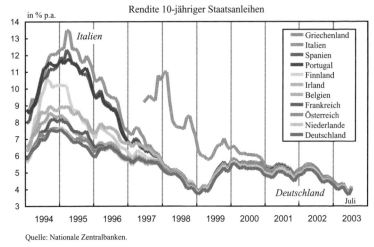

Europäische Zinskonvergenz durch den Euro

Rendite 10-jähriger Staatsanleihen

in % p.a.

Italien

Griechenland
Italien
Spanien
Portugal
Finnland
Irland
Belgien
Frankreich
Österreich
Niederlande
Deutschland

Deutschland

Juli

1994 1995 1996 1997 1998 1999 2000 2001 2002 2003

Quelle: Nationale Zentralbanken.

ABBILDUNG 2.3

Wirtschaft mit der Einführung des Euro entstanden, denn der Euro hat, wie Abbildung 2.3 zeigt, zu einer dramatischen Zinskonvergenz in Europa geführt. Noch 1995 lagen die langfristigen Zinsen mancher europäischer Länder um vier bis fünf Prozentpunkte über den deutschen, weil die Wechselkursunsicherheit damals verlangte, dass die Kreditnehmer dieser Länder den internationalen Finanzinvestoren einen hohen Risikoaufschlag im Zins als Ausgleich für mögliche Abwertungsverluste zahlten. Deutsche Firmen hatten in dieser Zeit den großen Vorteil, dass sie unter dem Schutze der D-Mark Finanzierungskonditionen erhielten, von denen Firmen aus anderen europäischen Ländern nur träumen konnten.

Damit ist es nun vorbei. Schon nach der bloßen Ankündigung des Euro und den konkreten Vorbereitungsmaßnahmen seit dem Jahr 1995 hat sich diese Situation völlig geändert. Die Zinsen haben sich einander sehr schnell angenähert, und sie sind nun praktisch alle den deutschen Zinsen gleich. Die Unterschiede von nur 20 bis 30 Basispunkten (hundertstel Prozent) sind nicht der Rede wert: Sie sind so klein, dass man sie in der Zeichnung kaum erkennen kann. Die Zinskonvergenz schadet zwar den deutschen Unternehmen nicht direkt, weil die Zinsen derzeit aus konjunkturellen Gründen niedrig sind, aber sie hilft den Unternehmen der anderen Länder und beraubt die deutschen Firmen insofern eines wichtigen Wettbewerbsvorteils, den sie im Schutze der D-Mark hatten genießen können. Mittelfristig, wenn die Konjunktur in Europa wieder anzieht, wird man sogar damit rechnen müssen, dass die Zinsen höher sind, als wir es früher in Deutschland gewohnt waren, weil die von ihren Risikoprämien befreiten Länder des restlichen Euroraums eine hohe Kapitalnachfrage entfalten werden, die die Zinsen hochtreibt und Kapital, das sonst in Deutschland investiert worden wäre, in diese Länder umlenkt.

Es wurde viel darüber spekuliert, was denn der Euro für Europa wirtschaftlich bedeuten würde. Die zitierten Vorteile reichen von einer besseren Preistransparenz bis hin zu eingesparten Wechselgebühren beim internationalen Handel. Der bei weitem wichtigste Effekt, das wird immer klarer, liegt in der Zinsangleichung und der Schaffung eines einheitlichen europäischen Kapitalmarktes, die mit der Einführung des Euro einhergingen.

Heute gibt es in den südeuropäischen Ländern Märkte für langfristige Festzinskredite, wie sie zuvor vor allem in Deutschland üblich waren. Die deutsche Langfristkultur bei den ausgereichten Krediten, die es den Firmen ermöglicht, langfristige Investitionen zu wagen und hochwertige Arbeitsplätze zu schaffen, ist mit dem Euro nach Spanien und Portugal, um nur zwei Beispiele zu nennen, exportiert worden. Dort verzeichnet man zweistellige Zuwachsraten beim Kreditvolumen, während Deutschland wegen der Eigenkapitalverluste der Banken in einer Kreditklemme steckt, die das Investitionsvolumen reduziert. Die deutschen Banken versuchen derzeit, die schlimmste Ertragskrise der Nachkriegszeit zu meistern. Neidvoll schauen sie auf ihre Konkurrenten in den bisherigen Hochzinsländern, die im Gegensatz zu ihnen attraktive Zinsmargen verdienen.

Zu den Profiteuren der europäischen Integration werden auch die zehn weiteren europäischen Länder gehören, die im Jahr 2004 beitreten sollen. Auch sie werden nun zu möglichen Standorten für Firmen, die den gesamten europäischen Markt beliefern können, und sie werden dabei ihren Lohnkostenvorteil ausnutzen. Derzeit liegen die Lohnkosten je Stunde in Polen oder Tschechien bei gerade einmal 13 % bis 15 % der deutschen Lohnkosten (vergleiche Kapitel 8). Die Zurückhaltung der Investoren in Deutschland ist auch darauf zurückzuführen, dass viele in den Startlöchern sitzen, um ihre bereits anvisierten Standorte in Osteuropa auszubauen, sobald die EU-Mitgliedschaft rechtsgültig ist. Sie können dann jenseits der deutschen Grenzen ohne politische Beschränkungen bei voller Rechtssicherheit produzieren, und sie können ihre Waren zu minimalen Transportkosten und frei von jeglichen Zollschranken in die alten EU-Länder exportieren.

Der Standortwettbewerb wird dann eine ganz andere Dimension erhalten als noch heute, da es die Industrie vornehmlich mit der asiatischen Niedriglohnkonkurrenz zu tun hat. Die asiatische Konkurrenz konzentriert sich auf leichte Waren hohen Wertumfangs, bei denen es nicht so wichtig ist, dass sie um den halben Globus transportiert werden müssen. Die osteuropäische Konkurrenz wird das Spektrum der Waren auf alles ausdehnen, was überhaupt transportiert werden kann, denn die Transportwege speziell nach Deutschland sind außerordentlich kurz. Während die Konkurrenz in der Vergangenheit auf Waren der Elektronikbranche konzentriert war, werden in Zukunft auch Baumaterialien, verderbliche Waren, Grundstoffe der chemischen Industrie, natürliche Rohstoffe und viele andere Waren einer neuen Niedriglohnkonkurrenz unterworfen sein.

Und wenn die osteuropäischen Länder eines Tages auch den Euro bekommen, dann werden sie zusätzlich von den Effekten niedriger Zinsen profitieren und einen entsprechend hohen Teil des europäischen Sparkapitals für ihre Zwecke absorbieren können. Dann werden sie als umso aggressivere Wettbewerber auftreten können.

Kurzum: Deutschland steht erst am Beginn der Schwierigkeiten, die jetzt schon sichtbar geworden sind und die die Arbeitslosigkeit induziert haben. Die Kräfte, die auf dieses Land wirken, werden eine solche Wucht haben, dass sie alles beiseite schieben, was sich ihnen in den Weg stellt.

Internationale Arbeitsteilung: von der Globalisierung profitieren

Deutschland muss dringend Wege finden, die Kräfte der Globalisierung und der fortschreitenden europäischen Integration so zu beherrschen und einzusetzen, dass sie keinen Schaden anrichten und möglichst sogar nützliche Auswirkungen haben. Das Land muss sich der großen Herausforderung stellen, in der es sich in dieser historischen Phase seiner Entwicklung befindet.

Es wäre keine Lösung, die Kräfte der Globalisierung und der europäischen Integration verhindern zu wollen. Ein solcher Weg wäre absurd und schon aus politischen Gründen zum Scheitern verurteilt. Man kann das Rad der Geschichte nicht zurückdrehen. Der Weg wäre auch völlig falsch, weil er die riesigen Chancen übersieht, die die Öffnung der Märkte für Deutschland bietet.

Die Schaffung größerer Märkte durch die Beseitigung von Zoll- und Wechselkursschranken ist grundsätzlich eine Quelle der Wohlstandsmehrung, weil sie für alle beteiligten Länder Handelsgewinne und Spezialisierungsvorteile ermöglicht. Die Länder dieser Welt haben unterschiedliche Stärken. Die einen sind reich an Kapital, die anderen reich an Menschen, wieder andere verfügen über guten Boden und Bodenschätze oder über eine besonders gut ausgebildete Bevölkerung. Aus der

Unterschiedlichkeit resultieren sehr unterschiedliche Preisverhältnisse zwischen den Gütern, solange die Grenzen geschlossen sind, und gerade diese unterschiedlichen Preisverhältnisse sind die Basis für die Spezialisierungsvorteile und Handelsgewinne, die nach einer Öffnung der Grenzen zu erwarten sind.

Wir Deutschen neigen dazu, Handelsgewinne eher herabzuwürdigen, und lassen nicht zu, dass sie auf die gleiche Stufe wie die unmittelbaren Früchte fleißiger menschlicher Arbeit gestellt werden. Das sind Reste überkommener Ideologien, die sich in der Nazizeit und auch schon vorher in unseren Köpfen eingenistet haben. Aber Handelsgewinne sind die Quelle des menschlichen Wohlstandes an sich. Die Erfindung der Märkte, auf denen Waren getauscht werden konnten, war wahrscheinlich die größte kulturelle Leistung der Menschheit. Dabei geht es keineswegs nur um die Gewinne der Händler oder direkt betroffener Firmen. Solche Gewinne stehen am Anfang, wenn der Handel neu aufgenommen wird. Durch die Konkurrenz der Händler und die Reaktionen der Produzenten, die die Händler mit ihren Waren beliefern, entsteht vielmehr die Möglichkeit, dass sich die Anbieter, seien es einzelne Menschen, Firmen oder ganze Länder, auf die Produktion jener Güter konzentrieren, bei denen sie vergleichsweise günstige Bedingungen haben und Größenvorteile in der Produktion realisieren können. Die Vorteile kommen den am Handel beteiligten Volkswirtschaften ganz allgemein zugute und erhöhen den Lebensstandard aller.

Zu den Gewinnern der Globalisierung und der Abschaffung von Zollschranken gehören insbesondere auch die Entwicklungsländer, deren angebliche Ausbeutung von Nicht-Ökonomen immer wieder behauptet wird. Die Globalisierung hat zur Folge, dass die Einwohner Chinas, Indiens und vieler anderer asiatischer Länder derzeit eine rasche Verbesserung ihres Lebensstandards erfahren. Sie ist ein erheblicher Beitrag zur Überwindung der Teilung der Welt in Arme und Reiche. Vor 20 Jahren bestand die Welt aus den 14 % Reichen, die in den

OECD-Ländern lebten, und den 86 % Armen im Rest der Welt. Mit Indien, China, den südostasiatischen Tigerländern und den OECD-Staaten beträgt heute der Anteil der Menschen, die in Ländern leben, die die Armutsfalle überwunden haben, bereits 55 %. Nach einer Studie von Bhalla ist der Anteil der Menschheit, deren Realeinkommen unter einer standardisierten Ein-Dollar-pro-Tag-Grenze liegt, vom Jahr 1980 bis zum Jahr 2000 von 44 % auf 13 % gefallen.[17]

Im Kleinen sind ähnliche Vorteile auch bei den bisher rückständigen Ländern Europas zu erkennen, die von der Integration in die EU profitiert haben. Auf die dramatische Entwicklung Irlands wurde im ersten Kapitel hingewiesen. Aber auch in Spanien, Portugal, Griechenland und anderswo hat die EU ähnlich segensreiche Entwicklungen eingeleitet, und dies nicht nur wegen der Geldmittel, die sie an diese Länder austeilte, sondern vor allem wegen der Schaffung einer Freihandelszone.

Auch Deutschland hat zu den großen Gewinnern der Globalisierung gehört. Es wäre ohne den Welthandel niemals die erfolgreiche Wirtschaftsnation geworden, die es ist. Schon zur Kaiserzeit konnten sich die deutschen Produkte internationale Märkte erobern, und es wurde uns ermöglicht, mit den Einnahmen aus ihrem Verkauf Güter im Rest der Welt zu erwerben, die hier zu Lande nicht oder nur unter Schwierigkeiten produziert oder gefördert werden konnten. Heute ist Deutschland trotz aller Schwierigkeiten nach wie vor der zweitgrößte oder gar größte Exporteur auf der Welt, und es ist gar nicht mehr vorstellbar, dass wir zu einer geschlossenen Wirtschaftsform zurückkehren könnten. Wir wollen die vielen Autos, Kühlschränke oder Werkzeugmaschinen, die wir produzieren, nicht selber nutzen, weil wir schon genug davon haben. Wir wollen sie stattdessen verkaufen, um in der Lage zu sein, Lebensmittel aus südlichen Ländern, Mineralöl aus dem Nahen Osten, Erdgas aus Russland, Mobiltelefone aus Finnland, Videorecorder aus Taiwan und nicht zuletzt touristische Dienstleistungen aus aller Welt kaufen zu können. Wo die

Nischen und Spezialisierungsvorteile Deutschlands liegen werden, kann man schwerlich abstrakt beschreiben, vorausahnen oder gar politisch planen, denn das herauszufinden ist Aufgabe des Marktes. Die mittelständische Industrie ist zur Entdeckung der Nischen in besonderem Maße befähigt.

Das stürmische Wachstum des Kapitalstocks in den Schwellenländern wird es Deutschland ermöglichen, die Wissensvorteile zu nutzen, die es im Bereich seiner Investitionsgüterindustrie hat, denn es wird seinen Anteil an der Lieferung der Maschinen und industriellen Anlagen haben, die diesen Kapitalstock darstellen. Bis die installierten Maschinen selbst wieder Maschinen erzeugen können, bis also eine leistungsfähige Investitionsgüterindustrie in den Schwellenländern aufgebaut ist, wird noch viel Wasser den Rhein hinunterfließen.

Auch kann Deutschland in die Rolle einer Drehscheibe beim Handel zwischen West- und Osteuropa hineinwachsen, wo Vorprodukte der Niedriglohnländer zu Endprodukten montiert und auf die spezifischen Belange der Kunden adaptiert werden. Dabei kann insbesondere auch der Markt für unternehmensnahe Dienstleistungen wachsen, der in den letzten Jahren ohnehin eine stürmische Entwicklung genommen hat. Viele Ost- und Südosteuropäer beherrschen die deutsche Sprache, und viele Deutsche sind dank der kommunistischen Vergangenheit mit den slawischen Sprachen bestens vertraut. Wo, wenn nicht hier, könnte sich der Austausch besser entwickeln?

Wenn es klug reagiert, kann Deutschland auch heute noch von der Globalisierung profitieren, denn es kann sich auf das Angebot jener Güter und Dienstleistungen spezialisieren, bei denen es nach wie vor gut positioniert ist. Solche Güter gibt es immer, denn es ist nicht möglich, dass ein Land seine Wettbewerbsvorteile grundsätzlich verliert und nirgendwo mehr mithalten kann, so dass Arbeitslosigkeit die zwangsläufige Folge ist. Denn auch die produktivsten und besten Länder, die mit ihren Produkten die Weltmärkte erobern, importieren andere Güter, und diese Güter können die schwächeren Länder exportieren.

Die Voraussetzung für eine erfolgreiche Reaktion auf die Globalisierung ist freilich, dass der Marktwirtschaft freier Lauf gelassen wird, und das heißt insbesondere, dass alle Preise und Löhne völlig flexibel reagieren müssen, so dass Angebot und Nachfrage sich auf allen Märkten, insbesondere auch auf den Arbeitsmärkten, ausgleichen können. Die von der Globalisierung eingeforderten Anpassungsvorgänge können nicht vorhergesehen werden. Nur ein völlig liberaler Ansatz, der die Reaktion dem freien Wettbewerb anvertraut, kann die möglichen Tauschgewinne realisieren. Wie schon der österreichische Volkswirt Joseph Schumpeter gesagt hat, ist der Wettbewerb das beste Entdeckungsverfahren. Deutschland wird die Herausforderungen, denen es sich in dieser historischen Phase gegenübersieht, bestehen, wenn es auf den Markt als Entdeckungsverfahren vertraut.

Zu hohe Lohnkosten

Hier nun liegt aber genau das Problem, des Pudels Kern sozusagen. Noch immer misstrauen starke Kräfte in unserem Land den Marktprozessen und stemmen sich mit dem weiteren Ausbau des Sozialstaates, einem Ausbau der Mitbestimmung und dem Ruf nach dem Schutz durch Gewerkschaften gegen die Kräfte des Wettbewerbs. Viele Politiker und Gewerkschaftler versuchen, sich dem Markt zu widersetzen, indem sie ihm höhere Löhne aufzwingen als jene, die er von allein hervorbringt, oder indem sie den Strukturwandel durch Erhaltungssubventionen und Kündigungsschutzmaßnahmen verhindern. Sie wollen den Markt besiegen, statt durch ihn die Ziele des Sozialstaates zu erreichen. Das ruft die Arbeitslosigkeit hervor, die wir beklagen, und genau das ist die eigentliche Ursache der deutschen Misere.

Natürlich ist das Problem keineswegs trivial, denn es geht bei vielen Betroffenen um das Einkommen, den Lebensstandard und die eigene wirtschaftliche Existenz. Sich zu spezialisieren und Handelsgewinne auszunutzen heißt regelmäßig, dass Branchen schrumpfen und andere neu entstehen. Das ist mit erheblichen Friktionen und Belastungen für die Betroffenen verbunden. Die Verluste der Verlierer werden zwar stets durch die Gewinne der Gewinner überkompensiert, und auf die Dauer gehören alle Bevölkerungsgruppen zu den Gewinnern. Dennoch kann es die Verlierer hart treffen.

Man denke nur einmal an das Beispiel der Landwirte, die seit dem 19. Jahrhundert zu den großen Verlierern des Strukturwandels gehörten, weil sie mit den steigenden Löhnen in der Industrie nicht mithalten konnten. Viele Existenzen sind auf diese Weise vernichtet worden, und es kam zu einem Verdrängungswettbewerb, der nur noch wenige Betriebe übrig ließ. Noch um 1870 waren 50 % der deutschen Arbeitsbevölkerung in der Landwirtschaft beschäftigt; heute sind es gerade einmal 2,5 %.[18] Das Schrumpfen der Landwirtschaft ging nicht ohne harte persönliche Konsequenzen bei den Landwirten vonstatten, aber die Kinder und Kindeskinder der Landwirte, und das sind wir fast alle, gehören zu den Gewinnern der historischen Umwälzungsprozesse, die durch die überaus rasche Globalisierung der Wirtschaft im 19. Jahrhundert verursacht wurden.[19] Wären keine Landwirte freigesetzt worden und wären die Kinder der Landwirte immer wieder Landwirte geworden, dann würden wir heute vermutlich ein Einkommen erzielen wie die Entwicklungsländer.

Ähnlich war es mit anderen Branchen und Berufszweigen. Auch die deutsche Textilindustrie oder die feinmechanische Industrie, für die wir einst berühmt waren, hat schon in den sechziger Jahren dem Globalisierungsdruck weichen müssen, ohne dass dies Deutschland in seiner Gesamtheit geschadet hätte. Damals waren stets andere Branchen an die Stelle getreten, zum Teil solche, die man sich seinerzeit noch gar nicht vorstellen konnte, und mit Produkten, die es noch nicht gab.

Zu den Verlierern des aktuellen Globalisierungsprozesses gehören indes nicht nur einzelne Branchen, sondern auch bestimmte Arbeitnehmergruppen. Dadurch gewinnt das Thema an ganz besonderer sozialpolitischer Brisanz. Insbesondere gering qualifizierte Arbeiter sind betroffen, denn sie treten über den Güterhandel und den Wettbewerb um das mobile Kapital indirekt und direkt mit den Arbeitern in den aufstrebenden Ländern in Asien, Südeuropa und Osteuropa in den Wettbewerb. Ihre Löhne geraten durch die Globalisierung erheblich unter Druck, denn ihre Produktivität leitet sich im Wesentlichen aus dem Einsatz von Kapital ab, das in die Maschinen investiert ist, die sie bedienen. Das Kapital aber wandert dorthin, wo es die günstigsten Standortbedingungen findet. Hoch qualifizierte Arbeit ist in geringerem Maße betroffen, weil diese Arbeit selbst Kapital darstellt. Man spricht hier vom Humankapital, das man sich auf dem Wege der Fachausbildung erwerben kann. Ganz gefeit gegenüber den Konsequenzen der Globalisierung sind natürlich aber auch Facharbeiter und andere qualifizierte Berufsgruppen nicht.

Will man sich diesem Druck auf die Löhne durch ein Festhalten an alten Lohnstrukturen und Tarifverträgen widersetzen, so entsteht unweigerlich Arbeitslosigkeit. Firmen gehen pleite, ohne dass an anderer Stelle neue entstehen, und das Kapital wandert in andere Länder ab. Das ist, auf einen einfachen Nenner gebracht, das deutsche Problem in dieser historischen Entwicklungsphase. Hier liegt die hauptsächliche Ursache der deutschen Investitionsschwäche und des seit 30 Jahren ungebrochenen Trends hin zu mehr Arbeitslosigkeit und zu niedrigeren Wachstumsraten.

Die Zunahme der Lohnkosten führt zu der eingangs beschriebenen Verlagerung von Unternehmensstandorten in andere Länder, und sie veranlasst Vermögensbesitzer, ihr Geld auf dem internationalen Kapitalmarkt anzulegen, statt sich zu Hause als Unternehmer zu betätigen. Sie erzwingt bei der verarbeitenden Industrie Rationalisierungsmaßnahmen, die zu

Entlassungen führen, und sie verhindert Neugründungen, die bei niedrigeren Löhnen rentabel gewesen wären. Vor allem aber verteuert die Zunahme der Lohnkosten die Angebote der anderen, mehr auf den heimischen Markt ausgerichteten Wirtschaftszweige, die im Gegensatz zur Industrie nicht die Möglichkeit haben, dieser Zunahme durch die Wahl kapitalintensiver Produktionsmethoden auszuweichen. Man denke nur an die Bauindustrie und das Dienstleistungsgewerbe. Wegen der Erhöhung der Preise dieser Wirtschaftszweige wenden sich die Nachfrager ab und kaufen stattdessen lieber die durch die Lohnkostensteigerung weniger stark verteuerten Industriegüter oder verbringen ihren Urlaub in Niedriglohnländern, wo touristische Dienstleistungen billiger als zu Hause sind. So sind die für den heimischen Markt produzierenden Anbieter außerstande, jene Arbeitskräfte aufzunehmen, die in der Industrie freigesetzt werden, und eine Massenarbeitslosigkeit ist die Folge.

Die Verteidigung alter Lohnstrukturen und ehrgeiziger Verteilungsziele seitens der Gewerkschaften hilft zwar zunächst noch den Menschen, die ihre Arbeitsplätze trotz des Strukturwandels behalten, aber im Laufe der Zeit werden immer mehr aus dem Arbeitsprozess herausgedrängt, und schließlich wird das Sozialprodukt, der Kuchen, der für alle zusammen zur Verteilung zur Verfügung steht, immer kleiner. Arbeitslosigkeit heißt nicht nur, dass die Betroffenen keine Einkommen verdienen. Es heißt darüber hinaus, dass die Wertschöpfung insgesamt fällt und dass auch die Einkommen anderer Menschen schrumpfen, die mit den Arbeitslosen hätten zusammenarbeiten können. Die wirtschaftliche Aktivität des gesamten Gemeinwesens sackt in sich zusammen, und letztlich zählen alle zu den Verlierern, auch diejenigen, die anfänglich von der Hochlohnpolitik der Gewerkschaften profitiert haben. Es gibt keine Möglichkeit, dauerhaft Tarifpolitik gegen die Kräfte der Globalisierung zu betreiben. Wer das versucht, betreibt die Vernichtung des Wirtschaftsstandorts Deutschland.

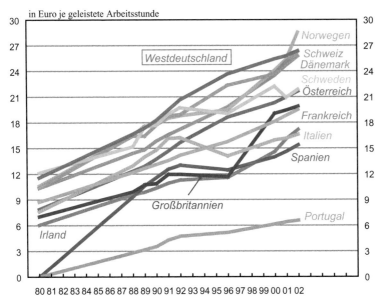

Stundenlohnkosten der Industriearbeiter
(weibliche und männliche Arbeiter)

in Euro je geleistete Arbeitsstunde

Norwegen
Westdeutschland
Schweiz
Dänemark
Schweden
Österreich
Frankreich
Italien
Spanien
Großbritannien
Portugal
Irland

80 81 82 83 84 85 86 87 88 89 90 91 92 93 94 95 96 97 98 99 00 01 02

Quelle: Institut der deutschen Wirtschaft Köln nach nationalen Angaben.

ABBILDUNG 2.4

Aber es wird versucht. Die Gewerkschaften zeigen sich nicht im Geringsten von der wirtschaftlichen Misere Deutschlands beeindruckt und fordern jedes Jahr von neuem Lohnerhöhungen, die den existierenden Firmen kaum noch Luft zum Atmen lassen und das Entstehen neuer Firmen in allzu vielen Fällen verhindern. Die Konsequenz dieser Politik, die seit vielen Jahren betrieben wurde, erkennt man an Abbildung 2.4. Sie zeigt die Entwicklung der Stundenlohnkosten für Arbeiter im verarbeitenden Gewerbe Westdeutschlands im internationalen Vergleich während der letzten zwanzig Jahre.

Deutschlands Industrie hat mit Ausnahme Norwegens, das wegen seines Reichtums an natürlichen Ressourcen außer Konkurrenz läuft, die höchsten Arbeitskosten der Welt. Die

93

US-Lohnkosten liegen etwa 15 % niedriger als die deutschen (vergleiche Abbildung 5.5 in Kapitel 5), und auch in Europa gibt es praktisch keine Parallelen. Die schwedischen Lohnkosten pro Stunde liegen um ein Fünftel unter den deutschen, und selbst die Schweiz hat dank ihrer hohen Arbeitszeit keine höheren Stundenlohnkosten als Deutschland, obwohl dort die Nettolöhne höher als in Deutschland sind und obwohl der Schweizer Franken hoch bewertet ist. Deutschland hat seit langem die höchsten Lohnkosten für Arbeiter unter praktisch allen Ländern auf der Erde, nicht nur denen, die in der Graphik dargestellt sind.

Das kann so nicht bleiben, das stehen wir nicht durch. Das Beste, was ein kapitalreiches Land wie Deutschland in der heutigen Situation tun kann, ist, den Marktkräften bei der Festlegung der Löhne und Gehälter freien Lauf zu lassen. Dann werden sich zwar die Löhne nicht mehr so rasch erhöhen, wie wir es bislang gewohnt waren, und insbesondere wird die Spreizung der Löhne zwischen der einfachen Arbeit und der qualifizierten Arbeit zunehmen, aber dennoch wird auch Deutschland von den allgemeinen Handelsvorteilen profitieren, die sich aus der Globalisierung ergeben. Diese Vorteile werden sich freilich vornehmlich in einem Anstieg der Kapitaleinkommen zeigen. Die Kapitaleinkommen werden durch den Prozess stärker ansteigen, als die Löhne zurückfallen. Insofern steigt das deutsche Sozialprodukt, der Wohlstand der Deutschen in ihrer Gesamtheit nimmt schneller zu, als es sonst der Fall gewesen wäre. Versuchen wir, aus Gründen der Gerechtigkeit oder warum auch immer, den Prozess durch ein Festhalten an überkommenen Lohnstrukturen und an der alten Lohnsteigerungsideologie zu verhindern, so werden wir alle zu den Verlierern gehören, weil dann Arbeitslosigkeit an die Stelle der Lohnzurückhaltung tritt.

So schwierig der Strukturwandel ist, der durch die Globalisierung und die europäische Integration erzwungen wird, wir müssen es schaffen, ihn so zu bewältigen, dass dabei keine Massenarbeitslosigkeit entsteht. Diese Bedingung ist erfüllbar, aber nur dann, wenn wir die Löhne freigeben und sie nicht durch Gewerkschaften und Arbeitgeberverbände, sondern durch das freie Spiel der Marktkräfte bestimmen lassen. Freie und flexible Löhne schließen Arbeitslosigkeit aus, denn es kommt durch die einzelwirtschaftliche Verhandlung zwischen Anbietern und Nachfragern zu einem Ausgleich von Angebot und Nachfrage. Jeder, der Arbeit sucht, findet Arbeit, wenn man zulässt, dass der Lohn weit genug fällt, denn je weiter er fällt, desto attraktiver wird es für die Arbeitgeber, Arbeitsplätze zu schaffen, um die sich bietenden Gewinnchancen auszunutzen.

Sicher, der Lohn für einfache Arbeit mag dann niedriger sein, als wir es aus sozialer Sicht für akzeptabel halten. Aber die immer noch erheblichen Standortvorteile, die in Deutschland bestehen, werden verhindern, dass er auch nur in die Nähe des Niveaus der osteuropäischen Länder, geschweige denn von Entwicklungsländern fällt. Deutschland hat nicht die Wahl zwischen Arbeitslosigkeit oder indischen Löhnen. Wer so argumentiert, und manche Gewerkschaftler tun es leider, versperrt sich den Blick auf die Realität und macht sich lächerlich.

Nach einer Untersuchung des ifo Instituts würde unter heutigen Verhältnissen eine Lohnsenkung von durchschnittlich 10 % bis 15 % ausreichen, die Arbeitslosigkeit weitgehend zu beseitigen, wobei bei den gering Qualifizierten sicherlich eine Lohnsenkung um ein Drittel benötigt würde.[20] Auch das mag manchem unerträglich erscheinen, aber es ist aus volkswirtschaftlicher Sicht zehnmal besser, einem Hilfsarbeiter einen Job zu verschaffen, mit dem er ein Drittel weniger verdient als heute normal ist, und ihn dann von der Allgemeinheit zusätzlich unterstützen zu lassen, als seine Arbeitslosigkeit hinzunehmen. In der Tat wird in Kapitel 4 ein entsprechender Vorschlag für die Reform des Sozialsystems unterbreitet, der genau diesen Inhalt hat.

Dr. Fritzchen Müllers Denkfehler
bei den Lohnkosten

Dr. Fritzchen Müller wird gegenüber der Aussage, dass Deutschland ein Lohnkostenproblem hat, einwenden, dass man die Lohnkosten je Stück und nicht je Stunde betrachten müsse, dass man also die Stundenlöhne durch die Arbeitsproduktivität teilen müsse, um ein korrektes Bild der Wettbewerbslage zu erhalten. Bei einem Vergleich auf dieser Basis liege Deutschland nur wenig über den Lohnkosten der anderen Länder. Die Produktivität sei hier zu Lande viel höher als anderswo, und insofern könne man sich auch höhere Stundenlohnkosten leisten, ohne dass dies zu Lasten der Wettbewerbsfähigkeit der deutschen Industrie gehe.

Dieser Einwand klingt zunächst plausibel. Aber er ist dennoch nicht berechtigt, denn er übersieht das Problem der durch die Lohnerhöhungen selbst verursachten Freisetzung von Arbeitskräften und die dadurch verursachte Produktivitätserhöhung. Das Problem wird besonders deutlich, wenn Betriebe wegen der Lohnerhöhungen geschlossen werden. Wenn die Löhne steigen, werden viele minder produktive Betriebe in Schwierigkeiten gebracht und müssen Konkurs anmelden oder werden von der Konzernzentrale dicht gemacht. Die Arbeitnehmer werden entlassen, und die Zahl der Erwerbstätigen schrumpft. Nur die hochproduktiven Betriebe überleben. Die Produktivität der Wirtschaft steigt, weil die minder produktiven Betriebe mitsamt ihrer Belegschaften aus der Statistik verschwinden.

Um den Effekt klar zu machen, stelle man sich einmal vor, es gebe zwei zunächst identische Länder mit je zwei Typen von Firmen, robusten Firmen und Wackelkandidaten. Die Wackelkandidaten stehen am Rande des Konkurses und kommen mit den herrschenden Löhnen nur ganz knapp zurecht. Die robusten Firmen haben keine Probleme mit den Löhnen und machen hohe Gewinne. Nun werde das Lohnniveau durch neue Tarifverhandlungen in einem der beiden Länder geringfügig erhöht. Als Folge davon gehen die Wackelkandidaten dieses Landes in Konkurs, und nur die robusten Firmen verbleiben im Markt. Die Arbeitsproduktivität macht einen Sprung nach oben, weil nur noch die robusten Firmen statistisch erfasst werden. Die Lohnstückkosten als Quotient aus Lohnsatz und Arbeitsproduktivität fallen, denn der Sprung in der gemessenen Arbeitsproduktivität in der Restmenge der überlebenden Firmen wiegt stärker als der kleine Anstieg des Lohnsatzes. Wer sich in diesem Beispiel an den Lohnstückkosten orientiert, kommt zu dem Schluss, das Land mit den höheren Löhnen und der größeren Arbeitslosigkeit sei wettbewerbsfähiger als das andere. Auch dieses Beispiel zeigt, dass es immer nur die Arbeitslosigkeit selbst ist, die ein korrektes Urteil über die Wettbewerbsfähigkeit erlaubt.

Ähnliche Effekte gibt es, wenn die Lohnpolitik Unternehmen veranlasst, in kapitalintensivere Produktionsprozesse auszuweichen und Arbeitskräfte freizusetzen. Auch auf dem Wege lohngetriebener Rationalisierungsmaßnahmen, die sich in Personalabbau oder in der Verkürzung von Arbeitszeiten zeigen, wird ein betriebswirtschaftlicher Produktivitätszuwachs erzeugt, der nur scheinbar Verteilungsspielräume eröffnet, weil ihm keine volkswirtschaftlichen Produktivitätsgewinne gegenüberstehen.

Ein Blick in die Geschichte ist in diesem Zusammenhang nützlich. Die Kapitalintensivierung der Produktion war in den letzten 200 Jahren das normale Kennzeichen des technischen Wandels, denn der Kapitalvorrat ließ sich auf dem Wege der volkswirtschaftlichen Ersparnis viel schneller vermehren, als die Zahl der arbeitsfähigen Menschen anwuchs. Insofern musste durch ständige Lohnerhöhungen für die Unternehmen ein Anreiz erzeugt werden, das Mehr an Sparkapital nicht in eine bloße Ausweitung vorhandener Anlagen zu investieren, sondern zugleich die Verfahrenswahl zu ändern und auf diese Weise mit relativ immer weniger Arbeit auszukommen. Diese

Lohnerhöhungen wurden durch die wachsende Konkurrenz der Unternehmen um die Arbeitnehmer von der Marktwirtschaft selbst erzeugt. Viele Arbeitnehmer sitzen heute am Computer oder bedienen komplizierte Steuerungsanlagen, statt noch selbst mit Muskelkraft Arbeit auszuüben. Das ist gut so, und so muss sich eine Volkswirtschaft entwickeln.

Nicht gut ist es, wenn durch künstliche Einflüsse auf die Lohnpolitik seitens der Gewerkschaften oder des Sozialstaates mehr Kapitalintensivierung erzeugt als benötigt wird, um den steigenden Kapitalstock von der gegebenen Arbeitsbevölkerung bedienen zu lassen, denn so entsteht Arbeitslosigkeit, und die Produktion steigt langsamer an, als es bei einer weniger raschen Kapitalintensivierung der Produktion der Fall gewesen wäre. Leider ist dies das deutsche Problem. Deutschland hatte, in den letzten 20, 30 Jahren viel zu viel betriebswirtschaftlichen und viel zu wenig volkswirtschaftlichen Produktivitätszuwachs, weil die Löhne zu schnell angehoben wurden. Was aus betriebswirtschaftlicher Sicht eine sinnvolle Reaktion auf die Lohnerhöhungen war, entpuppte sich aus volkswirtschaftlicher Sicht als krasse Fehlentwicklung. Stets haben die Gewerkschaften die Löhne etwas stärker erhöht, als es zur Vermeidung von Arbeitslosigkeit angemessen war. Immer mehr Betriebe wurden in den Konkurs getrieben, und die Kapitalintensivierung der Produktion wurde schneller vorangetrieben, als es sinnvoll war. So blieb ein immer größerer Teil des vorhandenen Arbeitszeitpotenzials ungenutzt, was sich in einem Rückgang der Arbeitszeiten pro Arbeitnehmer sowie einer Zunahme der Arbeitslosigkeit bemerkbar machte. Die gemessene Produktivität stieg auf diese Weise über das Maß hinaus, das durch den technischen Fortschritt und neue Investitionen erklärbar war, mit der Folge, dass die Gewerkschaften diesen Anstieg in der nächsten Lohnrunde zum Anlass nahmen, weitere Lohnerhöhungen zu fordern. Dadurch induzierten sie noch mehr Konkurse und noch mehr Rationalisierungsmaßnahmen. Sie setzten eine Spirale in Bewegung, die immer mehr Lohnerhöhungen, immer mehr Entlassungen, immer mehr gemessenen Produktivitätszuwachs und deshalb wieder neue Lohnerhöhungen bedeutete.

Diese Überlegungen zeigen, dass man die Wettbewerbsproblematik prinzipiell *nicht* an den betriebswirtschaftlichen Lohnstückkosten erkennen kann. Wenn man auf Lohnstückkosten abstellt, muss man sie um die durch Entlassungen und Arbeitszeitverkürzungen getriebenen Produktivitätseffekte bereinigen, aber das geschieht in der Praxis nicht. Man bereinigt die Lohnstückkosten zwar um Verschiebungen in der Struktur zwischen Arbeitnehmern und anderen Erwerbstätigen, nicht jedoch um die durch Freisetzungen verursachten Produktivitätsgewinne. Produktivität ist Wertschöpfung geteilt durch Arbeitszeit. Bei der Arbeitszeit, also im Nenner des Bruches, müssen die Arbeitszeiten der nun Arbeitslosen und die entfallenden Stunden aus Arbeitszeitverkürzungen mitgezählt werden, die zur gesamtwirtschaftlichen Wertschöpfung keinen Beitrag mehr leisten. Nur wenn man die so berechnete Produktivität bei der Berechnung der Lohnstückkosten zu Rate zieht, vermeidet man den Denkfehler, der bei den üblichen Messmethoden begangen wird.

Ein Blick auf die Entwicklung Westdeutschlands einschließlich Berlins in den 20 Jahren von 1982 bis 2002 verdeutlicht, um welche Größenordnungen es geht. In dieser Zeitspanne stieg das nominale Lohneinkommen je Arbeitnehmerstunde durchschnittlich um 3,5 % pro Jahr, und die Arbeitsproduktivität im Sinne des realen Bruttoinlandsprodukts je Erwerbstätigenstunde stieg um 1,9 % pro Jahr. Folglich stiegen die nominalen Lohnstückkosten nach üblicher Rechnung um 1,6 % pro Jahr. Bezieht man das Bruttoinlandsprodukt freilich auf das Potenzial an Erwerbstätigenstunden, indem man die Arbeitslosen mit einrechnet und die Arbeitszeit pro Erwerbstätigem rechnerisch auf dem Niveau von 1982 einfriert, so ergibt sich ein um Freisetzungen bereinigter gesamtwirtschaftlicher Produktivitätszuwachs von nur 1,1 % pro Jahr. Etwa 0,8 Prozentpunkte der jährlichen Zunahme der Arbeitsproduktivität sind also ein Artefakt, das auf die lohnbedingten Freisetzungen selbst zurückzuführen ist. Dementsprechend liegt der Lohnstückkostenanstieg bei 2,4 % pro Jahr statt nur 1,6 % wie in der üblichen Rechnung. Westdeutschland bräuchte heute um 15 % niedrigere Lohnstückkosten, um allein den in den letzten 20 Jahren akkumulierten Rechenfehler bei den Lohnverhandlungen zu kompensieren.[21]

Die Freisetzung von Arbeitskräften hat offenbar ganz wesentlich zur Zunahme der betriebswirtschaftlichen Arbeitsproduktivität und zur Senkung der gemessenen Lohnstückkosten beigetragen. Der Produktivitätszuwachs hat die Illusion genährt, es gebe verteilbare Zuwächse, wo er doch in Wahrheit selbst zu einem erheblichen Teil durch die Flucht der Unternehmen vor den Lohnforderungen der Gewerkschaften hervorgerufen worden war. Dr. Fritzchen Müller sollte sich doch noch einmal ganz genau überlegen, was an seinem Lohnstückkostenargument falsch sein könnte.

Warum es auf die Nachfrage nicht ankommt

Das sollte Dr. Fritzchen Müller übrigens auch bezüglich seines Argumentes tun, dass Deutschlands Wirtschaft höhere Löhne brauche, weil es an gesamtwirtschaftlicher Nachfrage fehle. Höhere Löhne, so das Argument, stärken die Massenkaufkraft und erhöhen auf dem Wege einer höheren Konsumgüternachfrage den Absatz der Unternehmen. Das wiederum führe zu Neueinstellungen und Einkommenserhöhungen bei den Unternehmen, was abermals die Konsumgüternachfrage steigere. Es gebe einen Multiplikatoreffekt, der schließlich alle Wirtschaftsbereiche erfasse.

An diesem Argument ist zweierlei falsch. Erstens stimmt es nicht, dass Lohnerhöhungen die gesamtwirtschaftliche Nachfrage stimulieren. Zwar wird die Konsumgüternachfrage durch Lohnerhöhungen belebt, doch fällt die Investitionsgüternachfrage. Lohnerhöhungen verringern die Gewinne, die die Unternehmen aufgrund von Investitionen erwarten können, und drücken auf diese Weise viele technisch mögliche Projekte unter die Rentabilitätsschwelle. Dies bedeutet, dass die Käufe von Investitionsgütern zurückgehen und dass die Investitionsgüterindustrie weniger Einnahmen erzielt und weniger Leute beschäftigt. Dieser Effekt ist leider stärker als der nachfragestimulierende Effekt der Konsumgüterkäufe, weil die Investitionen viel sensibler reagieren. Auch aus rein konjunktureller Sicht spräche deshalb alles für eine Lohnzurückhaltung.

Und zweitens kommt es auf die Konjunktur nicht wirklich an. Deutschlands Probleme sind keineswegs konjunktureller Natur. Wie man an Abbildung 1.1 erkennt, sind die Arbeitslosenzahlen in den letzten 30 Jahren auch in Phasen wirtschaftlicher Besserung kaum um mehr als etwa eine halbe Million gefallen. Unter heutigen Verhältnissen wäre das allenfalls ein Rückgang der Arbeitslosigkeit um 15 %. Etwa 85 % der Arbeitslosigkeit sind demgegenüber nicht konjunkturell, sondern strukturell bedingt, und diese Arbeitslosigkeit kann man auch unter günstigsten Bedingungen nicht durch nachfragebelebende Maßnahmen beseitigen. Auch wenn sich an die konjunkturelle Flaute der Jahre 2001, 2002 und 2003 ein Super-Boom mit einer Vollauslastung der Produktionskapazitäten anschlösse, hätte Deutschland immer noch vier Millionen Arbeitslose.

Der Unterschied zwischen Konjunktur- und Strukturproblemen wird von Laien häufig nicht gesehen, aber er ist essenziell für das Verständnis volkswirtschaftlicher Zusammenhänge. Bei der Konjunktur geht es um den Auslastungsgrad des Produktionspotenzials, der durch die Nachfrage bestimmt wird, welcher sich die Unternehmen gegenübersehen. Bei Strukturproblemen geht es um dieses Potenzial selbst. Es wird unter anderem durch den Kapitalstock der Volkswirtschaft bestimmt, wie er durch frühere langfristige Investitionen in Gebäude, Maschinen und Anlagen zustande gekommen ist. Deutschlands Kapitalstock hat sich in den letzten Jahren zu langsam entwickelt, und vor allem hat er, wie erläutert wurde, wegen der hohen

Löhne eine zu geringe Arbeitsintensität. Ein Nachfrageschub kann eine Mehrproduktion und einen Beschäftigungsstand immer nur bis zur Vollauslastung der vorhandenen Anlagen bewirken, doch nicht darüber hinaus. Weitere Produktions- und Beschäftigungseffekte kommen nur durch den Kapazitätseffekt neuer Investitionen zustande, doch ob solche Investitionen in Deutschland vorgenommen werden, hängt weniger von der Nachfrage als von den Standortbedingungen ab, unter denen die Löhne kostenseitig die wichtigsten sind. Die deutsche Nachfrage kann man auch von einem tschechischen Standort bedienen.

Sicher, die Klagen der Unternehmen, die regelmäßig die Zeitungen füllen, scheinen sich stets auf Nachfrageprobleme zu beziehen, und so ist es verständlich, dass Laien den Eindruck gewinnen, Deutschland könne sich durch eine mutige Nachfragepolitik seiner Probleme entledigen. Aber das ist eine Verzerrung der Wahrnehmung, die damit zu tun hat, dass die wahren Probleme unseres Landes bei jenen Unternehmen liegen, die schon nicht mehr klagen, weil sie tot sind, oder jenen, die nie klagen können, weil sie, wenn man so will, nach ihrer geistigen Zeugung bereits vor der Geburt abgetrieben werden. Kurzum: Deutschlands strukturelle Probleme liegen bei den Unternehmen, die es wegen der Standortprobleme nicht gibt, doch diese Unternehmen sind nicht organisiert, haben keine Lobby und treten natürlich öffentlich nicht Erscheinung.

Wie abwegig die These ist, dass sich Deutschlands Probleme durch eine Stimulierung der Nachfrage lösen lassen, erkennt man an den neuen Bundesländern. Seit 1991 hat es dort das größte Konjunkturprogramm aller Zeiten mit einem gigantischen schuldenfinanzierten Ausgabenvolumen gegeben, das neben dem Kapitalfluss dazu beigetragen hat, die Kaufkraft um etwa 50 % über die eigene Erzeugung hinaus zu erhöhen (vergleiche Kapitel 5). Dennoch hat die Wirtschaft der neuen Länder keinen Anschluss an die des Westens gefunden und ist seit 1996, ausgenommen 1999, in jedem einzelnen Jahr weiter zurückgefallen. Wenn auch nur ein Fünkchen Wahrheit an der These wäre, dass eine allgemeine Nachfrageerhöhung die deutsche Wirtschaft rettet, hätte es in den neuen Bundesländern ein wahres Wirtschaftswunder geben müssen.

Die Nachfrage verteilt sich über die Welt und ist nicht auf deutsche Waren beschränkt. Man müsste die Nachfrager schon zwingen, ihr Geld nur für deutsche Waren einzusetzen, so dass die deutschen Firmen höhere Preise durchsetzen können. Dann würde sich irgendwann trotz der hohen Löhne das Produzieren wieder lohnen, und neue Jobs würden geschaffen. Aber das ist nicht nur rechtlich unmöglich, sondern wäre wegen der Aushebelung der internationalen Arbeitsteilung sogar schädlich. In der wirklichen Welt, in der Deutschland wirtschaftet, lassen sich die Nachfrager nicht gängeln und kaufen dort, wo sie am besten bedient werden.

Auch dies wird am Beispiel der neuen Länder besonders gut deutlich. Dank der Transfers aus dem Westen haben die Bürger der neuen Bundesländer ordentliche Einkommen, zwar noch etwas niedriger als im Westen, aber doch viel höher als die, die sie selbst erwirtschaften. Das Problem ist aber, dass sie sich gegenseitig zu teuer sind, als dass sie bereit wären, einander die Leistungen abzukaufen, die sie anzubieten haben und die ihre Beschäftigung ermöglichen würde. Stattdessen nehmen sie das Geld, das sie erhalten, und kaufen dafür Güter aus anderen Teilen der Welt.

Nein, mehr gesamtwirtschaftliche Nachfrage und mehr Kaufkraft ist es wirklich nicht, was Deutschland braucht. Unser Land braucht niedrigere Produktionskosten, damit wieder mehr wettbewerbsfähige Produkte angeboten werden können. Wettbewerbsfähige Produkte suchen sich die Nachfrage selbst.

Was wir bei den Lohnkosten von den Amerikanern und den Holländern lernen können

Die entscheidende strategische Variable zur Wiedererlangung der Wettbewerbsfähigkeit Deutschlands sind die Lohnkosten, und kaum etwas anderes. Das ist unbequem, weil Lohnkosten, abgesehen von den staatlichen Abgaben, unser eigenes Einkommen sind, aber es ist, wie es ist. Manchmal sind Wahrheiten unbequem, und je eher wir sie verinnerlichen, desto eher nähern wir uns der Lösung der deutschen Probleme.

Es wird häufig verkannt, dass die Löhne eines Landes, abgesehen von Mieten, Pachten und staatlichen Abgaben, die einzigen wichtigen standortgebundenen Kosten sind. Sicher, auf betrieblicher Ebene stehen die Kosten der Vorprodukte häufig im Vordergrund, und Lohnkosten scheinen von nur geringer Bedeutung zu sein. Das ist aber nur eine optische Täuschung, denn die Kosten der Vorprodukte sind selbst wiederum im Wesentlichen auf inländische Lohnkosten zurückzuführen, und wo sie es nicht sind, betreffen sie importierte Vorprodukte, die für alle Standorte gleich teuer sind. Ähnlich ist es bei den Kapitalkosten, die spätestens seit der Einführung des Euro international angeglichen wurden und somit keinerlei Standortvorteile begründen. Es sind wirklich die Lohnkosten, die heute über die Wettbewerbsfähigkeit eines Landes entscheiden.

Wie stark speziell auch der Einfluss auf die Beschäftigungssituation ist, zeigt ein internationaler Vergleich zwischen den USA, den Niederlanden und Deutschland während der letzten zwei Jahrzehnte, wie er in Abbildung 2.5 dargestellt ist. Im Bezugsjahr 1982 wurde seinerzeit in den Niederlanden das so genannte Wassenaar-Abkommen zwischen den Tarifpartnern und der Regierung geschlossen, mit dem nach massiven Drohungen der Regierung eine Politik der langfristigen Lohnzurückhaltung eingeleitet wurde. Im linken Diagramm ist in Ermangelung gesamtwirtschaftlicher Vergleichszahlen die Entwicklung der Stundenlohnkosten für Industriearbeiter in den

Löhne und Beschäftigung

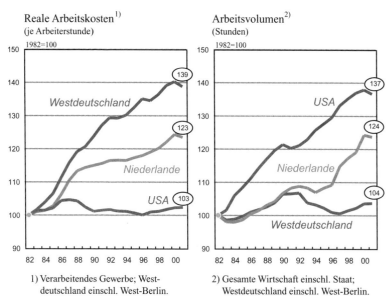

Reale Arbeitskosten[1)]
(je Arbeiterstunde)
1982=100

Arbeitsvolumen[2)]
(Stunden)
1982=100

1) Verarbeitendes Gewerbe; Westdeutschland einschl. West-Berlin.

2) Gesamte Wirtschaft einschl. Staat;
Westdeutschland einschl. West-Berlin.

Quelle: Institut der Deutschen Wirtschaft (Arbeitskosten), OECD, Economic Outlook (Erwerbstätige in den Niederlanden und den USA), Employment Outlook (durchschnittliche jährliche Arbeitszeit je Erwerbstätigen in den Niederlanden und den USA; in Westdeutschland 1982 – 1990), Statistisches Bundesamt, Volkswirtschaftliche Gesamtrechnung – Revidierte Ergebnisse 1970 – 2001, Wiesbaden, 2002 (Erwerbstätige in Westdeutschland 1982 – 1991);
Arbeitskreis Volkswirtschaftliche Gesamtrechnungen der Länder (Erwerbstätige 1992 – 2002); IAB, Der Arbeitsmarkt in den Jahren 2003 und 2004, MittAB 1/2003 (durchschnittliche jährliche Arbeitszeit je Erwerbstätigen in
Westdeutschland 1991 – 2002); Berechnungen des ifo Instituts.

ABBILDUNG 2.5

drei Ländern dargestellt, und im rechten Diagramm die Entwicklung des so genannten Arbeitsvolumens, der gesamten Be
schäftigung der Erwerbstätigen in Stunden. Die Kurven sind
Indexkurven. Sie geben an, wie groß das kumulierte prozentuale Wachstum der verschiedenen Größen im Zeitablauf war. In
der Zeitspanne von 1982 bis 2001 haben sich die holländischen
Industriearbeiterlöhne real um 23% vergrößert, die deutschen
haben sich um knapp 39% vergrößert, und die US-amerikanischen sind praktisch konstant geblieben. Die Entwicklung des
Arbeitsvolumens verlief genau spiegelbildlich. Während in den

USA ein Zuwachs des Arbeitsvolumens von etwa 37 % und in den Niederlanden ein Zuwachs in Höhe von 24 % zu verzeichnen war, hat Westdeutschland gerade einmal schlappe 4 % erzielt.

Alle drei Länder hatten in dem betrachteten Zeitraum eine erhebliche Zuwanderung auf den Arbeitsmärkten zu verkraften. In den USA lag die Nettozuwanderung bei 11 % der 1982 vorhandenen Bevölkerung beziehungsweise 26 Millionen Personen, in Holland bei 5 % oder 700.000 Personen und in Deutschland bei 8 % oder 4,9 Millionen Personen.[22] Offenbar reichte die prozentuale Zunahme des Beschäftigungsvolumens in den USA und Holland aus, die Zuwanderer in Arbeit und Brot zu bringen und dennoch die Arbeitslosigkeit weiter abzubauen. In Deutschland gab es statistisch gesehen hingegen eine Zuwanderung in die Arbeitslosigkeit, weil die deutsche Wirtschaft wegen der explosionsartig zunehmenden Löhne nur in geringem Umfang bereit war, mehr Beschäftigung zu schaffen. 4 % mehr Arbeitsvolumen reicht nicht aus, einen Bevölkerungszuwachs von 8 % ohne einen Zuwachs an Arbeitslosen zu verkraften. In den USA ging die Arbeitslosenquote von 1982 bis 2002 von 9,7 % auf 5,8 % zurück, in Holland fiel sie von 8,1 % auf 2,4 %, doch in Deutschland stieg sie von 5,7 % auf 8,2 %, jeweils gemessen als standardisierte Rate nach der OECD-Methodik.[23]

Manchmal wird die Behauptung vertreten, die holländischen Erfolge bei der Beschäftigung seien auf die verstärkte Zunahme von Teilzeitjobs zurückzuführen, und deshalb müsse man auch in Deutschland versuchen, des Problems der Arbeitslosigkeit durch eine bessere Verteilung der Arbeit Herr zu werden. Das Argument stimmt überhaupt nicht, denn die Abbildung zeigt, dass sogar die Gesamtzahl der geleisteten Arbeitsstunden in Holland um 24 % zugenommen hatte, und nicht etwa nur die Gesamtzahl der Jobs. Letztere ist wegen der vermehrten Teilzeitarbeit prozentual noch schneller gestiegen. Nein, die holländischen Erfolge sind nicht auf die bessere Verteilung der Arbeit zurückzuführen, sondern auf die Zunahme des Job-Kuchens selbst.

Die inverse Beziehung zwischen der Lohnhöhe und der Beschäftigung, die in den Abbildungen zum Ausdruck kommt, ist kein Zufall, und nicht etwa das Ergebnis einer bewussten Auswahl von Ländern zur Demonstration des Effektes. Diese Beziehung ist vielmehr eine der ganz fundamentalen Gesetzmäßigkeiten der Marktwirtschaft, die in einer Vielzahl von ökonometrischen Untersuchungen, die sich über viele Länder und Zeitperioden erstrecken, ermittelt wurden. Als grobe Faustregel gilt, dass eine Lohnzurückhaltung von einem Prozent gegenüber einem anderen Land langfristig etwa ein Prozent Beschäftigungszuwachs bedeutet.[24]

Es ist zu betonen, dass es sich hier um langfristige Effekte handelt. Strohfeuer, die kurzfristig die Konjunktur aufheizen, aber dann auch schnell wieder erlöschen, sind nicht gemeint. Deutschlands Arbeitslosigkeit ist, wie erwähnt, zu 85 % langfristig-struktureller Natur und hat nur zu 15 % konjunkturelle Ursachen. Bei den langfristigen Beschäftigungswirkungen kommt es überhaupt nicht darauf an, ob die Lohnverhandlungen die übliche Zielmarke, die durch die Summe aus Produktivitätssteigerung und Preissteigerung definiert wird, innerhalb von drei, vier Jahren um einen Prozentpunkt über- oder unterschreiten. Solche kleinen Änderungen sind unerheblich. Wenn aber die Zielmarke 20 Jahre lang in jedem Jahr um einen Prozentpunkt überschritten wurde, dann entsteht ein Problem, wie es in der Abbildung sichtbar wird. So langsam, wie das Problem aufgebaut wurde, so schwer und mühsam wird es sein, es durch Lohnzurückhaltung wieder abzubauen. Dennoch führt daran angesichts der neuen Wettbewerbsverhältnisse kein Weg vorbei.

Nur ein Kurs der Zurückhaltung und Bescheidenheit bei den Lohnverhandlungen, der zumindest auf eine Verlangsamung des Wachstums der Reallöhne hinausläuft, wird es ermöglichen, eine Verlagerung von Unternehmensstandorten und eine Kapitalflucht aus Deutschland zu verhindern. Um den Kostennachteil gegenüber Holland zu beseitigen, der sich in den letzten 20 Jahren aufgebaut hat, müssen wir die Lohnkosten um 11,5 % senken.[25] Vorausgesetzt, die Löhne in Holland steigen in Zukunft mit der Arbeitsproduktivität, brauchen wir dazu elf Jahre lang eine Lohnzurückhaltung, die die Lohnsteigerung in jedem Jahr um einen Prozentpunkt unter den Produktivitätszuwachs drückt. Allerdings müssen die Löhne dabei, wie später noch ausgeführt wird, auch deutlich gespreizt werden. Bei den gering Qualifizierten wird die Lohnsenkung gegenüber einer produktivitätsorientierten Lohnpolitik ein Drittel ausmachen müssen. Dafür kann sie bei den besser Qualifizierten entsprechend geringer ausfallen.

Als Alternative und Ergänzung zur Lohnzurückhaltung kommt eine Senkung der Lohnnebenkosten in Betracht. Die Arbeitgeberbeiträge zur Sozialversicherung liegen bei 21 % der Bruttolöhne, was 17,4 % der Bruttolohnkosten ohne Mehrwertsteuer entspricht. Von den 17,4 % entfallen 8,1 Prozentpunkte auf die Rentenversicherung, 5,9 Punkte auf die Krankenversicherung, 2,7 Punkte auf die Arbeitslosenversicherung und 0,7 Punkte auf die Pflegeversicherung. Offenbar würde eine Abschaffung der Arbeitgeberbeiträge zur Renten- und zur Krankenversicherung oder auch der Arbeitgeberbeiträge zur Rentenversicherung, zur Arbeitslosenversicherung und zur Pflegeversicherung ausreichen, die erforderliche Lohnkostensenkung von 11,5 % herbeizuführen. Der Einnahmeverlust könnte durch eine entsprechende Leistungsverringerung bei gleichzeitiger Teilprivatisierung der entsprechenden Sozialsysteme oder auf dem Wege der zusätzlichen Übernahme der Arbeitgeberbeiträge durch die Arbeitnehmer ausgeglichen werden. Andere Lösungen sind kaum in Sicht, wenn man den Weg über die Senkung der Lohnnebenkosten gehen will.

Indes ist auch noch an eine Verlängerung der jährlichen Arbeitszeit ohne Lohnausgleich zu denken. Dieser Weg ist für die betroffenen Arbeitnehmer vermutlich am einfachsten zu bewerkstelligen, weil er keine Verminderung des Monatseinkommens und somit auch keine finanziellen Engpässe und Probleme mit sich bringt. Eine etwa zehnprozentige Verlängerung der Arbeitszeit würde die Lohnkosten pro Stunde ebenfalls weit genug senken, um das Wegdriften vom holländischen Lohnpfad während der letzten 20 Jahre wieder rückgängig zu machen. Dazu müsste die durchschnittliche jährliche Arbeitszeit um 147 Stunden steigen, und zwar von 1.467 Stunden auf 1.614 Stunden. Damit läge sie in der Nähe des schwedischen oder italienischen Wertes, aber noch lange nicht beim finnischen Wert (vergleiche Abbildung 3.1 im nächsten Kapitel). Eine solche Steigerung entspräche der Zunahme der Wochenarbeitszeit des ganztags Beschäftigten um vier Stunden, von 38 Stunden auf 42 Stunden, und würde damit die Rückkehr zu einer Wochenarbeitszeit bedeuten, wie sie 1980 in Westdeutschland üblich war. Der Untergang der Welt wäre es nicht, wenn sich die Tarifpartner dazu durchringen könnten.

Niemand weiß freilich, ob die deutsche Wirtschaft in der Zukunft genau so reagieren wird, wie es die holländische in der Vergangenheit tat. Ob ein Gleichstand mit Holland ausreicht, das Land wieder auf Trab zu bringen, kann angesichts des immer schärfer werdenden Wettbewerbs auf den Weltmärkten nicht mit Bestimmtheit gesagt werden. Auch kann man nicht davon ausgehen, dass eine pauschale, gleichmäßige Kürzung aller Lohnkosten, wie sie durch die Abschaffung der Arbeitgeberbeiträge stattfände, zum Ziel führt. Sicherer ist deshalb die Strategie, die Arbeitsmärkte generell zu flexibilisieren und in stärkerem Maße dem Spiel von Angebot und Nachfrage zu unterwerfen, als das in der Vergangenheit der Fall war. Das bedarf der Änderung der institutionellen Verhältnisse, die den Arbeitsmarkt umgeben, insbesondere des Tarifrechts und des Sozialstaats, von dem erhebliche Rückwirkungen auf die Lohnbildung ausgehen. Damit beschäftigen sich die beiden nachfolgenden Kapitel.

Wie wir die Wettbewerbsfähigkeit verloren

1 World Bank, World Development Indicators 2003, CD-ROM.
2 M. Wansleben, Pressekonferenz des Deutschen Industrie- und Handelskammertages zum Thema »Produktionsverlagerung« am 26. Mai 2003 in Berlin. Deutsche Bundesbank, Kapitalverflechtung mit dem Ausland, Statistische Sonderveröffentlichung, Mai 2002.
3 Deutscher Industrie- und Handelskammertag, Produktionsverlagerung als Element der Globalisierungsstrategie von Unternehmen, Ergebnisse einer Unternehmensbefragung, Berlin, Mai 2003.
4 Diese Angaben folgen aus Informationen des Instituts für Mittelstandsforschung, Hrsg., Unternehmensgrößenstatistik 2001/2002 – Daten und Fakten, S.21f. (http://www.ifm-bonn.org/ergebnis/157.htm, Juni 2003), sowie Berechnungen des ifo Instituts. Man beachte, dass 80 % der privaten Arbeitsplätze circa zwei Drittel aller Arbeitsplätze, einschließlich der staatlichen, entspricht.
5 Institut der deutschen Wirtschaft, IW-Trends, Dokumentation 4, 2002.
6 H.-W. Sinn und A. Weichenrieder, Foreign Direct Investment, Political Resentment and the Privatization Process in Eastern Europe, Economic Policy 24, 1997, S.179-210.
7 Istvan Csillag, ungarischer Wirtschaftsminister, in seiner Rede anlässlich des zehnten Jahrestages der Gründung der Deutsch-Ungarischen Handelskammer am 15. Mai 2003, zitiert nach: Wolfram Klein, Für deutsche Investoren hat der Standort an Attraktivität verloren, Handelsblatt 28. Mai 2003.

8 Statistisches Bundesamt, Produktionsvolumen: Statistisches Bundesamt, Fachserie 4, Reihe 2.1, Ausgabe August 2003; Brutto-Wertschöpfung: Statistisches Bundesamt, Fachserie 18, Reihe 3, 2. Vierteljahr 2003; Berechnungen des ifo Instituts.

9 Vom Frühjahr bis zum Herbst musste die Prognose des Exportwachstums für das Jahr 2003 von 3 % auf 0,2 % zurückgenommen werden. Vgl. Herbstgutachten der Wirtschaftsforschungsinstitute, Die Lage der Weltwirtschaft und der deutschen Wirtschaft im Herbst 2003, 17. Oktober 2003, S. 34, http://www.ifo.de.

10 Deutsche Bundesbank, Monatsbericht September 2003, S.68* und S.60*.

11 Zusätzlich zu den Kapitalströmen wird der Saldo der Leistungsbilanz durch die unentgeltlichen Übertragungen zwischen In- und Ausland erklärt, zu denen unter anderem die Entwicklungshilfe und Gastarbeiterüberweisungen in die Heimatländer gehören. Im Jahr 2002 lag die Summe aus diesen beiden Posten für Gesamtdeutschland bei 4,0 Milliarden Euro und damit noch unter dem Leistungsbilanzüberschuss. Insofern lag tatsächlich ein Nettokapitalexport vor. Das Thema ist aber relevant beim Leistungsbilanzdefizit der neuen Bundesländer, das, wie in Kapitel 5 erläutert werden wird, nur zu einem sehr kleinen Teil auf einen Kapitalimport und vorwiegend auf Geldtransfers aus dem Westen zurückzuführen ist. Vergleiche Deutsche Bundesbank, Zahlungsbilanzstatistik März 2003, S.34f. In 2002: Entwicklungshilfe 564 Millionen Euro, Heimatüberweisungen der Gastarbeiter 3,47 Milliarden Euro.

12 Nach Auskunft der Deutschen Börse AG belief sich die Marktkapitalisierung der DAX-Aktien am 2. April 2003 auf circa 268 Milliarden Euro. Die Marktkapitalisierung von Microsoft betrug an diesem Tag nach Auskunft der NASDAQ (Microsoft wird in New York nur dort gehandelt) 275,2 Milliarden US-Dollar.

13 Die Statistik der Direktinvestitionen enthält zu einem kleinen Teil Investitionen auf der grünen Wiese und zum weitaus überwiegenden Teil die Gewinneinbehaltung von Tochterunternehmen im Ausland sowie die Käufe und Verkäufe existierender

Unternehmen. So ist eine Gewinneinbehaltung von Opel eine Direktinvestition in Deutschland, weil Opel zu General Motors gehört, und der dubiose Ausverkauf des D2-Netzes an Vodafone war eine Direktinvestition Großbritanniens in Deutschland.

14 Weltsozialprodukt in laufenden Dollarpreisen: vergleiche Weltbank, World Development Indicators 2002, CD-ROM. Internationale Handelsströme (world exports): IMF, Direction of Trade Statistics, Yearbook 2002. Internationale Finanzströme: Direktinvestitionen und Portfolioinvestitionen in der Weltbank-Region Europa/Zentralasien; vergleiche Weltbank, World Development Indicators 2002, CD-ROM. Auf der CD-ROM der Weltbank finden sich für die Portfolioinvestitionen keine Angaben zur »Welt«, hingegen zur Region »Europa/Zentralasien«. Betrachtet man als Summe die Direktinvestitionen, die Portfolioinvestitionen in Aktien und festverzinslichen Papieren, so ergibt sich für die Region Europa/Zentralasien zwischen 1990 und 2000 eine Steigerungsrate von 1.236 %.

15 Mündelsichere Anlagen sind zum Beispiel die Hypothekenpfandbriefe und Kommunalobligationen. Die von den Banken durch die Ausgabe dieser Papiere gewonnenen Mittel mussten früher im Inland angelegt werden. Nach der Richtlinie 2001/24/EG der EU vom 4. April 2001 stehen sie nun aber für Immobilieninvestitionen im europäischen Ausland zur Verfügung.

16 1990-1998: IMF, Direction of Trade Statistics, verschiedene Ausgaben; 1999-2002: IMF, International Financial Statistics, October 2003, S. 70.

17 S. Bhalla, Imagine there's no Country: Poverty, Inequality and Growth in the Era of Globalization, Institute of International Economics, September 2002, sowie derselbe, Poor Results and Poorer Policy: A Comparative Analysis of Estimates of Global Inequality and Poverty, CESifo-Konferenzbericht, Herbst 2002.

18 Siehe A. Maddison, Monitoring the World Economy 1820 – 1992, OECD, Development Centre Studies, Paris 1995, S.39 (exakter Wert 49,5 %). Quelle: Statistisches Bundesamt, Fachserie 18 Reihe 1.1, 4. Vierteljahr 2002, Ausgabe Februar 2003.

19 Siehe K. Borchardt, Globalisierung in historischer Perspektive. Sitzungsberichte der Bayerischen Akademie der Wissenschaften. Philosophisch-historische Klasse, 2001, Heft 2, München 2001.

20 H.-W. Sinn, Ch. Holzner, W. Meister, W. Ochel und M. Werding, Aktivierende Sozialhilfe, ifo Schnelldienst 55, 2002, Nr. 9 Sonderausgabe.

21 Quellen: Arbeitszeit je Erwerbstätigen 1982 bis 1990: OECD, Economic Outlook, 1991 bis 2002, IAB, Der Arbeitsmarkt in den Jahren 2003 und 2004, MittAB 1/2003, Bruttoinlandsprodukt, Erwerbstätige, Arbeitnehmer, Arbeitnehmerentgelte 1982 bis 1990: Statistisches Bundesamt, Fachserie 18, Reihe S.21, 1991 bis 2002: Arbeitskreis Volkswirtschaftliche Gesamtrechnungen der Länder, Arbeitskreis Erwerbstätigenrechnung des Bundes und der Länder, Aufteilung Berlins nach eigenen Berechnungen. Für die Aufteilung der Arbeitnehmerentgelte wurde angenommen, dass die Ost-West-Relation in Berlin der im gesamten Bundesgebiet entspricht, für die West-Ost-Aufteilung von Bruttoinlandsprodukt, Erwerbstätigen und Arbeitnehmern Berlin wurden Angaben früherer statistischer Publikationen verwendet.

22 Statistisches Bundesamt und niederländisches statistisches Amt auf Anfrage sowie Statistisches Jahrbuch 2002 für das Ausland, S.185.

23 OECD, Economic Outlook Nr. 67, Juni 2000, S.266, und Main Economic Indicators, April 2003, S.24.

24 Den prozentualen Beschäftigungszuwachs, der wegen der Reaktion der Unternehmen aus einem Prozent Lohnzurückhaltung resultiert, nennt man die Elastizität der Arbeitsnachfrage. Dabei ist nicht der Vergleich im Zeitablauf, sondern der Vergleich zwischen verschiedenen Szenarien zu einem gegebenen zukünftigen Zeitpunkt gemeint. Folgende Schätzungen für die Elastizität der Arbeitsnachfrage sind in der Literatur zu finden:

0,96 Franz und König für das verarbeitende Gewerbe in Deutschland;

1,85 Burgess für das verarbeitende Gewerbe in Großbritannien;

1,92 Nickell and Symons für die Industrie in den USA;

0,85 Zimmermann und Bauer für den Bereich der gering Qualifizierten in Deutschland;

0,6 Riphahn, Thalmaier und Zimmermann für den Niedriglohnsektor in Deutschland;

2,04 Schneider et al. für geringfügig Beschäftigte in Deutschland mit weniger als 325 Euro Monatseinkommen;

1,14 Schneider et al. für den Niedriglohnsektor in Deutschland mit einem Einkommen zwischen 325 und 910 Euro.

Vergleiche W. Franz und H. König, The Nature and Causes of Unemployment in the Federal Republic of Germany since the 1970s: An Empirical Investigation, Empirica 53, 1986, S.219–244; S.M. Burgess, Employment Adjustment in UK Manufacturing, Economic Journal 98, 1988, S.81–103; S. J. Nickell und J. Symons, The Real Wage – Employment Relationship in the United States, Journal of Labor Economics 8, 1990, S.1–15; K. F. Zimmermann und T. Bauer, Integrating the East: The Labor Market Effects of Immigration, in: S. W. Black, Hrsg., Europe's Economy Looks East – Implications for the EU and Germany, Cambridge UK 1997, S.269–306; R. Riphahn, A. Thalmaier und K. F. Zimmermann, Schaffung von Arbeitsplätzen für gering Qualifizierte, Bonn 1999; H. Schneider, K.F. Zimmermann, H. Bonin, K. Brenke, J. Haisken-DeNew und W. Kempe, Beschäftigungspotenziale einer dualen Förderstrategie im Niedriglohnbereich (Gutachten im Auftrag des Ministeriums für Arbeit und Soziales, Qualifikation und Technologie des Landes Nordrhein-Westfalen), Forschungsinstitut zur Zukunft der Arbeit, mimeo, Bonn 2002.

25 100 % − (123 % / 139 %) = 11,5 %.

Für Ursula Engelen-Kefer, die glaubt, den deutschen Arbeitern Gutes zu tun.

3.
ARBEITSMARKT IM WÜRGEGRIFF DER GEWERKSCHAFTEN

Gewerkschaften damals und heute – Mokka im Ozean – Flächentarifvertrag als Kartellvereinbarung – Mehr Autonomie für die Betriebe – Weniger Kündigungsschutz, mehr Sicherheit des Arbeitsplatzes – Der Sozialstaat als heimlicher Komplize – Sparlohn statt Barlohn: ein möglicher Weg

Gewerkschaften damals und heute

Die unmittelbare Verantwortung dafür, dass die Lohnpolitik der letzten 30 Jahre so sehr aus dem Ruder gelaufen ist, tragen die Gewerkschaften, denn sie waren es, die in erbitterten Tarifauseinandersetzungen die Lohnerhöhungen durchsetzten, die Deutschland heute zu schaffen machen und die Wettbewerbsfähigkeit der deutschen Wirtschaft unterminiert haben. Die Gewerkschaftsbewegung ist eng mit der Entwicklung des deutschen Staatswesens verbunden, ja sie ist ein durch das Grundgesetz abgesicherter, integraler Bestandteil der sozialen Marktwirtschaft an sich. Heute müssen sich die Gewerkschaften jedoch die Frage gefallen lassen, warum sie nicht einsehen wollen, dass sie mit ihrer Hochlohnpolitik Gefahr laufen, unser Land zugrunde zu richten.

Als Ferdinand Lassalle und August Bebel in der zweiten Hälfte des 19. Jahrhunderts die Gewerkschaftsbewegung vorantrieben und den Boden für die im Jahr 1890 gegründete »Generalkommission der Gewerkschaften Deutschlands« bereiteten, ging es ihnen darum, das entrechtete Proletariat an den Segnungen der Industriegesellschaft teilhaben zu lassen. Die Industrielle Revolution hatte zwar eine gewaltige Entfesselung der Produktivkräfte bewirkt, der selbst Karl Marx Achtung zollte, doch hatten die Arbeitnehmer daran lange Zeit keinen Anteil. Weder politisch noch ökonomisch hatten sie ihren Platz in der Gesellschaft gefunden.

Die Abschaffung der Leibeigenschaft in Österreich im Jahr 1781 sowie in Preußen 1808 und die damit einhergehende Verringerung der Fürsorgepflichten des Lehnsherren hatten zu einer Landflucht ungeahnten Ausmaßes geführt. Zugleich war es zu einer gewaltigen Bevölkerungsvermehrung gekommen, weil die aus der Leibeigenschaft befreiten Landarbeiter das Recht der Eheschließung und Familiengründung erhalten hatten. Als Folge dieser beiden Effekte vermehrte sich das Angebot an Arbeitskräften in den Städten so rasch, dass die Industrialisierung und die Schaffung neuer Arbeitsplätze damit kaum Schritt halten konnten. Die Löhne fielen von 1820 bis 1850 real gerechnet und erreichten erst um das Jahr 1870 wieder das Niveau von 1820. 50 Jahre lang veränderte sich die Kaufkraft der Löhne nicht, weil die rasche Vermehrung der Arbeitsbevölkerung Verknappungstendenzen am Arbeitsmarkt verhinderte.

In dieser Zeit stieg der Anteil der Gewinne am Volkseinkommen, und die Kapitalisten konnten immer umfangreichere Investitionen finanzieren. Das beschleunigte das Wirtschaftswachstum in Deutschland und machte das Land, wie schon im ersten Kapitel erwähnt, schließlich zu einem ernsthaften Konkurrenten Großbritanniens und zum wirtschaftlich mächtigsten Land Kontinentaleuropas. Das Tempo der Kapitalakkumulation war schließlich jedoch so hoch, dass der natürliche Zuwachs an Arbeitskräften damit nicht mehr Schritt hielt und erste Verknappungstendenzen mit einem entsprechenden Anstieg der realen Lohnsätze die Folge waren.

Dies war das Klima, in dem die Gewerkschaften gedeihen konnten. Es gelang ihnen, die Arbeiterklasse zu organisieren und einheitliche Lohnerhöhungen durchzusetzen. Zugleich hatten die Gewerkschaften einen maßgeblichen Einfluss auf die Politik, die sich vor der neuen politischen Kraft fürchtete und sozialstaatliche Reformen einleitete, um den Aufstand des Proletariats, wie er später in Russland stattfinden sollte, zu verhindern.

Bismarck hatte die Gewerkschaften und andere sozialistische Bewegungen im Blick, als er im Jahr 1881 in einer großen Rede vor dem Reichstag seine umfangreichen und später in aller Welt kopierten Sozialreformen ankündigte, die zuvor von den so genannten Kathedersozialisten wie Gustav Schmoller, Luigi Brentano oder Adolph Wagner vorbereitet worden waren. Er betonte, dass die Sozialreformen der »Korrollär« der Sozialistengesetze seien, mit denen er die Gewerkschaften und sozialistische Parteien verbieten wollte. Zuckerbrot und Peitsche war seine Politik, aber das Zuckerbrot wäre nie gekommen, hätte die Gewerkschaftsbewegung nicht so viel Macht gewonnen.

Diese Zeiten sind lange vorbei. Die Wirtschaft der Bundesrepublik Deutschland ist seit 30 Jahren ganz anderen Kräften ausgesetzt als jenen, die die Gewerkschaftsbewegung hervorbrachten. Die Kapitalakkumulation hat sich stark verlangsamt, und die Arbeitslosigkeit ist fortwährend gestiegen. Eine wachsende industrielle Reservearmee wartet vergebens vor den Werktoren und bittet um Einlass. Dennoch haben die Gewerkschaften die Politik der schnellen Lohnsteigerung unbeirrt fortgeführt und den weiteren Ausbau des Sozialstaates durch einen entsprechenden politischen Druck auf die Parteien forciert. Was früher segensreich war und eine Entwicklung unterstützte, die zum Teil auch von den Marktkräften selbst hervorgebracht worden wäre, läuft diesen Kräften heute zuwider.

Mokka im Ozean

Warum sehen die Gewerkschaften nicht selbst ein, welchen Schaden sie durch ihre Hochlohnpolitik anrichten? Warum bewegen sie sich nicht und beharren wie Betonklötze auf ihren Positionen? Man stelle sich einmal vor, der Vorstand des DGB tritt vor die Presse und verkündet das Ende der deutschen Hochlohnpolitik. Er weist auf die neue Wettbewerbslage hin, in die unser Land durch die Globalisierung, den europäischen Binnenmarkt und den Fall des Eisernen Vorhangs gekommen ist, und erklärt, dass sich die Arbeitnehmer elf Jahre lang mit einem Lohnzuwachs begnügen werden, der um einen Prozentpunkt unter dem Produktivitätszuwachs bleibt, um den in 20 Jahren gegenüber Holland aufgebauten Kostennachteil wieder wettzumachen. Er bekundet, dass er den Unternehmern das Signal geben will, dass es sich wieder lohnt, in Deutschland zu investieren und neue Arbeitsplätze zu schaffen. Warum ist diese Vorstellung so völlig irreal? Sind Gewerkschaftler dumm?

Sie sind es nicht. Natürlich haben sie keine Illusionen über das, was sie anrichten, auch wenn sie es nicht zugeben können. Aber Gewerkschaften sind das, was Ökonomen Kartelle nennen, und als solche nehmen sie die Arbeitslosigkeit, die sie verursachen, billigend in Kauf. Die Arbeitslosigkeit ist geradezu ein Erfolgsausweis ihrer Politik, denn gäbe es sie nicht, so wäre das der sichere Beleg, dass ihre Lohnforderungen im Hinblick auf ihre eigenen Verteilungsziele zu moderat angelegt sind.

Ein Kartell ist grundsätzlich eine Vereinigung der Anbieter einer Ware mit dem Zweck, die gegenseitige Konkurrenz zu verhindern und ein höheres Preisniveau durchzusetzen, als es unter Konkurrenzverhältnissen durch das Spiel von Angebot und Nachfrage zustande käme. Um seine Wirkung zu verstehen, muss man sich zunächst klar machen, wie die Konkurrenz funktioniert.

Herrscht auf einem Markt Konkurrenz, dann stellt sich ein Preis für die gehandelte Ware ein, bei dem Angebot und Nachfrage sich ausgleichen. Der Markt für die Ware Arbeitskraft unterscheidet sich in dieser Hinsicht nicht vom Markt für Äpfel. Das mag man beklagen, aber so ist es. Wird der Marktpreis für Äpfel nicht reguliert, dann findet der Markt ein Preisniveau, bei dem die Käufer so viele Äpfel kaufen können, wie sie wollen, und die Bauern alle Äpfel loswerden, die sie produzieren. Es gibt weder eine Überschussnachfrage noch ein Überschussangebot. Die historischen Versuche, den Arbeitsprozess grundsätzlich anders als den Apfelmarkt zu organisieren, sind im Jahr 1989 bekanntlich kläglich gescheitert. Realistischerweise gibt es keine Alternative zu einem Wirtschaftssystem, bei dem auch die menschliche Arbeitskraft nach den allgemeinen Regeln der Märkte getauscht wird und sich ein Lohnsatz ergibt, der Angebot und Nachfrage zum Ausgleich bringt.

Auf einem sich selbst überlassenen Arbeitsmarkt mit freier Lohnkonkurrenz würde sich ein ganz bestimmter Lohn herausbilden, bei dem Angebot und Nachfrage einander gerade entsprechen. Ein niedrigerer Lohn hätte keinen Bestand, weil der Bedarf an Arbeitskräften die Zahl der Arbeitswilligen überträfe. Die Unternehmen würden einander überbieten und den Lohn in die Höhe treiben. Auch ein Lohn oberhalb des Konkurrenzlohns könnte sich nicht halten. Er wäre nämlich mit einem Überschussangebot seitens der Arbeitskräfte, also mit Arbeitslosigkeit verbunden. Die Unternehmen würden nur wenige Arbeitsplätze zur Verfügung stellen, und zugleich hätten viele Menschen ein hohes Interesse an einer Arbeit. Die Arbeit Suchenden würden sich gegenseitig unterbieten, der Lohn käme ins Rutschen, und die Unternehmen fänden es attraktiv, mehr Jobs zu schaffen, weil sie auf diese Weise neue Gewinnmöglichkeiten realisieren könnten. Auf Dauer hätte

auf einem sich selbst überlassenen Konkurrenzmarkt nur das-
jenige Lohniveau Bestand, bei dem Angebot und Nachfrage
sich gerade gleichen. Arbeitslose gäbe es praktisch nicht. Nur
mit einem geringen friktionellen Bodensatz, der sich durch den
natürlichen Wandel der Betriebe und Lebensschicksale ergibt,
müsste man rechnen.

Das Beispiel Israels zeigt sehr deutlich, wozu ein Arbeitsmarkt mit flexiblen Löhnen in der Lage ist. Anfang der neunziger Jahre hatte Russland seinen Juden die Ausreise nach Israel
erlaubt, und das Land wurde mit Arbeitskräften über-
schwemmt. Innerhalb von nur sechs Jahren nahm die Arbeitsbevölkerung um ein Viertel zu. Gleichwohl entstand keine Arbeitslosigkeit. Die Löhne gerieten unter Druck, aber praktisch
alle arbeitswilligen Immigranten konnten integriert werden.
Die gemessene Arbeitslosenquote war am Ende des Jahrzehnts
mit 8,8 % sogar niedriger als zu Anfang, als sie bei 9,6 % gelegen hatte.[1] Ein anderes Beispiel für einen flexiblen Arbeitsmarkt ist der US-amerikanische Markt. Wie schon anhand von
Abbildung 2.5 erläutert wurde, hat dieser Markt die Massenimmigration der letzten beiden Jahrzehnte bestens verkraftet,
ohne dass Arbeitslosigkeit entstand. Im Gegenteil, die sozial-
politischen Maßnahmen, die die USA zur weiteren Flexibilisie-
rung des Arbeitsmarktes ergriffen, haben ein wahres Jobwun-
der erzeugt. Von 1982 bis 2001 stieg das Arbeitsvolumen, also
die Zahl der insgesamt geleisteten Arbeitsstunden, um 37 %,
was eine extrem hohe Zahl ist.

Das alles heißt nicht, dass die Löhne, die der Markt hervorbringt, gerecht sind. Der Markt ist effizient, weil er Vollbeschäftigung garantiert, weil er eine bestmögliche Aufteilung
der Arbeitskräfte auf alternative Branchen und Firmen ermöglicht und weil er durch seine Lohnunterschiede den jungen
Menschen signalisiert, bei welchen Berufen ihnen die größten
Lebenschancen winken. Aber der Markt ist nicht gerecht. Er
entlohnt nach Knappheit, und Knappheit hat mit Gerechtigkeit wenig zu tun, wie auch immer man sie definiert. Wer gute

Chromosomen für hohe Intelligenz von seinen Eltern mitbekommen hat, kann knappe Leistungen anbieten und erhält einen höheren Lohn als andere. Wer einen Beruf erlernt, den auch viele andere erlernen, der kann nur einen geringen Lohn erwarten, und wer sich auf einem Gebiet spezialisiert, in dem es im Vergleich zum Bedarf nur wenige Fachleute gibt, der ist ein gemachter Mann. Wer Fertigkeiten hat, die durch den technischen Fortschritt entwertet werden, muss eine Lohnsenkung akzeptieren. Das alles hat mit Gerechtigkeit wenig zu tun.

Deshalb ist es legitim, dass die Gesellschaft die Marktergebnisse korrigiert. Aber das ist die Aufgabe des Sozialstaates, und nicht der Gewerkschaften. Der Sozialstaat kann mit sinnvollen und marktkonformen Instrumenten ausgestattet werden, mittels derer sich die Einkommensverteilung zwischen Arm und Reich in Grenzen korrigieren lässt. Dass auch der Sozialstaat in Deutschland überzogen ist und mit teilweise ungeeigneten Instrumenten operiert, steht dieser Feststellung nicht entgegen. Die Lohnpolitik der Gewerkschaften ist demgegenüber ein denkbar ungeeignetes Mittel, die Korrektur der Einkommensverteilung vorzunehmen. Der Lohn ist ein Preis, der eine zentrale Lenkungsfunktion in der Marktwirtschaft ausübt. Will man ihn künstlich über sein Gleichgewichtsniveau hinaus verändern, dann bringt man alles durcheinander und richtet viel Unheil an.

Diese Aussage müssen die Gewerkschaftskartelle gegen sich gelten lassen, denn es geht ihnen exakt darum, die Löhne in den kollektiven Tarifverhandlungen über das Gleichgewichtsniveau hinaus zu erhöhen, das der Markt alleine fände. Die Konsequenz ist ein bleibendes Überschussangebot beim Tausch der Ware Arbeitskraft, die wir Arbeitslosigkeit nennen. Die Arbeitslosigkeit ist eine notwendige Begleiterscheinung einer effektiven Tarifpolitik im Interesse derjenigen, die trotz der hohen Löhne einen Arbeitsplatz behalten. Einigen Gruppen gelingt es, sich ein größeres Stück aus dem Kuchen herauszuschneiden, doch nur um den Preis, dass der Kuchen insgesamt kleiner wird.

Zwar sind die Arbeitslosen in dieser Situation gerne bereit, zu niedrigeren Löhnen zu arbeiten, aber die Kartellzentrale unterbindet einen solchen Preiswettbewerb, indem sie alle Arbeitnehmer und Betriebe zwingt, sich an den von ihr ausgehandelten Flächentarifvertrag zu halten. Ein Kartell kann nur funktionieren, wenn die Kartellmitglieder und Außenstehende wirksam daran gehindert werden, die Kartellpreise zu unterlaufen. Deshalb beharren die Gewerkschaften darauf, dass ihre Tarifabschlüsse auf der Betriebsebene nicht unterlaufen werden, und damit erzeugen sie Arbeitslosigkeit.

Man könnte hier einwenden, dass die Kartellpolitik der Gewerkschaften insofern begrenzt sei, als die Arbeitgeberverbände eine Gegenmacht bei den Tarifverhandlungen darstellen. Beide Gruppen fänden ein Gleichgewicht bei den Tarifverhandlungen, das dem Gleichgewicht des Konkurrenzmarktes nahe komme. Aber dieser Einwand sticht nicht, denn die Macht der Arbeitgeberverbände ist vergleichsweise gering. Keinesfalls sind diese Verbände als Nachfragerkartelle zu interpretieren, die auf der Seite der Nachfrager nach Arbeitskräften eine ähnliche Position einnehmen wie die Gewerkschaften auf der Seite der Anbieter. Ein Nachfragerkartell setzt eine Preisobergrenze, die unter dem Konkurrenzpreis liegt. Wegen des niedrigen Preises ist das Angebot an Waren sehr niedrig, und das einzelne Kartellmitglied möchte gerne mehr Waren kaufen, als es kann. Es gibt eine Überschussnachfrage, die nicht befriedigt werden kann. Der einzelne Nachfrager würde gerne höhere Preise bieten, um an die benötigten Waren heranzukommen, aber er wird von der Kartellzentrale daran gehindert, damit die Preise für die anderen Kartellmitglieder nicht verdorben werden. Übertragen auf den Arbeitsmarkt hieße dies, dass Vollbeschäftigung herrscht, dass es einen Überhang an offenen Stellen gibt und dass die einzelnen Unternehmen daran gehindert sind, ihren Konkurrenten die Arbeitskräfte durch höhere Lohnangebote abzuwerben. Diese Situation liegt ganz offenkundig in Deutschland nicht vor. Es gibt keinen Überhang an offenen Stellen, keine Vollbeschäftigung, und vor allem sind die Unternehmen frei, einander die Arbeitskräfte durch bessere Lohnangebote abzuwerben. Insofern fehlen sämtliche Anzeichen für wirksame Arbeitgeberkartelle. Nein, es kann wirklich kein Zweifel daran bestehen, dass der Arbeitsmarkt allein von den Tarifkartellen der Gewerkschaften beherrscht wird.

Allerdings reichen die Auswirkungen des Tarifkartells der Gewerkschaften häufig bis zu den Absatzmärkten der Unternehmen. Da die Löhne für alle Unternehmen einer Branche erhöht werden, sind alle Unternehmen gezwungen, ihre Absatzpreise zu erhöhen. Sie agieren dort implizit ganz ähnlich wie ein Anbieterkartell, das die Preise abgesprochen hat, und überwälzen einen Teil des Nachteils der Hochlohnpolitik auf die Verbraucher.

Die Kartellpolitik der Gewerkschaften ist außerordentlich ineffizient und kann in einem wirtschaftlich immer stärker zurückfallenden Land nicht länger toleriert werden. Die Opfer dieser Politik sind nicht nur die Unternehmen, deren Gewinne schrumpfen, und die Verbraucher, die höhere Preise zahlen müssen, sondern vor allem auch die Arbeitslosen. Die Arbeitslosen verlieren Einkommen und Lebenschancen, sie werden aus der Arbeitsgesellschaft ausgestoßen und verlieren die Möglichkeit, sich in der Arbeit selbst zu verwirklichen. Marx, Bebel und Lassalle würden sich im Grabe umdrehen, müssten sie erleben, wie die gewerkschaftliche Kartellpolitik ein neues Proletariat schafft, das bereits seine Kinder daran gewöhnt, dass es für sie keinen Platz in der Gesellschaft gibt.

Um die schlimmsten sozialen Konsequenzen ihrer Politik abzuwenden, haben die Gewerkschaften stets auf eine Politik der Arbeitszeitverkürzung gesetzt. Wenn schon der Rückgang der Beschäftigung unvermeidlich ist, dann ist es besser, wenn alle zehn Prozent weniger arbeiten, als dass zehn Prozent der

Arbeitsbevölkerung gar nicht mehr arbeiten, so die Devise. Den immer kleiner werdenden Job-Kuchen wollte man gerechter verteilen, wobei man freilich exogene Gründe und nicht etwa die eigene Lohnpolitik für die Verkleinerung des Job-Kuchens verantwortlich machte.

In der Tat war der Umfang der Arbeitszeitverkürzung in Deutschland erheblich. Wurden noch im Jahr 1960 im Bereich der gewerblichen Wirtschaft durchschnittlich 45,7 Stunden pro Woche gearbeitet, waren es im Jahr 1980 noch 41,8 Stunden, und im Jahr 2000 zählte man gar nur noch 38,0 Stunden.[2] Damit nicht genug, die 35-Stunden-Woche ist nach wie vor das erklärte Ziel der Gewerkschaften. Sogar in den neuen Bundesländern, die ja nun wirklich alles daran setzen müssten, wettbewerbsfähig zu werden, hat die IG Metall versucht, dieses Ziel zu erreichen, und sie scheute nicht einmal vor dem Kampfmittel des Streiks zurück.

Hinzu kommt, dass auf politischem Wege und in stiller Harmonie zwischen Gewerkschaften und Kirchen immer mehr Feiertage durchgesetzt wurden, viel mehr, als man in anderen Ländern findet.

In der Summe ist ein Zustand erreicht worden, der, wie Abbildung 3.1 verdeutlicht, Deutschland fast an das Ende der internationalen Rangskala der Arbeitszeiten geschoben hat. Nur Holländer und Norweger, die erhebliche Einkommen aus dem Verkauf von Gas, Öl und anderen Bodenschätzen beziehen, arbeiten aus verständlichen Gründen noch weniger. Aber Holland hat bereits die Kehrtwende eingeleitet. Dort stieg die jährliche Arbeitszeit im Jahr 2003 um etwa 1 %. Außerdem setzt Holland auf eine Ausweitung der Lebensarbeitszeit, indem es die Möglichkeiten der Frühverrentung verringert.

Aber in gewisser Weise ist die Arbeitszeitverkürzung noch ineffizienter als die offene Arbeitslosigkeit, denn sie hindert gerade auch die produktiveren Arbeitnehmer daran, so viel zu arbeiten, wie sie es wollen, und impliziert ein noch kleineres Sozialprodukt, als es wegen der Arbeitslosigkeit zu erwarten ist.

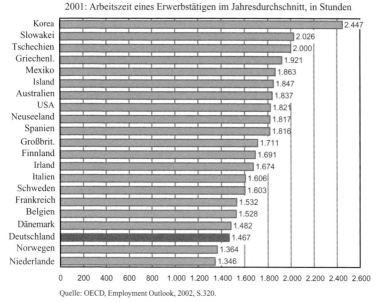

Freizeitparadies Deutschland
2001: Arbeitszeit eines Erwerbstätigen im Jahresdurchschnitt, in Stunden

Korea	2.447
Slowakei	2.026
Tschechien	2.000
Griechenl.	1.921
Mexiko	1.863
Island	1.847
Australien	1.837
USA	1.821
Neuseeland	1.817
Spanien	1.816
Großbrit.	1.711
Finnland	1.691
Irland	1.674
Italien	1.606
Schweden	1.603
Frankreich	1.532
Belgien	1.528
Dänemark	1.482
Deutschland	1.467
Norwegen	1.364
Niederlande	1.346

0   200   400   600   800   1.000 1.200 1.400 1.600 1.800 2.000 2.200 2.400 2.600

Quelle: OECD, Employment Outlook, 2002, S.320.

Abbildung 3.1

Die Arbeitszeitverkürzung wird manchmal als soziale Errungenschaft an sich interpretiert. In Wahrheit ist sie – jedenfalls soweit sie auf die Initiativen der Gewerkschaften zurückzuführen ist – in erster Linie eine Maßnahme zur Kaschierung von Arbeitslosigkeit und zur Stützung des Kartellpreises der Arbeit. Je geringer die Arbeitszeit, desto höher ist der Stundenlohn, der sich durch die Konkurrenz der Unternehmen um die knappe Arbeit von allein ergäbe. Auch gewerkschaftliche Bestrebungen zur Verlängerung des Urlaubs, der in Deutschland im internationalen Vergleich auf einem Rekordniveau liegt, oder das Verbot von Nachtarbeit und Überstunden gehören zum Instrumentarium der Hochlohnpolitik der Kartellgewerkschaften. Die Lohnerhöhung und die Mengenreduktion sind zwei Seiten derselben Medaille, Kennzeichen ein und derselben Politik.

Der kommunistische Sänger Ernst Busch hat eine eindrucksvolle Ballade gesungen, mit der er die Ineffizienz der kapitalistischen Produktionsweise anhand der Kaffeepolitik der brasilianischen Regierung anprangern wollte. Die brasilianische Regierung hatte nämlich nach der Revolution von 1930 in den Jahren bis 1944 in verschiedenen »Valorisationen« insgesamt 5,7 Millionen Tonnen Rohkaffee verbrennen oder ins Meer schütten lassen, um die Preise zu stützen. Busch kritisierte außerdem die US-amerikanische Regierung, die ähnlich vorging, um die Preise verschiedener Agrarprodukte anzuheben.

Oh mich zieht's nach einem fernen Lande,
wo die schlanke Tropenpalme prangt.
In Brasilien am Rio Grande
werden Kaffeesack-Schmeißer verlangt.
Es gibt zuviel Kaffee auf der Welt,
und darum pro Zentner zu wenig Geld.
Drum wird, so will es das Weltgewissen,
die halbe Ernte ins Wasser geschmissen.
…
Immer rin mein Junge, das hat'n Sinn mein Junge,
da steckt was hinter mein Junge,
…
Auf, auf nach Brasilien
und rin mit dem Mokka in den Ozean
…
Und hat der Menschenhai am Rio Grande
an seinen nassen Bohnen profitiert,
werden wir aus diesem reichen Lande
gleich nach USA hin transportiert.
Dort wächst zuviel Getreide auf dem Feld,
und das bringt pro Tonne zu wenig Geld.
Dort wäscht man die Kartoffeln mit Petroleum rein
und heizt mit dem Weizen die Maschinen ein.

Immer rin mein Junge, das hat'n Sinn mein Junge,
da steckt was hinter mein Junge,
...
Proleten packt eure Habe,
die reiche Ernte hat uns die Preise verhunzt.
Brotfrucht ist Teufels Gabe,
drum rin mit den Schrippen in die Feuersbrunst.
...
Sie werfen den Weizen ins Feuer,
sie werfen den Kaffee ins Meer,
und wann werfen die Säcke-Schmeißer
die fetten Räuber hinterher?

Ernst Busch, *Lieder der Arbeiterklasse*

Die Führungselite der Gewerkschaften sollte sich dieses Kampflied einmal in aller Ruhe zu Gemüte führen, denn was die Gewerkschaften heute, mehr als 100 Jahre nach Lassalle, Bebel und den Kathedersozialisten, tun, ist in seinem ökonomischen Kern kaum etwas anderes als das, was die von Busch beschriebenen Kapitalisten tun, die hier ob ihrer Kartellpolitik gegeißelt werden. Der Kaffee im Ozean und der Weizen im Feuer ist das Analogon zur menschlichen Arbeitskraft, die durch die gewerkschaftliche Hochlohnpolitik in den Fernsehsessel verwiesen wird.

Die Hochlohnpolitik der Gewerkschaften ist fundamental ineffizient, weil sie sinnvolle wirtschaftliche Betätigung verhindert. Viele Menschen werden in ihrer wirtschaftlichen Entfaltung behindert und ihrer Lebenschancen beraubt. Menschen, die weniger produktiv sind und es nicht schaffen, durch ihre Arbeit Werte oberhalb der Tariflöhne zu erzeugen, werden zum Nichtstun verdammt. Das ist völlig sinnlos, denn auch wenn jemand weniger leistungsfähig ist, kann er nutzbringend in den Arbeitsprozess integriert werden. Auch die Summe geringer Leistungen kann groß sein, wenn über viele Menschen summiert wird. Obwohl die Gewerkschaften versucht haben, den von ihnen selbst induzierten Verlust an Beschäftigung auf dem Wege der Arbeitszeitverkürzung gleichmäßig auf viele Schultern zu verteilen, gibt es in Deutschland bald 4,5 Millionen Menschen, die gar keine Arbeit mehr haben. Das darf so nicht bleiben. Deutschland ist nicht in der Lage, auf den Einsatz von 4,5 Millionen arbeitsfähigen Menschen zu verzichten, bloß damit es den anderen 35 Millionen gelingt, etwas höhere Löhne zu erzielen.

Die Empirische Wirtschaftsforschung gibt in diesem Punkte, wie schon im vorigen Kapitel erwähnt wurde, eine tröstliche Botschaft. Wenn die Löhne im Durchschnitt nur um etwa 10 % unter ihrem heutigen Niveau lägen, dann könnten unter sonst gleichen Voraussetzungen in Deutschland mittelfristig vier Millionen wettbewerbsfähige Arbeitsplätze entstehen, und das Sozialprodukt wäre in jedem Jahr um etwa 5 % bis 7 % größer als ohne die Lohnzurückhaltung. Wenn man gar berücksichtigt, dass als Folge einer Lohnzurückhaltung wieder mehr Kapital in Deutschland investiert wird, dann ist der Zuwachs noch größer, und möglicherweise wächst dann das Sozialprodukt dauerhaft schneller, als es sonst der Fall gewesen wäre.

Die Rechnung wird noch günstiger, wenn die derzeitigen Arbeitszeitbeschränkungen aufgehoben werden und es den Menschen wieder selbst überlassen wird, wie lange sie arbeiten und wie viel Geld sie verdienen wollen. Beseitigt man die tariflichen Arbeitszeitbeschränkungen, dann kommt ein noch viel größerer Effekt auf das wirtschaftliche Wachstum zustande. Dann wird Deutschland wieder die dynamische Wirtschaftsnation, die es einmal war. Zwar werden in diesem Fall die Stundenlöhne weiter unter Druck geraten, doch wird der davon ausgehende Einkommenseffekt durch den Mehrverdienst aufgrund der höheren Arbeitszeit längerfristig mehr als ausgeglichen.

Deutschland wächst nicht mehr, weil sein Arbeitsmarkt vermachtet ist und nicht dem Spiel von Angebot und Nachfrage gehorcht. Wir brauchen Beschäftigung, weil Beschäftigung Wachstum bedeutet. Die alte Formel, dass Wachstum Beschäftigung schafft, ist aus konjunkturellen Schwankungen des Auslastungsgrades abgeleitet, und sie hat noch nie wirklich für die lange Frist gestimmt. Der Arbeitsmarkt ist der Gradmesser für die Funktionsfähigkeit der Wirtschaft, und die Wirtschaft ist die Basis unseres gesamten Gemeinwesens. Der für den Arbeitsmarkt so enorm schädlichen Kartellpolitik der Gewerkschaften muss ein Ende bereitet werden.

Flächentarifvertrag als Kartellvereinbarung

Kartelle auf den Gütermärkten, wie sie Ernst Busch in seiner Ballade beschreibt, waren in der Frühphase der kapitalistischen Entwicklung ein echtes Problem für die Marktwirtschaft, aber die Politik hat dieses Problem in den Griff bekommen. Kartelle auf dem Gütermarkt sind heutzutage durch eine scharfe Kartellgesetzgebung in praktisch allen OECD-Ländern verboten. Allgemein hat sich die Auffassung verbreitet, dass ein starker Staat erforderlich ist, um Firmen auf den Absatzmärkten zur Konkurrenz zu zwingen. Preisabsprachen sind generell verboten, und durch eine wirksame Fusionskontrolle wird verhindert, dass eine kartellähnliche Konzentration von Marktmacht entsteht.

Auch Deutschland verfügt mit dem Bundeskartellamt und dem Gesetz gegen Wettbewerbsbeschränkungen über wirksame Instrumente zur Herstellung von Wettbewerb auf den Absatzmärkten der Unternehmen. Die deutsche Wirtschaftsverfassung wurde nach dem Krieg maßgeblich von Ludwig Erhard, von seinem Staatssekretär Alfred Müller-Armack und vom Wissenschaftlichen Beirat beim Bundesministerium für Wirtschaft gestaltet, die allesamt fest in der Tradition des so genannten Ordo-Liberalismus standen. Ein wesentliches Element dieser Wirtschaftslehre ist der starke Staat, der die Firmen zwingt, sich an die Spielregeln der Konkurrenzwirtschaft zu halten.

Umso erstaunlicher ist es, dass die Tarifkartelle der Gewerkschaften in Deutschland erlaubt sind und vom Wirkungsbereich des Gesetzes gegen Wettbewerbsbeschränkungen ausgenommen werden. Ja, aus juristischer Sicht werden die Gewerkschaften nicht einmal als Kartelle bezeichnet, obwohl sie es nach der Definition der Ökonomen ganz eindeutig sind. Faktisch gewähren das Betriebsverfassungsrecht und das Tarifvertragsgesetz den Gewerkschaften umfangreiche Kartellrechte, die in fundamentalem Widerspruch zu den Regeln des Ordo-Liberalismus stehen und damit einen Fremdkörper in der Wirtschaftsverfassung der Bundesrepublik Deutschland darstellen.

§ 77 Absatz 3 des Betriebsverfassungsgesetzes (BetrVG) besagt, dass Betriebsvereinbarungen zwischen Betriebsrat und Arbeitgeber sich nicht auf Themenbereiche erstrecken dürfen, die üblicherweise in Tarifvereinbarungen geregelt werden, es sei denn, der Tarifvertrag enthält eine entsprechende Öffnungsklausel und erlaubt solche Vereinbarungen explizit. Nicht einmal in den Unternehmen, die nicht dem Arbeitgeberverband angehören, hat der Betriebsrat das Recht, Löhne und Arbeitszeiten auszuhandeln. Hier müsste die Verhandlung mit dem einzelnen Arbeitnehmer stattfinden.

§ 4 Absatz 3 des Tarifvertragsgesetzes (TVG) definiert das so genannte Günstigkeitsprinzip. Dieses Prinzip besagt, dass ein einzelner Betrieb von einem Tarifvertrag, der betriebliche Vereinbarungen nicht explizit gestattet, nur so abweichen darf, wie es für den Arbeitnehmer günstiger ist, und das heißt in aller Regel höhere Löhne oder weniger Arbeitszeit.

§ 5 des Tarifvertragsgesetzes besagt, dass der Bundesarbeitsminister unter bestimmten Bedingungen das Recht hat, einen Tarifvertrag als allgemeinverbindlich zu erklären. Er gilt dann sogar für die Betriebe, die gar nicht Mitglied im Arbeitgeberverband sind.

Die genannten Regeln sind Werkzeuge bei der Ausübung des Tarifkartells, denn sie schützen die Flächentarifverträge, die die Gewerkschaften abschließen, indem sie die Unterschreitung des Stundenlohnsatzes und damit des Preises für die Ware Arbeitskraft erschweren. Der Betriebsrat oder die Mehrheit der Belegschaft kann den Tariflohn nicht unterbieten, um damit einen drohenden Konkurs des Betriebes abzuwenden oder eine Standortverlagerung zu Gunsten der Belegschaft zu erreichen. Wenn auf betrieblicher Ebene tarifvertragliche Regeln vereinbart werden sollen, dann muss die Gewerkschaft mitspielen und bereit sein, einen Firmentarifvertrag abzuschließen. Das ist bei manchen Großunternehmen der Fall, aber für kleinere Betriebe liegt dieser Weg jenseits des praktisch Möglichen.

Theoretisch gibt der Gesetzesrahmen den Betrieben die Möglichkeit, mit jedem Mitarbeiter einzeln eine Regelung auszuhandeln, die für diesen Mitarbeiter ungünstiger als der Tarifvertrag ist, falls dieser Mitarbeiter nicht der Gewerkschaft angehört. Die Bindungswirkung des Tarifvertrags erstreckt sich im formalrechtlichen Sinne stets nur auf die Gewerkschaftsmitglieder selbst. Faktisch sind allerdings auch die nicht gewerkschaftlich organisierten Mitarbeiter betroffen, weil es einem Betrieb kaum möglich ist, die Gewerkschaftsmitglieder besser zu behandeln als andere. Eine Benachteiligung der nicht gewerkschaftlich organisierten Arbeitnehmer kann die Betriebsleitung schon deshalb nicht realisieren, weil jeder dieser Benachteiligung durch den Eintritt in die Gewerkschaft entgehen könnte. Insofern ist es tarifgebundenen Arbeitgebern praktisch nicht möglich, die Tarifregelungen durch individuelle Vereinbarungen mit den Mitarbeitern zu unterlaufen. Selbst der Austritt aus dem Arbeitgeberverband hilft einem in Not geratenen Arbeitgeber zunächst nicht, weil § 3 Absatz 3 des Tarifvertragsgesetzes bestimmt, dass die Tarifbindung so lange bestehen bleibt, bis der Tarifvertrag endet. Auch diese Regelung trägt dazu bei, die Tarifkartelle zu zementieren, die offensichtlich die heiligen Kühe in der deutschen Politik sind.

Schon vor zehn Jahren hat die Monopolkommission, das beim Bundeskartellamt angesiedelte gesetzliche Gremium zur Sicherung des Wettbewerbs in Deutschland, der Politik die Augen öffnen wollen und die Kartellstrukturen auf den Arbeitsmärkten angeprangert. Sie forderte mehr Flexibilität und Wettbewerb bei den Tarifverhandlungen, erklärte die Bekämpfung der Langzeitarbeitslosigkeit zu einem überragenden Gemeinwohlinteresse und stellte die Sonderordnung auf dem Arbeitsmarkt, mit der das gewerkschaftliche Tarifkartell befestigt wird, als Ganzes in Frage.[3] Verfangen im Netz der gewerkschaftlichen Interessen hat sich die Politik hiervon nicht beeindrucken lassen.

Für die Wettbewerbsfähigkeit der deutschen Wirtschaft bleiben die deutschen Arbeits- und Tarifgesetze ein Problem. Das Beispiel des Heizungsbauers Viessmann aus dem Jahr 1996 zeigt sehr deutlich, wie nachteilig sich der staatliche Kartellschutz in der betrieblichen Praxis bemerkbar macht.[4] Die Firma Viessmann beabsichtigte, ihre neue Gastherme Pendola aus Kostengründen in Myto, Tschechien, zu produzieren. Mit dem Angebot, die Arbeitszeit ohne Lohnausgleich bei allen Mitarbeitern für drei Jahre von 35 auf 38 Stunden pro Woche zu erhöhen, gelang es dem Betriebsrat, die Betriebsleitung zu bewegen, die neue Produktlinie stattdessen in Allendorf aufzubauen, um so 60 neue Arbeitsplätze zu schaffen. Es gelang ihm sogar, für diesen Zeitraum den Ausschluss betriebsbedingter Kündigungen herauszuhandeln. Nicht weniger als 96,4 % der Belegschaft stimmten dieser Vereinbarung einzelvertraglich zu. Selbst diese geringfügige Modifikation des Arbeitsvertrags widersprach jedoch dem gültigen Flächentarifvertrag und wurde deshalb von der Gewerkschaft IG Metall nicht akzeptiert. Die Gewerkschaft klagte gegen den Betriebsrat und verlangte den Ausschluss seiner nicht gewerkschaftlich organisierten Mitglieder, die die Mehrheit stellten. Außerdem verklagte sie die Firma auf Zahlung eines Ordnungsgeldes von 500.000 DM. Obwohl es beide Klagen in dieser Form zurückwies, gab das

Gericht der Gewerkschaft im Wesentlichen Recht. Zwar waren die Vertragsänderungen für die nicht gewerkschaftlich organisierten Arbeitnehmer zulässig, nicht jedoch für die gewerkschaftlich organisierten Arbeitnehmer. Sie widersprachen dem Günstigkeitsprinzip nach § 4 Absatz 3 des Tarifvertragsgesetzes, obwohl sie nachweislich dazu führten, dass in Allendorf zusätzliche Arbeitsplätze geschaffen wurden, die sonst in Tschechien entstanden wären. Im Übrigen erklärte das Gericht, dass es nicht in der Macht des Betriebsrates gelegen habe, überhaupt solche Verhandlungen mit der Betriebsleitung zu führen, und sah nur wegen eines vermuteten Rechtsirrtums davon ab, die Betriebsratsmitglieder ihres Amtes zu entheben, wie es die IG Metall gefordert hatte. Unter dem Druck der wütenden Belegschaft gab die IG Metall außergerichtlich dennoch nach und stimmte schließlich einer Betriebsvereinbarung zu, die eine unentgeltliche Ausweitung der Beschäftigung um zwei Stunden vorsah. Die Produktlinie wurde zu einem Erfolg, und statt der zunächst ins Auge gefassten 60 Arbeitsplätze entstanden 600 neue Arbeitsplätze in Allendorf.

Ein anderes Beispiel, das weniger glimpflich verlief, ist der Konkurs des Unternehmens Philipp Holzmann, den die Arbeitnehmer im Jahr 1999 durch einen Lohnverzicht abwenden wollten, aber nicht durften. Interessanterweise hatte sich nicht nur die Gewerkschaft, sondern auch der Arbeitgeberverband gegen ein solches Zugeständnis ausgesprochen. Der Grund hierfür ist sicherlich in der oben beschriebenen Übertragung des Tarifkartells in ein implizites Anbieterkartell auf den Absatzmärkten zu sehen, das durch die Lohnzugeständnisse unterlaufen worden wäre. Die Konkurrenten der Philipp Holzmann AG waren genauso wenig bereit, dem Lohnverzicht der Belegschaft von Philipp Holzmann zuzustimmen, wie die Gewerkschaften. Das alles ist aus der Sicht der Betroffenen nachvollziehbar, aber es zeigt, wie schwerwiegend die Marktverzerrungen sind, die vom Tarifrecht in seiner heutigen Form ausgeübt werden. Auch die Geschehnisse um die Philipp Holzmann AG hatten mit dem Verhalten, das man bei einer Konkurrenz zwischen den Anbietern und Nachfragern am Arbeitsmarkt hätte erwarten können, wenig gemein.

Viessmann und Philipp Holzmann sind Menetekel eines verqueren Rechtsrahmens, der aus den Zeiten des Klassenkampfes und der Ausbeutung der Arbeiterschaft stammt, aber in dem Land, das die höchsten Industriearbeitskosten auf der ganzen Welt hat und dabei ist, seine Wettbewerbsfähigkeit zu verspielen, nicht mehr zeitgemäß ist. Der Flächentarifvertrag ist das Instrument, mit dem die Gewerkschaften ihre desaströse Kartellpolitik durchsetzen. Er passt nicht mehr in die Welt des 21. Jahrhunderts.

Ein jedes Kartell hat Regeln, um zu verhindern, dass die von ihm flächendeckend für alle Kunden und Mitglieder festgelegten Preise unterlaufen werden. Das Problem ist nur, dass die Ausübung der Kartellmacht am Arbeitsmarkt eine sehr viel gravierendere Beeinträchtigung der Wirtschaft bedeutet als anderswo. Wenn der Kaffee in den Ozean geschüttet wird, ist das eine Sache. Wenn in Deutschland im Jahr 2003 etwa 4,5 Millionen Menschen daran gehindert werden, eine Arbeit zu finden, und wenn das gebeutelte Land von einem Pleitenrekord zum anderen stolpert, ist das eine andere.

Mehr Autonomie für die Betriebe

Weitblickende Tarifpartner hätten der Kritik am Flächentarifvertrag dadurch den Wind aus den Segeln nehmen können, dass sie selbst die Tarifverträge für betriebliche und individualrechtliche Regelungen öffnen, wie es auch schon der Deutsche Juristentag 1996 empfohlen hatte. Dazu ist es aber nur in geringem Umfang gekommen, und deshalb ist nun der Gesetzgeber gefordert.

Der Kartellpolitik der Gewerkschaften muss ein Riegel vorgeschoben werden, und die Tarifautonomie muss in Zukunft so interpretiert werden, dass sie mit einem echten Konkurrenzverhalten der Betriebe kompatibel ist. Dies kann dadurch erreicht werden, dass der Flächentarifvertrag nur noch als Lohnleitlinie fungiert, die so lange gilt, bis auf betrieblicher Ebene etwas anderes beschlossen wird. Konkret sollte der Gesetzgeber die Tarifpartner zwingen, in jeden Tarifvertrag eine wirksame Öffnungsklausel aufzunehmen, die den einzelnen Betrieben die Möglichkeit gibt, auf dem Wege einer freiwilligen betrieblichen Vereinbarung zwischen Betriebsrat und Vorstand auch nach unten hin vom Tarifvertrag abzuweichen, wenn die betrieblichen Belange dies erfordern.[5]

Rechtstechnisch kann dieses Ziel dadurch erreicht werden, dass der schon zitierte § 77 Absatz 3 des Betriebsverfassungsgesetzes ersatzlos gestrichen wird. Gleichzeitig müsste § 4 Absatz 3 des Tarifvertragsgesetzes in der Weise ergänzt werden, dass vom Tarifvertrag abweichende betriebliche Vereinbarungen über Löhne und Arbeitsbedingungen zulässig sind.

Das Recht des Arbeitsministers, die Allgemeinverbindlichkeit des Vertrags für Betriebe zu erklären, die nicht Mitglied im Arbeitgeberverband sind (§ 5 TVG), ist bei dieser Gelegenheit ebenfalls zu streichen.

Es sollte sichergestellt sein, dass eine große Mehrheit der Belegschaft die betrieblichen Vereinbarungen gutheißt. Das Quorum könnte bei zwei Dritteln angesiedelt werden. Wenn eine vom Tarifvertrag abweichende Vereinbarung mit diesem Quorum zustande kommt, wäre sie für alle Belegschaftsmitglieder einschließlich der Gewerkschaftsmitglieder bindend. Die Gewerkschaften hätten nur dann die Möglichkeit, die betriebliche Vereinbarung zu blockieren, wenn es ihnen gelänge, das Erreichen des Quorum zu verhindern. Nur die Gewerkschaftsmitglieder selbst auf ihre Seite zu bringen, reicht für eine Blockade nicht aus. Es gibt auch keine Möglichkeit, speziell für sie höhere Löhne zu sichern und dadurch die betriebliche Einigung zu unterlaufen.

Implizit würde durch diese Regelungen das Günstigkeitsprinzip anders definiert, denn was günstiger ist, kann im Zweifel die Belegschaft selbst entscheiden. Wenn der Betriebsrat oder die Mehrheit der Belegschaft zu dem Schluss kommt, dass es günstiger ist, für das gleiche Geld länger zu arbeiten oder sich mit niedrigeren Stundenlohnsätzen zu begnügen, um so den eigenen Betrieb zu retten oder eine Standortverlagerung zu verhindern, so ist auch das zu akzeptieren.

Manche Politiker mögen glauben, es reiche aus, das Problem dadurch anzugehen, dass die Gewerkschaften mehr betriebliche Bündnisse für Arbeit schließen. So hat auch der Bundeskanzler in seiner Rede vom 14. März 2003 vor dem Bundestag sich auf eine entsprechende Ermunterung der Gewerkschaften beschränkt. Doch die betrieblichen Bündnisse mit den Gewerkschaften können die Öffnungsklauseln keinesfalls ersetzen, da die Gewerkschaften dann nach wie vor in der Lage sind, ihre Kartellpolitik gegenüber den Unternehmen durchzusetzen. Im Übrigen kommen auf dem Wege über die Gewerkschaften die Interessen der Arbeitnehmer von Konkurrenzbetrieben mit ins Spiel, was nach wie vor einen kartellähnlichen Durchgriff auf die Absatzmärkte ermöglicht. Das Ziel, die Tarifautonomie gesetzlich so zu interpretieren, dass sie mit einem echten Konkurrenzverhalten der Betriebe vereinbar ist, wird durch betriebliche Bündnisse mit den Gewerkschaften in keiner Weise erreicht. Es muss der Belegschaft eines jeden Betriebs möglich sein, einer Lohnsenkung zuzustimmen, um dem Betrieb die Möglichkeit zu geben, die Preise der Konkurrenten zu unterbieten und sein Überleben auf diese Weise zu sichern, auch wenn das der Gewerkschaft und den Konkurrenzbetrieben nicht gefällt. Nur so kann die Marktwirtschaft wirklich funktionieren und ihre Leistungskraft unter Beweis stellen.

Mit den entsprechenden Gesetzesreformen kann man nicht mehr warten, denn, wie in Kapitel 2 erläutert wurde, hat die Zahl der Pleiten ein so hohes Niveau erreicht, dass Deutschland in den Jahren 2002 und 2003 in eine gefährliche Bankenkrise und eine Kreditklemme geriet, die in der Nachkriegszeit keine Parallelen hatte. Betriebliche Öffnungsklauseln, die den gefährdeten Belegschaften das Recht geben, ihre Arbeitsplätze durch einen Lohnverzicht oder durch Mehrarbeit zu retten, sind als Sofortmaßnahmen zur Behebung einer akuten Notlage und für nachweislich beschäftigungsfördernde Maßnahmen erforderlich.

Manchmal wird behauptet, solche Reformen seien unmöglich, weil sie Artikel 9 des Grundgesetzes widersprechen. Dort sei die Tarifautonomie der Gewerkschaften festgeschrieben, und Tarifautonomie impliziere den Flächentarifvertrag. Aber das ist so nicht ganz richtig. Im Grundgesetz steht kein Wort von der Tarifautonomie oder von Lohnverhandlungen. Artikel 9 gewährt nur ganz abstrakt für »jedermann und für alle Berufe … das Recht, zur Wahrung und Förderung der Arbeits- und Wirtschaftsbedingungen Vereinigungen zu bilden«. Das kann viel bedeuten, aber sicher nicht das Recht, Kartelle zu formieren, die die betriebliche Entscheidungsautonomie aushöhlen, denn wäre es so, dann wäre das Kartellverbot des Gesetzes gegen Wettbewerbsbeschränkungen verfassungswidrig. Um vom Artikel 9 zur Tarifautonomie zu gelangen, bedarf es einer weiter gehenden Interpretation und Vermutung darüber, was die Verfassungsväter gemeint haben könnten, und von der Tarifautonomie kommt man nur mit weiteren juristischen Klimmzügen zu den zitierten Regeln des Betriebsverfassungsgesetzes und des Tarifvertragsgesetzes. Zu Letzteren sind viele Alternativen denkbar, unter denen der Gesetzgeber wählen kann, und dazu gehören sicherlich auch die genannten Maßnahmen zur Stärkung der betrieblichen Entscheidungsautonomie.

Bei seiner Interpretation des Grundgesetzes, mit der die Tarifautonomie begründet wird, hat das Bundesverfassungsgericht Folgendes ausgeführt:[6]

Die Aushandlung von Tarifverträgen gehört zu den wesentlichen Zwecken der Koalitionen. Der Staat enthält sich in diesem Betätigungsfeld **grundsätzlich** einer Einflussnahme und überlässt die erforderlichen Regelungen der Arbeits- und Wirtschaftsbedingungen **zum großen Teil den Koalitionen,** die sie autonom durch Vereinbarung treffen ... Die Koalitionsfreiheit ist zwar vorbehaltlos gewährleistet. **Das bedeutet aber nicht,** dass dem Gesetzgeber jede Regelung im Schutzbereich dieses Grundrechts verwehrt wäre. Soweit das Verhältnis der Tarifvertragsparteien zueinander berührt wird, die beide den Schutz des Art. 9 Absatz 3 GG genießen, bedarf die Koalitionsfreiheit der gesetzlichen Ausgestaltung. Aber auch im Übrigen ist dem Gesetzgeber die Regelung von Fragen, die Gegenstand von Tarifverträgen sein können, **nicht von vornherein entzogen. Art. 9 Absatz 3 GG verleiht den Tarifvertragsparteien ein Normsetzungsrecht, aber kein Normsetzungsmonopol** ... Eine gesetzliche Regelung in dem Bereich, der auch Tarifverträgen offen steht, kommt **jedenfalls** dann in Betracht, wenn der Gesetzgeber sich dabei auf **Grundrechte Dritter oder andere mit Verfassungsrang ausgestattete Rechte** stützen kann und den Grundsatz der Verhältnismäßigkeit wahrt. (Hervorhebung durch den Verfasser)

Diese Interpretation gibt dem Gesetzgeber den Spielraum, den er braucht, um die oben vorgeschlagenen Änderungen des Betriebsverfassungsgesetzes und des Tarifvertragsgesetzes durchzuführen. Dies gilt umso mehr, als das Bundesverfassungsgericht in einem Urteil zu Lohnabstandsklauseln festgestellt hat, dass das Ziel der Bekämpfung von Arbeitslosigkeit Verfassungsrang hat.[7] Da die Öffnung der Tarifverträge auf betrieblicher Ebene die Vernichtung von Arbeitsplätzen durch Konkurs verhindern kann, darf die grundgesetzliche Garantie der Koalitionsfreiheit nicht so interpretiert werden, dass Tarifverträge faktisch den Charakter staatlich abgesicherter Kartellvereinbarungen annehmen. In der Tat würde auch die Tarifautonomie in gewisser Weise gestärkt statt geschwächt, wenn die vorgeschlagenen Gesetzesänderungen durchgeführt würden, denn dann erhielten die Belegschaften der Betriebe das Recht, gegebenenfalls Regelungen auszuhandeln, die auf ihre eigenen Bedürfnisse zugeschnitten sind.

Die Lohnstruktur in Deutschland würde sich viel stärker ausdifferenzieren und flexibler auf die Herausforderungen der Globalisierung reagieren können, als es heute der Fall ist, wenn die betriebliche Entscheidungsautonomie gegenüber den Gewerkschaften gestärkt würde. Die Arbeitslosigkeit wäre geringer, mehr Menschen könnten sinnvoll beschäftigt werden, und das wirtschaftliche Wachstum wäre höher.

Weniger Kündigungsschutz, mehr Sicherheit des Arbeitsplatzes

Es wäre eine Untertreibung, wenn man sagen würde, dass sich die Kartellpolitik der Gewerkschaften nur auf die tariflichen Vereinbarungen über Arbeitsbedingungen erstreckt. In Wahrheit durchzieht der gewerkschaftliche Einfluss auch die Wirtschafts- und Sozialpolitik der Bundesrepublik Deutschland bis in den letzten Winkel. 75 % der SPD-Bundestagsfraktion bestehen aus Gewerkschaftsmitgliedern,[8] und auch der Arbeitnehmerflügel der CDU steht traditionell unter starkem gewerkschaftlichen Einfluss und wetteifert geradezu mit der SPD um den weiteren Ausbau des Sozialstaates. Unter diesen Verhältnissen ist es kein Wunder, dass kaum ein Wirtschaftsgesetz den Bundestag passiert, ohne dass es von Seiten der Gewerkschaften gutgeheißen worden wäre. Wer in Deutschland an die Macht kommen will, muss sich mit den Gewerkschaften gut stellen. Sonst hat er keine Chance. Bislang haben noch alle Kandidaten der großen Volksparteien diese Erkenntnis beherzigt.

Besonders stark ist der Einfluss der Gewerkschaften in Bereichen, wo der Zusammenhang mit ihrer Kartellpolitik offensichtlich ist. Hier ist zum Beispiel der Kündigungsschutz zu nennen.

Auf einem sich selbst überlassenen Arbeitsmarkt, der unter Konkurrenzbedingungen arbeitet, bedarf es keines besonderen Kündigungsschutzes, um Arbeitsplatzsicherheit herzustellen, denn auf einem solchen Markt herrscht annähernd Vollbeschäftigung. Firmen entlassen keine bewährten Arbeitskräfte, und wenn doch einmal aus speziellen Gründen jemand entlassen wird, dann findet er schnell wieder anderswo einen Job. In Amerika, das über einen sehr flexiblen Arbeitsmarkt verfügt, gibt es kaum Erwerbspersonen, die über längere Zeiträume nicht arbeiten. Das deutsche Thema der Langzeitarbeitslosen ist schlichtweg unbekannt.

Der gesetzliche Kündigungsschutz wird wichtig, wenn die Löhne von Kartellgewerkschaften über das Konkurrenzniveau hinaus erhöht werden. Einerseits möchte nämlich niemand zu den Opfern dieser Politik gehören. Andererseits brauchen die Gewerkschaften den Kündigungsschutz, um hohe Löhne herausholen zu können. Der Käufer der Ware Arbeitskraft wird unabhängig von ihrem Preis zur Abnahme verpflichtet, und erst dann wird über den Preis verhandelt. Das wachsende Entlassungsrisiko, das die Arbeitnehmer ohne Kündigungsschutz hinnehmen müssten, wäre ein starker Hemmschuh gegen die Politik der hohen Löhne. Wenn aber ein umfassender Kündigungsschutz wie in Deutschland gewährt wird, dann können insbesondere die schon lange beschäftigten Arbeitnehmer, die die Gewerkschaftsfunktionäre zu stellen pflegen oder sie doch am stärksten beeinflussen, beruhigt sein, dass eine aggressive Lohnpolitik sie nicht treffen wird.

Getroffen werden dafür andere. Arbeitslose finden den Weg in die Beschäftigung nicht wieder zurück, und junge Menschen, die ihre erste Stelle suchen, haben es besonders schwer, fündig zu werden. Viele von ihnen bleiben ausgegrenzt. Jugendarbeitslosigkeit ist die Folge. Die Väter und Mütter, die sich in ihren sicheren Arbeitsplätzen eingerichtet haben, votieren für hohe Tarifforderungen, die ihren Kindern den Zutritt in die Arbeitswelt verwehren. Wenn sie nur verstünden, was sie damit ihren Kindern antun!

Der gesetzliche Kündigungsschutz versagt heute allerdings mehr und mehr bei seiner Aufgabe, die Entlassung der bereits beschäftigten Arbeitnehmer zu verhindern, denn die Lösung, die die Betriebe in den letzten Jahren in erschreckend großem Ausmaß gewählt haben, ist die Betriebsschließung. In diesem Fall schützt der schönste Kündigungsschutz nicht vor Arbeitslosigkeit, denn noch verfügt Deutschland nicht über Wirtschaftsgesetze, die den Unternehmern die Schließung ihrer Betriebe unter Strafe verbieten. Nur die umfangreichen und teuren Sozialpläne, die bei einer Betriebsschließung erforderlich sind, können in diesem Sinne interpretiert werden. Aber im Falle des Konkurses gibt es auch keine Sozialpläne mehr. Wo nichts mehr ist, kann man auch nichts mehr holen. Viele Tausende von Unternehmen verabschieden sich jedes Jahr auf diese Weise von ihren gewerkschaftlichen Partnern.

Der gesetzliche Kündigungsschutz hat in Deutschland ein auch im internationalen Vergleich hohes Niveau erreicht. Er gilt im Prinzip für alle Betriebe mit mehr als fünf Mitarbeitern und verstärkt sich automatisch in Abhängigkeit von der Länge der Betriebszugehörigkeit. Wer 15 Jahre und länger in einem Betrieb beschäftigt war, ist praktisch unkündbar. Betriebsbedingte Gründe reichen in diesem Fall nicht aus, eine Kündigung auszusprechen, und persönliche Gründe sind in der Regel nicht nachweisbar. Nicht nur die Beamten, denen dafür ein Treueschwur gegenüber dem Staat abverlangt und das Streikrecht genommen wird, genießen in Deutschland sichere Dauerstellen, sondern fast alle Arbeitnehmer. Das ist eine im internationalen Vergleich völlig ungewöhnliche Situation, die insbesondere in den angelsächsischen Ländern nur Kopfschütteln hervorruft.

Der gesetzliche Kündigungsschutz muss fallen, und zwar genauso für Großbetriebe wie für Kleinbetriebe. Wenn Arbeitgeber und Arbeitnehmer beide weiterhin Verträge mit vollem Kündigungsschutz wollen, können sie sie zwar abschließen, aber es bedarf hierzu keiner gesetzlichen Regelung. In der Praxis werden sich dann befristete Verträge oder auch unbefristete Verträge durchsetzen, die durch einseitige Erklärungen eines Partners nach einer angemessenen Frist gelöst werden können, ohne dass Abfindungen gezahlt werden. Ein Arbeitsverhältnis ist keine Ehe, die den Charakter einer Versicherung auf Gegenseitigkeit hat und deshalb nicht nach Belieben zu scheiden sein sollte. Arbeitgeber und Arbeitnehmer müssen jederzeit zufrieden mit dem Arbeitsverhältnis sein, und wenn es eine Seite nicht mehr ist, dann muss sie in der Lage sein, das Verhältnis zu beenden.

Es geht auch nicht an, dass sich der Staat noch länger zum Komplizen der Gewerkschaften macht und ihre Hochlohnpolitik durch den Kündigungsschutz ermöglicht. Der gesetzliche Kündigungsschutz muss deshalb gegen den Willen der Gewerkschaften beseitigt werden. Nie und nimmer werden die Kartellgewerkschaften zustimmen, dass ihnen eine der wirksamsten Waffen zur Durchsetzung ihrer Hochlohnpolitik aus der Hand geschlagen wird. Sie werden sich wehren und Hunderttausende Arbeitnehmer auf die Straßen bringen. Aber die politischen Parteien der Bundesrepublik Deutschland müssen die Entwaffnung durchsetzen, denn zu viel Schindluder wurde mit der Waffe getrieben, als dass sie weiterhin in den Händen der Gewerkschaften verbleiben dürfte.

Ohne den Kündigungsschutz würden die Gewerkschaften eine zurückhaltendere Lohnpolitik wählen, und die Unternehmen würden mehr Arbeitsplätze schaffen. Dadurch würde die Sicherheit der Arbeitsplätze steigen, nicht fallen.

Die Beseitigung des Kündigungsschutzes hätte aber darüber hinaus weitere Vorteile, die nicht von der Hand zu weisen sind. Zum einen würde der Leistungsanreiz für die beschäftigten Arbeitnehmer steigen, denn jeder wüsste, dass er für sein Geld arbeiten muss und dass das Arbeitsverhältnis nur so lange besteht, wie er arbeitet. Wenn Deutschland relativ zu seiner Produktivität zu hohe Löhne hat, als dass es den internationalen Wettbewerb bestehen könnte, dann ist dies jedenfalls auch eine Möglichkeit, wieder wettbewerbsfähiger zu werden und die Arbeitsplätze zu sichern.

Zum anderen würden Unternehmen Neueinstellungen eher wagen. Heute trauen sich viele Unternehmer nicht, neue Leute einzustellen, weil sie befürchten, dass sie sich damit Klötze ans Bein binden, die sie nie wieder loswerden. Gerade auch in unsicheren Zeiten, wenn er sich der Dauerhaftigkeit des Geschäfts nicht sicher ist, würde sich manch ein Unternehmer zur Neueinstellung entschließen, wenn er wüsste, dass er damit keine langfristige Bindung eingeht.

Der Kündigungsschutz muss nicht in einem großen Reformschritt abgeschafft werden. Es sind verschiedene Übergangsszenarien denkbar. Mindestens sollten Arbeitnehmer, deren Arbeitsverhältnisse nach einem Stichtag geschlossen werden, nicht mehr vom gesetzlichen Kündigungsschutz erfasst werden. Am besten wäre es aber, wenn der Schutz möglichst rasch auch für die bestehenden Arbeitsverhältnisse gelockert werden könnte. Der nächste Konjunkturaufschwung wird dafür eine Gelegenheit bieten. Den Kündigungsschutz mitten in der jetzigen Konjunkturflaute auf einen Schlag abzuschaffen, ist freilich nicht ratsam, weil es zu einer Welle aufgestauter Entlassungen kommen könnte, die eine konjunkturelle Destabilisierung mit sich bringen würde. Etwas behutsam muss man bei einer solch wichtigen Reform schon vorgehen.

Die Abschaffung des Kündigungsschutzes sollte andererseits nicht auf Angestellte und Arbeiter beschränkt sein. Wenig spricht dagegen, auch die Beamten einzubeziehen, vorausgesetzt freilich, dass sie nicht im Ausgleich das Streikrecht erhalten. Bis auf wohl begründete Ausnahmen brauchen auch Beamte keinen ewigen Kündigungsschutz, und die Verbesserung der Arbeitsanreize wäre auch beim Staat kein Fehler. Ein effizienterer Staat ist ein billigerer Staat, und ein billigerer Staat braucht weniger Steuern. Weniger Steuern bedeuten mehr Wettbewerbskraft und mehr Arbeitsplätze in der privaten Wirtschaft.

Kurzum: Die Beseitigung des Kündigungsschutzes benachteiligt die Arbeitnehmer nur scheinbar. In Wahrheit erhöht sie die Effizienz des Systems, ermuntert die Unternehmen zu Neueinstellungen und ermöglicht eine moderatere Lohnpolitik, die die Unternehmen veranlasst, mehr Arbeitsplätze zur Verfügung zu stellen. Die Abschaffung des Kündigungsschutzes ist Teil eines Maßnahmenpakets, das Deutschland wieder auf den Weg der Vollbeschäftigung zurückführt. Vollbeschäftigung ist der sicherste Kündigungsschutz, den man in dieser Welt bekommen kann. Manchmal ist weniger mehr.

Der Sozialstaat als heimlicher Komplize

Nicht nur der Kündigungsschutz ist eine Einrichtung des Sozialstaates, die der Festigung des Tarifkartells dient. Auch die vielfältigen Lohnersatzleistungen, die der Sozialstaat den Arbeitslosen zur Verfügung stellt, haben eine solche Wirkung. Der Sozialstaat federt die Konsequenzen der Arbeitslosigkeit ab, indem er als Ersatz für die fehlenden Löhne Arbeitslosengeld, Arbeitslosenhilfe oder Sozialhilfe zahlt. Auch Frühverrentungsmodelle, die unter den Namen Altersteilzeit oder Vorruhestand eingeführt wurden, können in diesem Sinne interpretiert werden. Bislang galt noch immer: Wie exzessiv auch immer die Lohnforderungen der Gewerkschaften waren und wie sehr deshalb auch immer die Arbeitslosigkeit stieg, der Sozialstaat hat sich um die Kollateralschäden der Kartellpolitik gekümmert. Damit hat er nicht nur den Gewerkschaftsbossen das Gewissen erleichtert, sondern zusätzlich den Widerstand in der Bevölkerung gegenüber der zunehmenden Arbeitslosigkeit verringert. Heute hat Deutschland über 10 % Arbeitslose, und es gibt Regionen, in denen die Arbeitslosigkeit 20 %, ja bald 30 % beträgt. Ohne die Hilfe des Sozialstaats wären Massenproteste und allgemeiner Aufruhr die Folge, und die Gewerkschaften wären viel früher an die Grenzen ihrer Hochlohnpolitik gestoßen. Der Sozialstaat war der heimliche Komplize der Kartellgewerkschaften und ist mit dafür verantwortlich, dass Deutschland so lange den falschen Weg beschreiten konnte.

Aber der Sozialstaat kostet immer mehr Geld, das den Arbeitenden abverlangt werden muss. Die Lohnnebenkosten sind in den letzten Jahrzehnten erheblich gestiegen und haben die Arbeit zusätzlich zur ausufernden Lohnpolitik verteuert. Deutschland belegt die Wertschöpfung der Arbeitnehmer, wie in Kapitel 6 noch näher dargelegt wird, mit extrem hohen Sozialabgaben und Steuern. Das führt entweder zu einer weiteren Verteuerung der Löhne und erhöht die Zahl der Arbeitslosen weiter, oder es führt zu direkten Einkommensverlusten der Arbeitnehmer. Auch aus der Sicht vieler Gewerkschaftsfreunde hat deshalb die Politik der Gewerkschaften den Bogen überspannt. Zwar argumentieren nun viele, man solle die Lohnnebenkosten senken, indem man Bevölkerungsgruppen belastet, die den Verursachern der hohen Lohnnebenkosten weniger nahe stehen, aber das führt leider kaum zum Ziel, denn so viele andere Gruppen gibt es nicht. Die 5,5 % Beamten, die es in Deutschlands Erwerbsbevölkerung heute noch gibt,[9] mit einer Sonderabgabe zu belegen, wird mangels Masse kaum eine nennenswerte Entlastung bringen, und die Kapitaleinkommen kann man nicht belasten, weil das Kapital dann das Weite sucht und sich in anderen Ländern niederlässt. Das Ende der Fahnenstange ist erreicht. Die Arbeitnehmer sollten entsetzt sein über die Konsequenzen der Lohnpolitik, die in ihrem Namen betrieben wurde und das Maß aller Vernunft weit überschritten hat.

Der Grund für die kollektive Unvernunft, die sich in der Wechselwirkung zwischen den deutschen Gewerkschaften und dem Sozialstaat zeigt, liegt abermals nicht darin, dass Gewerkschaftsbosse dumm sind. Das sind sie bestimmt nicht. Die Unvernunft hat ihre Ursache eher darin, dass die Einzelgewerkschaften, die die Tarifverhandlungen führen, stets davon ausgehen konnten, dass sie die Kosten der von ihnen verursachten Arbeitslosigkeit auf andere Arbeitnehmer in anderen Tarifbezirken und anderen Branchen abwälzen konnten. Jeder Verhandlungsführer wusste: Die Vorteile der hohen Löhne würden sich bei den eigenen Mitgliedern zeigen, die Kosten würden sich indes auf die diffuse Gesamtheit der Steuerzahler übertragen, die den Sozialstaat finanzieren. Natürlich gehörten dazu auch die Mitglieder der Gewerkschaften, aber es würden ja vornehmlich die Mitglieder anderer Gewerkschaften und anderer Tarifbezirke getroffen. Lediglich ein verschwindend geringer Teil der Abgabenerhöhung, die ein Verhandlungsleiter selbst verursacht, würde von den eigenen Mitgliedern getragen.

Vermutlich sind diese Zusammenhänge auch dem einzelnen Gewerkschaftsboss bei seinen Verhandlungen geläufig. Aber er wird dennoch nicht anders agieren, als er es tut, denn er kann nicht davon ausgehen, dass die eigene Bescheidenheit von den anderen Gewerkschaftsführern imitiert wird. So verstricken sich alle Gewerkschaften zusammen in eine exzessive Vorteilssuche, die wegen der Kosten des sich immer weiter aufblähenden Sozialstaates letzten Endes allen schadet.

Sparlohn statt Barlohn: ein möglicher Weg

Die historischen Fehler der Gewerkschaftsbewegung der Bundesrepublik Deutschland reichen zurück bis in die sechziger Jahre. Damals hatte man intensiv die Frage diskutiert, ob die Arbeitnehmer zu Miteigentümern am Produktionspotenzial werden könnten. Einflussreiche Persönlichkeiten wie der katholische Sozialphilosoph Oswald von Nell-Breuning oder der Gewerkschaftsführer und spätere Bundesbauminister Georg Leber hatten sich dafür stark gemacht. Auch die Wissenschaft hatte mit einem Gutachten des Sachverständigenrates und einer umfangreichen Studie von Krelle, Schunck und Siebke zur deutschen Vermögensverteilung in diese Richtung argumentiert.[10] Die Arbeitnehmer sollten neben dem Lohneinkommen auch eine Beteiligung am Kapitaleinkommen erwerben, um so in Zukunft ein zweites Standbein für die rauer werdende See zu erhalten, denn es schien absehbar, dass eines Tages die Lohneinkommen im Verhältnis zu den Kapitaleinkommen ins Hintertreffen geraten würden.

Die Gewerkschaften haben diese Thematik intensiv diskutiert, sich dann aber für die Mitbestimmung statt für die Unternehmensbeteiligung entschieden. Diese Entscheidung war, wie wir heute wissen, ein Fehler. Hätten die Gewerkschaften die Arbeitnehmer vor 30 Jahren zum Sparen veranlasst und für sie statt hoher Löhne attraktive Aktienoptionen und ähnliche Arrangements herausgehandelt, dann verfügte die Arbeitnehmerschaft heute über ein ansehnliches Vermögen, aus dem ein erkleckliches Zinseinkommen zur Aufbesserung der Rente flösse. Die Arbeitnehmer wären nicht die Verlierer eines Entwicklungsprozesses, der durch eine immer größere Kapitalknappheit und durch einen steigenden Druck auf die Löhne gekennzeichnet ist, sondern sie säßen bei den gewinnenden Kapitalbesitzern mit im Boot. Mit der Entscheidung gegen die Beteiligung an den Unternehmen aber blieben sie arm an Vermögen und müssen nach wie vor ausschließlich von den Löhnen und den daraus abgeleiteten staatlichen Transfereinkommen leben.

Die stattdessen getroffene Entscheidung für die Mitbestimmung hat außer lukrativen Posten für die Arbeitnehmervertreter wenig gebracht. Jedenfalls hat die Mitbestimmung die Lohneinkommen der Arbeitnehmer nicht erhöht. Eher das Gegenteil ist der Fall, denn die Einschränkungen, die die Mitbestimmung für die Arbeitgeber bedeutet, hat zur Schwächung des deutschen Wirtschaftsstandorts beigetragen. Kapital, das unter liberaleren Bedingungen hier zu Lande investiert worden wäre, hat sich anderswo angesiedelt, und ohne Kapital entstehen keine hochwertigen Arbeitsplätze, auf denen hohe Löhne verdient werden können.

Es ist unklar, was der Grund für die damalige Gewerkschaftsentscheidung war, aber der Verdacht liegt nahe, dass die Mitbestimmung den Gewerkschaften schneller einflussreiche Posten versprach als die Politik der allmählichen Vermögensbildung. Auch scheint die Behauptung nicht aus der Luft gegriffen zu sein, dass die Gewerkschaften damals Angst davor hatten, dass ihre Mitglieder zu Kleinkapitalisten mutieren würden und dass ihnen insofern die ideologische Basis abhanden kommen würde.

Die Erträge der in den Wind geschlagenen Unternehmensbeteiligung wären erheblich gewesen. Vom Jahr 1965 bis zum Jahr 2002 ist der DAX trotz des Börsencrashs der letzten Jahre von 453 auf 2893 Punkte gestiegen.[11] Das entsprach einer Zuwachsrate von 585 % in 37 Jahren oder einer durchschnittlichen jährlichen Verzinsung von 5,3 %. Dieser Vergleich zeigt, welche großen Gewinne die Gewerkschaften für ihre Mitglieder hätten herausholen können, wenn sie sich für die Unternehmensbeteiligung statt für die Mitbestimmung entschieden hätten. Schon ein kleiner in Aktienkapital umgewandelter Lohnverzicht hätte heute zu einem ansehnlichen Vermögen geführt.

Aber es ist noch nicht zu spät, den Weg der Unternehmensbeteiligung zu gehen, denn noch immer gibt es attraktive Investitionsmöglichkeiten, an denen die deutschen Unternehmen durch inländische Investitionen oder auf dem Weg des Outsourcing und der Direktinvestitionen in fernen Ländern partizipieren können. Deshalb bietet es sich an, dass die Gewerkschaften zumindest in den nächsten Jahren das Versäumte nachholen und bei den Tarifverhandlungen Beteiligungspläne heraushandeln. Der Zeitpunkt ist sogar günstig, weil die Unternehmen derzeit nicht viel wert sind.

Wenn man es geschickt anstellt, könnte eine Unternehmensbeteiligung zudem so konstruiert werden, dass sie die notwendige Lohnanpassung erleichtert. Man könnte sie nämlich verwenden, um denjenigen, die heute schon einen Arbeitsplatz haben, einen Ausgleich dafür zukommen zu lassen, dass sie eine Lohnzurückhaltung akzeptieren. So könnten sich die Gewerkschaften fünf Jahre lang mit einem Lohnzuwachs begnügen, der um einen Prozentpunkt unter dem Produktivitätsanstieg (einschließlich der Inflation) liegt, und im Austausch könnte man vereinbaren, dass die Unternehmen den Arbeitnehmern eigene Aktien übertragen, deren Wert in etwa dem Gegenwartswert des sich solcherart ergebenden Lohnverzichts entspricht. Sparlohn statt Barlohn ist die Devise dieses Programms. Wenn neu einzustellende Arbeitnehmer an diesem Deal nicht beteiligt werden, also nur die Barlöhne erhalten, entsteht für die Unternehmen ein Anreiz, neue Arbeitsplätze zu schaffen und am deutschen Standort zu investieren. Dann gewinnen alle beteiligten Gruppen.

Zwar bedeutet die Umwandlung des Lohnverzichts in einen Beteiligungsanspruch zunächst nur eine Umverteilung von der einen in die andere Tasche. Was die Alteigentümer an Gewinnausschüttungen abtreten, gewinnen sie ja an verminderten Löhnen, und bei den vorhandenen Arbeitnehmern ist es umgekehrt. Doch haben die Unternehmen wegen der Senkung der Stundenlohnkosten einen Anreiz, das Beschäftigungsvolumen auszudehnen. Es werden neue Geschäftsfelder erschlossen, und zusätzliche Gewinne können erzielt werden. An diesen zusätzlichen Gewinnen partizipieren die neuen und alten Eigentümer gleichermaßen. Außerdem profitieren die neu eingestellten Mitarbeiter, die ohne den Deal gar nicht übernommen worden und stattdessen arbeitslos geblieben wären.

Es gibt in Deutschland Tausende von Unternehmen mit partnerschaftlichen Beteiligungsmodellen, zu denen so bekannte Firmen wie Altana (Chemie), Bertelsmann (Medien), BMW (Fahrzeugbau), Otto (Versandhandel) oder TUI (Reiseveranstalter) gehören. Dabei wurden viele Modelle für die rechtliche Konstruktion der Unternehmensbeteiligung ausgearbeitet und in der Praxis erprobt.[12] Die Varianten reichen von einem direkten Aktienerwerb, wie er bei großen Unternehmen üblich ist, über betriebliche Darlehen bis hin zu Genussscheinen, die eine bei kleineren Unternehmen häufig anzutreffende Beteiligungsform darstellen. Genussscheine sind darlehensähnliche Ansprüche gegen das Unternehmen, die mit einer Gewinnkomponente und einer garantierten Mindestverzinsung ausgestattet sind. Alle diese Modelle eignen sich für Deals, die auf eine kompensierte Lohnzurückhaltung und eine faktische Spreizung der Einkommen zwischen Altsassen und Neuankömmlingen hinauslaufen. Diese Spreizung ist der Schlüssel für den Erfolg, denn sie ermöglicht es, die für Neueinstellungen nötige Lohnsenkung durchzuführen, ohne dass die bereits beschäftigten Arbeitnehmer Verluste erleiden müssen.

Die Zeit der Ausbeutung der Proletarier durch die Kapitalisten ist lange vorbei, und die Zeit, während derer die Kartellgewerkschaften die Unternehmen in heimlicher Komplizenschaft mit dem Sozialstaat ausbeuten konnten, nähert sich ebenfalls dem Ende. Die alte Tarifpolitik ist an den harten Klippen der Realität gestrandet, und nun weht den Gewerkschaften die Gischt der aufgebrachten Öffentlichkeit ins Gesicht. Es ist höchste Zeit, über neuartige Tarifmodelle nachzudenken und Phantasie bei der Suche nach neuen Wegen zu einer echten betrieblichen Partnerschaft aufzubringen.

Bewegen sich die Gewerkschaften nicht und wagt es auch der Gesetzgeber nicht, ihre Macht zu beschränken, dann bleibt nur noch die schwedische Lösung. In Schweden haben die Unternehmen im Jahr 1983 den Unternehmerverband SAF aufgelöst, um den Gewerkschaften auf der nationalen Ebene ihren Partner bei den Lohnverhandlungen zu nehmen. Das war ein heilsamer Schock für die Gewerkschaften, der zu einer nachhaltigen Veränderung der politischen Verhältnisse geführt hat. Die Folge für den schwedischen Arbeitsmarkt war, dass das gesamte System der Lohnfindung umgekrempelt wurde. Die Lohnverhandlungen verlagerten sich vollständig auf die sektorale Ebene mit derzeit etwa 50 verschiedenen Branchenvertretungen. Die Branchenergebnisse sind aber für die Unternehmen nicht verbindlich, sondern dienen nur als Richtschnur für weitere Lohnverhandlungen auf der betrieblichen Ebene, wo Zuschläge oder Abschläge vereinbart werden können.[13]

Auch die deutschen Arbeitgeber könnten ihre Dachverbände auflösen. Die Tarifverträge würden dann weiter gelten, aber Steigerungen könnte man nicht mehr aushandeln, weil der Verhandlungspartner fehlt. Die Gewerkschaften müssten die Betriebe bestreiken, um sie zum Abschluss von Betriebsvereinbarungen zu zwingen, aber ob sie die Macht hätten, dies wirksam zu tun, kann bezweifelt werden. Man könnte es den Unternehmen nicht verdenken, wenn sie auch in Deutschland irgendwann diese Notbremse ziehen, sollten die Gewerkschaften und Politiker weiterhin in ihren Betonbunkern Schutz suchen.

ARBEITSMARKT IM WÜRGEGRIFF DER GEWERKSCHAFTEN

1 Bank of Israel, Annual Report 1999, Statistical Appendix (1969 – 1998); Main Economic Data (1999–2002), www.bankisrael. gov.il.

2 OECD, Main Economic Indicators 2003/3, Deutschland West Weekly Hours Paid Industry; Statistisches Bundesamt, Statistisches Jahrbuch 2001, Tabelle 22.3 (38,3 Stunden Männer Deutschland, 38,0 Stunden Männer Westdeutschland).

3 Monopolkommission, Hauptgutachten 1992/1993, Mehr Wettbewerb auf allen Märkten, Baden-Baden 1994, S.376.

4 Pressemitteilung des Arbeitsgerichts Marburg vom 7. August 1996.

5 Es ist wichtig, dass das Betriebsverfassungsgesetz in diesem Fall klarstellt, dass Abweichungen vom Tarifvertrag nur durch freiwillige Vereinbarungen möglich sind. Im Falle eines echten Mitbestimmungsrechts mit zwingender Betriebsvereinbarung könnte ansonsten eine Einigungsstelle angerufen werden, die gegebenenfalls auch gegen den Arbeitgeber oder gegen den Betriebsrat entscheiden könnte.

6 Bundesverfassungsgericht, BVerfGE 94, 268 vom 24. April 1996.

7 Bundesverfassungsgericht, 1 BvR 2203/93 vom 27. April 1999, Absatz-Nr. 58.

8 Vergleiche Spiegel Nr. 19, 5. Mai 2003, S.44. Der entsprechende Anteilswert für die CDU ist 4 %, für Bündnis 90/Die Grünen 24 %, für die FDP 2 % und für die PDS 50 % (einer von zwei Abgeordneten).

9 Im Jahr 2002 gab es 40,607 Millionen Erwerbspersonen und 2,224 Millionen Beamte. Siehe Datenbank des Statistischen Bundesamtes, Mikrozensus 2002, http://www.destatis.de (aktualisiert am 12. Juni 2003).

10 Vergleiche Sachverständigenrat zur Begutachtung der gesamtwirtschaftlichen Entwicklung, Gleicher Rang für den Geldwert, Jahresgutachten 1972/73, Textnummer 501ff. »Gewinnbeteiligung bei begrenzter Haftung«, und W. Krelle, J. Schunck, J. Siebke, Überbetriebliche Ertragsbeteiligung der Arbeitnehmer: mit einer Untersuchung über die Vermögensstruktur der Bundesrepublik Deutschland, Forschungsauftrag des Bundesministeriums für Arbeit und Sozialordnung, Mohr-Siebeck, Tübingen 1968.

11 Deutsche Bundesbank, Zeitreihendatenbank, Werte ab Dezember 1959, und laufende Monatsberichte der Deutschen Bundesbank, S.51*.

12 So haben sich in der Arbeitsgemeinschaft Partnerschaft in der Wirtschaft e.V. über 500 Unternehmen zusammengeschlossen, die verschiedene Formen der Mitarbeiterkapitalbeteiligung und/oder Mitwirkungs- beziehungsweise Mitentscheidungsmodelle praktizieren. www.agpev.de.

13 Vergleiche auch J. Agell und H. Bennmarker, Wage Policy and Endogenous Wage Rigidity: A Representative View from the Inside, CESifo Working Paper Nr. 751, 2002, S.9. Der Verfasser dankt Jan Herin, dem Chefökonomen des schwedischen Unternehmerverbandes, für die Auskünfte.

Für Norbert Blüm mit der Frage,
ob er wusste, was er tat.

4.
DER SOZIALSTAAT: MÄCHTIGSTER KONKURRENT DER WIRTSCHAFT

Versicherung und moralisches Risiko – Lohnersatzeinkommen als Job-
killer – Gering Qualifizierte im Abseits – Anspruch und Wirklichkeit:
Ungleichheit am Arbeitsmarkt – Der Michel vor der Eiger-Nordwand
– Minijobs mit Miniwirkung: der Verdrängungseffekt – Das Mainzer
Modell: nur eine Höhle in der Eiger-Nordwand – Frühverrentung: die
Blüm'sche Teufelsspirale – Frühverrentung mit freiem Hinzuverdienst:
der bessere Weg – Aktivierende Sozialhilfe: eine scharfe Waffe gegen
die Arbeitslosigkeit

Versicherung und moralisches Risiko

Wir Deutschen sind stolz darauf, dass wir uns einen der am
besten entwickelten Sozialstaaten dieser Welt leisten. Der
Sozialstaat stabilisiert unsere Staats- und Wirtschaftsordnung.
Er kompensiert und beschwichtigt die Verlierer der historischen Umwälzungsprozesse, die mit dem technischen Fortschritt und der Ausweitung von Arbeitsteilung und Welthandel
einhergehen. Er befriedet Menschen mit geringer Leistungskraft und verhindert, dass sie sich durch Raub, Diebstahl und

andere kriminelle Handlungen die Mittel besorgen, die sie zum Leben benötigen. Vor allem aber versichert er die Menschen gegen die wirtschaftlichen Risiken des Lebens in einer Weise und einem Umfang, wie es private Versicherungsgesellschaften nicht könnten, und insofern stiftet er Nutzen für alle.

Der Lebensweg eines Menschen hängt nicht nur von dessen eigener Leistung und seinem freien Willen ab. Vieles wird stattdessen von exogenen Faktoren bestimmt, die der Einzelne nicht kontrollieren kann. Ob man als Kind gute Lehrer hat, ob man gesund ist, ob man später im Leben zur rechten Zeit die richtigen Kontakte und Gelegenheiten hat, ja, ob man mit Chromosomen für Intelligenz und physische Leistungskraft ausgestattet ist, all dies nimmt Einfluss auf das Einkommen und die Karriere eines Menschen, aber es liegt außerhalb der Kontrolle des freien Willens und der eigenen Entscheidung. Es begründet den Bedarf an staatlichem Versicherungsschutz, wie er in der Umverteilungspolitik des Sozialstaates angelegt ist. Indem den Reichen genommen und den Armen gegeben wird, wird das Karriere- und Lebensrisiko der Menschen verringert, und diese Versicherungsleistung wird von den meisten Staatsbürgern prinzipiell begrüßt.

Es ist deshalb nur folgerichtig, dass die Väter des Grundgesetzes das Sozialstaatsgebot und damit den Zwang zur Umverteilung von Reich zu Arm als unveränderbares Prinzip festgeschrieben haben. In dem Maße, wie Armut nicht als das Ergebnis einer geringen Anstrengung angesehen werden kann, sondern aus unbekannten Einflüssen resultiert, die jenseits des freien Willens der Menschen liegen, kann die staatliche Einkommensumverteilung als Versicherungsschutz interpretiert werden. Sie ist in dem gleichen Sinne eine nützliche wirtschaftliche Dienstleistung für die Menschen wie der Schutz, der von privaten Versicherungsgesellschaften gewährt wird.

Manchmal wird ein unlösbarer Gegensatz zwischen Umverteilung und Versicherung behauptet. Eine Versicherung basiere auf der Idee der fairen Gegenleistung für die gezahlten Prämien, und das sei das Gegenteil von Umverteilung. Aber diese Behauptung greift gedanklich viel zu kurz. Jede Versicherung ist eine Umverteilung von Glückspilzen zu Pechvögeln, und die meisten Umverteilungssysteme, die den Reichen nehmen, um den Armen zu geben, können im Vorhinein, bevor man weiß, wer reich und wer arm sein wird, im Sinne eines Versicherungsschutzes interpretiert werden. Umverteilung und Versicherung unterscheiden sich meistens nur durch den Betrachtungszeitpunkt; sie sind keine Gegensätze, sondern zwei Seiten derselben Medaille.

Auch das Prinzip der Solidarität, mit dem die Umverteilung häufig begründet wird, kann als Versicherungsprinzip interpretiert werden. Solidarität zu empfinden und auszuüben heißt, den impliziten Versicherungskontrakt zu akzeptieren, den man mit jemand anderem eingegangen war, indem man mit ihm auf der Schulbank gesessen hat, ihn als Nachbarn hatte, mit ihm verwandt ist oder auch nur mit ihm zusammen dem gleichen Staat angehört. Solidarität ist nur ein anderer Name für Versicherungsschutz.

Private Versicherungsunternehmen sind Solidargemeinschaften, zu denen sich Menschen freiwillig zusammenschließen. Sie können viele Risiken versichern, nicht aber die großen Lebens- und Karriererisiken, derer sich der Sozialstaat annimmt. Der Grund liegt einfach darin, dass sie im Leben der Menschen viel zu spät ansetzen. Wer eine Versicherung abschließen möchte, muss ja bereits erwachsen sein. Wenn aber ein Mensch erwachsen ist, dann sind die Würfel des Schicksals großenteils schon gefallen. Dann ist bereits bekannt, wie es um seine körperliche Konstitution bestellt und wie intelligent er ist. Gegen diese bekannten Unterschiede ist keine private Versicherung konstruierbar, denn die Nettozahler würden niemals mitmachen. Versichern kann man Menschen immer nur im Vorhinein, bevor bekannt ist, wer einmal Nettozahler und wer Nettoempfänger von Mitteln sein wird, und deshalb kann der Sozialstaat umfassender versichern, als es ein auf privatrechtlichen Verträgen aufbauendes Versicherungssystem vermag. Der Sozialstaat, der im Grundgesetz festgeschrieben wurde, ist eine legitime und grundsätzlich nützliche Form der Versicherung auf Gegenseitigkeit, die unsere Vorfahren für ihre Kinder und Kindeskinder eingerichtet haben, bevor sie wussten, wie die Würfel des Schicksals fallen würden.

Wie bei der privaten Versicherung steht dem Vorteil des Versicherungsschutzes freilich auch beim Staat ein Nachteil in Form einer durch diesen Schutz selbst hervorgerufenen Verhaltensänderung entgegen. Jede Versicherung gibt zu Verhaltensänderungen Anlass, die auf eine Vergrößerung der versicherten Gefahr hinauslaufen. Sicher, solche Verhaltensänderungen sind nicht immer nur schlecht. Gut ist es zum Beispiel, dass man unter dem Einfluss des Versicherungsschutzes mehr im Leben wagen und seine Chancen offensiv angehen kann. Meistens lohnt sich der Mut, aber wenn es schief geht, hilft einem die Solidargemeinschaft. Doch es ist schlecht, wenn die Anstrengungen zur Begrenzung der versicherten Gefahr erlahmen und Nachlässigkeit um sich greift, weil man zumindest einen Teil des Schadens auf andere abwälzen kann. In der Fachsprache heißt diese Verhaltensänderung »moralisches Risiko«. Das klingt wie ein Vorwurf, ist aber in Wahrheit nur als nüchterne Beschreibung negativer Verhaltensänderungen gemeint, die unter dem Schutze eines Versicherungsvertrags zahlreicher werden.

Beispiele sind bei der Feuerversicherung die Verringerung der Ausgaben für Nachtwächter und Sprinkleranlagen, bei der Autoversicherung die Verminderung des Anreizes, kostengünstige Reparaturmöglichkeiten zu suchen, oder bei der Krankenversicherung die übermäßige Nachfrage nach ärztlichen Leistungen oder teuren Medikamenten. Das moralische Risiko begrenzt die Möglichkeiten sinnvollen Versicherungsschutzes erheblich, und auch deshalb bleiben die meisten Risiken der Menschen unversichert.[1]

Private Versicherer sehen nur wenige Möglichkeiten zur

Versicherung der Menschen. Die meisten Risiken der Menschen sind nicht sinnvoll versicherbar, weil der Versuch, dies zu tun, so massive Fehlanreize für das Verhalten der Versicherten setzen würde, dass die Schäden überhand nähmen und die Versicherung viel zu teuer käme. Wir müssen mit diesen Risiken leben. Versicherungsunternehmen werden durch den Wettbewerb und die Freiwilligkeit des Versicherungsgeschäfts gezwungen, ihren Schutz in Grenzen zu halten und, wenn sie ihn überhaupt gewähren, so zu gestalten, dass das moralische Risiko beherrschbar bleibt. Versicherungen, die mehr kosten, als sie an Schutz gewähren, finden keine Kunden.

Der Staat hingegen wird nicht in ähnlicher Weise kontrolliert und kann alle Staatsbürger zwingen, an seiner Mega-Versicherung teilzunehmen. Er neigt dazu, das moralische Risiko zu missachten und mehr Schutz anzubieten, als im Interesse der Staatsbürger liegen kann.

Zwar unterliegt auch der Staat insofern der Kontrolle, als sich die Parteien mit ihren Programmen zur Wahl stellen. Doch ist diese Kontrolle von gänzlich anderer Art als die Kontrolle einer Versicherungsgesellschaft durch den Markt. Im Gegensatz zu Letzterer wird die Kontrolle auf dem Wege der Stimmabgabe nicht nur im Vorhinein durchgeführt, sondern auch im Nachhinein, nachdem bekannt ist, ob man Nettozahler oder Nettoempfänger staatlicher Leistungen ist. Es ist, als dürften die Kunden einer privaten Versicherung über den Umfang des Versicherungsschutzes entscheiden, nachdem sie wissen, ob sie einen Schaden haben oder nicht. Diese nachträgliche Entscheidung über den Versicherungsschutz ist mit dafür verantwortlich, dass sich eine staatliche Versicherung herausgebildet hat, bei der sich die Zahl der Nettoempfänger von Leistungen gegenüber der Zahl der Nettozahler fortwährend vergrößert und die Grundidee der Versicherung, dass viele Menschen wenigen Pechvögeln helfen, allmählich pervertiert wird.

Das moralische Risiko des Sozialstaates war in der Nachkriegszeit bis in die siebziger Jahre hinein noch kein Problem für Deutschland. Einerseits war damals der Umfang des Sozialstaates noch gering, andererseits haben sich die durch den Sozialstaat ausgelösten Verhaltensänderungen auf dem Wege der Nachahmung neuer Lebensmuster erst allmählich verbreitet. Inzwischen ist der Sozialstaat aber so erheblich angewachsen und hat die wirtschaftlichen Verhaltensweisen in solch massivem Umfang verändert, dass das moralische Risiko nicht mehr zu übersehen ist. Etwa 41 % der stimmberechtigten Deutschen beziehen ihr Einkommen schon heute überwiegend vom Staat, und dieser Anteil wird in den kommenden Jahren aufgrund der Zunahme der Zahl der Rentner noch weiter wachsen (vergleiche Kapitel 6).

Zu den problematischen Verhaltensänderungen, die der Sozialstaat selbst auslöst, gehören zum Beispiel die Verminderung der Bereitschaft,
– mit eigenen Mitteln in die Ausbildung zu investieren,
– den Beruf zu wechseln oder umzuziehen, wenn anderswo bessere Jobs zur Verfügung stehen,
– sich den Alterskonsum durch die Erziehung von Kindern zu sichern
– sowie vor allem, notfalls auch schlecht bezahlte Jobs anzunehmen, statt schwarz oder gar nicht zu arbeiten.

All diese Fehlanreize kennzeichnen wohlbekannte Defekte der deutschen Gesellschaft und Wirtschaft, die der Korrektur bedürfen. Dabei ist der letztgenannte Fehlanreiz wohl aktuell der wichtigste, denn er ist neben und vor der Tarifpolitik der Gewerkschaften der Hauptgrund für die wachsende Arbeitslosigkeit, unter der Deutschland seit 30 Jahren leidet. Mit diesem Thema beschäftigt sich der Rest dieses Kapitels.

Lohnersatzeinkommen als Jobkiller

Es würde der Problemlage nicht gerecht, wenn man die Verminderung der Anreize, nur mäßig bezahlte Stellen anzunehmen, unter der Rubrik Faulheit und Müßiggang einordnen wollte, denn kaum jemand ist gerne arbeitslos. In aller Regel wird die Arbeitslosigkeit von den Betroffenen als Unglück empfunden, dem sie so schnell wie möglich entfliehen wollen. Freiwillige Arbeitslosigkeit ist in Deutschland nicht das Thema. Das Problem ist, dass es an Jobs fehlt und nicht an Menschen, die arbeiten wollen.

Allerdings ist die Wahrheit ein wenig subtiler, als es auf den ersten Blick erscheinen mag. Dass es an Jobs fehlt, liegt nicht an irgendeiner geheimnisvollen Mechanik der Marktwirtschaft selbst, sondern vor allem an den Ansprüchen, die vom Sozialstaat selbst aufgebaut werden. In der Regel sucht ein Arbeitsloser eine Stelle, die so gut bezahlt ist wie diejenige, die er vorher innehatte, und wenn er eine solche Stelle nicht findet, dann möchte er doch zumindest so viel verdienen, wie er vom Staat als Unterstützung erhält. Das ist zwar legitim und nachvollziehbar, aber dennoch liegt genau hier das Problem. Es fehlt nicht an Jobs, sondern an hinreichend vielen *gut dotierten* Jobs, also an Jobs, die dem Vergleich mit den Einkommen, die der Sozialstaat anbietet, standhalten. Nur im Schlaraffenland gibt es die Möglichkeit, stets allen Lohnwünschen gerecht zu werden. In den Schubläden und Köpfen der Unternehmer gibt es Jobs in Hülle und Fülle, aber die meisten erlauben keine Entlohnung, die den Lohnwünschen entspricht. Je niedriger der Lohnanspruch ist, desto höher ist die Zahl der Jobs, die von den Unternehmern bereitgestellt werden.

Der Grund dafür, dass der Sozialstaat hohe Lohnansprüche aufbaut, liegt in der Bedingung, die er für seine Hilfen stellt. Das staatliche Geld fließt im Wesentlichen nur, wenn der Hilfebezieher nicht arbeitet und selbst keinen wirklichen Beitrag zur Lösung seiner Probleme leistet. Sobald er arbeitet und selbst verdient, werden ihm die Hilfen gestrichen. Der Staat hilft nicht in erster Linie jenen, die Pech im Leben hatten und deren Leistungsfähigkeit so gering ist, dass sie mit ihrer Arbeit kein sozial akzeptables Einkommen verdienen können, wie es die Versicherungsinterpretation nahe legt. Vielmehr hilft er jenen, die nicht arbeiten. Er zahlt einen Lohnersatz, weil er Armut über den Verlust des Arbeitsplatzes statt über eine geringe Leistungsfähigkeit definiert. Ob er das tut, weil die Sozialpolitiker die Arbeitslosigkeit für ein zufälliges, versicherbares Ereignis hielten, oder ob er sich einfach nur als Komplize der Gewerkschaftskartelle betätigt, der die Kollateralschäden der Hochlohnpolitik beseitigt, wie es im vorigen Kapitel dargelegt wurde, kann dahingestellt bleiben. Auf jeden Fall ist der Lohnersatz neben, ja in Wahrheit noch vor der Kartellpolitik der Gewerkschaften als Hauptgrund für die Arbeitslosigkeit anzusehen. Er begründet die Anspruchslöhne, mit denen die Marktwirtschaft nicht mehr zurechtkommt.

Zu den Lohnersatzeinkommen zählen im engeren Sinne das Arbeitslosengeld, die Arbeitslosenhilfe und die Sozialhilfe. Im weiteren Sinne zählen auch Renten dazu, insbesondere jene, die im Zuge der Frühverrentung gewährt werden. All diese Hilfen gewährt der Staat nur dann, wenn – und in dem Maße, wie – kein eigenes Arbeitseinkommen verdient wird. Wird doch ein eigenes Einkommen verdient, dann werden die Hilfen bis auf geringfügige Hinzuverdienstmöglichkeiten in weiten Bereichen eins zu eins gekürzt. Für jeden Euro, den man selbst zusätzlich erarbeitet, werden die Hilfen um bis zu einem Euro verringert. Es ist, als ob die Einkommen der Betroffenen mit einer Grenzsteuerbelastung von 100 % belegt wären.

Die Lohnersatzeinkommen, die der Staat anbietet, erzeugen Arbeitslosigkeit, weil sie wie Lohnuntergrenzen im Tarifsystem wirken. Einerseits ist kaum ein Anspruchsberechtigter bereit, zu einem Nettolohn in der Privatwirtschaft zu arbeiten, der nicht deutlich über dem Lohnersatzeinkommen liegt, das er für das Nichtstun bekommt. Andererseits ist kaum ein

Unternehmer bereit, jemanden einzustellen, der ihn mehr kostet, als er an Wertschöpfung erbringt. Der Unternehmer würde dann ja einen Verlust machen. Folglich gibt es prinzipiell keine Jobs für jene Personen, deren Wertschöpfung unter oder nicht weit genug über den Lohnersatzeinkommen liegt, auf die sie Anspruch haben.

Das ist ein Dilemma des Sozialstaates. Er wurde geschaffen, um die Konsequenzen der Arbeitslosigkeit abzufedern, aber indem er das tut, erzeugt er die Arbeitslosigkeit selbst. Jedenfalls tut er es, wenn die Lohnersatzleistung entsprechend hoch oder die Produktivität der Betroffenen entsprechend niedrig ist. Der fortwährende Anstieg der Lohnersatzleistungen, der in den letzten Jahrzehnten stattfand, hätte vielleicht mit einer geringen Arbeitslosigkeit kompatibel sein können, wenn sich die Welt um Deutschland herum nicht verändert hätte, wenn es die Globalisierung, den Binnenmarkt und den Fall des Eisernen Vorhangs nicht gegeben hätte. Aber das sind müßige Überlegungen, die zu nichts führen. Angesichts der gewaltigen Umwälzungen in der Welt, die Deutschland umgibt, sind die Lohnersatzleistungen, die der deutsche Sozialstaat gewährt, tatsächlich als der entscheidende Grund dafür anzusehen, dass die Löhne nicht flexibel auf die sich ändernden Gegebenheiten reagieren können und dass eine Massenarbeitslosigkeit entstanden ist.

Indem er Lohnersatzeinkommen zahlt, tritt der Sozialstaat auf den Arbeitsmärkten als Konkurrent der privaten Wirtschaft auf. Er ist ein mächtiger Wirtschaftssektor, der ansprechende Löhne für das Nichtstun auszahlt und insofern hohe Ansprüche gegen die Privatwirtschaft begründet. Zwischen der Hochlohnkonkurrenz des Sozialstaates auf dem Arbeitsmarkt und der Niedriglohnkonkurrenz auf den Absatzmärkten wird die deutsche Wirtschaft zunehmend zerrieben.

Dem Wettbewerb standzuhalten, fällt der privaten Wirtschaft umso schwerer, als sie gezwungen wird, ihren Konkurrenten für dessen Leistungen selbst zu bezahlen. Die hohen

Steuern und Lohnnebenkosten belasten die Wettbewerbsfähigkeit der deutschen Wirtschaft in erheblichem Maße. Kapitel 6 wird sich eingehend damit befassen. Aber diese Belastung ist im Moment nicht das Thema. Selbst wenn sie gar nicht vorhanden wäre und wenn der liebe Gott (oder der große Bruder im Westen) den Sozialstaat bezahlen würde, brächte der Sozialstaat zumindest im Bereich der gering Qualifizierten Arbeitslosigkeit hervor.

Die Ausgestaltung des deutschen Arbeitslosengeldes und der Arbeitslosenhilfe ist im Lichte dieser Überlegungen besonders kritisch zu sehen. Arbeitslosengeld wird in Deutschland je nach Lebensalter und Erwerbsbiografie für eine Zeitspanne von 6 bis 32 Monaten gewährt, wenn das Versicherungsverhältnis mindestens ein Jahr gedauert hat. Je nachdem, ob der Arbeitslose mindestens ein Kind hat oder nicht, werden 67 % oder 60 % des pauschalierten Nettoentgelts ausgezahlt, das sich aus dem zuletzt verdienten Bruttoeinkommen errechnet. Anschließend greift die Arbeitslosenhilfe, die zeitlich unbegrenzt bis zum Eintritt in das Rentenalter 57 % oder 53 % dieses Nettoeinkommens gewährt. Die beiden Systeme erzeugen Anspruchslöhne, die in vielen Fällen höher sind als die Löhne, die mit einer für den Arbeitgeber profitablen Anstellung vereinbar sind.

Wer entlassen wird, ist häufig das Opfer technischer Umstellungen, die alte Fertigkeiten entwerten, und dieser Rückstand bei der Produktivität lässt sich während der Arbeitslosigkeit kaum aufholen. Durch die Abwesenheit vom Arbeitsplatz entsteht ein Entwöhnungseffekt und allmählich ein immer größerer Rückstand beim Wissen über die neuen Produktionsmethoden. Das macht eine Wiedereingliederung zu Löhnen in der Nähe der bisherigen Löhne, wie sie die Betroffenen verlangen, im Laufe der Zeit immer unwahrscheinlicher.

Die Arbeitsämter versuchen, gegen den Wissensrückstand mit Schulungsprogrammen anzugehen. Das ist zwar prinzipiell sinnvoll, aber diese Programme hatten in der Praxis wenig

Erfolg. Die Bundesanstalt für Arbeit war mit ihren gigantischen Umschulungsprogrammen, die jedes Jahr viele Milliarden Euro verschlingen, außerstande, den Trend der wachsenden Arbeitslosigkeit aufzuhalten. Da nützt es auch wenig, die Anstalt effizienter zu konstruieren, wie es die Hartz-Kommission vorschlägt.

Nur eine fundamentale Änderung der Lohnersatzpolitik, die die impliziten Lohnuntergrenzen beseitigt, kann die Lösung des Problems bringen. Das scheinen im Grundsatz mittlerweile auch die Politiker erkannt zu haben, wenngleich sich die Vorstellungen über die Art der Reformen erheblich unterscheiden. Der Bundeskanzler hat in seiner Regierungserklärung vom 14. März 2003 eine Verkürzung der Bezugsdauer des Arbeitslosengeldes und eine faktische Abschaffung der Arbeitslosenhilfe verkündet. Beide Maßnahmen wurden zwar mit der Knappheit der öffentlichen Kassen begründet, aber ihre wirkliche Rechtfertigung liegt in der Senkung der Lohnansprüche, die die Arbeitslosen an die Marktwirtschaft richten. Diese Senkung wird neue Jobs entstehen lassen. Aufgrund von Modellrechnungen des ifo Instituts kann erwartet werden, dass der Ersatz der Arbeitslosenhilfe durch die Sozialhilfe im Niedriglohnbereich eine Lohnsenkung um 4 % und einen Stellenzuwachs von etwa 260.000 mit sich bringen wird.

Einen Durchbruch und eine wirkliche Kehrtwende des deutschen Beschäftigungstrends wird die Abschaffung der Arbeitslosenhilfe aber noch nicht herbeiführen, denn die Sozialhilfe, die gemessen an ihren Auswirkungen die wichtigste Lohnersatzleistung ist, wird durch sie nicht berührt. Außerdem löst die Abschaffung der Arbeitslosenhilfe das soziale Problem nicht, das durch die Senkung der Löhne bei den Betroffenen entsteht. Sie ist ein Stück Abbau des Sozialstaates, der in dieser Form vertretbar ist, aber noch kein Beitrag zu einem wirklichen Umbau.

Gering Qualifizierte im Abseits

Der Umbau des Sozialstaates muss bei der Sozialhilfe ansetzen. Im Gegensatz zum Arbeitslosengeld und zur Arbeitslosenhilfe ist diese Form der Hilfe nicht an den früheren Lohn gekoppelt. Jeder hat Anspruch, wenn er bedürftig ist. Warum er bedürftig ist, spielt keine Rolle. Die Sozialhilfe stellt eine starre Untergrenze im Tarifsystem dar, die nicht auf die Lohnhöhe reagieren kann und über der sich die gesamte Lohnskala aufbaut. Vermutlich gibt es kein Element des deutschen Sozialsystems, das in einem solch hohen Maße für die deutsche Massenarbeitslosigkeit verantwortlich gemacht werden kann wie die Sozialhilfe. Am stärksten hiervon betroffen sind die gering Qualifizierten, denn der Lohn, zu dem sie ein Arbeitgeber gerade noch profitabel einstellen könnte, liegt sehr häufig unter dem Anspruchsniveau, das von der Sozialhilfe aufgebaut wird. Je niedriger die Qualifikation eines Menschen, desto größer ist die Wahrscheinlichkeit, dass er arbeitslos ist.

Die Wirkung der Sozialhilfe geht weit über die Zahl der offiziell als arbeitsfähig klassifizierten Sozialhilfeempfänger hinaus, die in Deutschland derzeit bei gut 900.000 Personen liegt. Auch ein großer Teil der Arbeitslosigkeit unter jenen Personen, die keine Sozialhilfe, sondern Arbeitslosengeld oder Arbeitslosenhilfe beziehen, ist indirekt auf die Sozialhilfe zurückzuführen, weil die Gewerkschaften gewisse Mindestlohnabstände zwischen und zu den Niedrigtarifgruppen einhalten müssen. Wird der unterste Tariflohn durch die Sozialhilfe angehoben, so steigen auch die Löhne in den benachbarten Tariflohngruppen bis hin zu den höheren Gruppen, allerdings sukzessive weniger, je weiter sie vom unteren Rand der Tarifskala entfernt sind. Die Tarifskala wird von unten her zusammengestaucht, und es entsteht Arbeitslosigkeit, die sich speziell bei den Niedrigtarifgruppen konzentriert.

Die Wirkung der Sozialhilfe beschränkt sich außerdem nicht auf die Struktur der Tariflöhne. Auch die tatsächlichen

Marktlöhne werden durch die Sozialhilfe von unten her begrenzt. Es sind nämlich nicht nur die Gewerkschaften, die keine Niedriglohngruppen unterhalb der Sozialhilfe einrichten wollen, sondern vor allem die Anspruchsberechtigten selbst. Sie sind nur bereit zu arbeiten, wenn der Lohn die Sozialhilfe hinreichend weit übersteigt. Die untersten Tarifgruppen, die die Gewerkschaften einrichten, liegen aus der Sicht der Betroffenen häufig sogar viel zu nahe an der Sozialhilfe und sind deshalb auch nur äußerst dünn besetzt. Der tatsächliche Abstand zwischen dem niedrigsten Lohn und der Sozialhilfe, den die Anspruchsberechtigten durchsetzen, wird durch den subjektiven Wert der Zeit, das empfundene Arbeitsleid und die objektiven Verdienstmöglichkeiten auf dem Schwarzmarkt bestimmt. Auf diesem Niedriglohn baut sich sodann die durch Qualifikationsunterschiede bestimmte Lohnstruktur auf. Wer besser ausgebildet ist als ein Hilfsarbeiter, verlangt mehr Lohn als dieser, und er kann diesen Anspruch am Markt durchsetzen, weil er sich sonst nicht der Mühe der besseren Ausbildung unterzöge. Wer noch besser qualifiziert ist, kann aus dem gleichen Grund einen noch höheren Lohn durchsetzen und so weiter. Ohne die Sozialhilfe würde der Markt für eine wohlstrukturierte Lohnskala sorgen, die das Angebot an und die Nachfrage nach Arbeitskräften in allen Segmenten des Arbeitsmarktes einander angleicht. Durch die Sozialhilfe wird diese natürliche Lohnskala von unten her zusammengestaucht.

Werfen wir einen Blick auf die niedrigsten Tariflöhne. In Westdeutschland liegt der niedrigste Tariflohn bei etwa 8,70 Euro pro Stunde. So viel verdient in etwa ein Hausmeister der untersten Gehaltsstufe oder eine Arbeiterin in der unterfränkischen Bekleidungsindustrie. Bei einer durchschnittlichen Arbeitszeit von etwa 155 Stunden im Monat entspricht dem niedrigsten Tariflohn ein Bruttomonatseinkommen von rund 1.350 Euro. Ein Alleinstehender mit diesem Bruttoverdienst kann netto nach Abzug der Steuern und Sozialabgaben 947

Euro nach Hause tragen. Arbeitet er nicht, dann hat er Anspruch auf Sozialhilfe inklusive Mietzuschuss in Höhe von 635 Euro. Mit Arbeit liegen die verfügbaren Mittel pro Monat also nur um 312 Euro höher als ohne Arbeit. Bei den 155 Stunden entspricht das einem effektiven Stundenlohnsatz von 2,02 Euro.

Noch krasser ist die Rechnung bei einer Familie mit zwei Kindern. Arbeitet der Vater zum Niedriglohnsatz von 8,70 Euro, dann muss er nur noch die Arbeitnehmerbeiträge zur Sozialversicherung, aber keine Steuern mehr zahlen, und der Staat gewährt eine ergänzende Sozialhilfe inklusive Mietzuschuss von 630 Euro. In der Summe steht der Familie ein Nettobetrag von 1.696 Euro für die Lebenshaltung zur Verfügung. Wenn weder der Vater noch sonst jemand in der Familie arbeitet, dann stehen an Sozialhilfe inklusive Mietzuschuss 1.550 Euro zur Verfügung. Das bedeutet, dass der Familienvater im Schnitt für jede Stunde, die er arbeitet, dem Haushaltsnettoeinkommen gerade einmal 94 Cent hinzufügt.

Der niedrigste Tariflohn von circa 8,70 Euro ist selbst bereits so unattraktiv im Vergleich zur Sozialhilfe, dass er praktisch nur von Personen akzeptiert wird, die keinen Anspruch auf Sozialhilfe oder andere Lohnersatzeinkommen haben. Dabei handelt es sich um Schüler, Studenten, mitarbeitende Ehepartner und Rentner. Die Arbeitslosen, die in der Statistik der Bundesanstalt für Arbeit erfasst werden, gehören allesamt zu einer Kategorie von Menschen, die wegen der Ersatzeinkommen, die sie beziehen, noch etwas höhere Lohnansprüche haben.

Die 94 Cent für den Familienvater und selbst die 2,02 Euro für den Alleinstehenden sind so niedrig, dass Lohnsenkungen unter dieses Niveau undenkbar sind. Zwischen dem niedrigsten Tariflohn und dem Sozialhilfesatz gibt es praktisch keine Luft mehr. Die Lohnkosten inklusive der Arbeitgeberbeiträge und der Mehrwertsteuer, die einem Bruttostundenlohn von 8,70 Euro entsprechen, liegen pro Stunde bei 12,20 Euro. Gering

Qualifizierte, die mit ihrer Arbeit nicht in der Lage sind, mindestens eine Wertschöpfung von 12,20 Euro pro Stunde zu erwirtschaften, können deshalb prinzipiell keine akzeptable Beschäftigung finden, wenn sie Anspruch auf Sozialhilfe haben.

Die arbeitsplatzvernichtende Wirkung der Sozialhilfe war vor 30 Jahren noch kein Thema. Damals hatte Deutschland keine Arbeitslosigkeit und damals war die Sozialhilfe so weit von den Löhnen entfernt, dass sie keine bindende Schranke für die Lohnstruktur war. Die Verhältnisse haben sich aber geändert. Die durchschnittlichen Ausgaben der Sozialhilfe pro Kopf inklusive der Zuschüsse für Heizung, Miete und Ähnliches sowie inklusive der Leistungen für Kinder, also allem, was als laufende Hilfe zum Lebensunterhalt gerechnet wird, sind von 1970 bis zum Jahr 2000 nominal um circa 450 % angestiegen. Gleichzeitig stieg der Stundenlohnsatz des durchschnittlichen Industriearbeiters »nur« um 350 %[2], obwohl auch dieser Lohn bereits viel schneller zunahm als in vergleichbaren Ländern (vergleiche Kapitel 2).

Die im Vergleich zu den Durchschnittslöhnen sehr rasche Erhöhung der Sozialhilfesätze kann man unmittelbar mit dem Anstieg der Zahl der Sozialhilfeempfänger in Westdeutschland zusammenbringen. Diese Zahl stieg von 750.000 im Jahr 1970 auf 2,3 Millionen im Jahr 2000, verdreifachte sich also in 30 Jahren. Dabei stieg der Ausländeranteil stark überproportional. Von seiner ersten statistischen Erfassung im Jahr 1980 bis zum Jahr 2000 stieg er von 9 % auf 25 %, in absoluten Zahlen von 81.000 auf 567.000.[3] In 20 Jahren hat sich also die Zahl der Ausländer, die in Deutschland Sozialhilfe beziehen, versiebenfacht.

Wichtiger war indes der indirekte Einfluss der Änderung der Sozialhilfesätze auf die Lohnhöhe im gesamten Niedriglohnbereich und die Stauchung der Tarifskala. Dieser Einfluss ging Hand in Hand mit der Politik der Gewerkschaften, zusätzlich zu den prozentualen Lohnzuwächsen, die für alle galten, bei den Tarifverhandlungen feste Sockelzuschläge zu vereinbaren. Die Änderung der Sozialhilfesätze hat diese Politik vermutlich selbst hervorgerufen, ungeachtet des Umstands, dass die Gewerkschaften auf politischem Wege wiederum Einfluss auf die Änderung der Sozialhilfesätze nahmen.

Der Sachverständigenrat zur Begutachtung der Gesamtwirtschaftlichen Entwicklung hat die Stauchung der Tariflöhne für einige Tarifbezirke und Branchen dokumentiert.[4] So hat zum Beispiel in einem Tarifbezirk der Metall- und Elektroindustrie Westdeutschlands der Lohn in der untersten Arbeitswertgruppe 1 von 1970 bis 1999 um 455% zugenommen, während der Lohn in der Arbeitswertgruppe 8 nur um 365% anstieg. Im Jahr 1970 hatte der Lohn der Arbeitswertgruppe 1 noch 75% des Ecklohnes der Arbeitswertgruppe 6 ausgemacht, doch war er bis zum Jahr 1999 auf 87% dieses Ecklohnes angestiegen. In der chemischen Industrie, die ja traditionell sehr hohe Löhne hat, die selbst im unteren Bereich viel weiter von der Sozialhilfe entfernt sind, hatte sich stattdessen die Tarifstruktur gleichmäßiger entwickelt. Die prozentualen Lohnzuwächse waren in allen Tarifgruppen gleich. Allerdings hatte es gleiche Einmalzahlungen gegeben, die bei den hohen Gehältern prozentual weniger zu Buche schlugen als bei den niedrigen. Eine erhebliche Stauchung der Tarifstruktur ergab sich auch im Versicherungsgewerbe, dem dritten Bereich, den sich der Rat exemplarisch herausgegriffen hatte. Dort stiegen die Löhne der untersten Tarifgruppe 1 von 1980 bis 1999 um 87%, die Löhne der Tarifgruppe 7/8 stiegen nur um 53%.

Die Zunahme der Arbeitslosigkeit in Westdeutschland von 150.000 im Jahr 1970 auf 2,4 Millionen im Boomjahr 2000 kann vermutlich zu einem großen Teil auf die rasche Erhöhung der Sozialhilfesätze und die dadurch induzierte Stauchung der Lohnstruktur zurückgeführt werden. Für diese Vermutung spricht, dass die Arbeitslosigkeit insbesondere im Bereich der gering Qualifizierten gestiegen ist und besser qualifizierte Arbeitnehmer weitgehend ausgespart hat. Besser Qualifizierte beziehen einen Lohn, der so weit von den Sozialhilfesätzen

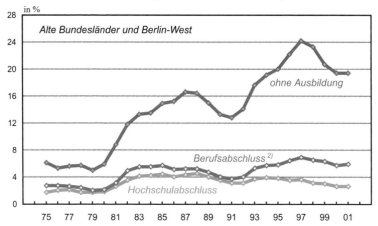

Qualifikationsspezifische Arbeitslosenquote [1]

1) Arbeitslose in % aller zivilen Erwerbspersonen (ohne Auszubildende) gleicher
Qualifikation, Männer und Frauen.
2) Berufsabschluss: betriebliche Ausbildung, Berufsfachschule, Fachschul-, Meister-
und Technikerausbildung.
Quelle: Institut für Arbeitsmarkt- und Berufsforschung der Bundesanstalt für Arbeit (IAB-Werkstattbericht Nr. 4
23. April 2002, S.27); 2001: Schätzung des ifo Instituts.

ABBILDUNG 4.1

entfernt ist, dass eine überhöhte Sozialhilfe über die Kette der
nötigen Lohnabstände auf ihn nur einen geringen Einfluss hat.
Der lohnerhöhende Effekt eines Anstiegs der Sozialhilfesätze
ist umso stärker ausgeprägt, je geringer die Qualifikation eines
Arbeitnehmers und je niedriger die Tariflohngruppe ist, zu der
er gehört.

Abbildung 4.1 zeigt, in welch extremem Maße sich der
Anstieg der Arbeitslosigkeit auf die gering Qualifizierten konzentriert hat. Die Abbildung vergleicht die qualifikationsspezifischen Arbeitslosenquoten von Personen ohne Berufsausbildung, Personen mit Berufsausbildung und Personen mit
Hochschulabschluss in Westdeutschland von 1975 bis 2001.
Die Arbeitslosigkeit ist in allen Gruppen seit 1975 angestiegen,
doch offenbar ist dieser Anstieg umso stärker ausgefallen, je

geringer die Qualifikationsstufe der betroffenen Gruppe war. Während die Arbeitslosenquote der Personen ohne Berufsausbildung im Jahr 1975 bei 5 % lag, betrug sie im letzten Berichtsjahr (2001) nicht weniger als 19,4 %. Wenngleich neuere Zahlen noch nicht vorliegen, ist davon auszugehen, dass die Arbeitslosenquote der gering Qualifizierten inzwischen, bis zum Jahr 2003, wiederum angestiegen ist.

Häufig wird die Vermutung geäußert, die wachsende Arbeitslosigkeit unter den gering Qualifizierten sei auf quasi mechanische Weise durch den arbeitssparenden technischen Fortschritt und eine wachsende Niedriglohnkonkurrenz auf den Weltmärkten für deutsche Produkte zu erklären. Den Deutschen gehe halt die Arbeit aus, und daran lasse sich nichts ändern. Man müsse diese Entwicklung hinnehmen und die Mittel des Sozialstaates einsetzen, um die Konsequenzen für die Betroffenen erträglich zu gestalten. Aber diese Vermutung ist irrig. Bei jeder möglichen Entwicklung der internationalen Wettbewerbsverhältnisse und der Qualifikationsstruktur der Arbeitskräfte gibt es eine dazu passende Entwicklung der Lohnstruktur, die Vollbeschäftigung auch bei den gering Qualifizierten sichert. Bei anderen Löhnen wählen die Unternehmen andere Produktionsprozesse, entwickelt sich der so genannte technische Fortschritt anders und bewegen sich auch die Preise der arbeitsintensiven lokalen Dienstleistungen anders, was die privaten Haushalte veranlasst, mit ihrer Nachfrage zu reagieren.

Die Arbeitsverhältnisse sind nicht starr und gottgegeben, sondern reagieren in sehr hohem Maße auf die Struktur der Löhne und Preise. Löhne und Preise sind die Signale der Wirtschaft, mit Hilfe derer die Selbststeuerung des arbeitsteiligen Produktionsprozesses organisiert wird. Sie steuern die Arbeitsverhältnisse und werden wiederum selbst von ihnen bestimmt. Wenn in einer Ausgangslage eine Lohn- und Preisstruktur vorliegt, bei der auf den Märkten Angebot und Nachfrage voneinander abweichen, ändert sich diese Struktur und mit ihr die reale Wirtschaft, bis schließlich alle Märke in dem Sinne im Gleichgewicht sind, dass es keine Abweichung zwischen den jeweiligen Nachfrage- und Angebotsmengen mehr gibt. Eine sich selbst überlassene Marktwirtschaft ist mit Hilfe der Lohn- und Preissignale in der Lage, die Beschäftigungspotenziale in allen Segmenten des Arbeitsmarkts voll auszunutzen und ein Maximum an wirtschaftlichem Wohlstand zu erzeugen.

Wenn indes durch die Intervention der Gewerkschaften oder die Lohnersatzleistungen des Sozialstaates in das freie Spiel der Marktkräfte eingegriffen wird, indem der Wirtschaft eine andere Lohnstruktur aufgezwungen wird als jene, die sie selbst hervorbringt, entsteht Arbeitslosigkeit, und zwar speziell bei jenen Arbeitnehmergruppen, die man begünstigen wollte.

Wäre die These von der quasi mechanischen Zunahme der Arbeitslosigkeit aufgrund der Globalisierung und des technischen Fortschritts richtig, dann müssten alle Länder, die in den internationalen Handel eingebunden sind und Zugang zum Wissen dieser Welt haben, in ähnlicher Weise von der Arbeitslosigkeit unter den gering Qualifizierten betroffen sein. Das aber ist nicht der Fall. Eine solch starke Spreizung der Arbeitslosenzahlen nach dem Qualifikationsniveau wie in Deutschland findet man kaum irgendwo sonst auf der Welt. Dies wird anhand der Abbildung 4.2 deutlich, in der verschiedene Länder im Hinblick auf ihre qualifikationsspezifischen Arbeitslosenquoten verglichen werden, wobei freilich die Abgrenzung der Qualifikationsstufen aus Gründen der internationalen Vergleichbarkeit eine etwas andere ist als in Abbildung 4.1. Man sieht, dass Deutschland im Jahr 2001 mit einer Arbeitslosenquote von 14,2 % für Personen, die keine höhere Schulbildung oder keinen Berufsschulabschluss haben, im internationalen Vergleich am höchsten liegt, während sich die deutschen Arbeitslosenquoten bei Personen mit einer höheren Schulausbildung, einem Berufsschulabschluss oder einer Hochschulausbildung kaum von den Quoten anderer Länder unterscheiden. Offenbar haben die einzelnen Länder auf ganz

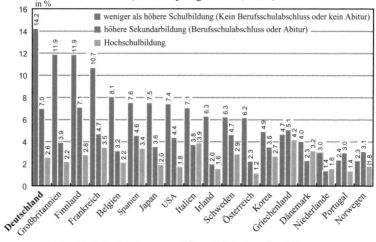

Qualifikationsspezifische Arbeitslosenquote im internationalen Vergleich
(30-bis 44-jährige Männer, 2001[1))

in %

■ weniger als höhere Schulbildung (Kein Berufsschulabschluss oder kein Abitur)
■ höhere Sekundarbildung (Berufsschulabschluss oder Abitur)
■ Hochschulbildung

1) Belgien, Niederlande, Norwegen und Österreich: Referenzjahr 2000.
Quelle: OECD, Education at a Glance, 2002, S.117, Tabelle A11.2.

ABBILDUNG 4.2

unterschiedliche Weise auf die Globalisierung und den Niedriglohnwettbewerb reagiert. Dabei sind speziell die weniger qualifizierten deutschen Arbeitnehmer Opfer der Globalisierung geworden.

Dass die deutsche Arbeitslosigkeit in allererster Linie ein Problem der gering Qualifizierten ist, zeigt sich auch, wenn man die Zusammensetzung der Arbeitslosen selbst studiert. Mehr als 40 % aller deutschen Arbeitslosen haben keine Berufsausbildung, doch der Anteil dieser Personengruppe an der Grundgesamtheit aller Erwerbspersonen liegt nur bei 16 %.[5] Wäre die Arbeitslosigkeit unabhängig von der Berufsausbildung, dann dürften auch nur 16 % der Arbeitslosen keine abgeschlossene Berufsausbildung haben.

Die Gruppe der gering Qualifizierten ist indes breiter als die Gruppe derer, die keine Berufsausbildung haben. Auch die meisten Empfänger von Arbeitslosenhilfe müssen wegen der Erosion ihres beruflichen Wissens während der schon länger währenden Arbeitslosigkeit zu den gering qualifizierten Personen gerechnet werden. Davon sind die neuen Bundesländer besonders betroffen. Dort lag die Zahl der Empfänger von Arbeitslosenhilfe im Mai 2003 bei 960.000. Das ist fast so viel wie im Westen (1,07 Millionen), obwohl der Westen viermal so groß ist.[6]

Die neuen Bundesländer leiden unter einer Massenarbeitslosigkeit, die mit einer Quote von 18 % im Jahr 2002 prozentual fast genau das gleiche Ausmaß hatte wie die Massenarbeitslosigkeit unter den gering Qualifizierten im Westen. Und in der Tat sind auch die Ursachen ähnlich. Zwar ist das formale Qualifikationsniveau der neuen Bundesbürger hoch, und formell gering Qualifizierte wie im Westen gibt es kaum. Jedoch sind gerade im kaufmännischen Bereich viele Qualifikationen, die zur Zeit der DDR erworben wurden und sich auf die Funktionsweise einer kommunistischen Wirtschaft bezogen, mit dem Systemwechsel entwertet worden. Auch war die Wirtschaft der DDR überaltert und hat großenteils nur das technische Wissen der Vorkriegszeit verwaltet. Die faktische Qualifikation der Arbeitnehmer ist deshalb in vielen Fällen nicht mit der formellen Qualifikation gleichzusetzen. Hinzu kommt das oben schon genannte Argument, dass wegen der nun bereits sehr lange anhaltenden Massenarbeitslosigkeit bei vielen der Kontakt mit der Arbeitswelt verloren ging. Defizite bei der Infrastruktur und Nachteile der geografischen Lage treten als produktivitätsvermindernde Faktoren hinzu. Wegen der niedrigen Produktivität sind die auf hohem Niveau egalisierten Löhne ein gemeinsames Problem der gering Qualifizierten im Westen und normal Qualifizierten im Osten, so unvergleichbar diese beiden Bevölkerungsgruppen in anderer Hinsicht sind.

Nach einer Rechnung des ifo Instituts lag das ungenutzte Arbeitskräftepotenzial bestehend aus den Arbeitslosen, den Teilnehmern in Arbeitsbeschaffungsmaßnahmen und den erwerbsfähigen, aber nicht als arbeitslos gemeldeten Sozialhilfebeziehern im Boomjahr 2000 in der gesamten Bundesrepublik bei 5,1 Millionen Personen. Darunter befanden sich bei erweiterter Definition 2,7 Millionen oder 53 % gering Qualifizierte.[7] Die Arbeitslosigkeit dieser Personengruppe kann direkt oder indirekt auf die Sozialhilfe und die daraus hergeleiteten Effekte auf die Lohnstruktur zurückgeführt werden.

Dabei sind die als nicht erwerbsfähig betrachteten Sozialhilfeempfänger im Alter zwischen 18 und 64 Jahren, deren Zahl im Jahr 2000 in Gesamtdeutschland bei 994.000 lag, noch gar nicht gezählt. Es ist eine politische und gesellschaftliche Entscheidung, welchen Personengruppen man die Arbeit zumuten möchte, und dazu ist aus wissenschaftlicher Hinsicht kaum ein Urteil möglich. Aber man kann sich des Eindrucks kaum erwehren, dass die Kriterien, die der Gesetzgeber festgelegt hat, heutzutage sehr viel großzügiger interpretiert werden, als das früher der Fall war, und dass unter den als erwerbsunfähig eingestuften Personen sehr viel versteckte Arbeitslosigkeit von gering Qualifizierten anzutreffen ist. Leider wird die Statistik zur Aufspaltung der Sozialhilfeempfänger zwischen erwerbsfähigen und nicht erwerbsfähigen Hilfeempfängern noch nicht lange genug geführt, um ein abschließendes Urteil zu ermöglichen. Es ist aber bemerkenswert, dass die Gesamtzahl der westdeutschen Sozialhilfeempfänger, wie schon erwähnt, in der Zeitspanne von 1970 bis 2000 von etwa 750.000 auf 2,3 Millionen Personen anstieg. Dieser Anstieg ist vermutlich auch darauf zurückzuführen, dass die Bedingungen, unter denen eine Arbeitsunfähigkeit festgestellt wird, im Laufe der Zeit immer weiter gelockert wurden und dass sich auch die Bereitschaft der Bevölkerung, Sozialhilfe zu beantragen, verstärkt hat. Früher wurde der Sozialhilfebezug als Stigma angesehen, das man gegenüber Nachbarn und Freunden verschwieg. Heute ist der Sozialhilfebezug für viele eine Selbstverständlichkeit der Lebensplanung, die man offensiv einfordert.

Dass so viele Menschen aus dem Wirtschaftsleben ausgegrenzt und ins Abseits geschoben werden, ist ein Skandal, über den man sich empören muss. Man darf diese Verhältnisse nicht akzeptieren, wegen der Würde der Betroffenen nicht und auch nicht wegen ihrer Kinder, die Besseres verdient haben, als im Milieu der Arbeitslosigkeit aufzuwachsen.

In den neuen Bundesländern wird sich so manch ein Altkommunist ins Fäustchen lachen und darauf hinweisen, dass er das alles schon vor dem Fall der Mauer prognostiziert habe. Der Kapitalismus scheint sich genauso hässlich zu zeigen, wie er von den alten Machthabern karikiert wurde. Aber die Verhältnisse sind gar nicht das Ergebnis der kapitalistischen Wirtschaftsweise, im Gegenteil, sie folgen aus einer ineffizienten staatlichen Intervention in Form einer falsch konstruierten Sozialpolitik, die von Politkern gemacht wurde, die, wenn sie denn keine Erfüllungsgehilfen der Gewerkschaften waren, sich bar irgendwelcher ökonomischen Kenntnisse bemüht haben, ihre unökonomischen Vorstellungen von Sozialpolitik gegen die Marktkräfte durchzusetzen.

Anspruch und Wirklichkeit: Ungleichheit am Arbeitsmarkt

Die Politik der Lohnangleichung bei den gering Qualifizierten ist sozialpolitisch, nicht aber ökonomisch begründbar, denn sie übersieht das Gesetz der Nachfrage, das auch vor dem Arbeitsmarkt nicht Halt macht. So wie der Apfelpreis umso niedriger sein muss, je größer die Apfelernte ist, damit alle Äpfel ihre Abnehmer finden, muss auch der Lohn der Arbeitnehmer mit einer bestimmten beruflichen Qualifikation umso niedriger sein, je mehr es von ihnen gibt, damit keine Arbeitslosigkeit entsteht. Noch einmal sei auch hier wiederholt, dass dem Gesetz der Nachfrage keine moralische Qualität innewohnt. Es ist eine bloße Beschreibung der Funktionsweise der Marktwirtschaft, die man akzeptieren muss, wenn man diese Wirtschaftsform überhaupt will. Das Gesetz der Nachfrage ist genauso wenig moralisch wie die Aussage, dass ein Haus stabile Wände braucht, damit es nicht einstürzen soll. Es gehört zu den fast naturgesetzlichen Gegebenheiten dieser Welt, mit denen man sich abfinden muss, ob man sie mag oder nicht.

Die Politik der Egalisierung der Löhne, die in den letzten 30 Jahren von den Gewerkschaften mit der Rückendeckung der Sozialpolitik betrieben wurde, wäre nur dann kein Problem für den Arbeitsmarkt, wenn Deutschland ein Land mit einer homogenen, gut ausgebildeten Arbeitsbevölkerung wäre und wenn sich der Anteil der gering Qualifizierten im Laufe der Zeit verringern würde. Wenn sich beispielsweise die Zahl der gering Qualifizierten verknappt hätte, weil die Bildungspolitik in der Lage war, das Ausbildungsniveau gerade auch der Kinder aus ärmeren Bevölkerungsschichten zu heben, dann wäre bei den verbleibenden gering Qualifizierten ein rascherer Lohnanstieg ohne Arbeitslosigkeit möglich gewesen.

Dafür gibt es aber leider keine Evidenz. Eher das Gegenteil scheint der Fall gewesen zu sein. Nach den einzigen Daten, die dazu vom Statistischen Bundesamt dokumentiert wurden, ist der Anteil der gering Qualifizierten unter den Erwerbspersonen jedenfalls im letzten Jahrzehnt nicht gefallen, sondern gestiegen, und zwar von 15,7 % im Jahr 1991 (beziehungsweise 15,8 % im Jahr 1993) auf 16,9 % im Jahr 2002.[8]

Gegen die Hypothese einer Verknappung der gering Qualifizierten spricht auch die Zuwanderung von netto circa 4,6 Millionen Erwerbstätigen, die in der Zeit von 1970 bis 2002 zu verzeichnen war.[9] Die Zuwanderer aus dem Ausland hatten in aller Regel keine abgeschlossene Berufsausbildung, was sie formell zu gering Qualifizierten machte. Faktisch waren sie für den deutschen Arbeitsmarkt schon deshalb gering qualifiziert, weil sie meistens der deutschen Sprache nicht mächtig waren und die deutschen Arbeitsverhältnisse nicht kannten. Wie in

Kapitel 8 weiter ausgeführt wird, war die Zuwanderung nach Deutschland wegen der starren Lohnstrukturen im Niedriglohnbereich in den letzten Jahrzehnten eine Zuwanderung in die Arbeitslosigkeit.

Viele Deutsche haben subjektiv das Gefühl, dass sie in einem Land leben, in dem die Klassenunterschiede keine besondere Rolle spielen. Wir sind stolz auf unser Bildungssystem, das, so meinen wir, allen eine faire Chance gibt, in der Marktwirtschaft zurechtzukommen, und das die Einflüsse des Elternhauses zurückdrängt. Dazu passt die Politik der Verringerung der Lohnspreizung gedanklich sehr gut. Aber leider ist dieses Gefühl die reine Illusion.

Die Ergebnisse der PISA-Studie, über die im ersten Kapitel schon berichtet wurde, zeichnen gerade in dieser Hinsicht ein ernüchterndes Bild. Deutschland fällt im internationalen Vergleich nicht nur durch eine geringe durchschnittliche Kompetenz seiner Fünfzehnjährigen bei der Mathematik und der Muttersprache auf, sondern vor allem auch durch die extrem hohe Spreizung der Kompetenzen innerhalb der betrachteten Altersgruppe.[10] Unser Land hatte im Hinblick auf die Spreizung unter allen OECD-Ländern einen der schlechtesten Plätze belegt, noch schlechter übrigens als die Vereinigten Staaten von Amerika, die wegen ihrer ungleichen Bildungschancen zu kritisieren wir Deutsche uns angewöhnt haben. Die gut ausgebildeten Schüler Deutschlands kamen im internationalen Vergleich gerade noch im guten Mittelfeld mit, ohne freilich Spitzenplätze zu belegen, doch die schlecht ausgebildeten fielen extrem weit zurück. Sie waren nur in wenigen Ländern noch schlechter ausgebildet als in Deutschland.

Dahinter verbirgt sich, wie die OECD-Studie kritisiert, ganz eindeutig die Unfähigkeit des bundesdeutschen Ausbildungssystems, die Herkunft der Schüler aus unterschiedlichen Gesellschaftsschichten zu kompensieren, wodurch insbesondere auch die Ausländerkinder benachteiligt seien. Deutschland sei es noch nicht gelungen, die Kinder der Ausländer wirksam und chancengerecht in sein Schulsystem zu integrieren. Wenn wir ehrlich sind, müssen wir zugeben, dass diese Kritik fundiert ist. Das dreigliedrige Schulsystem, das ja einmal aus der Idee geboren war, eine Schule für das Volk, eine Schule für die Mittelschicht und eine Schule für die Oberschicht zu haben, sorgt heute immer noch für eine extreme Schichtenbildung im Bildungsniveau, die weltweit eine Ausnahme darstellt.

Deutschland muss sein Drei-Klassen-Schulsystem ändern, um die Begabungsreserven gerade auch in den unteren Bevölkerungsschichten zu heben. Das ist offenkundig. Wir brauchen eine grundlegend neue Bildungspolitik.

Aber selbst unter optimistischen Voraussetzungen wären die Effekte einer solchen Politik erst nach 15 bis 20 Jahren auf dem Arbeitsmarkt spürbar, und bis die Mengenverhältnisse zwischen gering Qualifizierten und Qualifizierten sich daraufhin so nachhaltig ändern würden, dass es signifikante Rückwirkungen auf die Lohnstruktur gibt, würde abermals viel Zeit verstreichen.

Solange das noch nicht der Fall ist, passt die Gleichmacherei der Gewerkschaften und die überproportionale Erhöhung der Sozialhilfesätze nicht zu unserem Wirtschaftssystem. Wenn man Spitzenreiter bei den Qualifikationsunterschieden ist, kann man nicht zugleich versuchen, Spitzenreiter bei der Lohnangleichung zu werden. Eine solche Politik ist zum Scheitern verurteilt, denn sie grenzt immer mehr Menschen aus dem Erwerbsleben aus und erweist sich im Hinblick auf ihre sozialen Ziele als Bumerang.

Der Michel vor der Eiger-Nordwand

Die Absurdität des deutschen Sozialsystems, das maßgeblich für die Lohnegalisierung verantwortlich ist, lässt sich anhand der Abbildung 4.3 besonders gut verstehen. Die Abbildung

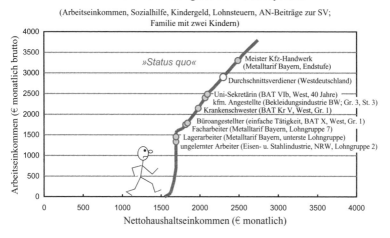

Die Eiger-Nordwand:
Verheerende Wirkung des Lohnersatzsystems

(Arbeitseinkommen, Sozialhilfe, Kindergeld, Lohnsteuern, AN-Beiträge zur SV;
Familie mit zwei Kindern)

»Status quo«

Meister Kfz-Handwerk
(Metalltarif Bayern, Endstufe)

Durchschnittsverdiener (Westdeutschland)

Uni-Sekretärin (BAT VIb, West, 40 Jahre)
kfm. Angestellte (Bekleidungsindustrie BW; Gr. 3, St. 3)
Krankenschwester (BAT Kr V, West, Gr. 1)
Büroangestellter (einfache Tätigkeit, BAT X, West, Gr. 1)
Facharbeiter (Metalltarif Bayern, Lohngruppe 7)
Lagerarbeiter (Metalltarif Bayern, unterste Lohngruppe)
ungelernter Arbeiter (Eisen- u. Stahlindustrie, NRW, Lohngruppe 2)

Arbeitseinkommen (€ monatlich brutto)

Nettohaushaltseinkommen (€ monatlich)

ABBILDUNG 4.3

beruht auf exakten Berechnungen des ifo Instituts und zeigt
den Zusammenhang zwischen dem monatlichen Bruttoeinkommen und dem Nettoeinkommen für eine vierköpfige
Familie, wobei das deutsche Fördersystem mitsamt des Steuer-
und Sozialabgabensystems und des Kindergeldes auf der Basis
der gesetzlichen Regeln des zweiten Vierteljahres 2003 dargestellt ist.[11] In der Senkrechten steht der Bruttolohn und in der
Waagerechten der zugehörige Nettolohn, der sich unter
Berücksichtigung der Besteuerung, der Arbeitnehmer-Sozial-
versicherungsbeiträge, der Sozialhilfe, der Mietzuschüsse, des
Kindergeldes, der 400-Euro-Freigrenze (früher 630-DM-Jobs)
sowie der »Gleitzone« zwischen 400 und 800 Euro für diese
Beiträge ergibt. Wenn niemand in der Familie arbeitet, so wird
ein Nettoeinkommen von 1.550 Euro erreicht. Wenn jemand
ein ganz geringfügiges Einkommen von bis zu circa 70 Euro
erwirbt, wird ihm der Hinzuverdienst ohne Abzüge gestattet,
und das Nettoeinkommen steigt um den gleichen Betrag. Dar-

über hinaus erzielte Einkommen werden mit einem Transferentzug in Höhe von 85 % des Hinzuverdienstes bestraft, und jenseits eines Bruttoeinkommens von 700 Euro liegt der Transferentzug bei 100 % des Hinzuverdienstes, wie es oben schon erwähnt wurde. Erst bei einem Bruttoeinkommen von 1.570 Euro endet der Transferentzug im Verhältnis eins zu eins, und dann fängt die Arbeit an, sich für den Betroffenen wirklich zu lohnen.[12]

Für den Michel, oder vielleicht sollte man lieber von Ali oder Mehmet sprechen, stellt der Transferentzug in vielen Fällen ein unüberwindliches Hindernis dar, geradezu eine Eiger-Nordwand, die er erklimmen muss, bevor er in den Bereich eines sachteren Anstiegs gelangt, wo es ihm möglich wird, als Ergebnis seiner Anstrengung beim Nettoeinkommen voranzukommen. Viele Bürger haben aber nicht die Kraft, die Eiger-Nordwand zu überwinden, und deshalb bleibt die ganze Anstrengung vergeblich. Zu ihnen gehören auch jene Personen, die nur den oben erwähnten Niedrigstlohn von 8,70 Euro verdienen. Sie erzielen bei 155 Arbeitsstunden im Monat ein Einkommen von rund 1.350 Euro. Damit kommen sie die Eiger-Nordwand nicht hoch, insbesondere wenn sie verheiratet sind und Kinder haben.

Diese unterste Lohngruppe ist gerade wegen der geringen Attraktivität im Vergleich zur Sozialhilfe faktisch nicht besetzt. Abbildung 4.3 zeigt exemplarisch die Position einiger anderer Lohngruppen auf. Man sieht, dass zum Beispiel auch ein Lagerarbeiter der untersten bayerischen Metallarbeiter-Lohngruppe (1.452 Euro pro Monat) nicht in der Lage ist, die Eiger-Nordwand zu erklimmen. Selbst der bayerische Metallfacharbeiter der Lohngruppe 7 (1.752 Euro pro Monat) und der Büroangestellte, der nach BAT X bezahlt wird (1.787 Euro pro Monat), schaffen den Aufstieg mit Stundenlöhnen von etwa elf Euro nur knapp.

Um gerade bis zur Oberkante der Eiger-Nordwand zu gelangen, muss man mindestens einen Monatslohn von 1.570

Euro bekommen, also etwa zehn Euro pro Stunde verdienen. Man muss sich fragen, warum es dann überhaupt Menschen gibt, die zu einem Stundenlohn von unter zehn Euro pro Stunde arbeiten. Das kann daran liegen, dass sie, wie erwähnt, zur Gruppe der nicht anspruchsberechtigten Schüler, Studenten, Rentner oder mitarbeitenden Ehepartner gehören. Es kann aber auch daran liegen, dass sie nicht verheiratet sind oder weniger als zwei Kinder haben, denn in diesen Fällen endet die Eiger-Nordwand bereits bei deutlich niedrigeren Bruttoeinkommen, und sie liegt viel weiter links in dem Diagramm.[13] Ein Stück Eiger-Nordwand gibt es auch bei diesen Personen, doch liegt die obere Abbruchkante deutlich niedriger. Bei einem Alleinstehenden ist die Abbruchkante zum Beispiel bei etwa 900 Euro angesiedelt, was 5,80 Euro pro Stunde entspricht. Ein gewisser, wenn auch sehr geringer Nettohinzuverdienst pro Stunde kann deshalb von einem alleinstehenden Lagerarbeiter, Büroangestellten oder Facharbeiter der genannten Niedriglohnkategorien realisiert werden.

Das ist freilich nur ein schwacher Trost, denn es bedeutet, dass diese Personengruppen dazu verdammt sind, zwischen den Lebensmodellen Arbeit ohne Familie und Familie ohne Arbeit zu wählen. Das Arbeiten lohnt sich halbwegs, wenn man nicht verheiratet ist. Aber die Familiengründung und das Kinderkriegen belohnt der Staat dann finanziell nur noch wenig. Für das Nettoeinkommen, das der Familie zur Verfügung steht, macht es kaum noch einen Unterschied, ob ein Arbeitsverhältnis besteht oder nicht.

Bezwingen können die Eiger-Nordwand nur Personen, die hinreichend leistungsfähig sind, um weit über zehn Euro brutto in der Stunde verdienen zu können. Wer nicht zu dieser Gruppe gehört, der darf nicht mitmachen. Unter Strafe des Absturzes aus der Wand ist ihm die Integration in die Arbeitsgesellschaft faktisch verboten. Er steckt in der Armutsfalle fest und muss sehen, wie er sich die Zeit vertreibt. Er kann schwarzarbeiten, fernsehen, Bier trinken, randalieren, Neonazi spielen,

Bauchtanz gucken oder sich sonstwie betätigen. Nur regulär arbeiten, das darf er nicht.

Minijobs mit Miniwirkung: der Verdrängungseffekt

Es hat sich herumgesprochen, wie unhaltbar die Verhältnisse im Niedriglohnsektor sind. Deshalb bastelt die Politik immer wieder von neuem an Niedriglohnmodellen herum, die angeblich die Anreize für die Arbeitsaufnahme verbessern. So wurde ab April 2003 die bis dahin bestehende 325-Euro-Regelung durch neue Regelungen zur geringfügigen Beschäftigung (400-Euro-Jobs) und zu Niedriglohnjobs (bis 800 Euro) (1. und 2. Gesetz für moderne Dienstleistungen am Arbeitsmarkt) ersetzt, um endlich Bewegung in den Niedriglohnsektor zu bringen. Die Regierung feierte die Reform als Eins-zu-eins-Umsetzung der Hartz-Vorschläge, und auch die Opposition stimmte im Bundesrat zu. Die neuen Regelungen zu den Minijobs sehen vor, dass bis zu einem Einkommen von 400 Euro keine Steuern und Sozialabgaben vom Arbeitnehmer zu zahlen sind und dass der Arbeitgeber auch nur eine pauschalierte Abgabe in Höhe von 25 %, bei haushaltsnahen Dienstleistungen gar nur von 12 % des Bruttoeinkommens zahlen muss. Im Einkommensbereich zwischen 400 Euro und 800 Euro zahlt der Arbeitgeber den vollen Arbeitgeberanteil zur Sozialversicherung, und die Arbeitnehmersozialbeiträge steigen kontinuierlich von rund 4 % des Einkommens auf den vollen Satz.

Das alles klingt auf den ersten Blick vernünftig, und es erscheint nicht als unplausibel, wenn von Seiten der Hartz-Kommission erwartet wurde, dass auf diesem Wege bis zu 200.000 neue Arbeitsplätze entstehen. Indes zeigt sich bei näherem Hinsehen, dass wegen der fehlenden Verzahnung mit dem Sozialhilfesystem bei den Anspruchsberechtigten gar kein nennenswerter Effekt auftreten kann. Die Transferentzugsrate schluckt nämlich die positiven Anreize und macht die Minijobförderung für Sozialhilfebezieher und genauso für die Bezieher anderer Transferleistungen wie insbesondere der Arbeitslosenhilfe wirkungslos. Die zusätzliche Förderung der Minijobs wird bei Sozialhilfebeziehern durch eine Verminderung der Sozialhilfe in fast gleichem Umfang kompensiert, sodass nach wie vor kein Anreiz zur Arbeitsaufnahme besteht.

Betrachten wir Michel, der Mitglied der oben beschriebenen vierköpfigen Familie sei. Michel nimmt eine Stelle an, die zu 400 Euro brutto bezahlt wird und für die er 46 Stunden zum Mindestlohn von 8,70 Euro arbeitet.

Vor der Reform musste Michel auf das gesamte Einkommen den vollen Beitrag zu den Sozialversicherungen zahlen, insgesamt 84,20 Euro, da die Freigrenze von 325 Euro überschritten war. Von seiner Sozialhilfe, die ohne Arbeit 1.550 Euro betrug, konnte er 1.344 Euro behalten. Michel verfügte dann über etwa 1.659 Euro (= 1.344 Euro + 400 Euro – 84 Euro), also über 109 Euro mehr als im Fall der Nichtarbeit, in dem er über 1.550 Euro verfügt hätte. Da Michel 46 Stunden arbeitete, betrug sein effektiver Stundenlohnsatz 2,38 Euro.

Nach der Reform ändert sich die Rechnung kaum. Michel wird sich zwar freuen, dass er nun die gesamten 400 Euro ausbezahlt bekommt. Doch bekommt er nun weniger Sozialhilfe. Die ersparte Abgabenlast in Höhe von 84 Euro, die die Reform mit sich bringt, wird mit einem Transferentzug in Höhe von 85 % bestraft. Michel verfügt also über exakt 12,63 Euro (= 0,15 x 84,20 Euro) mehr als vor der Reform. Bei 46 Stunden Arbeit entspricht das einem Anstieg des bisherigen effektiven Stundenlohnsatzes von 2,38 Euro um 27 Cent auf 2,65 Euro. »Da wird er doch sicher einen Luftsprung machen und in die Hände spucken«, sagen sich Regierung und Opposition, die beide mächtig stolz auf die Minijobs sind und diese für Deutschlands Zukunft so fundamentale Sozialreform wechselseitig für sich reklamieren. Nur Michel selbst sieht das etwas anders. Er hat wirklich bessere Lebensalternativen, als sich auf derlei Spielchen einzulassen.

Auch wenn Michel etwas mehr zu arbeiten erwägt und ein Einkommen in der so genannten Gleitzone zwischen 400 Euro und 800 Euro nach Hause bringt, ändert sich an der Kalkulation kaum etwas, weil auch dort jede Änderung des Nettoeinkommens fast eins zu eins durch eine gegengerichtete Änderung der Sozialhilfe kompensiert wird. Kurzum: Wegen der nicht bedachten Verzahnung mit der Sozialhilfe bringen die neuen Minijobregelungen praktisch keine Änderungen in der Anreizstruktur der Geringverdiener, die Anspruch auf Sozialhilfe haben. Der Schritt von der 325-Euro-Förderung zur Minijobförderung macht sich in der Kurve der Abbildung 4.3 praktisch nicht bemerkbar. Das gilt nicht nur für den betrachteten Typ der vierköpfigen Familie, sondern gleichermaßen für alle Familientypen, weil der Abschmelzungsbereich für die Minijobförderung bereits bei 800 Euro endet und damit unterhalb der im Sozialhilferecht wichtigen Einkommensgrenze von ebenfalls 800 Euro liegt, bei der selbst für den Alleinverdiener der automatische Transferentzug noch voll im Gange ist. Die Eiger-Nordwand bleibt trotz der Minijobförderung ein unüberwindliches Hindernis für Geringverdiener.

Die Einzigen, die von der Förderung effektiv etwas haben, sind Personen, die nicht berechtigt sind, Sozialhilfe oder andere verwandte Transfereinkommen wie Arbeitslosengeld oder Arbeitslosenhilfe zu beziehen. Bei einem 400-Euro-Job, der zu 8,70 Euro bezahlt wird, haben sie immerhin 1,83 Euro pro Stunde mehr in der Tasche, als es nach dem alten Gesetz der Fall gewesen wäre. Es handelt sich bei diesen Personen um die schon erwähnten Schüler, Studenten, mitarbeitenden Ehepartner und Rentner, die keinen Anspruch auf Sozialhilfe haben. Sie werden die Minijobs in Anspruch nehmen. Aber da sie in der Regel nicht als arbeitslos gezählt werden, wird die gemessene Arbeitslosigkeit nicht abnehmen.

Im Gegenteil, es ist zu erwarten, dass der allergrößte Teil dieser Personen wegen der Bereitschaft, zu etwas niedrigeren

Löhnen zu arbeiten, längerfristig den Platz regulärer Arbeitskräfte einnimmt und sie in die durch staatliche Sozialleistungen abgefederte Arbeitslosigkeit drängt. Dieser Verdrängungseffekt würde nicht eintreten, wenn die Löhne der bereits beschäftigten Arbeitnehmer flexibel wären. Dann käme es nicht zum Ersatz regulärer Arbeitnehmer durch die Schüler, Studenten, Rentner und mitarbeitenden Ehepartner, sondern es würden zu niedrigen Löhnen mehr Jobs geschaffen, und die Minijobs träten zu den bereits vorhandenen Jobs hinzu. Da aber die Lohnansprüche der regulär beschäftigten Arbeitnehmer wegen des Sozialhilfesystems auf einem höheren Niveau festgezurrt sind, ist ein massiver Verdrängungseffekt unvermeidlich. Die nicht anspruchsberechtigten Personengruppen werden sukzessive an die Stelle der regulär Beschäftigten treten, weil für sie die Förderung ein echter Anreiz ist, niedrigere Lohnangebote der Arbeitgeber zu akzeptieren. Jeder regulär Beschäftigte, der seinen Arbeitsplatz aufgibt, wird durch eine Person aus der Gruppe der nicht anspruchsberechtigten Personen ersetzt, bis diese Personengruppe voll beschäftigt ist.

Die Geschwindigkeit des Verdrängungseffekts hängt unter anderem von der Höhe des Kündigungsschutzes und von den natürlichen Gründen ab, die reguläre Arbeitnehmer zur Aufgabe ihres Arbeitsplatzes veranlassen. Unter den gegebenen rechtlichen Bedingungen trifft der Verdrängungseffekt zunächst Arbeitnehmer mit befristeten Verträgen und jüngere Arbeitnehmer, die noch keinen vollen Kündigungsschutz genießen. Doch selbst wenn alle Arbeitnehmer einen perfekten Kündigungsschutz genießen könnten, würden schon die natürlichen Gründe, die Menschen veranlassen, ihren Arbeitsplatz aufzugeben, die Verdrängung ermöglichen. Zu diesen natürlichen Gründen gehören Ereignisse wie Heirat, Krankheit, Wohnsitzwechsel und vor allem auch die Verrentung aus Altersgründen. Im Laufe der Zeit scheiden immer mehr reguläre Arbeitnehmer aus, und immer mehr Personen, die keinen Anspruch auf Lohnersatz haben, übernehmen ihre Stellen, bis schließlich eine praktisch vollständige Verdrängung der einen durch die andere Gruppe stattgefunden hat.

Ein Nettozuwachs an Stellen im Niedriglohnsektor kann nur stattfinden, wenn der Niedriglohn, den die Arbeitgeber zahlen müssen, gegenüber dem Niveau, das sonst erreicht worden wäre, dauerhaft sinkt, und das ist nur möglich, wenn die durch die Minijobförderung aktivierten Schüler, Studenten, Rentner und mitarbeitenden Ehepartner so zahlreich sind, dass sie auch nach der Verdrängung sämtlicher im Niedriglohnsektor beschäftigten Personen zusätzliche Arbeitsplätze benötigen. Die aktivierbare Gruppe der Schüler, Studenten, Rentner und mitarbeitenden Ehepartner ist aber viel zu klein, um diese Bedingung zu erfüllen. Insofern ist nicht zu erwarten, dass die Minijobs einen dauerhaften Beschäftigungseffekt auf dem Arbeitsmarkt haben werden.

Dieses Ergebnis ist nicht nur theoretisch denkbar, sondern beruht auf einer massiven ökonomischen Kraft, die kein Politiker verhindern kann. Es ähnelt einem Effekt, den die Immigration nach Deutschland in den letzten 20 Jahren ausgelöst hat und der in Bayern derzeit aufgrund innerdeutscher Wanderungen abläuft, nämlich der Verdrängung der einheimischen Erwerbsbevölkerung in die vom Staat bezahlte Arbeitslosigkeit. Die Zuwanderung ist im Hinblick auf ihre ökonomischen Effekte mit der Aktivierung von Schülern, Studenten, mitarbeitenden Ehepartnern und Rentnern aufgrund der Minijobförderung vergleichbar. In beiden Fällen drücken die zusätzlichen Arbeitskräfte reguläre Arbeitnehmer in den Schoß des Sozialstaates, weil die Existenz dieses Schoßes verhindert, dass die Löhne fallen, und weil ohne Lohnsenkungen keine neuen Jobs entstehen. Kapitel 8 wird diese Zusammenhänge im Detail erörtern.

Das Mainzer Modell:
nur eine Höhle in der Eiger-Nordwand

Der Grund für die Wirkungslosigkeit der Minijobförderung für Sozialhilfebezieher liegt in der Verrechnung dieser Förderung mit der Sozialhilfe. Angesichts dieser Sachlage könnte man geneigt sein, die Sozialhilfe so zu ändern, dass die Fördermaßnahmen netto beim Sozialhilfeempfänger verbleiben und dass keinerlei Verrechnung mit den Sozialhilfesätzen stattfindet. Dann entstünde, so sollte man meinen, ein Anreiz, geringer bezahlte Jobs anzunehmen und solche Jobs wegen der niedrigeren Löhne auch tatsächlich zu schaffen. Aber auch diese Idee führt leider nicht weiter, wie die Versuche mit dem so genannten Mainzer Modell gezeigt haben.

Das Mainzer Modell galt im Jahr 2002 als Wunderwaffe im Kampf gegen die Arbeitslosigkeit. Es wurde ab Juli 2000 zunächst in einigen Arbeitsamtsbezirken erprobt und anschließend in leicht modifizierter Form im März des Jahres 2002 bundesweit zum Gesetz erhoben, doch schon ein Jahr später wegen erwiesener Wirkungslosigkeit wieder abgeschafft. Im Wesentlichen sah das Modell Zuschüsse zu Niedriglohnjobs vor, die zur Kompensation der Sozialversicherungsbeiträge der Arbeitnehmer gedacht waren. Nachdem die Modellversuche gezeigt hatten, dass eine Verrechnung mit der Sozialhilfe zur Verpuffung der Effekte führen würde, wurde auf eine solche Verrechnung verzichtet.

Bezweckt wurde mit dem Modell, die Anreize für die Aufnahme gering bezahlter, sozialversicherungspflichtiger Beschäftigung zu stärken. Für Ledige oder Alleinerziehende mit einem Monatseinkommen bis zu 897 Euro sowie für Ehepaare mit einem gemeinsamen Einkommen bis zu 1.707 Euro wurden Zuschüsse zu den Sozialversicherungsbeiträgen in Höhe von bis zu 66 Euro beziehungsweise 131 Euro monatlich gewährt. Außerdem wurde pro Kind ein Zuschuss von bis zu 75 Euro im Monat gezahlt, der zum Kindergeld hinzutrat. Die

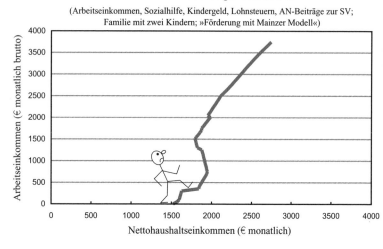

Das Mainzer Modell:
die Höhle in der Eiger-Nordwand

(Arbeitseinkommen, Sozialhilfe, Kindergeld, Lohnsteuern, AN-Beiträge zur SV;
Familie mit zwei Kindern; »Förderung mit Mainzer Modell«)

ABBILDUNG 4.4

Förderung baute sich, ausgehend vom Freibetrag von 325 Euro, bis zu einem gewissen Einkommen auf, das je nach Familienstand im Bereich zwischen etwa 325 Euro (Alleinstehender) und 750 Euro (Familien) lag. Danach wurde sie allmählich wieder zurückgefahren und erlosch bei etwa 850 Euro beziehungsweise 2.000 Euro.

Abbildung 4.4 verdeutlicht, wieder für den Fall der vierköpfigen Familie, welche Modifikation der Eiger-Nordwand durch das Mainzer Modell herbeigeführt wurde.[14] Man sieht sehr deutlich, dass jenseits der 325-Euro-Grenze bereits eine kleine Erhöhung des Bruttoeinkommens einen erheblichen Zuwachs beim Nettoeinkommen implizierte. Dadurch wurde in diesem Bereich ein Anreiz ausgeübt, mehr Stunden zu arbeiten oder geringer bezahlte Jobs anzunehmen, die vorher nicht attraktiv waren. Die Kehrseite dieses Anreizeffekts war jedoch, dass jenseits des Maximums der Förderung das genaue Gegenteil eintrat. Mit einer weiteren Zunahme des Bruttoeinkommens schrumpfte das Nettoeinkommen wieder. Mit jedem Euro, den Michel im Bereich von etwa 750 Euro bis 1.500 Euro mehr verdiente, hatte er nach Berücksichtigung des Förderabbaus insgesamt weniger Geld in seiner Tasche als vorher. Im Zusammenwirken zwischen der Sozialhilfe mit ihrem hundertprozentigen Transferentzug und dem Abbau der Förderung entstand eine Transferentzugsrate von mehr als 100 % bezüglich des Bruttoeinkommens und auch bezüglich der zusätzlichen Lohnkosten. Arbeitete Michel mehr, sodass sein Arbeitgeber bereit war, zehn Euro mehr an Lohnkosten zu tragen, so kassierte der Staat insgesamt elf Euro in Form eines Transferentzugs, und Michels Nettoeinkommen fiel um einen Euro. Und das war nicht etwa nur punktuell so, sondern galt, wie die Abbildung zeigt, in einem weiten Bereich, der Bruttolöhne von rund 750 Euro bis 1.500 Euro umfasste.

Um den Punkt noch weiter zu präzisieren: Angenommen, Michel arbeitete zu rund zehn Euro in der Stunde halbtags, verdiente 750 Euro im Monat und nahm das (bundesweite) Mainzer Modell sowie die Sozialhilfe in Anspruch. Dann konnte er seiner Frau und seinen zwei Kindern ein Nettogesamteinkommen von circa 1.945 Euro verschaffen. Wenn er dagegen ganztags arbeitete und ein Einkommen von 1.500 Euro selbst erwarb, dann kam für ihn und seine Familie nur ein Betrag von 1.800 Euro heraus. Dafür, dass er doppelt so lang arbeitete, hatte er 145 Euro weniger in der Tasche!

Mit dem Mainzer Modell wurde dem Michel eine Höhle in die Eiger-Nordwand gegraben. Damit wurde ihm jedoch nicht geholfen, die Eiger-Nordwand zu bezwingen. Im Gegenteil: Michel kam in die Höhle leicht hinein und konnte es sich dort bequem machen. Nur nach oben kam er nicht weiter. Er hätte ja schon am steilen Dach der Höhle entlang über einen gefährlichen Felsüberhang hinweg klettern müssen. Das aber schaffte er beim besten Willen nicht, und probieren wollte er es auch nicht. Er war ja nicht lebensmüde.

Frühverrentung: die Blüm'sche Teufelsspirale

Die Ignoranz der Sozialpolitiker gegenüber ökonomischen Anreizmechanismen, die sie mit ihren Vorschlägen in Gang setzen, ist schier grenzenlos. Ein weiteres Beispiel in dieser Richtung sind die Frühverrentungsmodelle des Ministers Blüm. Auch diese Modelle sind nämlich im Grunde Lohnersatzsysteme, ungeachtet der etwas anderen Klassifizierung durch die Juristen.

Norbert Blüm war von 1982 bis 1998 Bundesminister für Arbeit. Er hat die wegweisende Rentenreform des Jahres 1992 durchgeführt, und er hat mit dem demografischen Faktor, den er noch kurz vor Ende seiner Amtszeit eingeführt hatte, der aber dann von der SPD wieder kassiert wurde, nützliche Reformen auf den Weg gebracht. Weniger glücklich war seine Hand bei den verschiedenen Vorruhestandsmodellen, die er zu verantworten hatte.

Blüm vertrat die These vom schrumpfenden Job-Kuchen. Den Deutschen gehe die Arbeit aus, und deshalb müsse man den geschrumpften Job-Kuchen besser verteilen, so lautete seine Devise. Die Frühverrentung war aus seiner Sicht der Königsweg, eine bessere Verteilung der Arbeit zu erreichen. Indem man die älteren Arbeitnehmer aus dem Produktionsprozess herausnahm, schaffte man Platz für die jüngeren, so schien es.

Leider war das alles ziemlicher Unsinn. Den festen Job-Kuchen gibt es nämlich nicht. Bei flexiblen Löhnen wäre es nicht nötig gewesen, Alte zu entlassen, um Junge einzustellen. Die Marktwirtschaft hat Arbeit für alle, wenn man sie nur lässt. Wenn ältere Menschen vorzeitig in den Ruhestand geschickt werden, dann schrumpft das Sozialprodukt, weil der Beitrag dieser Menschen zur aggregierten Wertschöpfung entfällt. Und indem die Wertschöpfung entfällt, entfällt auch gesamtwirtschaftliche Nachfrage. Die Volkswirtschaft sackt auf ein kleineres Aktivitätsniveau zusammen. Der Kuchen an produzierten Gütern, der von allen zusammen konsumiert werden kann, ist kleiner, als er es sonst gewesen wäre.

Wahr wird die Theorie vom Job-Kuchen erst, wenn die Arbeitnehmer von den Gewerkschaften oder von Lohnersatzleistungen an flexiblen Reaktionen auf die Ungleichgewichte des Marktes gehindert werden. Zu diesen Lohnersatzleistungen zählen nicht nur die schon erwähnte Arbeitslosenhilfe, die Sozialhilfe und das Arbeitslosengeld, sondern auch die Frührenten selbst, jedenfalls in ökonomischer Betrachtung. Indem die Möglichkeit geschaffen wurde, bei nur geringen Rentenkürzungen aus dem Arbeitsleben auszuscheiden, wurden gerade auch bei älteren Menschen, die ihren Job verloren hatten, Anspruchslöhne gegenüber möglichen Arbeitgebern aufgebaut, die weit über ihrer Produktivität lagen. Dadurch wurde, und das ist die Ironie der Blüm'schen Politik, die Knappheit an Arbeitsplätzen vergrößert, die der Minister durch seine Frühverrentungsmodelle gerechter verwalten wollte.

Die Frühverrentung wäre kein Problem für den Arbeitsmarkt, wenn sie zu Bedingungen erfolgen würde, die auch für den Staat fair sind, und wenn man weiterarbeiten könnte, obwohl man die Rente bezieht. Beides ist nicht der Fall. Weiterarbeiten darf man nicht. Allenfalls geringfügige Jobs mit einem Einkommen von maximal 325 Euro sind erlaubt.[15] Und die Abschläge, die die Frührentner hinnehmen müssen, sind viel kleiner, als es versicherungsmathematisch geboten ist. Die Abschläge bei der monatlichen Rente betragen pro Jahr, das man vor dem Regelzeitpunkt von 65 Jahren in Rente geht, 3,6 %. Ein Abschlag von circa 5,4 % wäre stattdessen korrekt. Nur er würde sicherstellen, dass der Rentenbezieher bis zum Tode nicht mehr vom Staat bekommt, als wenn er regulär in Rente gegangen wäre.

Ein Arbeitnehmer mit durchschnittlichem Einkommen, der die Frühverrentung ab 60 Jahren in Anspruch nimmt, erhält heute ein Geschenk vom Staat, das in Gegenwartswerten ausgedrückt bei circa 7.000 Euro liegt. Das Geschenk muss von den aktiven Arbeitnehmern und Arbeitgebern in Form höherer Beiträge zur Rentenversicherung bezahlt werden. Die Frühverrentung verteuert die reguläre Arbeit und vernichtet auf diese Weise weitere Arbeitsplätze. Die Arbeitslosenzahlen steigen nur noch schneller, und alsbald kommt der Ruf nach noch mehr Frühverrentungsmodellen, um zusätzliche Arbeitsplätze freizuräumen. Das erhöht die Arbeitskosten weiter und führt nach einer neuen Anpassungsrunde wiederum zu einer Zunahme der Arbeitslosigkeit. Es ist immer das gleiche Spiel: Arbeitslosigkeit wird durch Lohnersatzsysteme abgefangen, die Steuern oder Sozialabgaben müssen erhöht werden, dadurch verschwinden noch mehr Jobs, noch mehr Lohnersatz muss gezahlt werden und so weiter. Das ist die innere Logik der Teufelsspirale, in der die Wirtschaft und der Sozialstaat der Bundesrepublik Deutschland bis zum heutigen Tage verfangen sind.

Norbert Blüm hat an dieser Spirale kräftig gedreht, als er im Jahr 1984 den Vorruhestand mit einer Frühverrentungsmöglichkeit ab 58 Jahren einführte und 1987 die Bezugsdauer des Arbeitslosengeldes für ältere Arbeitslose auf 32 Monate verlängerte. Blüm hat der Frühverrentungsidee dann noch einmal einen kräftigen Schwung gegeben, als er im Jahr 1996 das System der Altersteilzeit einführte, mit Hilfe dessen ältere Arbeitnehmer eine Erhöhung ihres Stundenlohnsatzes um etwa 40 % realisieren können, wenn sie sich bereiterklären, nur noch die halbe Zeit zu arbeiten. Wer das Blockmodell der Altersteilzeit realisiert, hat die Möglichkeit, sein Erwerbsleben bereits mit 57 Jahren zu beenden.

Auch Blüms Nachfolger Walter Riester hat nachgeschoben, indem er die zuvor bereits beschlossene Reform der Erwerbsminderungsrenten so entschärfte, dass geringe Arbeitsmarktchancen weiterhin als Kriterium für die Gewährung von Berufs- und Erwerbsunfähigkeitsrenten gelten, was einen Weg für den vorzeitigen Ausstieg älterer Arbeitnehmer aus dem Erwerbsleben offen hielt. Beide Politiker haben sich in dieser Hinsicht nicht mit Ruhm bekleckert, auch wenn anzuerkennen ist, dass sie an anderer Stelle Sinnvolles geleistet haben.

Als Norbert Blüm im Jahr 1982 das Amt des Arbeitsministers antrat, lag das durchschnittliche Verrentungsalter wegen vorzeitiger Berufs- und Erwerbsunfähigkeit bei 56 Jahren. Als Walter Riester im Jahr 2002 sein Amt abgab, betrug der entsprechende Wert 51,5 Jahre.[16] Besonders dramatisch hat sich die Zahl der Zugänge bei Altersrenten wegen Arbeitslosigkeit beziehungsweise nach Absolvierung der Altersteilzeit erhöht. Sie stieg im genannten Zeitraum von jährlich rund 40.000 auf rund 170.000, wobei im Jahr 1995 ein Spitzenwert von 300.000 erreicht wurde.[17] Nicht weniger als 330.000 Personen nahmen im Jahr 2003 den Vorruhestand in Anspruch, und 68.000 machten vom Altersteilzeitmodell Gebrauch.[18]

Die Hoffnung, dass die freigegebenen Stellen anschließend für junge Arbeitnehmer zur Verfügung stünden, hat sich in vielen Fällen nicht erfüllt, weil die Unternehmen die Frührentenprogramme zu einem massiven Arbeitsplatzabbau genutzt haben. Das ökonomische Problem bei dem Ansatz war die Verringerung der Lohnflexibilität, die mit der großzügigen Offerte von Lohnersatz bei verfrühtem Ausscheiden aus dem Arbeitsverhältnis verbunden war. Sie hat den ersatzlosen Abbau von Arbeitsplätzen beschleunigt und die Schaffung von neuen Arbeitsplätzen verhindert, die für die Integration neuer Arbeitskräfte, die aus dem Ausland, von der Schulbank oder aus den Treuhand-Betrieben kamen, erforderlich gewesen wären. Während der Amtszeiten von Blüm und Riester, von 1982 bis 2002, stieg die Zahl der Arbeitslosen in Westdeutschland um 800.000, von 1,8 Millionen auf 2,6 Millionen, und in Ostdeutschland kamen noch einmal etwa 1,5 Millionen hinzu.

Gerade auch angesichts der demografischen Probleme, über die in Kapitel 7 noch ausführlich berichtet wird, war die Prämierung der Frühverrentung das Gegenteil dessen, was volkswirtschaftlich geboten war. Wenn die Menschen immer älter werden und wenn immer weniger Kinder nachwachsen, die sie ernähren können, dann müssen sie nicht früher, sondern später in Rente gehen. Statt der Herabsetzung ist die Heraufsetzung des Rentenalters das richtige Rezept gegen die deutsche Wachstumsschwäche (vergleiche Kapitel 7). Es ist absurd, wenn ein Land, dem es schwer fällt, die Vereinigungslasten zu schultern, leistungsfähige und leistungswillige Menschen daran hindert, ihre Leistung beizusteuern. Dieses Urteil folgt dem gesunden Menschenverstand, und es folgt auch aus der volkswirtschaftlichen Analyse. Man muss sich wirklich fragen, ob die Arbeitsminister damals wussten, was sie taten.

Aber vielleicht wussten sie es in der Tat. Es gibt auch rationale Motive, die sie geleitet haben könnten. Eines davon hat mit den Wahlen zu tun. Rentner zählen nicht als arbeitslos, wenn sie nicht arbeiten, junge Leute hingegen schon. Deswegen könnte der Gedanke verlockend gewesen sein, einen Teil der Arbeitslosigkeit in der Rente zu verstecken. Dass die Gesamtzahl der Jobs mittelfristig schrumpfen würde, weil hohe Anspruchslöhne aufgebaut und hohe Finanzierungslasten entstehen würden, war ein Problem, mit dem man sich später immer noch würde beschäftigen können. Zunächst einmal galt es, das Thema Arbeitslosigkeit aus den Medien zu nehmen und die nächste Wahl zu gewinnen.

Oder war es die Gewerkschaftsnähe, die die Arbeitsminister zu Erfüllungsgehilfen einer exzessiven Hochlohnpolitik gemacht hat, indem sie dafür sorgten, dass die von dieser Politik produzierten Arbeitslosen sozialverträglich aus dem Markt entfernt werden konnten? War es vielleicht sogar der Wunsch, durch die Verknappung des Faktors Arbeit, quasi von allein, eine Lohnerhöhung herbeizuführen und den Gewerkschaften auf diese Weise in die Hände zu spielen? Das alles ist leider unbekannt. Nur die Politiker selbst wissen, warum sie taten, was sie taten.

Frühverrentung mit freiem Hinzuverdienst: der bessere Weg

So kann das jedenfalls nicht weitergehen. Deutschland braucht einen neuen Sozialstaat, der von anderen Prinzipien geleitet wird als denen, die hinter der Lohnersatzideologie stehen. Das Verstecken von Arbeitslosigkeit, die heimliche Komplizenschaft mit den Gewerkschaften, das Bezahlen von Nicht-Arbeit, die Konkurrenz zwischen Sozialstaat und privater Wirtschaft, das kann so nicht bleiben, denn dann geht unsere Wirtschaft und mit ihr das ganze Land zugrunde.

Die älteren Arbeitnehmer, die Blüm und Riester aussteuern wollten, werden gebraucht, um das Gemeinwesen mitzutragen und sich, soweit sie es noch können, selbst zu ernähren. Sie sollten nicht durch künstliche Anreize veranlasst werden, den jungen Arbeitnehmern zur Last zu fallen. Es kann nicht Aufgabe des Staates sein, Systeme zu erfinden, die den frühzeitigen Rückzug aus der Arbeitswelt fördern. Diese Entscheidung muss jedem selbst überlassen bleiben.

Sämtliche Frühverrentungsmodelle der bisherigen Art müssen abgeschafft werden, und nur ein radikal verändertes Modell darf noch bleiben. Wer früher in Rente gehen will, kann das im Rahmen der heutigen Fristen tun, aber er muss für jedes Jahr, das er früher aufhört, als es dem Regelalter entspricht, einen versicherungsmathematisch korrekt berechneten Abschlag hinnehmen. Das gilt unabhängig davon, wie dieses Regelalter in Zukunft festgelegt werden wird. Unter heutigen Verhältnissen muss man bei einem Mann mit einer durchschnittlichen Berufskarriere, wie schon erwähnt, mit Abschlägen im Umfang von etwa 5,4 % pro Jahr rechnen. Eine Voraussetzung für die neue Art der Frühverrentung ist freilich, dass die Rente dann nicht unter den Sozialhilfesatz fällt, sodass der früh Verrentete auf diese Weise nur wieder mehr Kosten für den Staat verursachen würde. Arbeitnehmern, bei denen dies der Fall wäre, ist der Frühverrentungsanspruch zu versagen.

Zur Aufbesserung der niedrigeren Frührente, die sich nach dem neuen Modell ergibt, sollte der volle Hinzuverdienst in einem beliebigen regulären Arbeitsverhältnis erlaubt werden, so wie es auch heute schon für Personen der Fall ist, die mit 65 Jahren in die Rente gehen.[19] Damit es zu keinem Missbrauch dieser Regelung gegenüber dem bisherigen Arbeitgeber kommt, ist das alte Arbeitsverhältnis zum Zeitpunkt der Frühverrentung freilich zunächst zu beenden. Es steht den beteiligten Parteien frei, dieses Arbeitsverhältnis oder auch ein anderes anschließend neu zu begründen, wenn sie es beide so wollen.

Die Hinzuverdienstmöglichkeit wird den Effekt haben, dass die Lohnansprüche, die ältere Arbeitnehmer gegenüber potenziellen Arbeitgebern geltend machen, sehr viel geringer sind, als es heute der Fall ist. Die tatsächlichen Löhne werden auf dem Markt für ältere Arbeitskräfte fallen, und die Unternehmer werden in ihren Schubladen mit möglichen Beschäftigungsideen mehr Projekte finden, deren Realisierung für sie profitabel ist. Deshalb wird der Job-Kuchen wachsen, und die Mehrbeschäftigung der Alten wird nicht zu Lasten der Jobs für die Jungen gehen.

Viele Menschen werden sich dafür entscheiden, die Frührente mit einer weniger belastenden und geringer bezahlten Tätigkeit zu kombinieren. Viele werden ein Teilzeitarbeitsverhältnis präferieren, sei es beim alten Arbeitgeber oder bei einem neuen. Es wird sich dann möglicherweise ein zweiter Arbeitsmarkt entwickeln, auf dem man tätig ist, nachdem die eigentliche Berufskarriere bereits abgeschlossen ist, ähnlich wie das in Italien, Japan oder den USA der Fall ist. Die Wirtschaftätigkeit auf diesem zweiten Arbeitsmarkt würde einen Beitrag zum Wachstum der Volkswirtschaft und zum allgemeinen Wohlstand leisten.

Aktivierende Sozialhilfe:
eine scharfe Waffe gegen die Arbeitslosigkeit

Noch wichtiger als das Rententhema ist die Beseitigung der im internationalen Vergleich extrem hohen Massenarbeitslosigkeit unter den gering Qualifizierten, Deutschlands bedrohliche Krankheit. Um die gering Qualifizierten zu integrieren, muss man den Sozialstaat grundlegend umkonstruieren. Man muss jenen helfen, die es auch bei großer Anstrengung nicht schaffen, ein adäquates Einkommen zu verdienen. Aber die notwendige Hilfe muss als Hilfe zur Selbsthilfe gewährt werden. Als Gegenleistung für die Hilfe kann man auch von den weniger leistungsfähigen Bürgern verlangen, dass sie sich anstrengen und acht Stunden am Tag arbeiten wie jeder andere auch, vorausgesetzt, sie können es. Nur die wirklich arbeitsunfähigen Menschen müssen weiterhin ohne Gegenleistung versorgt werden.

Helfen muss man, denn das erfordert das Solidaritätsprinzip. Den Nachtwächterstaat können wir in Deutschland nicht gebrauchen. Die Versichertengemeinschaft, in die hinein man geboren wurde, sollte niemand in Frage stellen. Die meisten Deutschen, auch die besser gestellten, möchten den Sozialstaat bewahren, schon weil sie ihren Kindern und Kindeskindern Schutz gegen die Unbilden des Lebens gewähren wollen. Sie wollen ein System, bei dem die eigenen Kinder dem Staat geben, wenn sie Glück im Leben haben, und von ihm nehmen dürfen, wenn es nicht so gut läuft. Krankheiten, Unfälle, ererbte Schwächen, schlechte Einflüsse in Schule und Gesellschaft und Pech verschiedenster Art können Lebenswege erschweren und die wirtschaftliche Leistungskraft verringern. Dagegen ist der Schutz des Sozialstaates erforderlich, wobei allerdings die Verminderung der Leistungsanreize, die er hervorruft, den Bereich der versicherbaren Risiken sehr stark begrenzt. Private Versicherer kommen wie erläutert zu spät im Leben, als dass sie in der Lage wären, die hier erwähnten Risiken abzudecken.

Aber kaum jemand würde es für richtig halten, dass die eigenen Kinder den staatlichen Schutz nur unter der Bedingung bekommen, dass sie selbst keinen Beitrag zur Überwindung ihrer Armut leisten, dass sie sich zurücklehnen und nichts tun oder in die Schwarzarbeit abtauchen. So aber ist das deutsche System gestaltet. Hilfe gibt es nur, wenn man selbst nichts tut, und wenn man etwas tut, dann wird die Hilfe in weiten Einkommensbereichen eins zu eins um das gestrichen, was man selbst erarbeitet.

Das ist nicht nur leistungsfeindlich, weil es Anspruchslöhne aufbaut, die die Wirtschaft nicht erfüllen kann, sondern auch menschenunwürdig. Die weniger Leistungsfähigen werden auf diese Weise aus der Arbeitswelt ausgegrenzt und zur sozialen Unterschicht abgestempelt. Durch die Arbeitslosigkeit werden sie vor aller Augen stigmatisiert und geächtet. Nur noch die Schwarzarbeit wird ihnen augenzwinkernd als Möglichkeit der Einkommensaufbesserung zugestanden. Die schwächeren Bürger werden im deutschen Sozialstaat mit Geld und Konsumgütern ausgestattet, aber es wird ihnen unter Strafe des Transferentzugs verboten, selbst mitzuhelfen und sich wie andere in ihrer Arbeit zu entäußern. Der auf Lohnersatzeinkommen aufbauende Sozialstaat vergeht sich an den ohnehin Benachteiligten und an ihren Kindern, die den Gang zum Sozialamt als Einkommen schaffende Normalität bei ihren Eltern erleben. Er erzeugt eine neues Proletariat, das nur scheinbar den Schutz der Solidargemeinschaft in Anspruch nehmen kann, in Wahrheit aber von dieser Gemeinschaft ausgestoßen wird.

Statt den weniger Leistungsfähigen Lohn*ersatz*leistungen zu zahlen, ist es besser, ihnen Lohn*ergänzungs*leistungen zu gewähren. Zuzahlungen, die zum Lohn hinzutreten, müssen die Zahlungen, die anstelle des Lohnes gewährt werden, ersetzen. Die Devise muss sein, dass jeder, der es kann, nach seiner Kraft arbeitet, dass aber der Staat denen, die dabei nicht genug verdienen, eine Sozialhilfe hinzuzahlt, die so bemessen ist, dass in der Summe aus Sozialhilfe und selbst verdientem Geld der Sozialstandard der Gesellschaft erreicht wird.

Der große Vorteil eines solchen Systems liegt darin, dass das Konkurrenzverhältnis zwischen privater Wirtschaft und Sozialstaat aufgelöst wird. Bei der Wahl zwischen Sozialhilfe und Arbeit gibt es kein »entweder/oder« mehr. Da man das staatliche Geld nur bekommt, wenn man arbeitet, und nicht, wenn man nicht arbeitet, ist man bereit, seine Arbeit zu einem sehr geringen Lohn zur Verfügung zu stellen. Die Lohnuntergrenze im Tarifsystem, die derzeit von der Sozialhilfe gezogen wird, verschwindet. Bei niedrigeren Löhnen lohnt es sich sowohl für Unternehmen als auch für private Haushalte, Arbeitsplätze zu schaffen. Die Pläne für mögliche Arbeitsplätze kommen aus den Köpfen und den Schubläden der Arbeitgeber heraus und werden Realität. Jeder Arbeitsuchende kommt dann zu Arbeit und Brot, die Arbeitslosigkeit unter den gering Qualifizierten verschwindet. Die Konkurrenz der Nachfrager nach Arbeitskräften, also der Arbeitgeber, verhindert gleichzeitig, dass der Marktlohn allzu weit fallen muss, um dieses Ziel zu erreichen. Er kann nicht weiter fallen als bis zu dem Punkt, wo die offenen Stellen zu überwiegen beginnen, weil sich die Arbeitgeber dann beim Bemühen, Arbeitskräfte zu bekommen, gegenseitig überbieten werden.

Das ifo Institut hat unter dem Namen »Aktivierende Sozialhilfe« einen entsprechenden Entwurf für die Neugestaltung des deutschen Steuer-Transfersystems vorgelegt und durchgerechnet.[20] Dieser Entwurf vereint alle Fördermaßnahmen inklusive Sozialhilfe, Mietzuschuss und Kindergeld sowie alle Abgaben inklusive der Sozialabgaben und der Steuern zu einem geschlossenen Gesamtkonzept. Die Konkurrenz zwischen privater Wirtschaft und Sozialstaat ist dabei außer Kraft gesetzt, der Zielerreichungsgrad des Sozialstaates steigt, und die Budgetbelastungen des Staates verringern sich. Die Ausgangslage, in der sich das deutsche System derzeit befindet, ist im Hinblick auf die ureigensten Ziele des Sozialstaates so hoffnungslos ineffizient, dass es mit dem ifo-System möglich ist, mehrere Ziele gleichzeitig zu erfüllen.

Der Vorschlag des ifo Instituts, der im Mai des Jahres 2002 unterbreitet wurde, hat inzwischen die Anerkennung des Wissenschaftlichen Beirats beim Bundesministerium für Wirtschaft und des Sachverständigenrates zur Begutachtung der gesamtwirtschaftlichen Entwicklung gefunden und wurde von diesen Gremien mit nur geringen Modifikationen übernommen.[21] Die Bundesländer Sachsen, Bayern, Schleswig-Holstein und Hessen haben sich für die Umsetzung der Vorschläge ausgesprochen und entsprechende Schritte unternommen. Die Grundidee ähnelt dem so genannten Earned Income Tax Credit, mit dem die USA sehr große Erfolge bei der Beschäftigung gering Qualifizierter erzielt haben. Allerdings ist der Vorschlag an die deutschen Verhältnisse angepasst, insbesondere auch was die angestrebten Einkommensniveaus der gering Qualifizierten betrifft, die sich wegen des Sozialstaatsgebots in ganz anderen Größenordnungen bewegen müssen.

Im Kern geht es um folgende Reformschritte, die nur die erwerbsfähigen Sozialhilfebezieher betreffen:

(1) Arbeitslosen- und Sozialhilfe werden auf einem Niveau vereint, das im Durchschnitt um etwa ein Drittel unter dem heutigen Sozialhilfeniveau liegt, wobei je nach Familienstand unterschiedliche Abschläge vorgenommen werden. Die Senkung der Sozialhilfe kommt dadurch zustande, dass der Eckregelsatz und einmalige Leistungen im Rahmen der laufenden Hilfe zum Lebensunterhalt für erwerbsfähige Haushaltsmitglieder zur Gänze entfallen, während der Mietzuschuss, die Sozialhilfeleistungen für nicht erwerbsfähige Haushaltsmitglieder über 18 Jahren und das vom Einkommen unabhängige Kindergeld weiter gezahlt werden.

(2) Die so reduzierte Sozialhilfe wird bis zu einem selbst verdienten Einkommen von 400 Euro nicht abgeschmolzen. Die Transferentzugsrate ist null.

(3) Es besteht eine uneingeschränkte Sozialversicherungs-

pflicht der Arbeitgeber. Arbeitnehmerbeiträge sind jedoch nur für jenen Teil des Einkommens zu zahlen, der 200 Euro übersteigt.

(4) Das Finanzamt gewährt eine Lohnsteuergutschrift von 20 % für jeden Euro bis zu einem Verdienst von 200 Euro. Diese Gutschrift bleibt für darüber hinausgehende Einkommen bis 400 Euro konstant, unterliegt also bis dahin nicht dem Transferentzug.

(5) Bei Einkommen jenseits von 400 Euro wird die reduzierte Sozialhilfeleistung und die Lohnsteuergutschrift mit konstanter Rate abgeschmolzen und schließlich so mit dem einsetzenden Steuertarif verzahnt, dass von jedem zusätzlich verdienten Euro Bruttoeinkommen stets rund 30 Cent als Nettoverdienstzuwachs übrig bleiben.

(6) Diejenigen, die trotz des neuen Systems zunächst keinen Job in der Privatwirtschaft finden, können verlangen, bei ihrer Kommune zu einem Einkommen in Höhe des jetzigen Eckregelsatzes der Sozialhilfe auf einer Vollzeitstelle beschäftigt zu werden.

(7) Die Kommunen erhalten das Recht, die Betroffenen gegebenenfalls unter Zuhilfenahme privater Leiharbeitsfirmen an die private Wirtschaft weiterzuverleihen, und zwar zu einem Honorar, das frei ausgehandelt werden kann und möglicherweise zunächst deutlich unter den Eigenkosten der Kommune liegt. Die Kommunen können das Beschäftigungsverhältnis jederzeit beenden, wenn die vereinbarte Arbeitsleistung nicht erbracht wird.

Abbildung 4.5 zeigt, was die Reform für die oben betrachtete vierköpfige Familie bedeutet. Bildlich gesprochen wird die obere Kante der Eiger-Nordwand abgebrochen, und das so frei werdende Geröll wird verwendet, um am Beginn des Hanges einen sachteren Abhang anzuschütten. Nun kommt der Michel auf jeden Fall bequem ein Stück weit aus dem Tal heraus, und danach kann er den Einkommensberg mit einer gewissen Anstrengung, die man ihm zumuten kann, weiter erklimmen.

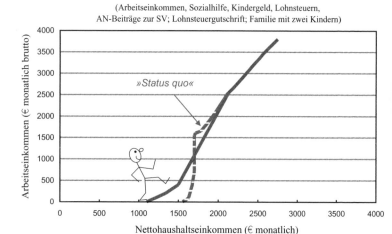

Aktivierende Sozialhilfe

(Arbeitseinkommen, Sozialhilfe, Kindergeld, Lohnsteuern,
AN-Beiträge zur SV; Lohnsteuergutschrift; Familie mit zwei Kindern)

ABBILDUNG 4.5

Senkrechte Stücke im Pfad oder gar gefährliche Überhänge wie beim Mainzer Modell werden vermieden.

Der ifo-Vorschlag ist so gestaltet, dass es für Michel insbesondere attraktiv wird, erste Schritte ins Arbeitsleben zu wagen, statt untätig zu bleiben. Deshalb ist der Lohnsteuerzuschuss im Eingangsbereich vorgesehen, der bis zu einem Einkommen von 400 Euro stehen bleibt.

Es ist noch einmal zu betonen, dass es für den Erfolg des Modells auf Michel nur insofern ankommt, als er nun niedrigere Lohnsätze akzeptiert, und dass die Arbeitgeber bei diesen niedrigeren Lohnsätzen zusätzliche Stellen schaffen, die es sonst nicht geben würde. Das Modell ist so angelegt, dass die implizite Lohnuntergrenze, die durch den Transferentzug entsteht, weit genug sinkt, um Luft für eine hinreichende Senkung der Lohnsätze im Niedriglohnbereich zu schaffen. Um längerfristig 2,3 Millionen zusätzliche Jobs für gering Qualifizierte zu schaffen, ist aufgrund des bei früheren Gelegenheiten zu beobachtenden Verhaltens der Arbeitgeber größenordnungsmäßig eine Lohnsenkung im Niedriglohnbereich um ein Drittel erforderlich.

Dabei müssen natürlich die Gewerkschaften mitspielen. Wollen sie ihrer Klientel Zugang zu den attraktiven Hinzuverdienstmöglichkeiten verschaffen, so tun sie das. Verweigern sie sich, dann ist der Niedriglohnbereich im übergeordneten Gemeinwohlinteresse aus dem Tarifgeschehen herauszunehmen.

Der niedrigste Tariflohn wird nach den vorliegenden Modellrechnungen von 8,70 Euro auf 5,80 Euro fallen. Andere Löhne im Niedriglohnbereich werden ebenfalls in ähnlichem Ausmaß fallen. Das klingt zunächst nach Sozialabbau, doch das Gegenteil ist der Fall, denn die Lohnsteuergutschrift und die Verringerung des Transferentzugs stehen dem entgegen.

Wählt Michel eine Halbtagsbeschäftigung mit 77,5 Stunden im Monat, so kommt er damit auf ein Bruttoeinkommen von 450 Euro, was ihm, seiner Frau und seinen zwei Kindern unter Berücksichtigung aller Fördereffekte und Abgaben ein Nettofamilieneinkommen von 1.511 Euro verschafft. Das ist fast so viel wie die 1.550 Euro, die im alten System an Sozialhilfe für das Nichtstun ausgezahlt werden. Da Michel im neuen System im Falle des Nichtstuns vom Staat nur 1.098 Euro an Sozialhilfe erhält, verbessert er sein Nettoeinkommen um 5,33 Euro pro Stunde, wenn er einen Halbtagsjob annimmt, statt untätig zu bleiben.

Wenn sich Michel indes noch mehr anstrengt und eine Ganztagsstelle zu 155 Stunden annimmt, was im alten System für ihn nicht attraktiv war, weil der effektive Nettolohn im Vergleich zum Nichtstun, wie berichtet, nur bei 94 Cent lag, dann erhöht sich sein Nettoeinkommen auf 1.643 Euro. Der effektive Nettostundenlohn im Vergleich zum Nichtstun ist bei einer Vollbeschäftigung auch im neuen System noch nicht berauschend, er erhöht sich aber trotz der unterstellten Bruttolohnsenkung (von 8,70 Euro auf 5,80 Euro) auf 3,52 Euro.

Nun lohnt sich das Arbeiten für Michel, und vor allem lohnt es sich für den Arbeitgeber, Michel einen neuen Job zur Verfügung zu stellen. Die Arbeitslosigkeit schrumpft, und das Sozialprodukt steigt. Zugleich erhöht sich der Zielerreichungsgrad der Sozialpolitik, denn obwohl der Staat etwas weniger Geld ausgibt als im alten System, ist das Gesamteinkommen von Michel und seiner Familie mit 1.643 Euro um 93 Euro höher als im heutigen System mit der von diesem System induzierten Untätigkeit.

Dabei ist noch nicht berücksichtigt, dass es als Folge der Lohnkostensenkung im Niedriglohnbereich zu einer erheblichen Preissenkung bei den auch von Geringverdienern nachgefragten Waren und Dienstleistungen kommt. Gering Qualifizierte kaufen nämlich nicht nur Industriegüter, deren Preis auf den Weltmärkten fixiert ist, sondern auch lokale Waren und Dienstleistungen, deren Preise mit der Lohnsenkung der gering Qualifizierten fallen, und sie werden dies dank der Preissenkung in Zukunft sogar in verstärktem Maße tun. Zu diesen Waren und Dienstleistungen gehört der Service von Gaststätten und Imbissbuden genauso wie die Produktion und Verteilung von Nahrungsmitteln oder anderen Gütern des täglichen Bedarfs. Die bei diesen Gütern zu verzeichnende Preissenkung führt zu einer weiteren Verbesserung der Realeinkommen der gering Qualifizierten.

Das Diagramm 4.5 bezieht sich auf einen gering Qualifizierten aus einer vierköpfigen Familie. Ähnlich positive Effekte bringt der ifo-Vorschlag für andere Familientypen, für die er ebenfalls voll durchgerechnet wurde. Stets gilt, dass Michel bereits bei einer Halbtagsbeschäftigung so viel verdient, wie er heute an Sozialhilfe bekommt, und dass er sich bei einer Ganztagsbeschäftigung wesentlich besser stellt.

Wenn Michel trotz der Lohnsenkung keinen Job findet, die Sozialhilfe aber weiterhin braucht, kann er sich an die Kommune wenden und dort das gleiche Geld bekommen wie heute auch. Nur muss er dafür acht Stunden am Tag arbeiten. Das ist ein Aspekt, der ihm vielleicht nicht gefallen wird, der aber im Grundsatz bereits der heutigen Rechtslage entspricht. Die Kommunen können kommunale Arbeit als Gegenleistung für die Sozialhilfe einfordern, und wenn diese Gegenleistung nicht erbracht wird, dann können sie die Sozialhilfe kürzen. Allerdings ergeben sich dabei in der Praxis komplizierte Beweisfragen, was die Zumutbarkeit der angebotenen Beschäftigung betrifft. Im neuen System der Aktivierenden Sozialhilfe erübrigt sich die Frage der Zumutbarkeit, denn die Kommune definiert die Arbeit, und wenn Michel sie nicht annimmt, dann wird auch der Eckregelsatz der Sozialhilfe nicht gezahlt.

Die Jobs, die die Kommune anbieten kann, sind nicht sonderlich attraktiv, denn sie bringen als Ergebnis einer Vollzeitbeschäftigung ein Einkommen, wie es bereits auf einem Halbtagsjob in der Privatwirtschaft erzielt werden kann. Pro Stunde wird der Vater einer vierköpfigen Familie nur ein Nettoeinkommen von zehn Euro verdienen können, ja, unter Abzug des Geldes, das die Familie im neuen System auch dann an Sozialhilfe bekommt, wenn Michel nicht arbeitet, sind es effektiv sogar nur 2,66 Euro. Das ist mit Absicht nur halb so viel wie die 5,33 Euro, die bereits bei einer Halbtagsbeschäftigung im privaten Sektor als effektiver Hinzuverdienst pro Stunde erzielt werden können, denn es muss stets ein Anreiz bestehen, sich zunächst einmal um einen Arbeitsplatz in der Privatwirtschaft zu bemühen. Die kommunale Beschäftigung kann nur ein Notanker sein. Sie darf nicht so attraktiv gestaltet sein, dass eine neue Konkurrenz zur Privatwirtschaft aufgebaut wird. Dann würde der Vorschlag vom Regen in die Traufe führen.

Das bei der Kommune verdiente Einkommen ist im Übrigen auch für Schwarzarbeiter kaum attraktiv, denn wer schwarzarbeitet, kann nicht acht Stunden am Tag der Kommune zur Verfügung zu stehen. Aber das darf kein Problem sein, denn es kommt durch die Notwendigkeit, im Austausch für die Sozialhilfe zu arbeiten, zu einer Selbstselektion der wirklich Bedürftigen. Wer über andere Einkommen verfügt, wird sich nicht bei der Kommune melden, und auch das ist gut so. Es entsteht bei diesen Personen ja kein soziales Problem.

Ein Sparkassenleiter in Dresden berichtete anlässlich der Vorstellung des ifo-Vorschlags von einem Kunden, der sich vor ein paar Jahren ein neues Haus gebaut habe und nun die in Anspruch genommenen Baukredite abzahlen müsse. Dazu sei er zum einen auf die Sozialhilfe und zum anderen auf seine Einnahmen aus der Schwarzarbeit angewiesen. Wenn nun eine Beschäftigung von acht Stunden als Gegenleistung für die Sozialhilfe verlangt werde, könne er seine Zahlungsverpflichtungen nicht mehr erfüllen. Ähnlich gelagerte Fälle sind nicht selten. Darauf kann und darf der Rechtsstaat aber keine Rücksicht nehmen. Es ist nicht die Aufgabe der Sozialhilfe, Menschen in die Lage zu versetzen, sich eigene Häuser zu bauen.

Die kommunale Arbeit wird keine Konkurrenz für die Privatwirtschaft bedeuten und nicht zu einer Verdrängung privater Handwerker führen, wie man es vielleicht auf den ersten Blick befürchten mag. Denn zum einen wird der Schwarzmarkt ausgetrocknet, weil die Bezieher der staatlichen Fördermittel im Gegensatz zu heute keine Zeit mehr für die Schwarzarbeit haben. Zum anderen soll die kommunale Arbeit möglichst nicht von den Kommunen selbst organisiert werden. Diejenigen, die in der Privatwirtschaft nicht unterkommen, haben zwar die Möglichkeit, bei ihrer Kommune ein formelles Arbeitsverhältnis zu begründen, das ihnen ein Einkommen in Höhe der heutigen Sozialhilfe verschafft. Jedoch soll die Kommune die Arbeitskraft über private Leiharbeitsfirmen meistbietend an die private Wirtschaft weiterverleihen. Davon wird insbesondere das lokale Handwerk profitieren. Das Handwerk ist der natürliche Platz, wo die Leiharbeiter untergebracht werden können. Wenn man so will, kann man den Vorschlag als Programm zur Überführung der Schwarzarbeit in eine legale Beschäftigung beim lokalen Handwerk interpretieren.

Der ifo-Vorschlag, in größerem Umfang subventionierte Leiharbeitsverhältnisse zu begründen, wurde übrigens im

Anschluss von der Hartz-Kommission übernommen, die ihn zum Kern der Aktivitäten der von ihr geforderten »Personal-Service-Agentur« (PSA) machen wollte.[22] Die Niederlande, wo 4 % der Erwerbstätigen in Leiharbeitsverhältnissen untergebracht sind, sind ein wichtiges Anschauungsbeispiel für die praktische Bedeutung dieser Art von Beschäftigungsverhältnis.

Das Modell der Aktivierenden Sozialhilfe geht davon aus, dass dauerhaft eine große Zahl von Menschen einen Lohnzuschuss benötigt, weil ihr Markteinkommen gemessen an den sozialen Standards dieser Gesellschaft zu niedrig ist. Auch viele der gering Qualifizierten, die heute bereits beschäftigt sind, werden eine Lohneinbuße hinnehmen müssen, weil die Arbeitgeber sie ansonsten gegen billigere Neubeschäftigte austauschen würden. Das ist der so genannte Mitnahmeeffekt. Das ifo-Modell prognostiziert eine Zahl von 4,5 Millionen Menschen, für die ein Mitnahmeeffekt in mehr oder weniger starker Form zu erwarten ist. Diesen Mitnahmeeffekt muss man wollen und einplanen, denn für einen gegebenen Typ von Arbeit gibt es auf die Dauer an einem Standort stets auch nur ein Niveau der Lohnkosten, das Vollbeschäftigung schafft. Aus sozialen Gründen muss man breitflächig und dauerhaft Lohnsubventionen in der beschriebenen Form zahlen, um die Einkommen der Betroffenen zu sichern. Das ist es, was die Politik der Lohnergänzung bedeutet. Der Mitnahmeeffekt kostet den Staat ohne Zweifel viel Geld, doch, wie die Berechnungen des ifo Instituts zeigen, lange nicht so viel, wie durch die Absenkung von Arbeitslosen- und Sozialhilfe eingespart wird. Per saldo gewinnt der Staat bei dem Programm sogar. Die Budgetüberschüsse, die das neue System im Vergleich zum alten erzeugt, liegen mittel- und längerfristig im Bereich von 7 Milliarden Euro.

Auch bei dem PSA-Vorschlag der Hartz-Kommission würde wegen der Subventionierung von Arbeitsverhältnissen im Umfang von etwa 50 % der tatsächlichen Lohnkosten ein Mitnahmeeffekt erzeugt.[23] Da die Subventionierung im Gegensatz zum ifo-Vorschlag nicht auf den Niedriglohnsektor beschränkt ist, sondern alle Qualifikationssegmente des Arbeitsmarktes erfasst, liegt dieser Effekt freilich bei einem Vielfachen der oben genannten 4,5 Millionen Personen. Es entstünde eine Belastung des Staatsbudgets im Umfang von vielen Dutzend Milliarden Euro, die fiskalisch nicht mehr beherrschbar wäre. Die unlösbaren Finanzierungsimplikationen haben die Politik veranlasst, diesen Teil des Vorschlags der Kommission, nach deren eigenem Bekunden freilich das »Herzstück« des gesamten Gutachtens, wie eine heiße Kartoffel fallen zu lassen und in der Öffentlichkeit nicht weiter zu diskutieren, ungeachtet des Lippenbekenntnisses, die Vorschläge »eins zu eins« umzusetzen.

Das neue System der Aktivierenden Sozialhilfe des ifo Instituts ist im Gegensatz zum Hartz-Vorschlag im Hinblick auf seine fiskalischen Implikationen und die Auswirkungen auf den Arbeitsmarkt durchgerechnet worden. Der Sachverständigenrat und der Wissenschaftliche Beirat beim Bundesministerium für Wirtschaft haben das ifo-Modell, wie erwähnt, mit seinen Kernstücken übernommen und für Deutschland empfohlen. Die Aktivierende Sozialhilfe ist der Weg zur Überwindung des wichtigsten Problems, unter dem der deutsche Arbeitsmarkt leidet und das als Hauptursache der Arbeitslosigkeit angesehen werden kann. Im gesamten Niedriglohnbereich bis in den Bereich normaler Arbeitsverhältnisse hinein wird sich der Arbeitsmarkt beleben, und die Effekte werden weit über den Bereich der Sozialhilfeempfänger hinausgehen. Obwohl der Staat Geld spart, wird es den ärmsten Mitgliedern der Gesellschaft besser gehen als heute. In der Summe aus dem selbst verdienten Einkommen und der Zuzahlung des Staates werden sie mehr Geld in der Tasche haben, als wenn sie nur die Sozialhilfe bezögen. Hinzu kommt, dass sie als vollwertige Mitglieder der Gesellschaft akzeptiert werden, ihrer täglichen Arbeit nachgehen und ihren Kindern mit Würde gegenübertreten können, die nun ebenfalls an die Normalität der regulären Erwerbsarbeit gewöhnt werden.

DER SOZIALSTAAT: MÄCHTIGSTER KONKURRENT DER WIRTSCHAFT

1 Sie bleiben freilich auch wegen des Phänomens der so genannten adversen Selektion unversichert: Sofern der Versicherer seine Prämien mangels Information zwischen guten und schlechten Risiken nicht unterscheiden kann, die Versicherten ihren Risikotyp aber kennen, werden sich die guten Risiken beim Kauf von Policen zurückhalten oder gar keine Verträge abschließen. Gibt es viele Risikoklassen, so kann es sein, dass am Markt nur ein Restmarkt für die ganz schlechten Risiken übrig bleibt, obwohl die guten Risiken eigentlich Interesse an einem Versicherungsschutz haben und bereit sind, Prämien zu zahlen, die ausreichen, die Versicherungsunternehmen für die Übernahme ihrer Risiken zu kompensieren. Die adverse Selektion ist neben der angesprochenen Problematik des späten Vertragszeitpunkts ein zweiter respektabler Grund für staatlichen Versicherungsschutz oder doch zumindest für einen staatlichen Versicherungszwang.

2 Die durchschnittlichen monatlichen Pro-Kopf-Ausgaben an laufender Hilfe zum Lebensunterhalt für Empfänger außerhalb von Einrichtungen stiegen von 1970 bis 2000 von 90 DM auf 495 DM an. Der durchschnittliche Industriearbeiterstundenlohn stieg von 6,07 DM beziehungsweise 3,10 Euro auf 13,98 Euro.

3 Statistisches Bundesamt, Fachserie 13, Reihe 2, Sozialhilfe 2000, S.130.

4 Sachverständigenrat zur Begutachtung der gesamtwirtschaftlichen Entwicklung, Jahresgutachten 2000/2001, Chancen auf einen höheren Wachstumspfad, Wiesbaden 2000, S.92–94.

Vergleiche auch B. Fitzenberger, Wages and Employment Across Skill Groups. An Analysis for West Germany, ZEW Economic Studies, Band 6, Physica, Heidelberg 1999, und die dort angegebene Literatur.

5 Vergleiche A. Reinberg und M. Hummel, Qualifikationsspezifische Arbeitslosenquoten, Reale Entwicklung oder Statistisches Artefakt?, IAB Werkstatt Bericht Nr. 4, 2002.

6 Siehe http://www.pub.arbeitsamt.de.

7 Vergleiche H.-W. Sinn et al., Aktivierende Sozialhilfe, a.a.O., S.40.

8 Statistisches Bundesamt, Ergebnisse des Mikrozensus, auf Anfrage, August 2003.

9 Vergleiche Kapitel 8, Abschnitt »Zuwanderung in die Arbeitslosigkeit«.

10 OECD, Knowledge and Skills for Life, First Results from the OECD Programme for International Student Assessment (PISA) 2000, Paris 2001, sowie insbesondere: Max-Planck-Institut für Bildungsforschung, Pisa 2000, OECD Pisa, Zusammenfassung zentraler Befunde, Programme for International Student Assessment, Berlin 2001, S.21.

11 Fortschreibung der Untersuchung von H.-W. Sinn et al., Aktivierende Sozialhilfe, a.a.O., S.37, wo der Rechtsstand des ersten Halbjahres 2002 dargestellt ist.

12 In diesem Modellhaushalt ist im Einkommensbereich zwischen 1.570 Euro und 2.470 Euro brutto eine sukzessive Kürzung des Wohngeldanspruchs zu beachten. Die Grenzbelastung liegt dort höher, als es wegen der Steuern und Sozialabgaben zu erwarten wäre.

13 Genaue Darstellungen für alternative Familientypen, freilich nach dem Rechtsstand des Jahres 2002, findet man in H.-W. Sinn et al., Aktivierende Sozialhilfe, a.a.O., S.34–38.

14 Vergleiche H.-W. Sinn, Die Höhle in der Eiger-Nordwand. Eine Anmerkung zum Mainzer Modell und zum Wohlfahrtsstaat an sich, ifo Schnelldienst 55, 2002, Nr. 3, S.20–25, wo das ursprüngliche Modell aus Rheinland-Pfalz behandelt wird, sowie H.-W. Sinn et al., Aktivierende Sozialhilfe, a.a.O. (bundesweite Regelung; Rechtsstand 1. Halbjahr 2002).

15 Alle Angaben beziehen sich auf den Rechtsstand des ersten Halbjahres 2003.

16 Vergleiche Verband Deutscher Rentenversicherungsträger, VDR, Hrsg., Rentenversicherung in Zeitreihen, Frankfurt 2002, S.58f., 113.

17 Vergleiche Verband Deutscher Rentenversicherungsträger, VDR, Hrsg., Rentenversicherung in Zeitreihen, Frankfurt 2002, S.51.

18 Vergleiche Bundesanstalt für Arbeit, Arbeitsmarkt in Zahlen, Aktuelle Daten, März 2003, Tabelle 6.1.1.

19 Ein Hinzuverdienst ist in Deutschland derzeit erst nach Erreichen der Regelaltersgrenze von 65 Jahren unbeschränkt möglich. Wer eine Altersrente bereits vor Erreichen dieser Grenze bezieht, unterliegt einer Hinzuverdienstgrenze von 325 Euro, falls er eine Vollrente bezieht.

20 Siehe H.-W. Sinn et al., Aktivierende Sozialhilfe, a.a.O. (Mai 2002); sowie Ch. Holzner, W. Ochel und M. Werding, Vom OFFENSIV-Gesetz zur »Aktivierenden Sozialhilfe«, ifo Forschungsbericht (in Vorbereitung), München 2003.

21 Vergleiche Wissenschaftlicher Beirat beim Bundesministerium für Wirtschaft und Technologie, Reform des Sozialstaats für mehr Beschäftigung im Bereich gering qualifizierter Arbeit. Gutachten vom 29. Juni 2002, Hamburg 2002; Sachverständigenrat zur Begutachtung der gesamtwirtschaftlichen Entwicklung, Jahresgutachten 2002/03: Zwanzig Punkte für Beschäftigung und Wachstum, Wiesbaden 2002, insbes. Tz.433–457.

22 Moderne Dienstleistungen am Arbeitsmarkt. Vorschläge der Kommission zum Abbau der Arbeitslosigkeit und zur Umstrukturierung der Bundesanstalt für Arbeit, Kommissionsbericht unter dem Vorsitz von P. Hartz im Auftrag der deutschen Bundesregierung, Berlin, 16. August 2002.

23 Vergleiche Hartz-Kommission, a.a.O., Rechenbeispiel S.155, Abbildung 23, und H.-W. Sinn, Das Herz von Hartz, Handelsblatt, Nr.158, 19. August 2002, S.8.

Dem westdeutschen Konkursan-
walt, der sich kürzlich in Leipzig
niederließ, »weil die Geschäfte
jetzt im Osten«, wie er sagte, »so
richtig gut laufen«.

5.
DER VERBLÜHENDE OSTEN

Der deutsche Mezzogiorno – Geld, Geld und noch mal Geld – Überholmanöver bei den Löhnen – Gleicher Lohn für gleiche Arbeit am
gleichen Ort – »Nur keine Japaner!«: die zweifelhafte Rolle der westdeutschen Tarifpartner im Osten – Die Holländische Krankheit – Ein
Befreiungsversuch

Der deutsche Mezzogiorno

In »drei, vier, fünf Jahren« sollten sich blühende Landschaften
zeigen, so hatte es Helmut Kohl versprochen, als er im Jahre
1991 die Wahlen gewinnen wollte und noch nicht einmal
glaubte, die Steuern erhöhen zu müssen, um die Vereinigungslasten bezahlen zu können. Ein sich selbst tragender Aufschwung sollte im Handumdrehen eine leistungsfähige Wirtschaft nach westlichem Muster erschaffen, die einen der ersten
Plätze im Gefüge der Industrienationen einnimmt und sich
selbst zu finanzieren in der Lage ist.

Es kam leider nicht so. Die Wirtschaftsordnung der
Bundesrepublik mitsamt ihren tarif- und sozialrechtlichen
Regelungen, unter deren Last bereits die produktive westdeut-

sche Wirtschaft ächzte, wurde über die vom Kommunismus verwüstete DDR-Wirtschaft gestülpt und ließ einem sich selbst tragenden Aufschwung von vornherein keinerlei Chancen. Ökonomen haben zwar frühzeitig vor dem Kurs gewarnt, wurden aber von der Politik und den Medien überhört.[1] Bis heute warten die Deutschen vergeblich auf das zweite Wirtschaftswunder in den neuen Bundesländern.

Statt eines Wirtschaftswunders ist ein zweiter Mezzogiorno in Europa entstanden, eine lahmende Wirtschaftsregion, die es nicht schafft, an die besser entwickelten Regionen des Landes Anschluss zu finden. Der italienische Mezzogiorno, das Gebiet von Neapel bis Sizilien, verharrt schon seit Jahrzehnten in einer solchen Position, ohne dass sich irgendwelche Anzeichen für eine Besserung ergeben.

Dabei erschien es manchem zu Anfang, als könnte der Start in die Marktwirtschaft gelingen. Das viele Geld, das der Bund für die neuen Länder bereitstellte, und die Eldorado-Politik der Treuhandanstalt, die Scharen von Glücksrittern aus dem Westen anzog, erzeugten eine euphorische Aufbruchstimmung und nach dem anfänglichen Zusammenbruch der Wirtschaft ein hohes Wirtschaftswachstum. Der Lebensstandard der Ostdeutschen stieg rasch, die Straßen und Schienenwege wurden mit erstaunlichem Tempo überholt, und die Innenstädte wurden durch den eisernen Griff der Bagger und Baukräne rasch wieder in Stand gesetzt.

Eine besondere Rolle bei der Unterstützung der neuen Länder nahm das Fördergebietsgesetz ein, mit dem der Gesetzgeber sämtliche Register der Subventionsorgel gezogen hatte. Die Förderung der Kapitalinvestitionen war so enorm umfangreich, dass es auf echte Erträge bisweilen gar nicht mehr ankam. Während typische industrielle Anlagen im Westen mindestens eine reale Vorsteuerrendite von 3,1 % erzeugen mussten, um unter den im Westen gültigen Steuern und Subventionen gerade noch mit einer Kapitalmarktanlage Schritt halten zu können, war im Osten nur eine Vorsteuerrendite von

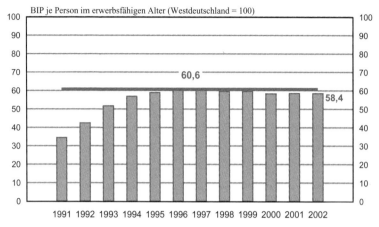

Gesamtwirtschaftliche Produktivität Ost

BIP je Person im erwerbsfähigen Alter (Westdeutschland = 100)

60,6

58,4

1991 1992 1993 1994 1995 1996 1997 1998 1999 2000 2001 2002

Quelle: Statistisches Bundesamt, Berechnungen des ifo Instituts.

ABBILDUNG 5.1

minus 5,1% erforderlich.[2] Mit anderen Worten: Auch dann, wenn das eingesetzte Kapital keine Erträge lieferte, sondern pro Jahr Bruttoverluste im Umfang von etwa 5% des eingesetzten Kapitals brachte, hat es dank der Subventionen für den Investor immer noch dieselbe Nettorendite wie langfristige Staatspapiere eingefahren. Auch ganz unsinnige Investitionen wurden durch die Förderung über die Gewinnschwelle gehoben, und viel Geld wurde damals verheizt.

Bald zeigte sich, dass die Flammen der Wirtschaft nur aus einem Strohfeuer loderten. Als die Schleuderaktionen der Treuhand vorbei waren und das Fördergebietsgesetz mit dem Jahr 1996 auslief, erlosch das Feuer, die Baukräne wurden wieder abgebaut, und das wirtschaftliche Wachstum erlahmte. Seitdem hat die Wirtschaft der neuen Länder noch nicht wieder Tritt fassen können.

Abbildung 5.1 veranschaulicht diese Entwicklung anhand eines gesamtwirtschaftlichen Produktivitätsvergleichs. Dabei

wird Ostdeutschland als Gebiet der Ex-DDR, also ohne West-
berlin, definiert, weil es ja um die Entwicklung der ehemals
kommunistischen Gebiete geht. Das Diagramm zeigt die
gesamtwirtschaftliche Produktivität im Sinne des Bruttoinlandsprodukts je Person im erwerbsfähigen Alter. Dieses Maß
ist frei von den statistischen Willkürlichkeiten bei der Definition der Erwerbspersonen. Westdeutschland ist gleich 100
gesetzt, und die dargestellten Balken zeigen den Osten in Relation dazu. Man sieht, dass die ostdeutsche Produktivität in den
ersten Jahren nach der Währungsunion bei knapp einem Drittel des Westniveaus gelegen hatte, dann aber mit raschem
Tempo anstieg und bereits 1996 ein Niveau von 60,6 % des
Westens erreichte. Danach sank die Produktivitätsrelation mit
jedem Jahr wieder ab, und im Jahr 2002 betrug sie nur noch
58,4 %.

Die Abbildung basiert auf offiziellen Angaben der volkswirtschaftlichen Gesamtrechnung, aber sie liefert im Grunde
noch ein viel zu optimistisches Bild des Konvergenzprozesses.
Denn die volkswirtschaftliche Gesamtrechnung überzeichnet
die tatsächliche Konvergenz des Bruttoinlandsprodukts je
Erwerbsfähigen insofern, als ein Teil der gemessenen Wertschöpfung auf den Beitrag des Staates entfällt, der mangels
anderer Erhebungsmöglichkeiten mit den Lohnkosten des
Staates gleichgesetzt wird. Über die 14,7 % der ostdeutschen
Erwerbstätigen, die beim Staat beschäftigt sind, hat die Politik
der raschen Lohnangleichung, die in den neuen Bundesländern
seit der Wende realisiert wurde, bereits für sich genommen zu
einem Stück scheinbarer Konvergenz geführt, der jegliche ökonomische Bedeutung fehlt.[3] Im Jahr 2001 lagen die Bruttoeinkommen der ostdeutschen Staatsbediensteten bereits bei
93,3 % der Bruttoeinkommen ihrer westdeutschen Kollegen.[4]
Rechnet man die beim Staat beschäftigten Arbeitnehmer im
Osten und Westen aus den Zahlen heraus, so gelangt man für
das Jahr 2002 zu der Erkenntnis, dass die ostdeutsche Produktivität im Vergleich zum Westen erst bei 56 % angekommen ist.

Zur richtigen Interpretation der Zahlen ist zu bedenken, dass sie sich auf einen gesamtwirtschaftlichen Vergleich beziehen und nicht die betriebswirtschaftliche Produktivität widerspiegeln. Letztere unterscheidet sich von jener im Westen nur so weit, wie es die Löhne tun, weil die Firmen, die nach der Wende gegründet wurden, mit neuestem Know-how an das Lohnniveau angepasst wurden und weil von den alten Firmen alles vernichtet wurde, was den hohen Löhnen, die heute in den neuen Ländern gezahlt werden, nicht genügte. Die betriebswirtschaftliche Produktivitätsentwicklung folgt in der Marktwirtschaft immer ziemlich genau der Lohnentwicklung, weil minder produktive Firmen und Produktionsverfahren, die die Löhne nicht tragen können, ausgemerzt werden, wenn es sie einmal gab, oder den Schritt vom Reißbrett in die Realität nicht schaffen. Die betriebswirtschaftliche Produktivität des privaten Sektors lag im Jahr 2002 in den neuen Bundesländern bei 69 % des Westniveaus.[5] Aus Gründen, die schon in Kapitel 2 ausführlich diskutiert wurden, muss man bei volkswirtschaftlichen Produktivitätsvergleichen stets die nicht beschäftigten Erwerbspersonen im Nenner der Produktivitätsziffern mitberücksichtigen, wenn man ein unverzerrtes Bild erhalten möchte. Sonst könnte man durch entsprechend ausufernde Lohnsteigerungen jeden beliebigen Produktivitätszuwachs erzeugen, indem man all jene Unternehmen in den Konkurs treibt und damit aus der Statistik entfernt, die diese Lohnsteigerungen wegen ihrer geringen Produktivität nicht verkraften. Das Thema ist bei einem Vergleich von Ländern mit ähnlichen Arbeitslosenquoten vernachlässigbar, aber bei einem Vergleich zwischen Ost- und Westdeutschland ist es essenziell für das Verständnis der Sachlage.

Aber zurück zu den offiziellen Angaben: Die 58 %, die die Abbildung 5.1 für die ostdeutsche Produktivität zeigt, sind interessanterweise ungefähr der Wert, der auch den italienischen Mezzogiorno kennzeichnet. Dort liegt die gesamtwirtschaftliche Produktivität im Sinne des Bruttoinlandsprodukts je Erwerbsfähigen ebenfalls bei knapp 60 % des Wertes für

Mittel- und Oberitalien, ohne dass irgendeine Tendenzänderung zum Besseren in Sicht wäre.[6] Die italienischen Verhältnisse haben sich in dieser Hinsicht über lange Zeitspannen nicht verändert. Auch schon vor dem Krieg, im Jahr 1936, lag die Süd-Nord-Relation der gesamtwirtschaftlichen Produktivitätsziffern in Italien bei 60 %.[7]

Das damals mitteldeutsche Gebiet, das heute die neuen Bundesländer kennzeichnet, stand zu dieser Zeit ganz anders da. In Thüringen, Sachsen und Sachsen-Anhalt gab es die produktivsten und innovativsten Unternehmen ganz Deutschlands, wenn nicht Europas. Von der Flugzeugindustrie mit den Junkers-Werken in Dessau über die Motorrad- und Autoindustrie mit den DKW- beziehungsweise AUTO-UNION-Werken in Zschopau und den BMW-Werken in Eisenach bis hin zu den Zeiss-Werken in Jena befand sich dort nicht nur die Crème de la Crème der deutschen Wirtschaft, sondern das Hightech-Zentrum der Welt, vergleichbar nur mit dem, was heute das Silicon Valley in Kalifornien ist. Die chemische Industrie hatte mit Firmen wie Buna in Schkopau, BRABAG in Schwarzheide, IG Farben in Bitterfeld und nicht zuletzt den Leuna-Werken die Spitzenposition der Welt inne. Dementsprechend hoch war die gesamtwirtschaftliche Produktivität Mitteldeutschlands. Sie lag um 27 % über dem Niveau Westdeutschlands.[8]

Umso bedauerlicher ist es, dass Ost- und Westdeutschland heute nicht mehr zusammenwachsen, ja sogar seit 1997 allmählich immer weiter auseinander driften. Den verhängnisvollen Trend zeigt bereits die Abbildung 5.1. Er folgt aber auch aus einem direkten Vergleich der Wachstumsziffern zwischen Ost- und Westdeutschland. Seit 1997 ist das prozentuale Wachstum in den neuen Ländern Jahr für Jahr kleiner als im Westen. Während die westdeutsche Wirtschaft (ohne Berlin) in den sieben Jahren von 1995 bis 2002 um 11 % wuchs und damit um sechs Prozentpunkte unter dem Durchschnitt der EU-Länder lag (vergleiche auch Abbildung 1.2), wuchs die Wirtschaft der neuen Länder gar nur um 9 %.[9] Von einem sich selbst tragenden Aufschwung, einer Konvergenz zwischen Ost und West, einem Zusammenwachsen dessen, was da zusammenwachsen soll, keine Spur. Im Gegenteil, der Abstand in der Leistungskraft von Ost- und Westdeutschland wird prozentual größer und größer. Die ökonomische Wirklichkeit des deutsch-deutschen Vereinigungsprozesses liegt so weit von dem entfernt, was die verantwortlichen Politiker dem Volk in Aussicht gestellt hatten, dass man die wirtschaftliche Vereinigung der beiden Landesteile als gescheitert ansehen kann.

Noch immer gibt es Politiker, die beschwichtigend auf die schrumpfende Bauindustrie verweisen, die nun nicht mehr in dem Umfang benötigt wird wie in den Jahren der Renovierung der ostdeutschen Innenstädte. Die Entwicklung in der ostdeutschen Industrie verlaufe deutlich günstiger als in der Bauwirtschaft, und das könne als Basis für einen Aufschwung angesehen werden, lautet ihr Argument. In der Tat wuchs die ostdeutsche Industrie (produzierendes Gewerbe ohne Baugewerbe) in den Jahren von 1995 bis 2002 real um beachtliche 43 %, während die westdeutsche Industrie (einschließlich Berlin) gleichzeitig praktisch nicht mehr wuchs (1,5 % in sieben Jahren).[10]

Aber die Industrie der neuen Länder ist nach dem Kahlschlag der Treuhandanstalt, bei dem drei Viertel der Industriearbeitsplätze verloren gegangen waren, nur ein kleines, zartes Pflänzchen, das mangels Masse nicht viel zum Wachstum beitragen kann: Während im Westen 31 % der privat Beschäftigten im verarbeitenden Gewerbe tätig sind, liegt der entsprechende Wert im Osten nur bei 15 %. Das insgesamt miserable Wachstumsergebnis, das in Abbildung 5.1 dargestellt ist, bezieht sich auf alle Branchen zusammengenommen, einschließlich der Industrie. Es kann in keiner Weise befriedigen, wie man es auch dreht und wendet.

Der ostdeutsche Anteilswert für die Industriebeschäftigung von nur 15 % ist übrigens noch kleiner als der entsprechende Wert des italienischen Mezzogiorno, der immerhin 19 % beträgt. Während die Nord-Süd-Differenz beim Anteilswert der Industriebeschäftigung in Italien acht Prozentpunkte ausmacht, liegt die West-Ost-Differenz in Deutschland bei 16 Prozentpunkten. Es wäre gut, wenn Ostdeutschland seinen Rückstand bei der Industrieproduktion wenigstens auf das Niveau des italienischen Mezzogiorno verringern könnte. Dann wäre Deutschland schon ein gutes Stück weiter.

Besonders enttäuschend ist das niedrige Investitionsniveau der neuen Länder. Damit ein sich selbst tragender Aufschwung und eine Annäherung an den Westen stattfinden können, müssten die neuen Länder eigentlich für viele Jahre relativ zu ihrer Bevölkerung sehr viel mehr investieren als der Westen, denn ein Aufholen der Produktion lässt sich unter sonst ähnlichen Voraussetzungen nur durch eine Verbesserung der Kapitalausstattung und eine Annäherung dieser Ausstattung an das Westniveau erreichen. Leider liefert die Investorenrechnung, die das ifo Institut regelmäßig für das Statistische Bundesamt durchführt, in dieser Hinsicht ein enttäuschendes Ergebnis. Zwar hatte im Jahr 1996 das Niveau aller privaten Investitionen je Einwohner im erwerbsfähigen Alter in den neuen Ländern bei 144 % des Westniveaus gelegen. Doch war dieser Wert bis zum Jahr 2002 auf 90 % des Westniveaus geschrumpft, und die für die Industrie so wichtigen Ausrüstungsinvestitionen, also insbesondere die Investitionen in Maschinen, Fahrzeuge und technische Anlagen, die im Jahr 1995 das Westniveau gerade nur erreicht hatten, waren 2002 wieder bis auf 76 % gefallen. Das sind keine Werte, die irgendwelche Hoffnungen auf einen Aufholprozess zulassen.

Die Werte sind allerdings etwas günstiger als beim italienischen Mezzogiorno. Dort hatten die Pro-Kopf-Investitionen in Ausrüstungen vor 30 Jahren bei etwa 80 % des Wertes von Nord- und Mittelitalien gelegen, waren dann aber zurückgegangen und liegen heute nur noch bei gut 40 %. Es steht nur zu hoffen, dass die neuen Bundesländer relativ zu den alten nicht den gleichen Weg gehen wie der italienische Mezzogiorno in den letzten 30 Jahren.

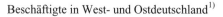

Beschäftigte in West- und Ostdeutschland[1]

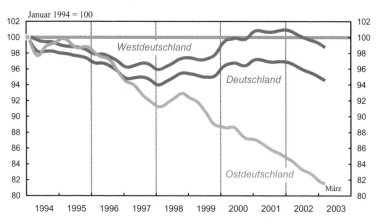

1) Sozialversicherungspflichtig Beschäftigte; saisonbereinigte Monatswerte.
Quelle: Bundesanstalt für Arbeit, Berechnungen des ifo Instituts.

ABBILDUNG 5.2

Auch der Blick auf den ostdeutschen Arbeitsmarkt verheißt nichts Gutes. Während die Beschäftigung in der DDR bei 9,7 Millionen Personen gelegen hatte, zählte man im Jahr 2002 nur noch 6,2 Millionen Beschäftigte in den neuen Ländern. Etwa 340.000 Erwerbstätige sind seit dem Fall der Mauer ausgewandert, 480.000 wurden Westpendler, und etwa eine Million wurden auf dem Wege der Frühverrentung und anderer arbeitsmarktpolitischer Maßnahmen ausgesteuert.[11] 1,4 Millionen Personen oder 18 % der Erwerbsbevölkerung wurden im Jahr 2002 als arbeitslos gezählt, fast so viel wie die 22 %, die im italienischen Mezzogiorno registriert werden. Der Rest ist aus den verschiedensten Gründen nicht mehr erwerbstätig.[12]

Jahr um Jahr sinkt das Niveau der sozialversicherungspflichtigen Beschäftigung in den neuen Ländern. Abbildung 5.2 zeigt die Entwicklung anhand einer Indexkurve, die im Jahr 1994 beginnt, als die anfänglichen Entlassungen der Treuhandanstalt bereits realisiert waren. Während die Beschäf-

223

tigung in Westdeutschland seit dieser Zeit im Wesentlichen konstant blieb, fiel sie in Ostdeutschland in raschem Tempo, ohne dass sich eine Verlangsamung der Fallgeschwindigkeit und eine Bodenbildung abzeichnen würde. Pro Jahr geht die sozialversicherungspflichtige Beschäftigung um circa 1,8 % zurück und lag zum Ende des Jahres 2002 bei nur noch 82,5 % des Niveaus von 1994.

Die Arbeitslosigkeit hat insbesondere unter den jungen Menschen erschreckende Ausmaße erreicht. In Cottbus hatten im Jahr 2002 beunruhigende 17 % der Jugendlichen unter 25 Jahren weder einen Arbeits- noch einen Ausbildungsplatz. Kaum besser ist die Situation in Chemnitz, wo 15 %, und in Stralsund, wo knapp 18 % der Jugendlichen auf der Straße sitzen. Auf den Fernsehschirmen der Welt konnte man verfolgen, welch hässliche Auswirkungen die Arbeitslosigkeit und der Verlust der Perspektiven bei der ostdeutschen Jugend hatten. Mit den Demonstrationen der ostdeutschen Neonazis und Randalierer hat Deutschland der internationalen Presse wieder das Material geliefert, das die Verfestigung alter Klischees ermöglicht.

Die Probleme sind in der Breite der ostdeutschen Wirtschaft zu beobachten und spitzen sich in speziellen Regionen zu. Während einige Arbeitsamtsbezirke in Thüringen, wie Suhl oder Gotha, mit Arbeitslosenquoten von circa 14 % eine nur im Vergleich als günstig zu bezeichnende Entwicklung nahmen, bieten Städte wie Neubrandenburg oder Sangershausen ein besonders trauriges Bild. Die Arbeitslosenquoten lagen dort im Jahr 2002 im Bereich von 23 %, die in ABM-Maßnahmen und anderweitig versteckte Arbeitslosigkeit noch gar nicht gerechnet. Bei diesen Zahlen ist es kein Wunder, dass die Jugendlichen gegen die Zustände aufbegehren und es an den Rändern der Gesellschaft zu Zerfallserscheinungen kommt, die vom Drogenmissbrauch bis zum Vandalismus und anderen gewalttätigen Aktionen reichen.

Geld, Geld und noch mal Geld

Es ist eher verwunderlich, dass die politischen Verhältnisse immer noch vergleichsweise ruhig sind, dass gewalttätige Demonstrationen ausbleiben und dass es nicht zu offenen Revolten kommt. Mit scheinbar stoischer Gelassenheit ertragen die neuen Bundesbürger die Massenarbeitslosigkeit, die der Kapitalismus ihnen gebracht hat.

Der Grund für diese Gelassenheit kann in den vergleichsweise hohen Einkommen gesehen werden, die die ostdeutschen Haushalte trotz der Massenarbeitslosigkeit erzielen. Nach Berechnungen des ifo Instituts lagen 2001 die verfügbaren Einkommen der privaten Haushalte in den neuen Ländern unter Berücksichtigung der Löhne, Sozialtransfers, Selbständigen- und Vermögenseinkommen mittlerweile bei 82 % des entsprechenden Westniveaus (alte Bundesländer und Berlin), was wegen der im Westen um etwa 8,5 % höheren Preise und insbesondere Mieten bereits real eine Annäherung bis auf 89 % bedeutet.[13]

Die Konvergenz der Einkommen übersteigt vermutlich die Konvergenz, die unter den Regionen im Westen bereits hergestellt wurde. Die in westdeutschen Regierungsbezirken *empfangenen* Einkommen werden zwar nicht erhoben, doch sind die dort *entstandenen* Einkommen im Sinne des Bruttoinlandsprodukts bekannt. Regierungsbezirke wie Lüneburg oder Münster haben ein Bruttoinlandsprodukt pro Kopf, das nur bei 66 % beziehungsweise 74 % des westdeutschen Durchschnitts liegt.[14]

Besonders hoch ist das Rentenniveau in den neuen Bundesländern. Die Renten aus der gesetzlichen Rentenversicherung liegen pro ostdeutschen Rentenbezieher gerechnet nominal um 12 %, real sogar um 21 % über den entsprechenden Werten des Westens.[15] Das liegt nur zu einem Teil an der anderen Erwerbsbiografie der Frauen in den neuen Ländern, die im Gegensatz zu den Frauen im Westen in der Regel über eigene

Rentenansprüche verfügen. Doch selbst, wenn man nur auf die männlichen Personen abstellt, übersteigen die Renten pro Rentenbezieher in den neuen Bundesländern das Westniveau immer noch um knapp 4 %.[16]

Für einen fairen Vergleich sollte man freilich auch noch die Betriebsrenten, die Zusatzversorung des öffentlichen Dienstes (VBL) und andere berufsständische Versorgungsleistungen berücksichtigen, die im Westen in der einen oder anderen Form von etwa einem Drittel der Rentner zusätzlich bezogen werden. Ferner erzielt ein knappes Zehntel der Rentner im Westen Beamtenpensionen, die höher sind als die durchschnittlichen Renten aus der gesetzlichen Rentenversicherung. Nimmt man alle Quellen zusammen, so lagen die Renten aus der gesetzlichen Rentenversicherung in den neuen Bundesländern im Jahr 1999 nominal bei 92 % und real bei ziemlich genau 100 % der durchschnittlichen westlichen Altersrenten. In einem gewissen, kleineren Umfang dürften heute, 13 Jahre nach der Vereinigung, auch im Osten einige Betriebs- und VBL-Renten zusätzlich zu den Renten der gesetzlichen Rentenversicherung anfallen, sodass in realer Rechnung ein kleiner Überhang der Ostrenten über die Westrenten zu verzeichnen ist. Der Umfang dieses Überhangs ist zwar nicht bekannt, doch lässt sich mit Sicherheit konstatieren, dass bei den Renten keinerlei Nachholbedarf mehr besteht.

Auch die Lebensqualität in den Städten der neuen Länder hat sich seit der Wende erheblich verbessert. Wenngleich hier ein quantitativer Vergleich nicht möglich ist, drängen sich dem aufmerksamen Beobachter einige Vergleiche auf. So nötigen die Qualität der Bausubstanz und der Renovierungszustand mancher ostdeutschen Städte dem Besucher große Bewunderung ab. Wo selbst in München Waschbeton das Straßenbild prägt, schreitet man in Leipzig über edle Natursteinpflaster an sorgfältig restaurierten Fassaden prächtiger Gründerzeithäuser vorbei, und statt einer billigen Woolworth-Atmosphäre, wie man sie in der Gegend des Ulmer Münsters findet, kann man in Bautzen den Charme einer gediegenen Einkaufsmeile mit teuren Einzelhandelsgeschäften erleben. Natürlich ist das Bild gemischt. Wer in Halle vom Bahnhof in die Innenstadt geht, fühlt sich noch immer in die Dritte Welt versetzt und atmet erst voller Bewunderung auf, wenn er das berühmte Jugendstil-Viertel erreicht hat. Aber den Hauch von Dritter Welt kann man auch in der Nähe des Bielefelder Bahnhofs oder in der Fußgängerzone von Gießen erleben. Die Unterschiede innerhalb der alten und neuen Bundesländer sind mittlerweile größer als die Unterschiede zwischen den beiden Landesteilen. Es kann jedenfalls nicht mehr die Rede davon sein, dass der Osten im Ganzen gesehen bei seinen Innenstädten noch einen größeren Nachholbedarf hätte.

Ein gewisser Nachholbedarf liegt stattdessen eher noch im Bereich der öffentlichen Infrastruktur, so bei den Landstraßen, den Schienen und Bahnhöfen, der Abwasserentsorgung, den Kläranlagen und Ähnlichem.[17] Auch für diesen Nachholbedarf ist mit dem Solidarpakt II inzwischen ein 206 Milliarden Euro schweres Hilfspaket beschlossen worden, das die verbleibenden Lücken in den nächsten Jahren schließen wird.

Auffällig ist die Betonung der konsumtiven Infrastruktur in den ostdeutschen Kommunen. Es ist bemerkenswert, wie viele Spaßbäder, Tennishallen, Golfplätze und Erlebnisparks es gibt und wie gepflegt die öffentlichen Anlagen der Städte sind. Das ist sicher schön so, aber es kostet alles sehr viel Geld; Geld, das womöglich in der produktiven Infrastruktur, die attraktive Standorte für Firmen schafft, besser angelegt worden wäre. Viele Kommunen sind mittlerweile in ernsthafte Schwierigkeiten gekommen, weil sie die Folgelasten früherer Investitionen in die konsumtive Infrastruktur nicht mehr tragen können.

Da sämtliche Kreditlimits ausgereizt sind, werden abenteuerliche Finanzgeschäfte betrieben, um Geld zu sparen. So hat Dresden schon 1997 seine Straßenbahnen an amerikanische Investoren vermietet und postwendend von dort wieder zurückgeleast, und Leipzig hat im Jahr 2003 Ähnliches mit sei-

ner Wasserversorgung gemacht. Beide Städte stehen damit
nicht allein. In Ost- und Westdeutschland gibt es insgesamt circa 150 ähnliche Beispiele. Immer geht es darum, an den Steu-
ervorteilen zu partizipieren, die amerikanische Investoren aus
solchen Geschäften ziehen, aber in den neuen Ländern reichen
die Vorteile keinesfalls aus, die Staatsverschuldung in Grenzen
zu halten.

Selbst wenn man nur die offen ausgewiesenen Schulden
rechnet, haben die ostdeutschen Flächenländer samt ihrer
Kommunen in den zwölf Jahren seit der Vereinigung bis heute
pro Kopf der Bevölkerung bereits mehr Schulden angehäuft,
als es die Flächenländer im Westen in den 54 Jahren seit der
Gründung der Bundesrepublik Deutschland geschafft haben.
Nach dem Finanzbericht 2003 betrugen im Jahr 2001 die
Schulden pro Kopf bei den ostdeutschen Flächenländern 4.212
Euro, während sie sich in den westdeutschen Flächenländern
nur auf 3.742 Euro beliefen. Dabei sind freilich die Unterschie-
de zwischen den ostdeutschen Ländern erheblich. Während
Sachsen-Anhalt und Brandenburg Schulden in Höhe von 5.624
beziehungsweise 5.206 Euro pro Kopf angehäuft hatten, lag
Sachsen, dessen Finanzen von der eisernen Hand seines dama-
ligen Finanzministers und heutigen Ministerpräsidenten
Georg Milbradt kontrolliert wurden, erst bei 2.315 Euro, also
noch deutlich unter dem Westniveau.[18]

Insgesamt leben die neuen Bundesgebiete weit über ihre
Verhältnisse. Die Einkommen haben fast das Westniveau
erreicht, doch die gesamtwirtschaftliche Produktivität liegt je
nach Rechnung mehr oder weniger deutlich unter 60 %. Dieses Missverhältnis wurde durch einen gigantischen Transfer
von öffentlichen Geldern ermöglicht, der alle Vorstellungen
sprengt. Die Sozialkassen, allen voran die Rentenversicherung
und die Arbeitslosenversicherung, lenken westdeutsche Beiträge an ostdeutsche Haushalte um. Auch der Solidarpakt Ost, der
später in den Länderfinanzausgleich mündete, sowie Ausgaben
des Bundes für die öffentliche Infrastruktur und direkte För-

derprogramme für öffentliche und private Investitionen schlagen erheblich zu Buche. Diesen Ausgaben stehen nur geringe Steuer- und Beitragseinnahmen gegenüber, die in den neuen Ländern eingenommen werden. Bis zum Jahr 2002 lag der Nettotransfer öffentlicher Mittel, die von Westdeutschland nach Ostdeutschland flossen, bei schätzungsweise 850 Milliarden Euro.[19]

Oskar Lafontaine hatte seinerzeit eher noch untertrieben, als er von den »dreistelligen Milliardensummen« (in DM) als Gesamtkosten der deutschen Vereinigung sprach und vermutete, dass die jährlichen Kosten bei »mindestens 100 Milliarden DM« liegen würden.[20] Lafontaine wäre damals beinahe für seine Aussagen gesteinigt worden, und jedenfalls hat sein Realismus zur Wahlniederlage der SPD im Jahr 1990 beigetragen. Die Deutschen wollten die Wahrheit nicht hören. Helmut Kohl, der behauptete, die Transferkosten der deutschen Einheit könne man aus der Portokasse bezahlen, kam bei den Leuten viel besser an.[21] Es ehrt Wolfgang Schäuble, den damaligen Bundesinnenminister der CDU, dass er später, bei einer Diskussionsveranstaltung der Politischen Akademie Tutzing aus Anlass des zehnjährigen Jahrestages der deutschen Einheit, eingeräumt hat, dass Oskar Lafontaine mit seinen Warnungen Recht behalten hatte.

Der Nettostrom an öffentlichen Mitteln liegt derzeit immer noch bei etwa 85 Milliarden Euro pro Jahr. Der Betrag entspricht 4,6 % des westdeutschen Bruttoinlandsprodukts oder einem Drittel des Bundeshaushalts. Er ist eine erhebliche Last für die westdeutsche Wirtschaft und die westdeutschen Arbeitnehmer.

Da in West- und Ostdeutschland ein Solidaritätszuschlag zur Einkommensteuer in Höhe von 5,5 % der Steuerschuld erhoben wird, könnte der Eindruck entstehen, mit diesem Zuschlag seien die Kosten der deutschen Vereinigung bereits weitgehend abgegolten. Das aber ist nicht der Fall. Der Solidaritätszuschlag bringt pro Jahr nur Einnahmen in der Größenordnung von 10,4 Milliarden Euro, ist also nur ein Tropfen auf den heißen Stein.[22] Der Betrag dient eher der Kaschierung der wahren Vereinigungskosten und der Beruhigung des westdeutschen Gewissens als zur Finanzierung der Kosten.

Das für den West-Ost-Transfer benötigte Geld wurde im Wesentlichen durch eine rasch wachsende Staatsverschuldung (vergleiche Kapitel 6, insbesondere Abbildung 6.2) und durch Ausgabenkürzungen bei den Haushalten der westdeutschen Kommunen und Länder aufgebracht. Die Verletzung des europäischen Stabilitäts- und Wachstumspaktes sowie die deutlich sichtbare Vernachlässigung der öffentlichen Infrastruktur in den alten Bundesländern gehört zu den Implikationen der Transferpolitik.

Abbildung 5.3 liefert einen Gesamtüberblick über die wirtschaftliche Situation der neuen Bundesländer. Sie zeigt, dass die eigene Erzeugung (Bruttoinlandsprodukt; untere Kurve) seit der deutschen Vereinigung fortwährend unter dem Gesamtverbrauch (Absorption; obere Kurve) an Gütern und Leistungen seitens der privaten Haushalte, der privaten Investoren und des Staates lag. Der Verbrauchsüberhang oder das so genannte Leistungsbilanzdefizit der neuen Länder lag anfangs bei knapp 80 Milliarden Euro und hat bis zum Jahr 2002 ein Niveau von etwa 113 Milliarden Euro erreicht. Während der Staat, die privaten Haushalte und die Investoren in den neuen Ländern Güter und Leistungen im Umfang von 366 Milliarden Euro kaufen, erzeugen sie nur Güter und Leistungen in Höhe von 253 Milliarden Euro. Die Differenz in Höhe von 113 Milliarden Euro kommt als jährlicher Strom an Gütern und Leistungen aus dem Westen. Drei Viertel dieser Differenz, die schon erwähnten 85 Milliarden Euro, sind über öffentliche Kassen geschenktes Geld. Ein Viertel, 28 Milliarden Euro, sind geliehenes Geld oder Direktinvestitionen, also privates Kapital, das in die neuen Bundesländer fließt. Von diesem privaten Kapital entfällt freilich auch wiederum ein Teil, nämlich nicht weniger als 10 Milliarden Euro, auf neue Schulden, die von den

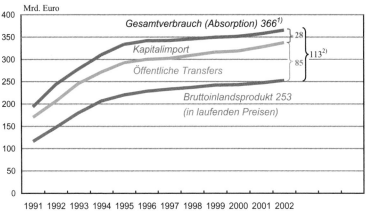

Verbrauchsüberhang in den neuen Ländern

1) der privaten Haushalte, der Investoren und des Staates
2) Verbrauchsüberhang/Leistungsbilanzdefizit
Quellen: Arbeitskreis Volkswirtschaftliche Gesamtrechnungen der Länder, September 2002; Schätzungen des ifo Instituts.

ABBILDUNG 5.3

ostdeutschen Ländern aufgenommen werden.[23] Leider wird das Leistungsbilanzdefizit der neuen Länder nur zu einem verschwindenden Teil, nämlich nur im Umfang von 18 Milliarden Euro oder 16 %, durch private Kapitalimporte finanziert, die dem Aufbau eines leistungsfähigen Kapitalstocks dienen.

Im Jahr 2002 lag der Verbrauchsüberhang der neuen Länder bei 45 % der eigenen Erzeugung. Fast jeder dritte Euro, der dort für Güter und Leistungen der Endproduktstufe ausgegeben wurde, kam aus dem Westen, und von diesem Euro waren etwa 75 Cent geschenkt und 25 Cent geliehen. Das ist, auf eine einfache Formel gebracht, die Situation der neuen Länder zwölf Jahre nach der deutschen Vereinigung. Die relative Zufriedenheit der neuen Bundesbürger mag durch diese Zahlen erklärt werden. Aber sie signalisieren zugleich, dass diese Situation so nicht aufrechterhalten werden kann. Die Entwicklung der Wirtschaft der neuen Länder ist, um ein neudeutsches

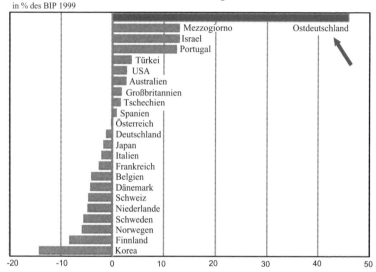

Verbrauchsüberhang (Leistungsbilanzdefizit) im
internationalen Vergleich

in % des BIP 1999

Quelle: OECD, National Accounts, 2000, Nr. 1, und Berechnungen des CES.

ABBILDUNG 5.4

Wort zu gebrauchen, nicht nachhaltig. Statt einer stabilen
Marktwirtschaft, die sich dank einer leistungsfähigen Bevölkerung, eines ausgereiften Rechtssystems und einer hervorragenden Infrastruktur ihren Platz im Konzert der Industriestaaten
erobert, ist eine Transferökonomie am Tropf des Westens entstanden. Wenn Deutschland heute der kranke Mann Europas
ist, so liegt das auch an der Transferökonomie, die es sich in den
neuen Bundesländern leistet.

Wie sehr die Transfers in die neuen Länder aus dem Rahmen fallen, zeigt Abbildung 5.4. Dort wird der prozentuale
Verbrauchsüberhang beziehungsweise das Leistungsbilanzdefizit für verschiedene Länder und Regionen ausgewiesen. Man
sieht, dass es keine Region gibt, die in einem auch nur annähernd so großen Umfang von Transfers aus anderen Regionen

abhängig ist wie die neuen Bundesländer. Selbst Transferöko-nomien wie der italienische Mezzogiorno, Portugal und Israel, die viel Geld von Nord- und Mittelitalien, von der EU und aus den USA erhalten, liegen beim Leistungsbilanzdefizit mit Pro-zentsätzen von 12 % bis 13 % weit von den 45 % der neuen Bundesländer entfernt. Vermutlich hat es niemals in der Geschichte der Industrieländer ein Land oder einen Landesteil gegeben, der in ähnlich großem prozentualen Umfang von einem Ressourcenstrom aus anderen Regionen abhängig war wie die neuen Bundesländer.

Auch diese Information belegt, wie gründlich die wirt-schaftliche Vereinigung Deutschlands misslungen ist. Un-günstigere Leistungsdaten für die ostdeutsche Wirtschaft als jene, die in den Schaubildern dieses Kapitels zum Ausdruck kamen, hätten sich zum Zeitpunkt der deutschen Vereinigung auch die größten Pessimisten nicht vorstellen können.

Überholmanöver bei den Löhnen

Die Frage ist, wie es zu all dem kommen konnte. Die Eins-zu-eins-Währungsumstellung, die immer wieder als Ursache genannt wird, war nicht das wirkliche Problem. Zwar stimmt es, dass die Wirtschaft der Ex-DDR, die noch kurz zuvor in der glücklichen Lage gewesen war, ihre Waren zu einem Kurs von durchschnittlich etwa 4,3 : 1 an westdeutsche Warenhäuser und Versandunternehmen zu verkaufen, dadurch in enorme Schwierigkeiten kam und in der alten Form so nicht weiter-bestehen konnte. Doch waren die ostdeutschen Lohnkosten durch die Eins-zu-eins-Währungsumstellung erst auf knapp ein Drittel der westdeutschen Lohnkosten angehoben worden. Wären sie dort in einer Übergangszeit bis zum Abschluss der Privatisierungsaktionen geblieben und hätten sie sich danach nur langsam erhöht, dann hätte es ganz sicher ein Wirtschafts-wunder in den neuen Ländern gegeben. Die Investoren aus aller Welt hätten Schlange bei der Treuhandanstalt gestanden, um die alten kommunistischen Betriebe zu übernehmen und mit neuen Produkten und neuen Verfahrenstechniken für die Westmärkte flottzumachen.

Man überlege einmal, welch günstige Bedingungen sich geboten hätten. Mit den Lohnkosten von nur einem Drittel hätte man innerhalb der gesamten EU mit Ausnahme von Portugal und Griechenland die niedrigsten Lohnkosten überhaupt gehabt, und zugleich hätte man über einen Standort in unmittelbarer Nähe zur größten Volkswirtschaft der EU mit 60 Millionen Verbrauchern verfügt, die man ohne Zollschranken oder Sprachbarrieren hätte bedienen können. Dass die noch marode Infrastruktur in Kürze überholt werden würde, war dank der Hilfe Westdeutschlands ohnehin absehbar, und mit der festen Integration der neuen Länder in die Bundesrepublik war den Investoren zudem ein fester Rechtsrahmen gegeben, der im Gegensatz zu anderen Standorten in Osteuropa einen sicheren Schutz des Investitionskapitals sowie eine solide Basis für langfristige Lieferverträge bot. Außerdem hatte man unter dem Schutz der D-Mark Zugang zu einem effizienten Kapitalmarkt und konnte über gut ausgebildete und leistungsbereite Arbeitskräfte verfügen. Nein, es kann nicht der geringste Zweifel bestehen, dass die neuen Bundesländer bei diesem Szenarium ein zweites Wirtschaftswunder erlebt hätten, das dem Wirtschaftswunder, das der Westen in den fünfziger Jahren erlebt hatte, nicht nachgestanden hätte.

Zur Eins-zu-eins-Währungsumstellung gab es auch insofern keine Alternative, als die Mark der DDR im Landesinneren über eine erstaunlich hohe Kaufkraft verfügte, die sogar etwas über der Kaufkraft lag, die die D-Mark im Westen hatte. Die Waren des täglichen Bedarfs und die Mieten waren nämlich relativ zu den Waren, mit denen man den innerdeutschen Handel betrieb, sehr viel billiger als im Westen. Hätte man die Lohnkontrakte der DDR-Bürger zum Kurs 4,3 : 1 herabgestuft, wie es dem Außenwert der Mark der DDR entsprach, dann

234

wäre angesichts der raschen Annäherung der Ostpreise an das Westniveau auch die Kaufkraft der neuen Bundesbürger auf ein Viertel gefallen. Es war schlechterdings nicht möglich, diesen Weg zu gehen.

Aber das war auch nicht erforderlich. Den wirtschaftlichen Aufschwung hätte es auch so gegeben, vorausgesetzt nur, dass die Löhne tatsächlich auf absehbare Zeit in der Nähe des Wertes verblieben wären, den sie nach der Eins-zu-eins-Umstellung erreicht hatten, oder sich von diesem Niveau nur langsam, im Gleichschritt mit dem wirtschaftlichen Wachstum, entfernt hätten.

Aufgrund empirischer Untersuchungen in einer Vielzahl von Ländern haben US-amerikanische Autoren festgestellt, dass sich die Lücke in der wirtschaftlichen Leistungskraft von zunächst unterschiedlichen Ländern und Regionen um bis zu 2 % pro Jahr zu schließen pflegt, und in den meisten Fällen ist die Konvergenz sogar noch deutlich langsamer.[24] So haben sich die Lücken zwischen den Ländern der europäischen Union während der letzten 40 Jahre im Durchschnitt nur um circa 1,1 % pro Jahr verringert.[25] Angewandt auf die Situation der neuen Länder bedeutet die erste Zahl, dass die siebzigprozentige Lücke zwischen den Ost- und den Westlöhnen bis heute auf etwas weniger als die Hälfte hätte schrumpfen dürfen. Konkret hätten die Löhne im Jahr 2003 erst bei 62 % des Westniveaus liegen dürfen. Die zweite, für den europäischen Durchschnitt geltende Zahl hätte bis heute gar nur zu einem relativen Lohnniveau von 57 % geführt, was interessanterweise ungefähr dem tatsächlichen Produktivitätsniveau der neuen Länder entspricht, das in Abbildung 5.1 dargestellt wurde.

Dass die Lohnentwicklung dem wirtschaftlichen Wachstum vorauseilte, muss als das eigentliche Problem der neuen Länder angesehen werden, denn wie schon in Kapitel 2 erläutert wurde, sind die Löhne unter allen Kosten der Unternehmen praktisch die einzigen, die standortgebunden sind und über Unternehmensansiedlungen entscheiden. Steigen die Löhne langsamer als die Produktivität, dann kommen die Investoren, weil Gewinne winken. Steigen sie schneller, dann bleiben die Investoren weg, weil Verluste drohen.

Abbildung 5.5 illustriert den Anstieg der Lohnkosten je Stunde, der tatsächlich seit der Vereinigung stattfand. Dabei ist das Lohnkostenniveau je Stunde in Westdeutschland gleich 100 gesetzt, und die Lohnkosten der neuen Länder wie auch anderer Länder der EU sind relativ zu diesen Lohnkosten ausgedrückt. Vor der Vereinigung zu dem damals herrschenden Wechselkurs zwischen Ost- und Westmark lagen die Lohnkosten der DDR bei nur 7 % der westdeutschen Kosten. Zu diesen Kosten fand der innerdeutsche Handel statt, und die DDR-Wirtschaft war wettbewerbsfähig. Die Eins-zu-eins-Umstellung erhöhte die Löhne zur Mitte des Jahres 1990 dann auf das 4,3-fache. Danach gingen die Erhöhungen rasch weiter. Bereits im Jahr 1992 wurde ein Niveau der Stundenlohnkosten von etwa 50 % des Westens erreicht, und dann setzte sich der Anstieg verlangsamt fort bis auf etwa 70 %, die im Jahr 2001 erreicht wurden.

Man beachte, dass diese Zahlen pro Stunde gerechnet sind. Da die Arbeitszeit in den neuen Bundesländern noch um etwa 10 % über dem westdeutschen Niveau liegt, haben die Lohnkosten pro Monat bereits ein Niveau von 77 % des Westens erreicht, und die Nettolöhne, die ausgezahlt werden, dürften wegen der Progression des Steuertarifs sogar bei ungefähr 85 % des Westniveaus liegen. Die realen Nettolöhne liegen wegen des niedrigeren Preisniveaus bei circa 92 % des Westniveaus. Aber für die Standortentscheidung der Unternehmen kommt es in der Tat auf die nominalen Bruttolohnkosten je Stunde an, und deshalb zeigt die Abbildung die richtigen Größen im Vergleich.

Wie man sieht, hatte die Währungsunion die Lohnkosten zunächst nur über das portugiesische Niveau hinaus erhöht, doch mit den danach stattfindenden Lohnerhöhungen überholten die neuen Länder bereits im Jahr 1993 Irland, zogen im Jahr 1995 mit Frankreich gleich und überholten im selben Jahr

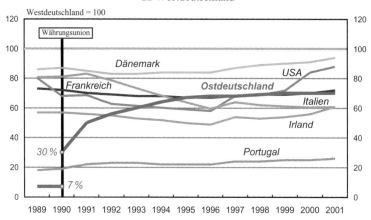

Stundenlohnkosten in der privaten Wirtschaft im Verhältnis
zu Westdeutschland

Westdeutschland = 100

Währungsunion

Dänemark

USA

Frankreich

Ostdeutschland

Italien

Irland

30 %

Portugal

7 %

1989 1990 1991 1992 1993 1994 1995 1996 1997 1998 1999 2000 2001

Quellen: Für Dänemark, Frankreich, Irland, Italien, Portugal, USA und Westdeutschland: Institut für Wirtschaftsforschung IW, Stundenlohnkosten der Industriearbeiter. Für West- und Ostdeutschland: Arbeitskreis
»Volkswirtschaftliche Gesamtrechnungen der Länder«; Autorengemeinschaft des IAB, Der Arbeitsmarkt
in den Jahren 2000 und 2001 sowie 2001 und 2002; Berechnungen des ifo Instituts.

ABBILDUNG 5.5

Italien. Seitdem verlief die Entwicklung in etwa im Gleichschritt mit Frankreich, doch Italien haben die neuen Länder
deutlich hinter sich gelassen.

Es kann kein Zweifel bestehen, dass die dramatische Erhöhung der Lohnkosten, die zudem in solch kurzer Zeit stattfand,
die zentrale Ursache der ostdeutschen Probleme ist. Sie erklärt,
warum die Schlangen der internationalen Investoren vor den
Toren der Treuhandanstalt ausblieben und warum diese Investoren im Gegenteil einen großen Bogen um das Land machten.
Lohnkosten wie in Frankreich und höher als in Irland und Italien konnte man sich nicht antun. Irgendwelche besonderen
Standortqualitäten, die das gerechtfertigt hätten, waren nicht
in Sicht. Investoren sind keine Wohltäter, sondern sie wollen
Gewinne machen, aber wenn sie den Verdacht haben, dass die
Gewinne bald in die Taschen der Arbeitnehmer umgelenkt
werden sollen, dann kommen sie eben nicht.

Der Leser erinnere sich an Abbildungen 1.3 und 1.4, in denen deutlich wurde, dass die französische und die irische Wirtschaft in den letzten Jahren so schnell gewachsen sind, dass sie Deutschland beim durchschnittlichen Pro-Kopf-Einkommen überholten. Diese Dynamik hat entscheidend damit zu tun, dass die Lohnkosten pro Stunde in diesen Ländern noch zurückgeblieben sind und den Unternehmen insofern höhere Gewinnmöglichkeiten geboten wurden. Ein geringerer relativer Umfang des Sozialstaates mit geringeren prozentualen Sozialbeiträgen oder in Relation zum Durchschnittseinkommen niedrigere Nettolohneinkommen der Arbeiter wurden in diesen Ländern in Kauf genommen, um die Wettbewerbsfähigkeit zu sichern und ein höheres Wirtschaftswachstum zu erzeugen.

Stundenlohnkosten von 70 % des Westens bei einer gesamtwirtschaftlichen Produktivität von unter 60 %, wie es in Abbildung 5.1 ausgewiesen wurde, passen nun einmal nicht zusammen. Die Löhne können maximal nur um so viel aufholen, wie die Produktivität aufholt. Eilen sie der Produktivität voraus, dann gibt es Probleme. Am besten ist es, wenn die Löhne während des Aufholprozesses hinter der Produktivität herlaufen, wie es in Frankreich und Irland der Fall ist. Dann winken den Unternehmern besonders hohe Gewinne, wenn sie neue Investitionen wagen, und die Wirtschaft wächst besonders schnell.

Die Frage ist freilich, wieso es unter den neuen marktwirtschaftlichen Bedingungen, die seit der Wende in Ostdeutschland herrschten, überhaupt zu dem raschen Lohnanstieg kommen konnte. Wieso bringt der Markt eine Lohnerhöhung hervor, die er gar nicht verkraftet? Nun, das tut er natürlich nicht, aber es war auch nicht der Markt, der die Lohnerhöhungen bewirkte. Im Gegenteil, die Lohnerhöhungen der neuen Länder waren aus Gründen, die noch zu erörtern sind, das Ergebnis politischer Kräfte, die nichts mit dem zu tun haben, was die Löhne in einer Marktwirtschaft bestimmen.

Eine echte Marktwirtschaft hätte im Spiel von Angebot und Nachfrage im Laufe der Zeit ebenfalls eine Lohnerhöhung in den neuen Bundesländern herbeigeführt, denn die zunächst von den niedrigen Löhnen angelockten Unternehmen hätten sich beim Wettbewerb um knapper werdende Arbeitskräfte mit attraktiven Lohnerhöhungen überboten. Die Löhne wären dabei jedoch erst als Folge der Kapitalinvestitionen und der dadurch verursachten Produktivitätserhöhung gestiegen. Die Lohnsteigerung hätte dann ebenfalls die Kapitalzuflüsse abgebremst, aber nur in dem Maße, wie die Annäherung der wirtschaftlichen Verhältnisse an den Westen bereits vorangeschritten wäre. Die Wirtschaft der neuen Länder wäre bei den Löhnen und den Produktivitätsziffern stetig gegen die westdeutsche Wirtschaft konvergiert.

Wie Abbildung 5.1 zeigt, lief dieser Prozess in den neuen Bundesländern so aber nicht ab, sondern die Konvergenz bei den Produktivitätsziffern kam im Jahr 1997 zu einem zumindest vorläufigen Stillstand, ja, seither verwandelt sie sich sogar in eine fortschreitende Divergenz, und daran ist mit Sicherheit die Lohnpolitik schuld. Statt auf die Lohnangleichung durch die Marktkräfte zu warten, hat man die Angleichung durch Eingriffe in das Marktgeschehen vorweggenommen, aber das hat nicht funktioniert. Man kann die Reihenfolge nicht umdrehen, auch wenn man es noch so gerne möchte. Erst muss das Kapital kommen und die Produktivität erhöhen, und dann steigen als Reaktion darauf die Löhne. Versucht man den umgekehrten Weg, dann kommt das Kapital nicht, und es entsteht das Desaster, das wir nun im Osten beklagen.

Gleicher Lohn für gleiche Arbeit am gleichen Ort

Die Löhne der neuen Länder waren von Anfang an dem Marktgeschehen entzogen. Zwar haben die Politiker vorgegeben, sie wollten in den neuen Ländern eine Marktwirtschaft einführen, doch in Wahrheit haben sie die Prinzipien der Marktwirtschaft mit den Füßen getreten, als sie sich massiv in die Diskussion um die Lohnentwicklung einbrachten. Der Lohn ist der wichtigste Preis in der Marktwirtschaft, denn er lenkt wie kein anderer Preis die Wettbewerbsfähigkeit des Landes und bestimmt über Erfolg und Misserfolg ihres Entwicklungspfades. Wenn er der politischen Einflussnahme unterworfen wird, geht mit Sicherheit vieles schief.

Die neuen Bundesbürger konnten nicht wissen, dass die Politik sich hier nicht einmischen kann, waren sie doch in einem System aufgewachsen, in dem der Lohn keine Lenkungsfunktion hatte und in der Tat politisch festgelegt werden konnte. Man muss es der PDS deshalb nachsehen, wenn sie eine Politik der schnellen Lohnangleichung forderte. Nicht nachsehen kann man es den großen westlichen Parteien, die diese Politik genauso vertraten, denn sie hätten es besser wissen können. Dass sogar die CDU ihre Wahlkämpfe im Osten mit dem Slogan »Gleicher Lohn für gleiche Arbeit« bestritten hat, zeigt nur, wie weit die Naivität in wirtschaftlichen Dingen in Deutschland immer noch verbreitet ist.

Keine Frage: Den gleichen Lohn für gleiche Arbeit zu fordern, ist ein Gebot der Gerechtigkeit. Aber man kann nicht oft genug wiederholen, dass der Markt nicht gerecht, sondern effizient ist und alle Versuche, die Marktpreise mit Gerechtigkeitszielen zu befrachten, bitter bestraft. Für die Gerechtigkeit ist das Steuer-Transfersystem zuständig, wenngleich auch ihm Grenzen gesetzt sind.

Der Konkurrenzmechanismus der Marktwirtschaft stellt sicher, dass auf die Dauer der gleiche Lohn für die gleiche Arbeit am gleichen Ort gezahlt wird, aber keineswegs, dass der gleiche Lohn für die gleiche Arbeit an verschiedenen Orten gezahlt wird. Preise sind immer ortsgebunden. Ein Apfel in München ist ein anderes Gut als ein Apfel im Alten Land, und eine Flasche Chianti in der Toskana ist etwas anderes als die gleiche Flasche Chianti in Dresden. Deshalb gibt es an verschiedenen

Orten verschiedene Preise. Bei der Arbeit ist das nicht anders. In dem Maße, wie es Transport- und Mobilitätskosten für Güter, Kapital, menschliche Arbeit und Wissen gibt, unterscheiden sich die Löhne zwischen den Regionen zumindest während einer längeren Konvergenzphase, die Jahrzehnte dauern kann.

Bis zum heutigen Tage sind die Unterschiede in der Standortqualität zwischen den alten und den neuen Bundesländern zweifellos noch recht groß. Zwar ist die Bevölkerung im Osten rein formal gesehen besser qualifiziert. Viele haben zwei Berufsabschlüsse, und das Problem der gering qualifizierten Arbeitnehmer, unter dem der Westen leidet, gibt es auf den ersten Blick in dieser Form nicht. Jedoch fehlt es trotz der formalen Qualifikationen an kaufmännischen und juristischen Fähigkeiten, die im kommunistischen Staat nicht hatten erworben werden können. Außerdem war die DDR-Wirtschaft rückständig und bediente sich bisweilen sogar noch alter Produktionsverfahren, wie sie vor dem Krieg üblich waren. Man kann nicht unterstellen, dass jemand, der von der Treuhand übernommen und anschließend in die Dauerarbeitslosigkeit entlassen wurde, heute wirklich über die Qualifikationen verfügt, die die Wirtschaft des 21. Jahrhunderts braucht.

Erschwerend für die neuen Länder kommt hinzu, dass es dort noch nicht zur Bildung von Unternehmensgeflechten gekommen ist, wie sie im Westen existieren, dass es immer noch gewisse Defizite bei der Infrastruktur gibt und insbesondere dass es an einem originären Unternehmertum fehlt. Unternehmerfamilien mit einem hohen Stand des überlieferten Wissens über Märkte und Produktionsprozesse, in denen die Tradition des Wagemuts und der Eigenverantwortlichkeit verbreitet ist, bilden die Pfeiler, auf denen die westdeutsche Wirtschaft ruht. Die Neubildung und Ansiedlung solcher Familien braucht lange Zeiträume, und sie wird unter anderem dadurch erschwert, dass es in der Bevölkerung an der Akzeptanz des freien Unternehmertums und des Gewinnerzielungsmotivs mangelt.

All diese Standortfaktoren, die harten wie die weichen, wirken zusammen und schaffen eine problematische Gemengelage, die trotz freier Kapitalmobilität immer noch sehr unterschiedliche Werte der Arbeitsproduktivität impliziert. Darauf war in Kapitel 4 schon hingewiesen worden. Die Politik kann sicherlich darauf hinwirken, die Unterschiede allmählich einzuebnen, aber in dem Maße, wie sie das nicht schafft, kann es nicht zu einer Lohnangleichung kommen. Natürlich gleichen sich die Standortverhältnisse innerhalb Deutschlands schneller an als zwischen verschiedenen Staaten. Deswegen hätte man eine vergleichsweise rasche Lohnkonvergenz als Folge sich selbst überlassener Marktprozesse erwarten können, aber keinesfalls eine Konvergenz in drei, vier, fünf Jahren, wie es die Politiker glauben machen wollten. Wie schnell die Landesteile wirklich konvergiert wären, hätte der Markt zeigen müssen.

Es wurde seinerzeit immer wieder behauptet, dass eine rasche Lohnkonvergenz schon deshalb erforderlich sei, weil die Bürger der neuen Länder sonst in den Westen gewandert wären. Gerade auch, wenn dieses Argument gestimmt hätte, wäre es nicht Aufgabe der Politik gewesen, sich in den Prozess der Lohnbildung einzuschalten, denn dann wäre die Lohnkonvergenz ohnehin besonders rasch erfolgt, und es hätte erst recht keinen Interventionsbedarf für eine rasche Lohnangleichung gegeben.

Im Übrigen steht das Wanderungsargument insofern auf tönernen Füßen, als es implizit davon ausging, dass es möglich sein würde, den Menschen der neuen Bundesländer in kurzer Frist attraktive Arbeitsplätze zu verschaffen, auf denen mit westlicher Produktivität ein westlicher Lohn gezahlt werden konnte. Diese Möglichkeit bestand aber nicht. Praktisch alle Schätzungen von Ökonomen, die nach der Wende bekannt wurden, gingen davon aus, dass die Schaffung eines leistungsfähigen Kapitalstocks in den neuen Ländern, der eine Arbeitsproduktivität wie im Westen ermöglichen würde, auch unter optimistischen Bedingungen zwei Jahrzehnte dauern würde.

Für die Zwischenzeit gab es nur zwei Möglichkeiten. Die eine bestand darin, einen großen Teil der Erwerbsbevölkerung untätig auf den Aufbau eines leistungsfähigen Kapitalstocks warten zu lassen. Und die andere war, die Menschen, für die es nach dem Untergang der Treuhandbetriebe zunächst keine sinnvolle Beschäftigung mehr gab, vorübergehend in die westdeutsche Wirtschaft zu integrieren. Im Westen hätte es unter Inkaufnahme einer geringfügigen Senkung des Lohnanstiegs für die in Frage stehenden Mengen an Erwerbstätigen sinnvolle Beschäftigungsmöglichkeiten gegeben, und dort hätte es zudem die Möglichkeit gegeben, moderne Produktionsmethoden und die Regeln der Marktwirtschaft kennen zu lernen. Eine rationale Wirtschaftspolitik hätte die Wanderung deshalb zugelassen, statt den Teufel an die Wand zu malen. Es wären dann beileibe nicht alle Erwerbspersonen in den Westen gewandert, denn die allermeisten Menschen wären nicht bereit gewesen, ihre Heimat zu verlassen, auch wenn sie im Westen den doppelten Lohn hätten verdienen können. Aber einige wären doch gewandert, und das wäre in jeder Hinsicht von Vorteil gewesen. Auf den Arbeitsmärkten der neuen Länder wären Arbeitskräfte frühzeitig knapp geworden, und wegen des so entstehenden Lohnauftriebs wäre es zu einer raschen Selbstbremsung des Wanderungsprozesses gekommen. Die Wandernden hätten im Westen Werte und Einkommen für sich selbst schaffen können, über die sie so nicht verfügen konnten.

Deutschland hätte stattdessen vielleicht nicht alle 2,2 Millionen Ausländer ins Land holen müssen, die vom Beginn des Jahres 1990 bis zum Ende des Jahres 2000 aus Nicht-EU-Staaten nach Deutschland eingewandert sind und zum ganz überwiegenden Teil nach Westdeutschland gingen.[26] Es gehört zu den Perversitäten der deutschen Wiedervereinigung, dass von den 3,4 Millionen Menschen, die ihren Arbeitsplatz in Ostdeutschland verloren, etwa 2,5 Millionen nicht zum Arbeiten nach Westdeutschland gingen, sondern ihre Einkommen in der einen oder anderen Form vom Sozialstaat erhielten, während zugleich ungefähr 900.000 Einwanderer aus Nicht-EU-Staaten legal von der westdeutschen Wirtschaft eingestellt wurden, während vermutlich noch einmal so viele Einwanderer auf dem westdeutschen Schwarzmarkt Fuß fassen konnten und während die deutschen Unternehmen 1,7 Millionen neue Arbeitsplätze im Ausland schufen.[27] Es war nicht nötig, dass das Münchener Gastgewerbe auf Polen, Tschechen und Ungarn statt auf Brandenburger und Sachsen zurückgreifen musste, um seinen hohen Personalbedarf zu decken, und selbst die 2.000 Computerspezialisten, die der Bundeskanzler per Greencard aus Indien und sonst wo herholte, waren angesichts der über 6.000 arbeitslosen Computerspezialisten in den neuen Bundesländern entbehrlich.[28]

Die temporäre Wanderung eines Teiles der Erwerbsbevölkerung in andere, besser entwickelte Regionen ist eine sinnvolle Strategie für jede Region, die noch im Aufholprozess begriffen ist. Italien, Spanien und Griechenland haben von den Gastarbeiterwanderungen bis zum heutigen Tage profitiert. Das Gesamteinkommen der Bürger dieser Länder stieg um die in Deutschland verdienten Einkommen, die Entwicklung zu Hause wurde beschleunigt, und die meisten Gastarbeiter gingen später mit ihrem ersparten Geld wieder zurück, als sich die wirtschaftlichen Verhältnisse im Heimatland verbessert hatten. Viel mehr Menschen aus den neuen Bundesländern hätten ebenfalls solche Vorteile erzielen können, wenn statt der Hochlohnpolitik eine organischere, marktwirtschaftliche Lohnstrategie gewählt worden wäre.

Ein anderes Argument, das sich die Politiker ausgedacht hatten, um sich bei ihren Wählern in den neuen Ländern mit der Forderung hoher Löhne beliebt machen zu können, war die Behauptung, dass hohe Löhne wie eine Produktivitätspeitsche wirken und die Wirtschaft zu einer besonders raschen Innovation antreiben würden. Man wollte nicht die Entwicklungsstadien des Westens nachvollziehen und sich über arbeitsintensive Industrien allmählich zum Wohlstand voranarbeiten, sondern nach der Methode des Froschhüpfens vorgehen. Die Wirtschaft Westdeutschlands mit ihren vielen arbeitsintensiven Niedrigtechnologiebereichen wollte man gar nicht erst imitieren, sondern gleich mit einem großen Sprung in das Computerzeitalter hineinhüpfen. Aus diesem Grunde wurde versucht, mit hohem Einsatz an Fördermitteln neue Silicon Valleys aus dem Boden zu stampfen. In Dresden, in Sömmerda und anderswo sind so in der Tat sichtbare Erfolge erzielt worden. Dennoch war der Ansatz naiv.

Bis zum heutigen Tage sind in den IT-Branchen der neuen Länder gerade einmal 2 % der Erwerbstätigen untergebracht. Was entstanden ist, reicht aus, um Hochglanzbroschüren mit beeindruckenden Bildern zu füllen und Staatsgästen zu imponieren. Doch wurde kein nennenswerter Beitrag zur Lösung des Problems der Arbeitslosigkeit erbracht.

Die Hochtechnologiebranchen sind äußerst kapitalintensiv und schaffen nur wenige Arbeitsplätze. Keine Frage: Es ist gut, wenn sich dafür kompetente Investoren finden, aber eine Entwicklungsstrategie für ein Land, das unter Arbeitslosigkeit leidet und deshalb einen Überschuss an arbeitsfähigen Menschen hat, kann nicht auf sie setzen. Das hat schon die DDR versucht, ohne dass sich dabei sichtbare Erfolge zeigten. Es muss vielmehr auch diejenigen Branchen entwickeln, denen der Nimbus der glitzernden Cyber-Welten fehlt. In der Breite muss die Wirtschaft brummen. Auch die einfachen Produktionsprozesse und die banaleren Tätigkeiten, die relativ arbeitsintensiv organisiert sind und deshalb Arbeitsplätze schaffen, müssen vertreten sein. Vom Schuhfabrikanten über den Waschmaschinenhersteller, den Glashersteller und den Dosenfabrikanten bis zur Ernährungsindustrie und zur Werkzeugmaschinenindustrie muss das Spektrum reichen, und es muss Tausende und Abertausende von unspektakulären Gütern der industriellen Vorproduktstufe und des privaten Massenkonsums umfassen. Es macht keinen Sinn, mittels hoher Löhne betriebswirtschaftliche Produktivitätsgewinne aus der Wirtschaft herauszupeitschen, wenn dabei Arbeitsplätze verloren gehen. Den betriebswirtschaftlichen Produktivitätsgewinnen stehen dann nämlich regelmäßig volkswirtschaftliche Produktivitätsverluste gegenüber, weil ein Teil der Erwerbsbevölkerung in die Arbeitslosigkeit und damit in eine Arbeitsproduktivität von null getrieben wird.

Nein, was viele Politiker damals als sinnvolle Entwicklungsstrategien propagiert haben, war großenteils ziemlich dummes Zeug, das einer ernsthafteren ökonomischen Analyse nicht standhielt. Volkswirtschaftliche Laienspielscharen waren am Werke und trugen mit ihrer Märchensicht der Welt dazu bei, vieles in die falsche Richtung zu lenken.

»Nur keine Japaner!«: die zweifelhafte Rolle der westdeutschen Tarifpartner im Osten

Man sollte den Einfluss der politischen Argumente aber nicht überbewerten. Die harten Effekte auf den Lohnbildungsprozess kamen ganz anders zustande. Sie waren durch handfeste ökonomische Interessen statt durch die bloßen Forderungen der Politiker getrieben.

Am wichtigsten war der Umstand, dass die entscheidenden Lohnverhandlungen, mit denen der langfristige Zeitpfad der ostdeutschen Löhne festgeschrieben wurde, bereits im Jahr 1991 stattfanden, lange bevor es ostdeutsche Unternehmer gab. Der Privatisierungsprozess stand ja damals noch ganz am Anfang. Nur die Treuhandanstalt hätte auf Seiten der Arbeitgeber verhandeln können, um das ihr treuhänderisch anvertraute Kapital vor der Entwertung durch überzogene Lohnerhöhungen zu schützen. Birgit Breuel hatte aber, wie sie mir einmal sagte, die Anweisung bekommen, sich nicht an den Verhandlungen zu beteiligen. Die Verhandlungen wurden auf Seiten der Arbeitgeber stattdessen von den westdeutschen Arbeitgeberverbänden geführt, die ihre Dependancen frisch im Osten gegründet hatten. Auf Seiten der Arbeitnehmer standen ihnen die Vertreter der vom Westen aus neu gegründeten Ostgewerkschaften gegenüber. Führende Funktionen waren in diesen Gewerkschaften mit westdeutschen Gewerkschaftlern besetzt, und bei den Lohnverhandlungen verließ man sich ganz auf ihren Rat. Die westdeutschen Arbeitgeber und westdeutschen Arbeitnehmer, die damals über ostdeutsche Löhne verhandelten, wurden sich erstaunlich schnell einig und vereinbarten in den richtungsweisenden Verhandlungen der Elektro- und Metallindustrie Lohnpfade, die in nur fünf Jahren zur vollen Lohnangleichung mit dem Westen inklusive aller Arbeitszeitregelungen führen sollten. Die meisten anderen Branchen folgten dem Beispiel.

Die Erklärung für die wundersame Harmonie in den Tarifverhandlungen liegt auf der Hand. Die Verhandlungsführer waren gar nicht diejenigen, um deren Interesse es unmittelbar ging, sondern auf Arbeitgeber- und Arbeitnehmerseite die westdeutschen Konkurrenten der ostdeutschen Betriebe. Sie gaben vor, die Lohnangleichung aus Gründen der Solidarität anzustreben, aber in Wahrheit hatten sie Sorgen, dass der Standort Ostdeutschland tatsächlich so attraktiv werden könnte, wie die Politik es behauptete, und dass nun Heerscharen von Investoren aus aller Welt kommen würden, um sich auf dem deutschen Markt breit zu machen. Die Devise war deshalb: Wer ungehindert von Zollschranken und Sprachbarrieren in Deutschland produzieren und anbieten möchte, der muss das gefälligst zu den gleichen Lohnkosten wie die existierenden westdeutschen Firmen tun und sich insofern einem »fairen« Wettbewerb stellen. Dumpingangebote aus den neuen Bundesländern, die bei Lohnkosten von nur einem Drittel möglich gewesen wären, galt es unter allen Umständen zu verhindern. Während die Politiker in aller Welt um Investoren warben, lautete das wahre Motto bei den Verhandlungsführern im Tarifpoker: »Nur keine Japaner im eigenen Hinterhof!«

Die Lohnentwicklung lief dann später etwas anders, als die

Tarifpartner der ersten Stunde es gewollt hatten, weil die neuen Unternehmer, die mit den allmählich häufiger werdenden Privatisierungen auf den Plan traten, keinerlei Verständnis für die Tarifvereinbarungen ihrer Kollegen aus dem Westen hatten und Nachverhandlungen durchsetzten, mit Hilfe derer die Lohnangleichung ein wenig gestreckt wurde. Auch traten viele Unternehmer aus dem Arbeitgeberverband aus oder hielten sich unter stillschweigender Billigung der Ostgewerkschaften nicht an die vereinbarten Verträge. Heute sind 78 % der ostdeutschen Betriebe mit 55 % der ostdeutschen Arbeitnehmer nicht mehr an Tarifvereinbarungen gebunden, weil sie den Arbeitgeberverbänden nicht angehören.[29] Dennoch war es nicht möglich, die Lohnsteigerungen der ersten Jahre durch diese späten Aktionen ungeschehen zu machen. Das Vorauseilen der Löhne vor der Produktivitätsentwicklung konnte nicht wieder umgedreht werden, und das Vertrauen der internationalen Investorenschaft war verspielt.

Bis auf die Verkaufszentrale von Sony am Potsdamer Platz und noch eine paar andere ausländische Investoren wie zum Beispiel im Energiesektor der schwedische Stromproduzent Vattenfall oder die französische Ölfirma Elf Aquitaine, die mit viel staatlichem Geld angelockt worden waren, kamen kaum Ausländer ins Land. Die neuen Bundesländer galten nicht als attraktiver Unternehmensstandort. Die Treuhand-Statistiken sprechen hier Bände. Auf Arbeitsplatzbasis gerechnet gingen 85 % der Verkäufe an Westdeutsche, 6 % an Ostdeutsche und nur 9 % an Ausländer.[30] Bedauerlicherweise gab es sogar eine ganze Reihe von Treuhandverkäufen an westdeutsche Firmen, bei denen die ostdeutschen Firmen kurz nach dem Kauf Konkurs anmeldeten. Man kann sich des Eindrucks nicht erwehren, dass es in vielen Fällen auch hier nur darum ging, den Heimatmarkt gegenüber ausländischen Konkurrenten abzuschotten, und nicht darum, an einem neuen Standort zu produzieren.

Die Stellvertreter-Lohnverhandlungen waren der hauptsächliche Grund für das Desaster der neuen Länder. Die Politik hätte diese Entwicklung verhindern können, indem sie in einer Anfangsphase bis zum Abschluss der Privatisierungen ein Lohnmoratorium verhängt oder wenigstens die Treuhandanstalt beauftragt hätte, sich als Arbeitgeber an den Verhandlungen zu beteiligen. Die grundgesetzlich geschützte Tarifautonomie der Gewerkschaften und Arbeitgeberverbände war ja nicht so zu verstehen, dass Verträge zu Lasten Dritter gemacht werden durften, wie es faktisch geschah. Im Übrigen hatten die Verträge zur deutschen Einheit ohnehin allesamt Verfassungsrang und waren mit zwei Drittel der Stimmen des Bundestages zu beschließen. Ausnahmeregelungen, die die uneingeschränkte Tarifautonomie erst für die Zeit nach dem Abschluss der Privatisierung der Treuhand-Betriebe vorsahen, hätte man, ohne auf rechtliche Bedenken zu stoßen, in diesen Verträgen unterbringen können.

Aber die Politik hat das Problem weder gesehen, noch wollte sie einer schnellen Lohnangleichung einen Riegel vorschieben. Indem sie es unterließ, Maßnahmen gegen den Missbrauch der Tarifautonomie zu ergreifen, trägt sie die hauptsächliche Verantwortung für das Misslingen der wirtschaftlichen Vereinigung Deutschlands.

Die Holländische Krankheit

Alles hätte sich freilich korrigieren lassen, wenn es die neuen Unternehmer, nachdem sie sich aus den Fesseln der von ihren Konkurrenten abgeschlossenen Tarifverträge befreit hatten, nicht anschließend mit der Konkurrenz des deutschen Sozialstaates zu tun bekommen hätten. Die westdeutschen Konkurrenten konnte man wieder nach Hause schicken und bitten, sich in Zukunft um ihre eigenen Tarifverträge zu kümmern. Den Sozialstaat hatte man indessen mit der Sozialunion vom Westen übernommen, und gegen seine Konkurrenz war kaum ein Kraut gewachsen.

Die Sozialunion war mit dem Einigungsvertrag als dritter Pfeiler der Wiedervereinigungspolitik neben die Wirtschafts- und Währungsunion getreten. Dank der normativen Kraft des Faktischen wird sie heute als Selbstverständlichkeit angesehen. Als unvorstellbar erscheint es, dass sich das Volk der Deutschen selbst nur in einer Übergangszeit unterschiedliche, nach Ost und West getrennte Sozialstandards hätte setzen können. Ein Politiker, der gewagt hätte, getrennte Standards vorzuschlagen, wäre sogleich unter Rückgriff auf die scheinbar edelsten Emotionen heftig von seinen Rivalen attackiert worden.

In der Tat gebührte den Bürgern der neuen Länder die volle Solidarität der Brüder und Schwestern im Westen, die es nur einer glücklichen Fügung des Schicksals zu verdanken hatten, dass sie, getrieben von den Wogen des Krieges, auf der richtigen Seite des Eisernen Vorhangs strandeten. Den impliziten Versicherungsschutz, den die Zugehörigkeit zu einem Volk zu bieten pflegt, konnten die neuen Bundesbürger mit Fug und Recht von den Landsleuten im Westen einfordern. Es war aber nicht notwendig, die legitimen Hilfen gerade in dem Maße zu gewähren, wie die neuen Bundesbürger selbst keinen Beitrag zum Wiederaufbau leisteten oder leisten konnten. Doch so geschah es mit der Sozialunion. Der Löwenanteil der Zahlungen, die in die neuen Länder flossen, wurde als Lohnersatzleistungen gewährt und damit an die Bedingung des Nichtstuns geknüpft. Die Realität war genauso pervers, wie diese Aussage klingt. Das System war so konstruiert, dass noch viel mehr Geld in den Osten geflossen wäre, wenn sich die neuen Bundesbürger nicht so angestrengt hätten, wie sie es taten.

Das westdeutsche Sozialsystem mit seinen Lohnersatzleistungen in Form von Frührente, Arbeitslosenhilfe, Sozialhilfe und Arbeitslosengeld wurde den neuen Ländern übergestülpt, und als Folge waren die gleichen problematischen Auswirkungen auf den Arbeitsmarkt zu verzeichnen, die im Kapitel 4 ausführlich beschrieben wurden, nur mit einer Schärfe, die in manchen Regionen katastrophale Ausmaße erreichte und die

Arbeitslosigkeit über die Marke von 20% hochschnellen ließ. Die Lohnersatzeinkommen, die mit nur geringen Abstrichen dem westlichen Muster folgten, setzten fast die gleichen Lohnuntergrenzen im ostdeutschen Tarifsystem, wie sie es im Westen taten, doch die ostdeutsche Wirtschaft konnte diese Lohnuntergrenzen noch viel weniger verkraften als die westdeutsche. Durch die Stellvertreter-Lohnverhandlungen waren die Löhne anfangs weit über das Produktivitätsniveau hinaus gestiegen, und durch die Lohnersatzeinkommen, mit denen der Sozialstaat in Konkurrenz zur privaten Wirtschaft trat und hohe Anspruchslöhne definierte, wurden sie nun auch noch, nachdem die Unternehmer sich von den Tarifverträgen befreit hatten, daran gehindert, auf ein mit der Vollbeschäftigung kompatibles Niveau zu fallen. Tarifverhandlungen und Sozialunion wirkten Hand in Hand bei der Schaffung und Zementierung einer Lohnsituation, die den Aufschwung der neuen Länder bis zum heutigen Tage blockiert hat.

Die Lohnersatzleistungen haben nicht nur dazu beigetragen, im Osten massenhaft Arbeitsplätze zu vernichten und neue gar nicht erst entstehen zu lassen. Sie wirkten darüber hinaus als Bleibeprämien, die viele, die sonst in den Westen gegangen wären, um eine der vielen offenen Stellen zu besetzen, in Ostdeutschland festhielten. Das lag auf der politischen Linie, die Wanderung zu verhindern, war aber deswegen nicht weniger absurd, denn das Resultat bestand darin, dass Millionen von erwerbsfähigen Menschen nun weder im Osten noch im Westen einer geregelten Arbeit nachgingen.

Der wichtigste Effekt auf die Arbeitsmärkte ging vom Arbeitslosengeld und der Arbeitslosenhilfe aus. Die meisten Arbeitslosen, die der Transformationsprozess hervorbrachte, waren zunächst bei Betrieben der Treuhandanstalt beschäftigt. Dort partizipierten sie an den anfänglichen Lohnerhöhungen, die die Stellvertreter-Verhandlungen hervorgebracht hatten, die aber nie eine wirkliche Basis hatten und nur dank der massiven Subventionen, die an die Treuhand flossen, bezahlt werden konnten. Als die Treuhand-Betriebe geschlossen wurden oder ihre Arbeitnehmer entließen, um Rationalisierungsvorteile ausnutzen zu können, erhielten die freigesetzten Arbeitnehmer zunächst Arbeitslosengeld und dann Arbeitslosenhilfe. Mit der Arbeitslosenhilfe als sicherem Einkommen warten viele seitdem vergeblich auf Unternehmen, die in der Lage sind, noch höhere Lohneinkommen zu zahlen. Wie in Kapitel 4 schon erwähnt wurde, lag die Zahl der Arbeitslosenhilfeempfänger in den neuen Ländern im Mai des Jahres 2003 mit 960.000 fast auf dem Niveau der viermal so großen Westländer, wo 1,07 Millionen Fälle verzeichnet wurden.[31] Arbeitslosengeld und Arbeitslosenhilfe wirkten wie eine Sperrklinke, die die Lohnerhöhungen der ersten Jahre perpetuierten und verhinderten, dass die Wirtschaft der neuen Länder jemals Fuß fassen konnte.

Aber auch die Sozialhilfe selbst, die für jedermann als Lohnersatz verfügbar war, sorgte von vornherein für so hohe Lohnansprüche, dass die ostdeutsche Wirtschaft kaum eine Chance hatte, wettbewerbsfähig zu werden. Immerhin liegt die gesetzliche Sozialhilfe, die den neuen Bundesbürgern zusteht, mittlerweile schon bei etwa 93 % bis 96 % des Westniveaus, und zwar in nominaler Rechnung. In realer Rechnung ist die Sozialhilfe wegen der immer noch niedrigeren Preise und Mieten heute höher als im Westen.[32]

Damit es jemandem zugemutet werden kann, eine Stelle anzunehmen, muss er netto mindestens die Sozialhilfe verdienen, in der Regel aber noch deutlich mehr, um den Verlust seiner Freizeit zu kompensieren. Tabelle 5.1 zeigt, wie hoch die sich bei alternativen Wertansätzen für die Freizeit ergebenden Bruttostundenlohnkosten in den neuen Bundesländern relativ zu den Lohnkosten im Westen sind, die diese Bedingungen gerade erfüllen. Dabei werden die tatsächlichen durchschnittlichen Stundenlohnkosten Westdeutschlands, die bei 27,18 Euro liegen, berücksichtigt, sowie die Spezifika des ostdeutschen Förder- und Abgabensystems, die für alternative Familientypen und Beschäftigungszustände gelten, inklusive des

Wohn- und Kindergelds, der Steuern und Sozialabgaben, des 325-Euro-Gesetzes, der Möglichkeit des Bezugs ergänzender Sozialhilfe und so weiter. Die erste Zeile der Tabelle bezieht sich auf den Fall einer Vollzeitbeschäftigung, die exakt das gleiche Nettoeinkommen wie im Fall ohne Arbeit erzeugt, und die darunter liegenden Zeilen sind unter der Hypothese berechnet, dass bei der Arbeit 2,50 Euro beziehungsweise 5 Euro netto mehr pro Stunde herauskommen müssen, als wenn man nicht arbeitet, weil der Verlust an Freizeit oder anderweitig verwendbarer Arbeitszeit abgegolten werden muss. Die Tabelle beantwortet die Frage, wie hoch die mindestens notwendigen relativen Lohnkosten pro Stunde für den ostdeutschen Arbeitgeber sind, die sicherstellen, dass das zugehörige Nettolohneinkommen den Verlust der Sozialhilfe und der eigenen Zeit gerade kompensieren kann.

Die relevanten Werte für die Mindestlohnkosten im Osten relativ zum Westen liegen je nach Familienstand des Arbeitnehmers und je nach unterstelltem Wert der Zeit zwischen 21 % und 87 %. Der niedrigste Wert ergibt sich für einen Alleinstehenden, der seine Zeitkosten mit null ansetzt, und der höchste für einen Arbeitnehmer aus einer fünfköpfigen Familie, der mindestens 5 Euro pro Stunde zu dem hinzuverdienen will, was er ohnehin für sich und seine Familie an Sozialhilfe bekommt. Bei einem Arbeitnehmer aus einer vierköpfigen Familie liegt der absolute Mindestwert für die relativen Stundenlohnkosten, bei dem netto kein Cent mehr als beim Nichtstun herausspringt, bei 43 %. Veranschlagt dieser Arbeitnehmer seine bei der Arbeit verlorene Freizeit mit 2,50 Euro je Stunde, so liegen die relativen Mindeststundenlohnkosten für eine reguläre Beschäftigung bei 60 % des Westniveaus. Setzt er gar 5 Euro je Stunde für seine Zeitkosten an, etwa weil er für 5 Euro schwarzarbeiten kann, so ergeben sich Mindeststundenlohnkosten von 80 % des Westniveaus.

Abbildung 5.5 hat gezeigt, dass die tatsächlichen durchschnittlichen Stundenlohnkosten in den neuen Ländern knapp

Mindestlohnrelation Ost-West					
Von der Sozialhilfe erzwungene Mindestlohnkosten pro Stunde in den neuen Ländern als Prozentsatz der durchschnittlichen westdeutschen Lohnkosten					
Wert der eigenen Zeit EUR	Allein-stehende (6.407)	Ehepaar ohne Kinder (10.447)	Ehepaar, 1 Kind (13.571)	Ehepaar, 2 Kinder (16.579)	Ehepaar, 3 Kinder (19.457)
0	21 %	34 %	39 %	43 %	48 %
2,50	39 %	48 %	54 %	60 %	66 %
5,00	62 %	67 %	74 %	80 %	87 %

Ziffer in Klammern: Sozialhilfe Ost inklusive Mietzuschuss und Kindergeld. Rechnungen auf der Basis des Jahres 2000. Arbeitszeit Ost 1.700 Stunden, Arbeitszeit West 1.645 Stunden pro Jahr. Durchschnittliche jährliche Lohnkosten für Arbeiter und Angestellte im verarbeitenden Gewerbe, im Handel und im Bankgewerbe: 44.706 Euro.

Quelle: H.-W. Sinn und W. Ochel, Social Union, Convergence and Migration, CESifo Working Paper Nr. 961, 2003.

TABELLE 5.1

über 70 % des Westniveaus liegen. Im Vergleich mit Tabelle 5.1 wird klar, dass dieser Wert kaum durch die Marktkräfte unterschritten werden kann, wenn die Unternehmen der neuen Länder den Wettbewerb mit dem Sozialstaat bestehen wollen. Für einen verheirateten Arbeitnehmer mit einem Kind, der schwarz für mindestens fünf Euro pro Stunde arbeiten kann, ist es schon nicht mehr attraktiv, zum durchschnittlichen Lohnsatz der neuen Länder zu arbeiten, obwohl dieser Lohnsatz bereits Lohnkosten in Höhe von 70 % der durchschnittlichen westdeutschen Lohnkosten impliziert. Das gilt erst recht für Arbeitnehmer, die mehr Kinder haben, denn die Kürzung des im Rahmen der Sozialhilfe gewährten Kindergeldes wirkt als zusätzliche Bremse für die Aufnahme einer regulären Beschäftigung. Bei drei Kindern kann der durchschnittlich qualifizierte Arbeitnehmer aus den neuen Ländern der regulären Arbeit nur dann etwas abgewinnen, wenn er den subjektiven Wert seiner Zeit, beziehungsweise den Lohn für eine mögliche Schwarzarbeit, mit nicht viel mehr als 2,50 Euro ansetzt.

Diese in der Tabelle 5.1 angegebenen Zahlen konkretisieren, was es wirklich bedeutet, dass die Sozialunion der Wirtschaft der neuen Länder einen mächtigen Konkurrenten auf dem Arbeitsmarkt gegenübergestellt hat. Dieser Konkurrent setzt der Wirtschaft durch hohe Ersatzlöhne zu, und auf den Gütermärkten dieser Welt von China über Portugal bis nach Polen tun es die Konkurrenten durch Niedriglohnprodukte. Dazwischen wird der Platz, den die Wirtschaft der neuen Länder noch zum Atmen hat, immer enger.

Die Problemlage, die in den neuen Ländern durch die Sozialunion erzeugt wurde, erinnert sehr an die so genannte Holländische Krankheit. Holland hatte Ende der fünfziger Jahre große Gasfunde gemacht und dann Anfang der sechziger Jahre mit der Ausbeutung der Gasvorräte begonnen.[33] Die Gasfunde machten die Holländer reicher, weil sie das Gas auf den Weltmärkten verkaufen und im Austausch nützliche Güter einkaufen konnten, die ihren Lebensstandard erhöhten. Die Kehrseite der Medaille war aber, dass die restliche Wirtschaft Hollands unter den Gasfunden litt, weil die Gasbetriebe den Arbeitsmarkt abräumten und die Löhne so weit in die Höhe trieben, dass ihre Wettbewerbsfähigkeit beeinträchtigt wurde.

Die Sozialunion hat der Wirtschaft der neuen Länder etwas Ähnliches beschert wie die Gasfunde der holländischen Industrie, denn auch mit ihr wurde ein mächtiger Wirtschaftssektor etabliert, der den Arbeitsmarkt abräumte. Der Unterschied war zwar, dass die Menschen in den neuen Bundesländern dafür bezahlt wurden, dass sie nicht arbeiten, während sie in Holland in der Gasindustrie produktiv tätig waren, aber aus der Sicht der Industrien der beiden Länder kam es darauf nicht an. Für sie waren die Konsequenzen dieselben.

Ein Befreiungsversuch

Die neuen Bundesländer haben wegen der faktischen Tarifhoheit der westdeutschen Konkurrenten und der in dieser Form problematischen Entscheidung für die Sozialunion nach westdeutschem Muster nie die Chance erhalten, ein attraktiver Standort für das international mobile Investitionskapital zu werden. Wertvolle Jahre gingen bei dem Versuch, eine florierende und sich selbst tragende Wirtschaft auf die Beine zu stellen, unwiederbringlich verloren. Es waren entscheidende Jahre, während derer die neuen Länder einen soliden Vorsprung vor den anderen Ländern des ehemaligen Ostblocks hätten herausarbeiten können, die nun ebenfalls den Weg zum Wohlstand suchen.

Diese Länder waren zu Anfang vollauf damit beschäftigt, sich aus dem Müll herauszuwühlen, den der Kommunismus hinterlassen hatte, ohne dass sie dabei auf die Hilfe eines großen Bruders hätten zurückgreifen können. Sie mussten sich unter großen Mühen ein für die Marktwirtschaft passendes Rechtssystem zimmern, wie es die neuen Länder mit dem Akt der Vereinigung bereits als Mitgift erhalten hatten. Und vor allem mussten die osteuropäischen Länder auf das Privileg der Mitgliedschaft in der Europäischen Union verzichten, die den Unternehmen der neuen Länder eine stabile Marktordnung und einen riesigen Absatzmarkt mit Hunderten von Millionen von Verbrauchern gebracht hatte, der mehr als nur ein gleichwertiger Ersatz für die wegbrechenden Ostmärkte war.

In den neuen Ländern wurde die Zeit nutzlos vertan. Man hat gefeiert und gejubelt, man hat seine Wohnungen und die Innenstädte renoviert, man hat japanische Autos gekauft und Reisen in die bislang verbotenen Länder gemacht. Man hat sich auf den westlichen Konsumstandard eingerichtet. Doch eine neue industrielle Basis mit in Europa gut eingeführten Unternehmen, die sich dem Wettbewerb mit den ehemaligen COMECON-Staaten hätten stellen können, hat man trotz der vielen Vorteile nicht geschaffen. Dazu waren die Arbeitskräfte der neuen Bundesländer schlichtweg zu teuer.

Am Vorabend des EU-Beitritts der osteuropäischen Länder, die mit einem Viertel bis Fünftel der ostdeutschen Löhne in den Standortwettbewerb treten, kann man nur vor dem Schlimmsten warnen. Die Entwicklung der neuen Länder, ja ganz Deutschlands, wird kein gutes Ende nehmen, wenn es nicht endlich gelingt, das Ruder herumzureißen.

Die notwendigen Reformen für die neuen Länder gleichen im Prinzip denjenigen, die für Gesamtdeutschland erforderlich sind, nur sind sie viel dringender. Am wichtigsten ist die Änderung der Lohnstruktur, ja auch die Senkung der Lohnansprüche für die, die bisher noch keine Jobs haben. Das geht nur durch eine drastische Rückführung der Lohnersatzleistungen, mit denen der Sozialstaat der privaten Wirtschaft Konkurrenz macht. Die notwendigen Maßnahmen umschließen die neue Frührente, die faire Abschläge macht, aber den freien Hinzuverdienst erlaubt, die Kürzung der Bezugsdauer des Arbeitslosengeldes, die Zusammenlegung von Arbeitslosenhilfe und Sozialhilfe und vor allem die Einführung der Aktivierenden Sozialhilfe. Lohnsteuergutschriften für Niedriglohnjobs und bessere Hinzuverdienstmöglichkeiten bei der Sozialhilfe, die an die Stelle eines erheblichen Teils der Sozialhilfe für das Nichtstun treten, sind Elemente eines reformierten Sozialstaates, der keine Holländische Krankheit hervorruft und als Partner der privaten Wirtschaft auftritt, statt ihr Konkurrenz zu machen. Ohne diese Reform wird es keine, mit ihr eine faire Chance für die neuen Länder geben.

Machen wir uns nichts vor. Aus der Zangenlage zwischen der hoch produktiven Wirtschaft des Westens und den Niedriglohngebieten in Polen und Tschechien können sich die neuen Länder nur schwer befreien. Es wird in jedem Fall außerordentlich schwer werden. Aber der Befreiungsversuch muss unternommen werden.

Mehr Geld kann das Problem nicht lösen und wäre aus den

genannten Gründen nur schädlich. Es gibt nur einen einzigen Weg, und der heißt Markt, Markt und noch einmal Markt! Die neuen Bundesbürger müssen sich dem Wettbewerb offensiv stellen, und das geht nur, wenn sie umdenken und sich endlich mit der Idee eines wirklich liberalen Wirtschaftssystems versöhnen. Sie müssen akzeptieren, dass man sein Geld nicht vom Staat bekommen darf, sondern nur von seinen Mitbürgern, die einen für die Leistungen, die man für sie erbringt, bezahlen. Die Rechtfertigung für das Einkommen, das man bezieht, ist nicht der eigene Anspruch, auch nicht eine nach abstrakten Kriterien definierte Leistung, sondern einzig und allein die Wertschätzung desjenigen, der diese Arbeitsleistung kaufen soll. Die neuen Bundesbürger müssen damit leben, dass die Einkommen der Menschen sehr unterschiedlich sind. Wer sich selbständig macht, wer etwas ganz Neues im Leben probiert, wer sich Tag und Nacht abrackert, wer Risiken eingeht, der kann und muss viel, ja sehr viel Geld verdienen können. Der alte sozialistische Sozialneid gehört in die Mottenkiste, aber endgültig.

Es geht nicht darum, nun auf einmal das gesamte staatliche Schutzsystem zu beseitigen und die Bürger der neuen Länder allein und schutzlos der Konkurrenz mit den Polen, Tschechen, Ungarn und wem auch immer auszusetzen. Die Transfers werden im Wesentlichen weiter fließen müssen. Der große Bruder im Westen wird das Konto nicht sperren lassen, so schwer ihm das in dieser Zeit fällt.

Aber es kann Leistung verlangt werden. Jeder, der arbeiten kann und Unterstützung vom Staat bekommt, muss arbeiten. Das Argument mit den angeblich fehlenden Stellen zieht nicht mehr. Die Aktivierende Sozialhilfe ist der Weg, die nötigen Stellen sogar sozialverträglich zu schaffen. Mit der Aktivierenden Sozialhilfe und der daraus folgenden Senkung der Lohnkosten der Unternehmen können die neuen Länder den Wettbewerb bestehen und mehr Jobs schaffen. Sie können zu einer Drehscheibe des Handels und der industriellen Produktion im Herzen Europas werden, indem sie die alten Kontakte in den

Osten und die feste Integration in die Bundesrepublik nutzen. Dabei werden sie von dem gut funktionierenden Rechtssystem Deutschlands, von den Lieferbeziehungen mit der westdeutschen Wirtschaft und von einer im Vergleich zu Osteuropa hervorragenden Infrastruktur profitieren. Und bei allem werden sie sich auf ihren Stolz und ihre alten Tugenden besinnen, die sie vor dem Kriege zu einer der produktivsten Regionen der ganzen Welt gemacht haben. Wo ein Wille ist, ist ein Weg.

Man muss sie aber lassen. Es ist nicht ratsam, die neuen Länder weiterhin in allen Punkten in das Regelsystem des Westens einzubinden. Sie müssen die Möglichkeit haben, in Grenzen ihren eigenen Weg zu gehen und mit liberaleren Wirtschaftgesetzen dem Westen etwas vorzumachen. Auch die Aktivierende Sozialhilfe müssten sie allein einführen dürfen, wenn der Westen nicht mitmachen möchte. Die von einigen ostdeutschen Ministerpräsidenten geforderten Sonderwirtschaftsgebiete sind der richtige Weg.

Im Zusammenhang mit der Lohnpolitik sollte in den neuen Ländern ein besonderes Augenmerk auf die Möglichkeiten der Mitbeteiligung der Arbeitnehmer am Kapital ihrer Unternehmen gelegt werden, denn trotz der schon ansehnlichen Einkommen mangelt es in den neuen Ländern noch immer an Vermögensbesitz.

Einer der Nachteile der Hochlohnpolitik war die totale Entwertung der Treuhand-Firmen, die nach dem Willen des Einigungsvertrags und des Vertrags über die Wirtschafts- und Währungsunion der Bevölkerung der Ex-DDR in verbriefter Form hätten übereignet werden sollen.[34] Hätte man ein Lohnmoratorium bis zum Abschluss der Privatisierungsaktion erlassen, weil es vorher keine echten ostdeutschen Tarifpartner gab, und hätte man dann Bedingungen für eine wettbewerbliche Lohnfindung geschaffen, so wären die Löhne in den ersten Jahren in der Nähe von einem Drittel des Westniveaus geblieben und anschließend im Gefolge des Produktivitätszuwachses auch nur langsam gestiegen. Auch die Treuhandfirmen wären dann werthaltig gewesen, denn sie hätten mit ihrer Facharbeiterschaft die ideale Basis für einen erfolgreichen Neustart mit neuen Produktionsanlagen, neuen Produkten und neuen Märkten geboten. Der Auftrag des Einigungsvertrags, immerhin ein Auftrag von Verfassungsrang, hätte erfüllt werden können. Die Investoren hätten sich um die Treuhandfirmen gerissen, weil sie die Chance gesehen hätten, den gigantischen Binnenmarkt der Europäischen Union von einem Niedriglohnstandort aus beliefern zu können, der den vollen Rechtsschutz der Bundesrepublik Deutschland genoss, der in unmittelbarer Nachbarschaft zu den westdeutschen Industriegebieten lag und der in Kürze über eine gute Infrastruktur verfügen würde. Selbst Irland und Finnland wären dann abgeschlagen worden. Die vorgesehene Verbriefung hätte unter diesen Verhältnissen ihren Sinn gehabt. Die Treuhandanstalt hätte potente Investoren für gemeinschaftlich betriebene, aber von den Investoren kontrollierte Unternehmen finden können, und statt sich mit Geld bezahlen zu lassen, hätte sie sich für das von ihr eingebrachte Altkapital eine Minderheitsbeteiligung an Aktien aushändigen lassen können, um diese dann in einem zweiten Schritt an die Bevölkerung der neuen Länder auszuteilen. Bei einer solchen Politik, die meine Frau und ich seinerzeit vorgeschlagen hatten[35], wäre eine gesundere Basis für den Start in die Marktwirtschaft entstanden, weil die niedrigen Löhne gute Standortbedingungen geschaffen und die Vermögensbeteiligung an den neuen Firmen mehr als nur eine gute Kompensation für die Lohnzurückhaltung geboten hätte.

Man kann das Rad der Geschichte nicht ganz zurückdrehen, aber man kann doch auf dem Wege der Mitbeteiligung der Arbeitnehmer an ihren Unternehmen eine Teilkorrektur früherer Versäumnisse erreichen. Insbesondere in den neuen Ländern sollte deshalb das in Kapitel 3 vorgestellte Beteiligungsmodell eingeführt werden. Wenn die Unternehmen den bereits beschäftigten Arbeitnehmern, und nur diesen, eine längerfristige Lohnsenkung für Aktien, Genussscheine oder andere

Anteilstitel »abkaufen«, wird der Weg zur Beschäftigung neuer Mitarbeiter bei niedrigeren Löhnen freigemacht – mit Vorteilen für jeden. Wer jetzt schon einen Job hat, wird für seinen Lohnverzicht kompensiert, und wer noch keinen hat, der wird nun mit größerer Wahrscheinlichkeit einen bekommen, weil die Lohnkosten niedriger sind und sich mehr Investitionen lohnen. Die Unternehmen und die mitbeteiligten Mitarbeiter werden durch die Geschäftsausweitung ihren gemeinsamen Gewinn steigern können. Mit ein bisschen Phantasie und Mut sollte es möglich sein, diesen Weg zu gehen.

Zur Kompensation für eine Lohnsenkung bietet es sich zusätzlich an, den neuen Bundesbürgern den noch vorhandenen Immobilienbesitz der kommunalen Wohnungsgesellschaften und anderer staatlicher Instanzen zu niedrigen Preisen zu verkaufen. Hierbei handelte es sich ursprünglich um die Wohnungen, die zu DDR-Zeiten entstanden sind und inzwischen großenteils renoviert und auf westlichen Standard gebracht wurden. Von den DDR-Wohnungen sind bereits einige an westdeutsche Wohnungsgesellschaften und auch an Mieter verkauft worden, doch etwa ein knappe Million müsste noch vorhanden sein.[36] Wenn man Verkaufspreise wählt, die die Renovierungskosten abdecken, nicht jedoch den historischen Altbestand, hätte man das ehemals volkseigene Vermögen dem Volk wieder zurückübereignet. Dieses Programm, das die von der Bundesregierung eingesetzte Expertenkommission Wohnungspolitik seinerzeit vorgeschlagen hatte, kann man so ausgestalten, dass jeder eine faire Chance zum Eigentumserwerb erhält.[37] Es kann dazu beitragen, im politischen Raum die Zustimmung für eine Kehrtwende bei der Lohnpolitik zu erleichtern.

Die Bürger der neuen Länder sind bettelarm in die Marktwirtschaft gekommen, weil versäumt wurde, das diffuse Volkseigentum des kommunistischen Staates in privatrechtliche Anspruchstitel umzuwandeln. Durch die nachträgliche Schaffung von Eigentum an Unternehmen und Wohnungen, die als Aufgabe von Verfassungsrang angesehen werden kann, lässt sich dieses Versäumnis zum Teil noch korrigieren. Im Ausgleich kann eine marktgerechte Lohnstruktur eingerichtet werden, die die Grundvoraussetzung für die Schaffung von Arbeitsplätzen ist. Die neuen Bundesbürger hätten damit in Zukunft sicherere Lohneinkommen und eine weitere Einkommensquelle in Form eines Kapitaleinkommens, sei es als ein ausgeschütteter Unternehmensgewinn, als ein Zins oder als eine ersparte Eigenmiete. Außerdem würde das Eigentum einigen helfen, den Schritt in die Selbständigkeit zu wagen. Gegen die Risiken der Globalisierung und der Osterweiterung mit ihren unvorhersehbaren Implikationen für die Verteilung des Volkseinkommens auf Gewinne und Löhne wären sie dann etwas besser gewappnet, als es heute der Fall ist.

Der verblühende Osten

1 Vergleiche E. Streissler, Deutschland, Deutschland über alles, Wochenpresse Nr. 14, April 1990, S.48–53, und H.-W. Sinn und G. Sinn, Kaltstart, Mohr-Siebeck, Tübingen 1991, insbesondere Kapitel V.

2 H.-W. Sinn, Schlingerkurs: Lohnpolitik und Investitionsförderung in den neuen Bundesländern, in: G. Gutmann, Hrsg., Die Wettbewerbsfähigkeit der ostdeutschen Wirtschaft, Jahrestagung des Vereins für Socialpolitik, Jena 1994, Duncker & Humblot, Berlin 1995, S.23–60.

3 Statistisches Bundesamt, Finanzen und Steuern, Personal des öffentlichen Dienstes, Fachserie 14, Reihe 6, S.114, 120; Mikrozensus (Erwerbstätige).

4 Ebenda, S.117, 123.

5 Vergleiche Statistisches Bundesamt, Gebiet und Bevölkerung, Fachserie 1, Reihe 1, Finanzen und Steuern, Personal des öffentlichen Dienstes, Fachserie 14, Reihe 6; Arbeitsgemeinschaft Volkswirtschaftliche Gesamtrechnungen der Länder; Berechnungen und Schätzungen des ifo Instituts.

6 Für diese und die folgenden Angaben zum italienischen Mezzogiorno vergleiche man H.-W. Sinn und F. Westermann, Two Mezzogiornos, Rivista di diritto finanziario e scienza delle finanze 60, 2001, S.29–54; ebenso in: M. Bordignon und D. da Empoli, Hrsg., Politica fiscale, flessibilità dei mercati e crescita, FrancoAngeli, Mailand 2001, S.43–66.

7 Vergleiche hier und im Folgenden H.-W. Sinn und F. Westermann, a.a.O, S.45f.

8   M. C. Kaser und E. A. Radice, Hrsg., The Economic History of Eastern Europe, 1919 – 1975, Bd. 1, Economic Structure and Performance between the two Wars, Clarendon, Oxford 1985.

9   Statistisches Bundesamt, Finanzen und Steuern, Personal des öffentlichen Dienstes, Fachserie 14, Reihe 6, S.117, 123, Juni 2001.

10 Arbeitsgemeinschaft Volkswirtschaftliche Gesamtrechnungen der Länder, 2003.

11 Vergleiche Autorengemeinschaft, Der Arbeitsmarkt in den Jahren 2001 und 2002 mit einem Ausblick auf 2003, Mitteilungen aus der Arbeitsmarkt- und Berufsforschung, 35, 2003, Heft 1, S.36.

12 Bundesanstalt für Arbeit, Website (http://www.pub.arbeitsamt.de), 2003.

13 Berechnungen des ifo Instituts; vergleiche auch W. Nierhaus, Höhere Rentenanpassung in Ostdeutschland erforderlich?, ifo Schnelldienst 52, 1999, Nr. 19, S.20–24, und W. Nierhaus, W. Meister, O.-E. Kuntze, J.-E. Sturm, Prognose 2002/2003: Chancen für einen neuen Aufschwung, ifo Schnelldienst 55, 2002, Nr. 15, S.19–44, hier S.38.

14 Eurostat, Pressemitteilung Nr. 10 vom 30. Januar 2003.

15 Rentenversicherungsbericht 2002 der Bundesregierung, S.59.

16 Ebenda, S.58.

17 Vergleiche K. Behring, Infrastruktureller Nachholbedarf der neuen Bundesländer, ifo Schnelldienst 54, 2001, Nr. 9, S.21–29.

18 Vergleiche Finanzbericht 2003, Bundesministerium der Finanzen, Berlin 2002, S.160.

19 Nach einer Untersuchung von Burda und Busch flossen von 1991 bis 1999 insgesamt 601,3 Milliarden Euro Nettoleistungen an öffentlichen Finanztransfers nach Ostdeutschland, und nach Berechnung des ifo Instituts liegen diese Transfers derzeit bei knapp 85 Milliarden Euro pro Jahr. Vergleiche M. Burda und U. Busch, West-Ost-Transfers im Gefolge der deutschen Vereinigung, Konjunkturpolitik 47, 2001, S.1–38.

20 Vergleiche Sitzungsberichte, Deutscher Bundestag, 11. Wahlperiode, 220. Sitzung, Bonn, Donnerstag, den 9. August 1990, S.17388, und ebenda, 236. Sitzung, Bonn, Donnerstag, den 22. November 1990, S.18900.

21 P. Clough, Helmut Kohl – Ein Porträt der Macht, dtv, München 1998, S.247.

22 Arbeitskreis Steuerschätzungen, Lübbenau 2003.

23 Statistisches Bundesamt, Website, Neue Bundesländer einschließlich Berlin; Differenz des Schuldenstands 2001 und 2002.

24 R. Barro und X. Sala-i-Martin, Economic Growth, McGraw-Hill, New York 1995.

25 Vergleiche H.-W. Sinn und W. Ochel, Social Union, Convergence and Migration, CESifo Working Paper Nr. 961, 2003.

26 Statistisches Bundesamt, Wanderungsstatistik 2003, auf Anfrage, Juni 2003.

27 Deutsche Bundesbank, Kapitalverflechtung mit dem Ausland, Statistische Sonderveröffentlichung, Mai 2002.

28 Siehe Bundesanstalt für Arbeit, Beruf 774, Datenverarbeitungsfachleute, September 2000, sowie IAB Werkstattbericht Nr. 7 vom 20. Mai 2003, S.8. Danach wurden vom August 2000 bis zum Dezember 2002 statt der von Kanzler Schröder mit der Greencard-Lösung angestrebten 20.000 ausländischen IT-Fachkräfte tatsächlich nur 2.008 Personen ins Land geholt.

29 IAB, Die Entwicklung der Flächentarifbindung 1995 – 2001: Ergebnisse aus dem Betriebspanel (Website).

30 H.-W. Sinn, Volkswirtschaftliche Probleme der deutschen Vereinigung, Nordrhein-Westfälische Akademie der Wissenschaften, Vorträge N 421, Opladen 1996, S.15.

31 Vergleiche http://www.pub.arbeitsamt.de.

32 A. Boss, Sozialhilfe, Lohnabstand und Mindestarbeitslosigkeit, Kieler Arbeitspapier 1075, Institut für Weltwirtschaft, Kiel 2001, S.15. Vergleiche auch Tabelle 8.2.

33 Vergleiche Gasunie, The History of Natural Gas in the Netherlands, www.gasunie.nl/n_eng/general/history.htm.

34 »Nach Maßgabe des Artikels 10 Abs. 6 des Vertrags vom 18. Mai 1990 sind Möglichkeiten vorzusehen, dass den Sparern zu einem späteren Zeitpunkt für den bei der Umstellung 2:1 reduzierten Betrag ein verbrieftes Anteilsrecht am volkseigenen Vermögen eingeräumt werden kann.« § 25 Abs. 6 Einigungsvertrag. Diesen Auftrag von Verfassungsrang hat die Treuhandanstalt niemals ernsthaft wahrzunehmen versucht und mit dem Argument

abgelehnt, die geringen Erlöse aus dem Barverkauf der ostdeutschen Unternehmen belegten ja, dass nichts zu verteilen sei. Das Argument ist nicht stichhaltig, weil man ein verbrieftes Anteilsrecht gerade auch dann austeilen kann, wenn man kein Anteilsrecht verkauft, und weil man an Gemeinschaftsunternehmen interessierte Investoren gefunden hätte, wenn man die Gewährung des verbrieften Anteilsrechts mit einem Lohnmoratorium bis zum Abschluss der Privatisierungsaktionen verknüpft hätte.

35 G. und H.-W. Sinn, Kaltstart, a.a.O., 1991.

36 Vergleiche Statistisches Bundesamt, Fachserie 5, Bautätigkeit und Wohnungen, Heft 5, Eigentumsverhältnisse und Rückübertragungsansprüche, Wiesbaden 1997.

37 Expertenkommission Wohnungspolitik, Wohnungspolitik für die neuen Länder, Gutachten im Auftrag der Bundesregierung verfasst von der Expertenkommission Wohnungspolitik, Mohr-Siebeck, Tübingen 1995.

*Der Firma OBI, dem Hauptpro-
fiteur der deutschen Hochsteuerpolitik.*

6.
DER STEUERSTAAT:
FASS OHNE BODEN

Der Staat: Leviathan oder Lastenesel? – Die Mär von der geringen
Steuerquote – Der Weg in den Steuer- und Schuldenstaat – wohin fließt
das viele Geld? – Leistungsempfänger gegen Steuerzahler: Wie Energien verpulvert werden – Die Jagd nach Subventionen – Zu viele Abgaben: Weltmeister bei der Grenzabgabenlast – Schwarzarbeiterparadies Deutschland – Die Neidsteuern des Frank Bsirske – Warum
man das Kapital nicht wirklich besteuern kann – Steuerreform 2000: ein
kleiner Schritt in die richtige Richtung – Das Versiegen der Körperschaftsteuer – Eine wirklich mutige Steuerreform

Der Staat: Leviathan oder Lastenesel?

Als der englische Philosoph Thomas Hobbes im Jahr 1651 den
absolutistischen Fürsten mit dem alttestamentarischen Meeres-
ungeheuer Leviathan verglich, dessen viele gefräßige Mäuler
die Bürger kaum stopfen konnten[1], wusste er nicht, wie passend
dieser Vergleich ultra-liberalen Staatstheoretikern bei der
Beurteilung des europäischen Wohlfahrtsstaates erscheinen
würde. Der europäische Wohlfahrtsstaat wird von diesen Öko-

nomen als Fortsetzung des Feudalstaats gesehen, mit Hilfe dessen sich bestimmte Bevölkerungsgruppen zu Lasten anderer durch immer höhere Steuern und Abgaben sichere Pfründe verschaffen.[2] Die Unternehmen, die sich vom Staat subventionieren lassen, die Politiker, die sich beim Staat bedienen, und die parteiübergreifend organisierte Sozialmafia, die ihrer Klientel den Zugriff auf Einkommen verschaffen konnte, die andere verdient haben, sind die Beispiele, die diese Staatstheoretiker im Auge haben. Dies aber ist nur eine mögliche Sicht des Staates.

Die gegenteilige Sicht wird von linken Theoretikern vertreten, die den europäischen Wohlfahrtsstaat als eine Art Dukatenesel für den Transport von Geldsäcken sehen, der die Aufgabe hat, den Menschen ein für sie angemessenes Einkommen zuzutragen. Jeder soll nach seinem Vermögen einen Beitrag für das Gemeinwesen leisten, aber wem Arbeit nicht zumutbar ist oder wer keine findet, der soll ebenfalls sein Auskommen haben, so wie er in einer guten Familie von anderen Familienmitgliedern miternährt würde. Das Einkommen muss nicht am Markt erworben werden. Vielmehr soll es jedem unabhängig von seiner Leistung gemäß seinen Bedürfnissen zugewiesen werden! So lautet die alte Marx'sche Devise, die sich bis heute in Deutschland großer Beliebtheit erfreut. Vermögensbesitz, Managergehälter oder Erbschaften werden als ungerecht angesehen und dem Zugriff des Steuerstaates anempfohlen. Der Lastenesel kann bei den Wohlhabenden mit Dukaten bepackt werden, die er dann zu den Bedürftigen bringt. Es entspricht dieser Sicht der Dinge, dass die regelmäßige Lieferung des Dukatenesels als fester Besitzstand angesehen wird, sodass jedwede Verringerung des Dukatentransports als ungerechtfertigte Bereicherung jener angesehen wird, von denen die Dukaten geholt werden.

Beide Sichtweisen führen nicht weiter. Der moderne Staat ist kein Feudalstaat neuer Prägung, sondern eine notwendige Konsequenz der Industriellen Revolution, der Urbanisierung und der Entwicklung der Demokratie. Er sorgt für die Infrastruktur in Form von Straßenverkehrsnetzen, Kanälen und Brücken, er stellt Leitungsnetze für Frisch- und Abwasser, für den Energietransport und für die Kommunikation zur Verfügung, er betreibt Schulen und Universitäten, er schafft mit seinem leistungsfähigen Justiz- und Polizeisystem vor allem die Grundvoraussetzung dafür, dass eine Marktwirtschaft überhaupt existieren kann. Kurzum: Er produziert öffentliche Güter, die wegen ihrer gemeinsamen Nutzung und wegen ausgeprägter Größenvorteile in der Produktion grundsätzlich nicht privatwirtschaftlich zur Verfügung gestellt werden können. Auch versichert der Staat die Lebensrisiken durch seine Umverteilungspolitik, ein Thema, dem sich das vorige Kapitel widmete. Das alles hat mit dem Bild des gefräßigen Meeresungeheuers nur wenig zu tun.

Aber der Staat kann auch nicht die Institution sein, die den Transport der Dukaten nach dem Kriterium der Bedürftigkeit organisiert, denn anders als im Märchen der Gebrüder Grimm reicht es nicht aus, »Esel reck dich, Esel streck dich!« zu rufen, damit der Esel dann die Dukaten spuckt und kackt. Vielmehr müssen die Dukaten erst verdient werden, bevor sie weiterverteilt werden können, und vielleicht werden sie nicht mehr verdient, wenn diejenigen, die sie verdienen sollen, wissen, dass anschließend der Lastenesel kommt. Mehr noch: Vielleicht helfen die Dukaten nicht einmal, weil die Empfänger der Dukaten ja wissen, dass der Dukatenesel nur dann zu ihnen kommt, wenn sie als bedürftig gelten, und sich deshalb hüten, den Status der Bedürftigkeit durch eigene Anstrengungen beim Erwerb von Dukaten aufs Spiel zu setzen.

Das sind keine theoretischen Überlegungen, sondern für Deutschland äußerst relevante Zusammenhänge. Im Kapitel 4 war dargelegt worden, warum die Lohnersatzleistungen des Sozialstaates, die ja zur Abfederung der Konsequenzen der Arbeitslosigkeit eingeführt wurden, selbst für die Arbeitslosigkeit verantwortlich gemacht werden können. Sie erzeugen

Anspruchslöhne, die die Marktwirtschaft in vielen Fällen nicht mehr erfüllen kann. Wegen der Zahlung von Lohnersatz agiert der Staat auf dem Arbeitsmarkt wie ein Wettbewerber, der die privaten Unternehmen durch seine Hochlohnkonkurrenz bedrängt.

Der Staat ist aber nicht nur ein Wettbewerber für die privaten Unternehmen, wie es ein anderes privates Unternehmen wäre. Es kommt hinzu, dass er sich nicht durch den Verkauf seiner Leistungen finanziert, sondern durch Zwangsabgaben, die er den privaten Unternehmen und ihren Arbeitnehmern auferlegt. Diese Zwangsabgaben stören den Wirtschaftsprozess erheblich, denn die Belasteten versuchen, ihnen durch die Änderung ihres wirtschaftlichen Verhaltens auszuweichen. In Erwartung des Lastenesels, den sie vollpacken sollen, entscheiden sich die Steuerzahler mehr und mehr für wirtschaftlich unsinnige Verhaltensweisen, die ihre Rechtfertigung nur in dem Versuch finden, der Steuerbelastung auszuweichen. Dadurch erlahmt die Wirtschaft, und die Primäreinkommen sind niedriger, als sie ohne den exzessiven Zugriff des Staates gewesen wären.

Beispiele für unsinnige Verhaltensweisen, die durch die Besteuerung hervorgerufen werden, gibt es genug. Unternehmen verlagern ihre Standorte in Niedrigsteuerländer wie Irland, Großbritannien oder Litauen, die wegen ihrer Marktferne eigentlich keine idealen Produktionsstandorte sind. Unternehmenseigner ziehen die Gewinne aus ihren Unternehmen heraus, anstatt sie wieder zu investieren, um sie irgendwo auf der Welt in Finanztiteln anzulegen und Zinsen zu verdienen, auf die der deutsche Fiskus keinen Zugriff hat. Durch großzügige Abschreibungsmöglichkeiten finanziert der deutsche Staat einen erheblichen Teil der Containerschiffe, die die Weltmeere durchkreuzen, und der Flugzeugflotten, die ihre Kondensstreifen rund um den Globus ziehen. Selbst die Filmindustrie Hollywoods wäre ohne die deutschen Abschreibungsmodelle nicht mehr das, was sie ist.[3] Um die Städte der neuen

Bundesländer herum sind wegen der Abschreibungsvergünstigungen Gürtel von Bürogebäuden entstanden, die nicht benötigt werden. Sparer verlieren die Lust am Sparen, weil der Staat Zins- und Zinseszins besteuert, obwohl sie die Ersparnis aus versteuertem Einkommen gebildet haben, und in der Folge sinkt das Investitionsvolumen der Wirtschaft. Man verprasst sein Geld im Rentenalter, anstatt es zu vererben, weil man dem Staat als Miterben ausweichen will. Ehefrauen verzichten auf die Erwerbstätigkeit, weil die Progression des Steuertarifs ihnen den Anreiz nimmt mitzuarbeiten. Begabte Schüler sehen nicht ein, warum sie studieren sollen, wo ihnen doch wegen der progressiven Einkommensteuer netto von den Früchten ihrer Anstrengung nicht mehr viel bleibt. Arbeitnehmer flüchten vor den Steuern in die Schwarzarbeit, obwohl sie dabei lange nicht so effizient wie in einem wohlorganisierten Unternehmen arbeiten können. Arbeitslose nehmen in anderen Regionen angebotene Jobs nicht an, weil der Nettolohn die subjektiven und objektiven Kosten des Wohnsitzwechsels nicht aufwiegt, und so weiter, und so weiter. Der Leser wird aus seinem eigenen Erfahrungsbereich Beispiele für steuerinduzierte Fehlaktionen oder das steuerinduzierte Unterlassen wirtschaftlich sinnvoller Handlungen beisteuern können. Fast immer ist der Steuereinfluss auf das private Verhalten volkswirtschaftlich schädlich und läuft darauf hinaus, dass die Verteilungsmasse, die für alle zusammen zur Verfügung steht, kleiner wird, als sie ohne die Steuer gewesen wäre, von den expliziten Lenkungssteuern wie der Ökosteuer oder der Tabaksteuer einmal abgesehen.

Im ersten Kapitel wurde gezeigt, dass Deutschland im internationalen Vergleich in den letzten Jahren zurückgefallen ist und von einem Land nach dem anderen beim Pro-Kopf-Einkommen überholt wird. Dafür könnte neben der Monopolpolitik der Gewerkschaften und der Lohnersatzpolitik des Sozialstaates auch die hohe Steuerlast der Deutschen mitverantwortlich sein.

Man mag entgegenhalten, dass ein gewisser Effizienzverlust

in Kauf zu nehmen sei, wenn durch die Besteuerung mehr Gerechtigkeit hergestellt und das Los der Armen verbessert werden kann. Dieses Argument ist in gewissem Umfang korrekt. Man darf aber nicht übersehen, dass ein Überziehen der Steuerschraube einen Abwärtsstrudel der Wirtschaft erzeugen kann, der alle mit hinunterreißt, auch die Armen, die die staatlichen Leistungen empfangen. Wenn selbst die scheinbar von der Umverteilung Begünstigten zu den Verlierern gehören, dann ist das Maß der sinnvollen Umverteilung sicherlich überschritten.

Das kommunistische System der DDR ist ein anschauliches Beispiel für diese Möglichkeit. Selbst dem »Proletariat«, dem es dank seiner Diktatur ja gelungen war, im Vergleich zu den bürgerlichen Schichten eine besonders günstige Verteilungsposition durchzusetzen, ging es in der DDR wesentlich schlechter als in der Bundesrepublik. Ostdeutsche Arbeiter verdienten vor der Wende real gerechnet nur ein Drittel von dem, was westdeutsche Arbeiter in der Lohntüte nach Hause tragen konnten. Was damals in krasser Form zu beobachten war, kann in der erweiterten Bundesrepublik, die durch die Vereinigung entstanden ist, von neuem stattfinden, denn ein überzogener Steuerstaat, der die Primäreinkommen allzu stark umverteilt, kommt dem kommunistischen System schon wieder nahe. Die Übergänge zwischen der Marktwirtschaft und dem Kommunismus sind fließend.

Angesichts dieser Zusammenhänge sind bei der Steuerpolitik ein hohes Augenmaß und ein differenziertes Urteilsvermögen erforderlich. Auf der Basis grundsätzlicher Erwägungen kommt man schwerlich zu einem quantitativen Urteil. Dies kann eher durch Vergleiche mit anderen Zeitperioden und anderen Ländern gewonnen werden, die ein Gefühl dafür geben, wo Deutschland mit seinem Steuer- und Abgabensystem heute tatsächlich steht. Welchen Umfang hat der Staat in Deutschland im Vergleich zu anderen Ländern? Wie standen wir früher? Wie hoch sind die Steuerlasten im internationalen

Vergleich? Wie hoch sind die Staatsschulden? Sind wir in einer Extremposition, oder reihen wir uns in das Mittelfeld ein, und wenn wir abweichen, in welcher Form tun wir das? Das sind die Fragen, die es in den nachfolgenden Abschnitten zu beantworten gilt.

Die Mär von der geringen Steuerquote

Als nach der Wiederwahl der Regierung Schröder im Herbst 2002 bekannt wurde, dass sich Deutschland stärker würde verschulden müssen, als es der europäische Stabilitäts- und Wachstumspakt erlaubt, wurde auch über Einschnitte im Sozialetat nachgedacht. Die Gewerkschaften liefen dagegen Sturm und forderten stattdessen Steuererhöhungen. Als Grund führte ver.di-Vorsitzender Frank Bsirske in der Talkshow von Sabine Christiansen die im internationalen Vergleich niedrige Steuerquote Deutschlands an. Da Deutschland seinen Bürgern vergleichsweise wenig Steuern abverlange, solle man Steuern erhöhen, die die Vermögensbesitzer, die Besserverdienenden und die Beamten treffen.

Das Argument von Frank Bsirske hielt gerade einmal bis zum Ende der Talkshow. Spätestens beim nächsten Stammtisch dürfte klar geworden sein, dass er die Sozialabgaben vergessen hatte. Andere Länder nennen nämlich das, was bei uns Sozialabgaben heißt, Steuern. Die Angelsachsen sprechen in diesem Zusammenhang von Social Security Taxes, also »Sozialversicherungssteuern«. Nur weil die Sozialbeiträge und andere Abgaben bei dem Vergleich nicht berücksichtigt waren, konnte der Gewerkschaftsführer kurzzeitig den Eindruck erwecken, Deutschland sei ein Niedrigsteuerland.

Um nicht semantischen Irrtümern zu erliegen, wenn man wissen will, wie sehr der Staat in den Wirtschaftskreislauf eingreift und die Einkommen der Bürger für seine Zwecke absorbiert, muss man auf die so genannte Staatsquote schauen. Die

Staatsquote misst den Anteil aller Staatsausgaben und -einnahmen am Bruttoinlandsprodukt, also am Wert aller Güter und Leistungen, die in einem Land in einer Periode erzeugt wurden. Manchmal spricht man auch von der Staatsausgabenquote, aber die Staatsausgabenquote ist der Staatseinnahmenquote gleich, denn mit selbst gedrucktem Geld darf der Staat seine Ausgaben grundsätzlich nicht finanzieren.

Allerdings hat der Staat die Möglichkeit, sich in begrenztem Umfang durch Verschuldung zusätzliche Einnahmen zu verschaffen. Schulden zählen zwar im Moment ihres Entstehens nicht zu Abgaben, doch tun sie das in der Zukunft, wenn sie mit Zins und Zinseszins bedient werden müssen. Der abgezinste Gegenwartswert der Zins- und Tilgungslast einer zusätzlichen Staatsschuld ist bis auf den letzten Cent identisch mit dieser Staatsschuld selbst.[4] So gesehen ist die Staatsquote wirklich auch ein Maß der tatsächlichen Abgabenlast der Bürger.

Abbildung 6.1 zeigt einen von der OECD durchgeführten Vergleich der Staatsquoten, der sich auf die EU-Länder sowie Japan und die USA bezieht. Man sieht, dass Deutschland keinesfalls zu den Ländern mit einer niedrigen Staatsquote gehört, aber auch nicht Spitzenreiter ist. Wir lagen im Jahr 2002 mit 48,6 % im oberen Drittel der Länder, vor Ländern wie Italien, Holland oder Großbritannien, und erst recht vor Japan, den USA oder Irland, deren Staatsquoten im Bereich von nur 30 % bis 40 % angesiedelt sind. Andererseits liegen wir hinter Ländern wie Belgien, Österreich, Frankreich und Schweden. Der schwedische Wohlfahrtsstaat ist mit 58 % Spitzenreiter der Rangskala.

Bei der Interpretation der Staatsquote muss man berücksichtigen, dass sie das Staatsbudget in Relation zum Brutto- und nicht etwa zum Nettoinlandsprodukt setzt. Das Bruttoinlandsprodukt ist der Wert aller neu produzierten Fertigwaren und Leistungen inklusive der Bruttoinvestitionen. Ein Teil der Bruttoinvestitionen dient aber nur dem Ersatz von abgeschriebenem Kapital und kann deshalb nicht als Teil der Leistung

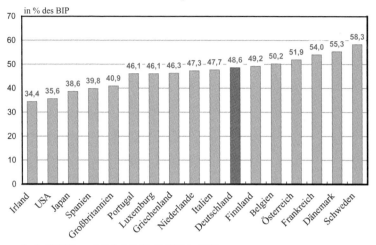

Staatsquoten 2002

in % des BIP

Quelle: OECD Economic Outlook 73; Tab. 26, S.220, Juni 2003.

ABBILDUNG 6.1

einer Volkswirtschaft angesehen werden. Deshalb sollte man besser auf das Nettoinlandsprodukt abstellen. Das Nettoinlandsprodukt ist der Wert aller neu produzierten Fertigwaren und Leistungen inklusive der Nettoinvestitionen. Es gleicht der Wertschöpfung der Volkswirtschaft und damit der Summe aller Einkommen, die dort verdient werden. Das Nettoinlandsprodukt wird zwar weniger häufig zitiert, aber es ist die theoretisch richtige Größe, auf die es ankommt. Bezogen auf das Nettoinlandsprodukt sind alle Staatsquoten in Wahrheit höher, als es in der Abbildung zum Ausdruck kommt. Nach den Rechnungen des Statistischen Bundesamtes liegt das deutsche Nettoinlandsprodukt, also das im Inland verdiente Gesamteinkommen, um etwa 15 % unter dem deutschen Bruttoinlandsprodukt. Das bedeutet, dass die tatsächliche Staatsquote unseres Landes im Jahr 2002 nicht bei 48,6 %, sondern bei 57,2 % lag.[5]

Alle Wirtschaftssysteme sind Mischsysteme zwischen dem Kommunismus und der Marktwirtschaft. Kein westliches Land hat eine reine Marktwirtschaft, und kein Land des ehemaligen Ostblocks war zu 100 % kommunistisch. Im Lichte der auf das Nettoinlandsprodukt bezogenen Staatsquote von 57,2 % gehört Deutschland offenkundig zu den Ländern, die dem Kommunismus bereits deutlich näher stehen als der Marktwirtschaft. So gesehen trifft der Jurist Arnulf Baring den Punkt, wenn er das bundesdeutsche Wirtschaftssystem als »DDR light« kennzeichnet.[6]

Klar, viele werden angesichts solcher Aussagen mit dem Kopf schütteln, weil sie doch so gar nicht zum Selbstverständnis der Deutschen passen. Mit dem Kommunismus wollen wir nun wirklich nichts mehr zu tun haben. Das Bekenntnis zur Marktwirtschaft gehört zur Staatsräson. Fakten sind aber Fakten und keine Ideologien oder Einbildungen, und sie sprechen in diesem Punkte eine klare Sprache. 57 % sind nun einmal deutlich mehr als die Hälfte. Wenn diese Zahl nicht zur Staatsräson passt, dann sollte man entweder ehrlich sein und die Staatsräson ändern oder man sollte die Staatsräson behalten und die Zahl ändern, was im Zweifel der vernünftigere Weg ist.

Der Weg in den Steuer- und Schuldenstaat

Die Staatsquote war nicht immer so hoch wie heute. Abbildung 6.2 zeigt die Entwicklung der Quote, wie sie offiziell gemessen wird, also auf der Basis des Bruttoinlandsprodukts, von 1950 bis zur Gegenwart. Offenbar lag die Staatsquote bis etwa 1955 bei 31 %, stieg dann während der Regierungszeit von Adenauer und Erhard bis zum Beginn der großen Koalition unter Bundeskanzler Kiesinger auf 39 %, blieb bis in das erste Jahr der sozialliberalen Koalition konstant und wuchs während dieser Koalition bis in die Gegend von 50 %, wo sie fortan mit leichter Abschwächungstendenz verblieb.

Der Anstieg war in den letzten drei Amtsjahren von Willy

Brandt besonders extrem. Gegen den erbitterten Widerstand des dann konsequenterweise zurückgetretenen Wirtschaftsministers Karl Schiller, aber mit dem Rückhalt eines überwältigenden Wahlsieges, hatte sich die Regierung Brandt im Jahr 1972 entschlossen, den Weg in den Wohlfahrtsstaat schwedischer Prägung anzutreten. Die deutschen Universitäten wurden in dieser Zeit zu Masseneinrichtungen umgebaut; die Rentenversicherung wurde für neue Teilnehmerkreise geöffnet, die unter sehr günstigen Bedingungen beitreten konnten; das Instrumentarium des Arbeitsförderungsgesetzes wurde 1972, noch vor dem Beschäftigungseinbruch der folgenden Jahre, ausgebaut; der soziale Wohnungsbau wurde durch umfangreiche Sonderprogramme verstärkt; das Wohngeld wurde erhöht; die Förderung der Vermögensbildung wurde erweitert. Die Entwicklung des Sozialstaates entsprach dem Geist der Zeit. Sie war die konsequente Reaktion auf den Gesinnungswandel in der deutschen Bevölkerung, der sich in der Studentenrevolte von 1968 besonders deutlich manifestiert hatte, und es gab nur wenige Weitsichtige wie eben Karl Schiller, die damals schon vor den wirtschaftlichen Konsequenzen gewarnt haben.

Auch die erste Ölkrise, die 1973 begann, trug zur Erhöhung der Staatsquote bei, weil sie das Wachstum verringerte und es möglich machte, die Erhöhung der Staatsausgaben als konjunkturstützende Maßnahme zu propagieren. Dass sie in Wahrheit kein geeignetes Mittel zur Bekämpfung der Angebotskrise war, in der Deutschland damals steckte, und dass die Staatsausgaben nach Überwindung dieser Krise nicht wieder zurückgenommen wurden, steht auf einem anderen Blatt. Von dem Niveau, auf das sie Willy Brandts Regierung getrieben hatte, kam die Staatsquote jedenfalls bis heute nicht herunter.

Als Helmut Schmidt, der vorher schon als Wirtschaftsminister Verantwortung trug, im Jahr 1974 Bundeskanzler wurde, trat er zwar auf die Bremse und hatte anfängliche Erfolge bei dem Versuch, den weiteren Anstieg der Staatsquote zu verhindern, doch blieb ihm eine nachhaltige Wirkung versagt, weil er

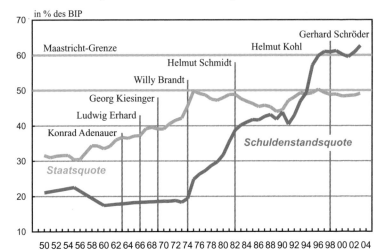

Staatsquote und Schuldenstandsquote in Deutschland

Quellen: Staatsquote: Statistisches Bundesamt; 1950 – 1970: Fachserie 18, Reihe S.15 und Reihe S.16;
1970 – 1990: Fachserie 18, Reihe S.21; ab 1991: Fachserie 18, Reihe 1.2, 2002; 2003 Schätzung des ifo
Instituts. Schuldenstandsquote: 1950 bis 1990 früheres Bundesgebiet, bis 1959 ohne Saarland und Berlin:
Daten von 1950 bis 1970 nur fünfjährlich verfügbar, Sachverständigenrat, 1991 bis 2002: Monatsbericht
Mai 2003, Bundesministerium der Finanzen.

ABBILDUNG 6.2

die Leistungsgesetze, die sein Vorgänger eingeführt hatte, nicht rückgängig machen wollte, ja, weil er mit arbeitsmarktpolitischen Sonderprogrammen, die wirkungslos verpufften, und dem Ausbau von Arbeitsbeschaffungsmaßnahmen, die bis dahin ein Schattendasein geführt hatten, sogar selbst noch einen Beitrag zur Erhöhung der Staatsausgaben leistete. Mitverantwortlich war auch die zweite Ölkrise, die Anfang der achtziger Jahre einsetzte, das Wachstum abermals verringerte und so die Staatsquote wieder erhöhte.

Auch der Regierung Kohl, die 1982 an die Macht kam, war kein Erfolg vergönnt. Ihr gelang zwar in den ersten Jahren eine Absenkung der Quote um ein paar Prozentpunkte, doch die deutsche Vereinigung im Jahr 1990 machte dann auch ihr einen Strich durch die Rechnung.[7] Seitdem hängt die auf das Bruttoinlandsprodukt bezogene Staatsquote knapp unter 50 Prozent, ohne dass die Tendenz zu einer nachhaltigen Verringerung sichtbar wäre.

Mit einer erheblichen Verzögerung und dann entsprechend rascher wuchs auch die Schuldenstandsquote des Staates, also der Quotient aus dem Bestand der Staatsschuld und dem Bruttoinlandsprodukt. Diese Quote, man spricht auch verkürzt von der Schuldenquote, ist ebenfalls in der Abbildung 6.2 dargestellt. Sie lag in den fünfziger Jahren knapp über und in den sechziger Jahren knapp unter 20 %, wobei keinerlei ansteigender Trend zu verzeichnen war.

Dann aber kam die Regierung Schmidt. Obwohl sie die Staatsquote unter Kontrolle hielt, verdoppelte sich die Schuldenquote innerhalb von nur acht Jahren. Helmut Schmidt sah sich mit den sozialen Leistungsgesetzen seines Vorgängers konfrontiert, die er schwerlich zurücknehmen konnte, und er konnte bei seinem Koalitionspartner FDP nicht auf Verständnis für Steuererhöhungen hoffen. So war die schuldenfinanzierte Ausweitung des Sozialstaates die bequeme Lösung. Auch wenn Schmidt selbst in dieser Hinsicht eher reagierte als agierte, trägt die sozialliberale Koalition als solche die Verantwortung für eine Entwicklung, die als einer der großen wirtschaftlichen Fehler der Nachkriegszeit angesehen werden muss. Die sozialen Leistungen, die vor 30 Jahren kreditfinanziert unter das Volk gebracht wurden, müssen wir heute mit Zins und Zinseszins bezahlen.

Unter Helmut Kohl wurde dann zwar acht Jahre lang eine Politik der Mäßigung betrieben, die die Schuldenquote allmählich wieder verringerte, doch ab 1992 schoss die Quote erneut in die Höhe und überschritt im Jahre 1996, nach der Übertragung der Treuhand-Schulden auf den Bund, das 60 %-Limit des Maastrichter Vertrags.

Der Anstieg der deutschen Staatsschulden unter Helmut Kohl ist maßgeblich auf die deutsche Vereinigung zurückzuführen. 16 Millionen Menschen mussten trotz des Zusammenbrechens ihrer Wirtschaft weiter ernährt werden, und die marode Infrastruktur, die der kommunistische Staat hinterlassen hatte, musste repariert und modernisiert werden. Zugleich hatte sich die Politik das Ziel gesetzt, den Lebensstandard der neuen Bundesbürger möglichst rasch an das Westniveau heranzuführen. Das alles kostete viel Geld, so viel Geld, dass es die Regierung Kohl für ratsam hielt, anstelle ihrer eigenen Wähler die Wähler zukünftiger Regierungen damit zu belasten. Die Staatsverschuldung war erneut der bequeme Ausweg, mit dem man gedachte, vorerst einmal über die Runden zu kommen. Wie Helmut Schmidt hat es auch Helmut Kohl nicht gewagt, den Bürgern seines Landes die Rechnung für die verteilten Geschenke zu stellen.

Der Umfang der Geschenke war erheblich. Wie im vorigen Kapitel schon berichtet, beliefen sich die Nettotransfers, die über öffentliche Kassen den Weg in die neuen Länder fanden, in der Zeitspanne von 1990 bis einschließlich 2002 auf etwa 850 Milliarden Euro. Die bundesdeutschen Staatsschulden wuchsen in der gleichen Zeitspanne (also von Ende 1989 bis Ende 2002) um 767 Milliarden Euro. Auch die deutsche Vereinigung wurde offenbar auf Pump finanziert.

Die Politik hat es seitdem nicht geschafft, bei der Schuldenquote wieder unter die 60 %-Grenze zu kommen. Demokratien werden häufig von der krankhaften Sucht heimgesucht, die Leistungen des Staates sofort zu verteilen und die Kosten dieser Leistungen auf zukünftige Generationen zu verschieben, die im Moment noch kein Wahlrecht haben. Auch die deutsche Demokratie ist dieser Sucht in der Nachkriegszeit bereits zweimal erlegen.

Dies macht klar, wie wichtig es heute ist, die Verschuldungsregeln des europäischen Stabilitäts- und Wachstumspaktes einzuhalten. Dieser Pakt ist der einzige Schutz unserer Kinder und Kindeskinder vor einer opportunistischen Politik der herrschenden Regierung.

Abbildung 6.2 zeigt, dass der Anstieg der Schuldenkurve auch heute wiederum sehr hoch ist. Wenn die dritte Stufe der

Steuerreform auf Pump gegenfinanziert wird, wie es beabsichtigt ist, dann wird sich unter Gerhard Schröder eine ähnliche Entwicklung wiederholen wie seinerzeit unter seinen Vorgängern Helmut Schmidt und Helmut Kohl. Abermals würde die Politik der krankhaften Sucht erliegen, zu Lasten zukünftiger Generationen Wahlgeschenke zu verteilen.

Noch ist die Entwicklung zu bremsen. Noch liegt Deutschlands Staatschuld nicht sehr weit über der Maastricht-Grenze von 60 % und wird sogar von einigen Ländern wie Belgien, Griechenland, Italien und Japan mit Werten von mehr als 100 % deutlich übertroffen. Die Schuldenquote liegt aber bereits im oberen Drittel der EU-Länder, vor Ländern wie Frankreich, Schweden oder Holland, die zwischen 57 % und 51 % angesiedelt sind, ganz zu schweigen von Großbritannien oder Irland, deren Schuldenquoten kleiner als 40 % sind.[8] Aber das erfordert ein Umdenken der Bevölkerung selbst. Erst wenn die Wähler durchschauen, was sie ihren Kindern antun, werden die Politiker die Kraft aufbringen, das ewige Schuldenmachen zu beenden.

Wir sind ja heute die Kinder der Generationen, die den Sündenfall zugelassen haben. Wir zahlen für die auf Pump finanzierten Sozialleistungen, die die Regierung Brandt verteilte, und wir finanzieren die deutsche Einheit, denn die Einnahmen des Staates aus der zulässigen Nettoneuverschuldung reichen nicht mehr aus, die Zinsen auf die früher bereits aufgenommen Staatsschulden zu bezahlen. Die Zeit der Schuldenfinanzierung von Sozialgeschenken, wie sie zuletzt im Zuge der deutschen Vereinigung verteilt wurden, ist ein für alle Mal vorbei. Im Jahr 2002 lag die Zinslast des Staates bei 68 Milliarden Euro, die tatsächliche Nettoneuverschuldung betrug 76 Milliarden Euro, und die nach der 3 %-Regel des Stabilitäts- und Wachstumspaktes maximal erlaubte Nettoneuverschuldung lag bei 63 Milliarden Euro. Da die Zinssätze nach der konjunkturellen Flaute, die Europa derzeit durchmacht, ganz sicher wieder ansteigen werden und da Deutschland den Pakt nicht permanent verletzen kann, werden die tatsächlichen Zinslasten in Kürze noch viel weiter über der erlaubten Nettoneuverschuldung liegen. Von nun ab muss die Zeche immer gleich beim Verzehr bezahlt werden. Anschreiben geht nicht mehr.

Wohin fließt das viele Geld?

Der Finanzminister, der heute die Erblasten seiner Vorgänger verwalten muss, ist nicht zu beneiden. Die Schuldenkarte ist schon ausgereizt, und die Vereinigungslasten werden wegen des wirtschaftlichen Desasters im Osten nicht kleiner. Das Geld reicht hinten und vorne nicht mehr, und der Gürtel muss enger geschnallt werden. Die Frage ist, wo gekürzt werden kann.

Wenngleich eine objektiv richtige Antwort auf diese Frage nicht gegeben werden kann, weil sie von den Präferenzen der Bürger und den Mehrheitsverhältnissen abhängt, ist es nützlich, sich klarzumachen, wo die deutschen Staatsausgaben im internationalen Vergleich aus dem Rahmen fallen. Wenn wir bei einer bestimmten Ausgabenkategorie über dem Durchschnitt vergleichbarer Länder liegen, liegt es nahe, dort den Rotstift anzusetzen, und wenn wir unter dem Durchschnitt liegen, dann sollte man diese Kategorie wohl eher verschonen. Natürlich ist diese Logik nicht zwingend, aber sie liegt für viele doch auf der Hand.

In der Öffentlichkeit hört man häufig die Meinung, dass es die Beamten seien, die das viele Geld verschlingen. Könnte man ihre Zahl verringern, ließe sich das Staatsbudget wesentlich entlasten, so die These. Das klingt plausibel, geht aber ziemlich an der Wirklichkeit vorbei, denn nur 6,4 % der Arbeitnehmer in Deutschland sind Beamte.[9] Wenn man schon an Staatsbedienstete denkt, muss man auch die Angestellten und Arbeiter des Staates mit einbeziehen, aber auch dann kommen keine großen Zahlen zustande. Im Jahr 2001 machten die

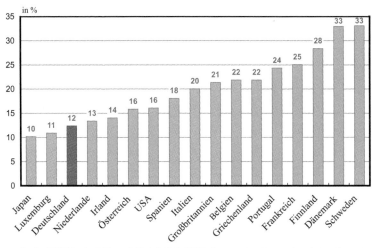

Anteil der Staatsbediensteten an den Arbeitnehmern 2002

in %

Japan 10, Luxemburg 11, Deutschland 12, Niederlande 13, Irland 14, Österreich 16, USA 16, Spanien 18, Italien 20, Großbritannien 21, Belgien 22, Griechenland 22, Portugal 24, Frankreich 25, Finnland 28, Dänemark 33, Schweden 33

Quelle: OECD Datenbank, Economic Outlook 73, Juni 2003: Government employment, dependent employment.

ABBILDUNG 6.3

staatlichen Beamten, Arbeiter und Angestellten zusammen 12 % aller Arbeitnehmer aus, ihre Gehälter absorbierten rund 8 % des Bruttoinlandsprodukts, und ihre Versorgungsbezüge betrugen ganze 1,6 % des Bruttoinlandsprodukts.[10] Selbst wenn man alle Staatsbediensteten sofort entlassen würde und den ehemals beim Staat beschäftigten Arbeitnehmern sowie ihren Witwen und Waisen alle Renten und Pensionen streichen würde, wäre die Staatsquote gerade einmal so hoch, wie sie vor der explosionsartigen Zunahme zur Zeit der sozialliberalen Koalition war.

Im internationalen Vergleich zeigt sich im Hinblick auf die Zahl der Staatsbediensteten keinerlei Problem für den Fiskus. Abbildung 6.3 gibt den Anteil der Staatsbediensteten an den Arbeitnehmern in verschiedenen Ländern wieder. Man kann unschwer erkennen, dass Deutschland im Hinblick auf die Zahl seiner Staatsbediensteten mit 12 % eher mustergültig sparsam ist.[11] Die skandinavischen Länder liegen mit Anteilswerten von über 30 % erheblich höher, und selbst Länder wie Frankreich und Großbritannien weisen mit 25 % und 21 % höhere Werte auf. Deutschland liegt interessanterweise sogar noch hinter den USA, wo 16 % der Arbeitnehmer beim Staat beschäftigt sind. Die USA sind ja nun wahrlich nicht als ein Land mit einem exzessiven Staatseinfluss bekannt. Nein, die Anzahl der Staatsbediensteten erklärt die hohe Abgabenlast in Deutschland nicht.

Auch die Gehälter der Staatsbediensteten fallen in Deutschland im Vergleich zur privaten Wirtschaft durchaus nicht aus dem Rahmen. Jedenfalls fallen sie nicht nach oben aus dem Rahmen. In den neuen Bundesländern und in strukturschwachen Gebieten liegen die Gehälter zwar vereinzelt über jenen, die in der privaten Wirtschaft gezahlt werden, aber ansonsten liegen sie eher darunter. Die Zeiten, in denen Beamte und Angestellte des Staates besonders hohe Gehälter nach Hause tragen konnten und vom Staat mit wirklichen Privilegien ausgestattet wurden, sind lange vorbei. Trotz der Befreiung von Sozialabgaben liegen jedenfalls die Nettobeamtengehälter des gehobenen Dienstes weit unter den vergleichbaren Nettogehältern der privaten Wirtschaft. Über Jahrzehnte hinweg war der Staat außerstande, seinen Bediensteten die Lohnsteigerungen zu gewähren, die im privaten Sektor gezahlt wurden, weil sich das früher einmal gültige Klischee von den Privilegien der Beamten fest in die Köpfe der Deutschen eingebrannt hatte und weil deshalb eine Zurückhaltung bei den Gehaltssteigerungen als zumutbar erschien. Insbesondere die Gehälter im höheren Dienst fielen so weit zurück, dass der Staat heute ein massives Problem hat, im Wettbewerb mit der Privatwirtschaft zu bestehen und seinen bisherigen Standard bei der Qualifikation der Mitarbeiter zu halten. Während die Gehälter der hoch qualifizierten Angestellten im privaten Sektor[12] in den 30 Jahren von 1970 bis 2000 im Durchschnitt um circa 5 % pro Jahr anstiegen, lag das Wachstum der Gehälter der Beamten des höheren Dienstes nur bei 3,6 %. Insgesamt öffnete sich so in dieser Zeitspanne eine Schere von 51 % der Beamtengehälter zu Gunsten der Gehälter von Angestellten in der privaten Wirtschaft. Sollte es je ein Privileg der Beamten wegen der Befreiung von Sozialabgaben gegeben haben, so ist dieses Privileg in der Zeit von 1970 bis 2000 durch die Lohnsteigerungen im privaten Sektor mehr als zweimal ausgeglichen worden.[13]

Auch die deutschen Schulen und Hochschulen gehören nicht zu den kostenträchtigen Ausgabenposten des Staates. Der Anteil des Bruttoinlandsprodukts, den Deutschland für die öffentliche Bildung ausgibt, liegt gerade einmal bei 4,3 %. Damit liegen wir unter 28 betrachteten OECD-Ländern an der achtletzten Stelle und jedenfalls unter dem Durchschnitt von 4,6 %.[14] Einen Beitrag zur Erklärung der hohen Staatsquote kann man offenbar auch im Bildungsbereich nicht finden.

Ein Grund für die geringen Bilddungsausgaben des deutschen Staates mag in der geringen Kinderzahl der Deutschen zu suchen sein (vergleiche Kapitel 7). Ein Land der Greise braucht keine Schulen. Doch auch nach Herausrechnung dieses Effekts liegen die Ausgaben in Deutschland sehr niedrig, jedenfalls wenn man den so genannten Primarbereich betrachtet, den alle Schüler durchlaufen. Wenn man die Bildungsausgaben je Ausbildungsperson als Anteil des Bruttoinlandsprodukts je Kopf ausdrückt, kommen wir, wie Abbildung 6.4 verdeutlicht, unter 20 hoch entwickelten Ländern bei den Grund-, Real- und Sonderschulen auf einen der letzten Plätze. Nur zwei Länder, Irland und Griechenland, haben kleinere Kostensätze als wir, und drei andere Länder sind in der gleichen Kategorie.[15] Es ist schon verblüffend, wie knauserig das Land der Dichter und Denker bei der Ausbildung seiner Kinder geworden ist.

Der wahre Grund für die hohen Staatsausgaben in Deutschland ist eindeutig bei den umfangreichen sozialen Leistungen zu finden. Bei anderen Ausgabenposten liegen wir in der Nähe des Durchschnitts oder sogar deutlich unter dem Durchschnitt,

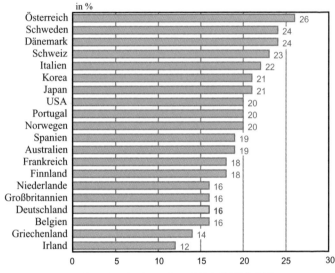

Bildungsausgaben je Ausbildungsperson bei Grund-,
Sonder- und Hauptschulen (Primarbereich) als
Prozentsatz des Bruttoinlandsprodukts pro Kopf (1999)

in %

Quelle: OECD, Education at a Glance, 2002, S.159, Tabelle B 1.2.

ABBILDUNG 6.4

jeweils gemessen als Anteil am Bruttoinlandsprodukt, aber bei
den Sozialleistungen sind wir extrem großzügig. Wie Abbildung 6.5 verdeutlicht, unterscheidet sich Deutschland in dieser
Hinsicht zwar kaum von den skandinavischen Ländern oder
Frankreich, doch liegt unser Land deutlich über den Anteilswerten der angelsächsischen Länder wie auch über jenen einer
Reihe kontinentaleuropäischer Länder.

Die Abbildung zeigt die Sozialausgaben nach der europäischen Statistik. Dabei sind eine Reihe von Leistungen, die
durch das Finanzamt gewährt werden, nicht einmal erfasst, weil
sie als verringerte Steuern statt als Transfers gerechnet werden.
Dazu gehören zum Beispiel das Kindergeld, die Arbeitnehmersparzulage oder die Eigenheimzulage. Das Statistische Bundes-

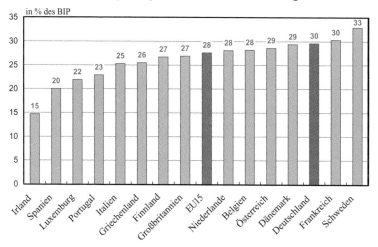

Sozialausgabenquote im internationalen Vergleich

in % des BIP

Quelle: Bundesministerium für Gesundheit und Soziales (BMGS), Sozialbericht 2001, S.479; Zahlen nach ESSOSS homogenisiert.

ABBILDUNG 6.5

amt korrigiert diesen Fehler bei seinen Veröffentlichungen.[16] Nach den Definitionen des Statistischen Bundesamtes liegt die Sozialausgabenquote in Deutschland höher als in dem Diagramm ausgewiesen, nämlich bei 34 %. Sie wäre damit die höchste unter allen betrachteten Ländern. Ein Drittel des deutschen Bruttoinlandsprodukts oder 699 Milliarden Euro wurden im Jahr 2001 für soziale Zwecke absorbiert.[17] Davon entfielen etwa 16 % auf den Bereich Ehe und Familie, 34 % auf den Bereich Gesundheit, 10 % auf den Bereich Beschäftigung und 38 %, also 266 Milliarden Euro, auf den Bereich Alter und Hinterbliebene.[18] Der Löwenanteil der Kosten entstand in Bereichen, die wegen der fortschreitenden Überalterung der Bevölkerung in Zukunft noch an Bedeutung gewinnen werden, also bei den Renten und Pensionen, der Krankenversicherung und der Pflegeversicherung. Zusammen mit der Arbeitslosenversicherung, der Sozialhilfe, dem Wohngeld, der Arbeitslosenhilfe, dem Arbeitslosengeld, der Objektförderung im Wohnungsbau und anderem kostet das alles unglaublich viel Geld. Je Erwerbstätigem liegt der Sozialetat in Deutschland bei jährlich ungefähr 19.000 Euro.

Zur Finanzierung der Sozialausgaben werden nicht nur, wie vielfach vermutet wird, diejenigen Abgaben herangezogen, die als Arbeitgeber- und Arbeitnehmerbeiträge zur Renten-, Kranken-, Pflege- und Arbeitslosenversicherung abgeführt werden. Ein Großteil der sozialen Leistungen wird vielmehr aus dem allgemeinen Steueraufkommen finanziert. Dazu gehören zum Beispiel die Sozialhilfe, die Arbeitslosenhilfe oder das Wohngeld. Auch die im Kern beitragsfinanzierte Rentenversicherung wird zu einem Viertel aus Steuergeldern alimentiert, nicht zuletzt auch durch die Ökosteuer, mit der in den letzten Jahren ein Teil der Erhöhung der Staatszuschüsse zur Rentenversicherung bezahlt wurde. (Mehr dazu in Kapitel 7, Abbildung 7.7.) Im Jahr 2002 wurden immerhin 14,6 Milliarden Euro Ökosteuereinnahmen der Rentenversicherung zugeschossen. Wir zahlen einen Teil der Renten unserer Eltern und Großeltern schon heute an der Tankstelle. Die so genannten versicherungsfremden Leistungen, die der Rentenversicherung unter anderem durch die Aufnahme von Russlanddeutschen aufgebürdet wurden, werden durch die steuerfinanzierten Zuschüsse des Bundes mehr als abgedeckt.

Im Ganzen gesehen ist der Sozialetat bald doppelt so groß wie das Beitragsvolumen zu den Sozialkassen. Den erwähnten 699 Milliarden Euro (34 % des BIP) an Sozialausgaben, die im Jahr 2001 zu verzeichnen waren, standen nur Sozialbeiträge im Umfang von 384 Milliarden Euro (18 % des BIP) gegenüber.

In den vergangenen Jahrzehnten wurde ein immer größerer Teil der Kosten des Sozialstaates im allgemeinen Staatsbudget versteckt und auch solchen Steuerzahlern angelastet, die kaum eine Chance haben, jemals in den Genuss der Leistungen zu kommen. Aber das Versteckspiel wird immer schwieriger, und die Geldtöpfe, aus denen man die nötige Liquidität ohne große Proteste zusammenbekommen kann, gehen zur Neige. Ein Fass ohne Boden lässt sich nun einmal nicht füllen.

Der Bedarf des Sozialstaates ist in der Vergangenheit nicht nur wegen unabweisbarer demografischer Gründe so stark gestiegen, sondern auch wegen eines demokratischen Selbstverstärkungseffekts. Aus demografischen Gründen wurde die Gruppe der Empfänger von Leistungen des Sozialstaats immer größer, aber je größer diese Gruppe wurde, desto stärker wurde ihr politisches Gewicht und desto stärker wurden die Kräfte, die trotz knapper Kassen auf eine Beibehaltung oder gar Ausweitung der Leistungen pro Kopf pochten. Auch darauf ist zurückzuführen, dass sich der Staatsanteil in den letzten Jahrzehnten so stark aufgebläht hat. Keine Volkspartei kann bei der Aufstellung ihrer Wahlprogramme darüber hinwegsehen, dass wachsende Teile ihrer Wählerschaft erhebliche Sozialeinkommen vom Staat erhalten und dass die Gruppe derer, die den Staat eher ausweiten wollen, politisch immer mächtiger wird.

Deutschland hat circa 82 Millionen Einwohner und 61 Millionen wahlberechtigte Bürger.[19] Gleichzeitig hat unser Land circa 2,2 Millionen Arbeitslosengeldempfänger, 2 Millionen Empfänger von Arbeitslosenhilfe, 2,7 Millionen Sozialhilfeempfänger, 0,7 Millionen Studenten, die Geld nach dem BAföG erhalten, 19 Millionen Rentner, denen wegen des zum Teil mehrfachen Rentenbezugs aus verschiedenen Töpfen 23,7 Millionen Rentenbezugsfälle gegenüberstehen, 1,3 Millionen Pensionäre, 2,8 Millionen Wohngeldempfänger, 1,8 Millionen Empfänger von Leistungen der gesetzlichen Unfallversicherung und 1,8 Millionen Pflegebedürftige. Das sind in der Summe etwa 35 Millionen Fälle. Rechnet man die Doppelzählungen sowie die nicht wahlberechtigten Ausländer und Minderjährigen heraus, so kommt man zu der groben Schätzung, dass circa 25 Millionen oder 41 % der Wahlberechtigten ihr Einkommen hauptsächlich als Sozialleistung vom Staat empfangen.[20] Die Empfänger der staatlichen Sozialleistungen sind eine so große Personengruppe, dass es keine politische Partei wagen kann, deren Interessen zu missachten. Eine Rücknahme sozialstaatlicher Leistungen ist schon deshalb eine politisch äußerst gewagte Angelegenheit.

Das wird natürlich insbesondere von Politikern bedacht, die in den neuen Bundesländern Erfolg haben wollen. Während unter den 47 Millionen westdeutschen Wählern circa 38% ihr Einkommen hauptsächlich vom Staat bekommen, liegt der Anteil der Sozialleistungsempfänger unter den 14 Millionen ostdeutschen Wählern bei etwa 47%, also bereits bei knapp der Hälfte. Rechnet man die davon mitbetroffenen wahlberechtigten Familienmitglieder hinzu, so liegt der Anteil der von Sozialleistungen maßgeblich begünstigten Wähler in den neuen Ländern sogar deutlich über 50%.

Die Chance für grundlegende Reformen, die den Marktkräften wieder freien Lauf lassen, ist angesichts dieser Zahlen eher als gering einzuschätzen. Wenn man bedenkt, wie die CDU/CSU bei der Riester'schen Rentenreform und vor den Bundestagswahlen 2002 versucht hat, die SPD links zu überholen, und wie sie die Vorschläge für Ausgabenkürzungen zur Gegenfinanzierung der von ihr selbst gewollten Steuerreform aus sozialen Gründen ablehnte, dann wird klar, dass Deutschland tatsächlich Gefahr läuft, in der Zukunft immer weiter in die Richtung einer ausufernden Staatswirtschaft abzudriften. Selbst die als konservativ geltende und der Privatinitiative verpflichtete Partei wagt es aus Angst vor Stimmenverlusten nicht, ihren Kurs konsequent durchzuhalten.

Aber es gibt die Hoffnung auf die Einsicht, dass dieser Weg in die Sackgasse führt und auf Dauer allen schaden würde. Wenn die scheinbar von der staatlichen Umverteilung Begünstigten selbst für eine Rücknahme der empfangenen Leistungen votieren, weil sie sehen, dass die Wirtschaft sonst zu Grunde gerichtet wird, kann die Wende in Deutschland trotz der großen Zahl der schon vom Sozialstaat abhängigen Wähler gelingen. Jedenfalls müssen diejenigen, die dieses Buch verstehen, die sehen, wohin sich unser Land bereits entwickelt hat und wohin es sich noch entwickeln kann, alles, aber auch wirklich alles daran setzten, die anderen aufzuklären und davon zu überzeugen, dass ein Rückbau des Sozialstaates erforderlich ist.

Leistungsempfänger gegen Steuerzahler: Wie Energien verpulvert werden

Viele halten die Sorge um den wachsenden Staatsanteil für übertrieben. Sie behaupten, die Ausweitung der staatlichen Umverteilung sei kein Problem, denn der Staat stecke den Bürgern in die rechte Tasche das Geld wieder hinein, das er ihnen aus der linken Tasche herausgenommen habe. Sofern die Abgaben und die empfangenen Leistungen sich die Waage halten, gehe die Rechnung zumindest »plus minus null« für die Bürger aus, und es bestehe kein Anlass zur Sorge.

Leider führt diese Sicht der Dinge in die Irre. Die Äquivalenz zwischen dem, was aus der linken Tasche herausgenommen, und dem, was in die rechte Tasche hineingesteckt wird, gibt es nämlich nur in einem unmittelbaren, pekuniären Sinne. Zwar halten sich die Geldströme zwischen staatlichem und privatem Sektor die Waage, doch wird der private Sektor in Unordnung gebracht, weil sich die ökonomische Anreizstruktur der Bürger verändert. Es kommt sowohl bei den Zahlern als auch bei den Empfängern der Geldströme zu einer Veränderung des wirtschaftlichen Verhaltens, die schädlich für den Wirtschaftsablauf ist. Wer zahlen muss, ändert sein Verhalten so, dass er möglichst weniger zahlt, und wer Geld vom Staat erhält, ändert sein Verhalten so, dass er möglichst noch mehr Geld bekommt. Beide Verhaltensänderungen bedeuten eine Abkehr von eigentlich vernünftigen wirtschaftlichen Verhaltensweisen und sind damit Sand im Getriebe der Wirtschaft. Die Effizienz des ganzen Systems verringert sich, und ein kleineres Sozialprodukt wird erzeugt, als es sonst erzeugt worden wäre. Der Kuchen wird kleiner, wenn man versucht, ihn gleichmäßiger zu verteilen.

Die Abgaben *und* die Ausgaben lähmen die Wirtschaftskraft des Landes, und diese Lähmungskräfte addieren sich, statt sich zu saldieren. Die Abgaben lähmen, weil sie die Leistungsträger aus der Marktwirtschaft vertreiben, und die Ausgaben tun es, weil sie die Menschen aus der Marktwirtschaft fortlocken. Beide mindern die wirtschaftliche Leistung und den gesellschaftlichen Wohlstand.

Wenn man diese Aussage auf Arbeitnehmer bezieht, dann äußert sich die Leistungsminderung in einer wachsenden Arbeitslosigkeit, die selbst wiederum aus steigenden Lohnkosten resultiert. Die Abgaben erhöhen die Lohnkosten unmittelbar, weil sie additiv zu den Nettolöhnen, die die Arbeitnehmer verlangen, hinzutreten. Die Ausgaben erhöhen sie mittelbar, sofern sie die Form von Lohnersatzleistungen annehmen, denn hohe Lohnersatzleistungen erzeugen hohe Nettolohnansprüche, was dann zu entsprechend hohen Lohnkosten führt. Sie machen den Sozialstaat zum Konkurrenten der privaten Wirtschaft, der in vielen Fällen am längeren Hebel sitzt. Das wurde ja in Kapitel 4 und 5 ausgiebig diskutiert.

Die Arbeitslosigkeit, die durch die hohen Lohnkosten erzeugt wird, bedeutet einen unnötigen Verlust an Sozialprodukt. Mögliche und für alle Beteiligten nutzensteigernde Wertschöpfung findet nicht statt.

Der Verzicht auf produktive Tätigkeit in der Marktwirtschaft ist bereits für sich genommen schlimm. Noch schlimmer ist es, wenn die Menschen ihre Kraft und Anstrengung stattdessen auf unproduktive Tätigkeiten wie zum Beispiel das Antichambrieren vor den Amtsstuben verwenden. Ökonomen sprechen hier vom so genannten Rent Seeking, womit die aufwendige Suche nach staatlichen Pfründen oder aufwendige Abwehraktivitäten gegenüber dem Zugriff des Steuerstaates gemeint sind.[21]

Eine Marktwirtschaft funktioniert, weil ein jeder sein Einkommen dadurch erwirbt, dass er anderen eine Leistung verkauft. Das ist ein schweres Geschäft, denn ob die Leistung ihren Preis wert ist, entscheidet der Käufer. Aber genau deshalb kommt eine sinnvolle Leistung zustande. Sowohl der Verkäufer einer Leistung als auch der Käufer stellen sich durch das Geschäft besser, als wenn sie es nicht miteinander abgeschlossen hätten. Auf diese Weise entsteht der Wohlstand, den wir alle genießen.

Wenn die Menschen sich indes nicht mehr bemühen müssen, anderen Menschen eigene Leistungen zu verkaufen, sondern Möglichkeiten bekommen, den anderen über den Steuerstaat Einkommen wegzunehmen, oder umgekehrt zu verhindern, dass sie selbst zu denen gehören, denen etwas weggenommen wird, dann richten sich mehr und mehr Anstrengungen darauf, bei diesem Umverteilungsgeschehen möglichst gut abzuschneiden.

So bemühen sich die Steuerzahler nicht nur dadurch, ihre Zahllast gering zu halten, dass sie der besteuerten Aktivität ausweichen, sondern auch dadurch, dass sie viel Kraft und Geld für ihre Steuererklärungen und die rechtliche Gestaltung ihrer Einkommenssituation aufwenden. Sie kaufen sich beratende Bücher, besuchen Kurse, studieren Gesetze und Verordnungen, sammeln Belege, führen Bücher über ihre Ausgaben und lassen sich professionell beraten. Heerscharen von Juristen und Steuerberatern sind in Deutschland damit beschäftigt, ihren Klienten bei der Steuervermeidung zu helfen und dabei möglichst hart bis an die Grenze des gesetzlich Möglichen zu führen. Dadurch werden mit die besten Köpfe des Landes gebunden, aber sie werden letztlich für unproduktive Tätigkeiten gebunden, die nur dazu dienen, im Nullsummenspiel zwischen Steuerzahler und Empfänger der staatlichen Leistungen möglichst gut abzuschneiden. Echte ökonomische Werte werden so nicht erzeugt. Im Gegenteil, es werden Werte vernichtet, indem wertvolle Zeit, die für sinnvolle Produktion oder auch für Freizeit hätte verwendet werden können, verloren geht.

Ähnlich ist es bei den Leistungsempfängern. Sie gewöhnen sich daran, auf irgendein Amt zu gehen, um dort für ihr Sozialeinkommen Schlange zu stehen, Formulare auszufüllen und Beamte anzubetteln. Im Bekanntenkreis tauschen sie die neuesten Informationen darüber aus, welche Anspruchsgrundlagen von den Behörden anerkannt werden und wie sie ihre Fälle darstellen müssen, um Erfolg beim Zugang zu den Fördertöpfen zu haben. Einige besuchen Kurse bei der Volkshochschule oder sonst wo, um sich über ihre Rechte aufklären zu lassen, oder sie lassen sich von Spezialisten beraten, die sich im Sozialrecht auskennen. Die Kenntnisse werden Verhaltensmuster im Umgang mit den Regeln des Sozialstaates, die obendrein an die Kinder weitergegeben werden.

Früher hat man sich geschämt, wenn man das Sozialamt oder das Arbeitsamt aufsuchen musste, und viele gingen den Weg nicht, obwohl sie bedürftig und anspruchsberechtigt waren. Heute ist der Gang zum Amt für viele zum alltäglichen Geschäft geworden. Ein Gutteil der Lebensenergie wird damit verbracht, aus den verschiedenen Fördertöpfen des Staates zu schöpfen.

Die Leistungsempfänger wenden Energie auf, um den Steuerzahlern das Geld aus der Tasche zu holen, und die Steuerzahler wenden Energie auf, um genau das zu verhindern. Beide kämpfen miteinander im Paragrafendschungel, vor den Amtsstuben und in den Lobbys der Parlamente. Dabei verzehren sie einen Teil der Kräfte, die sie besser für produktive Tätigkeiten hätten aufwenden können. Es wäre verfehlt, hier von krimineller Energie zu sprechen, aber um fehlgeleitete, schädliche Energie handelt es sich allemal.

Die Jagd nach Subventionen

Schädliche Energie beim Kampf um Fördertöpfe wenden indes nicht nur Sozialleistungsempfänger auf. Überall dort, wo der Staat das Füllhorn seiner Leistungen ausschüttet, lenkt er die

Menschen vom Markt in die Amtsstuben, und in sehr vielen Fällen veranlasst er sie, sich im Bemühen um das staatliche Geld unwirtschaftlich zu entscheiden.

Das gilt insbesondere auch für Unternehmer, die auf staatliche Fördergelder aus sind. Wenn die Gelder, die vom Staat zu erwarten sind, nur hinreichend üppig fließen, können auch Unternehmer zu Paragrafenhengsten, zu krankhaft verunstalteten Wesen mutieren, die mit den mutigen Pionieren der Gründerzeit nichts mehr gemein haben.

Bei vielen Unternehmen hat sich eine befremdliche Subventionsmentalität entwickelt, über die man nur den Kopf schütteln kann. Wertvolle Mitarbeiterzeit wird für das Ausfüllen von Formularen, das Schreiben voluminöser Berichte, das Erstellen von Anträgen für die staatlichen Förderstellen und das Antichambrieren vor Ort verwendet. In den neuen Bundesländern wird praktisch keine Investition mehr geplant, ohne dass ihr umfangreiche Anträge an die zuständigen Förderstellen des Landes, des Bundes und der Europäischen Union vorausgehen.

Nach dem Subventionsbericht der Bundesregierung werden in Deutschland pro Jahr knapp 60 Milliarden Euro an Subventionen (Finanzhilfen und Steuervergünstigungen) gewährt.[22] Dabei sind aber große Posten, wie die gigantischen Abwicklungsprämien für ehemalige Braunkohlekraftwerke in der DDR, und versteckte, weil nicht über den Staatsetat laufende Subventionen, wie sie die Stromgesellschaften den Produzenten von Ökostrom zahlen müssen, noch nicht eingerechnet. Wählt man einen etwas weiteren Subventionsbegriff, wie es Boss und Rosenschon vom Institut für Weltwirtschaft tun, so schüttet der Staat jährlich gar über 150 Milliarden Euro an Subventionen aus.[23] Zu den Subventionen gehören nicht nur nützliche Fördermaßnahmen für gemeinnützige Aktivitäten und für Zukunftstechnologien, die einen erheblichen Wissenstransfer versprechen, sondern auch absurde Zahlungen an Uraltsektoren wie den Bergbau und die Landwirtschaft, die kontraproduktive Wirkungen haben.

»Rettet die Kohle!« war der Slogan, mit dem schon in den sechziger Jahren massive staatliche Unterstützungszahlungen eingefordert wurden, um die Arbeitsplätze der Kumpels zu erhalten. Heute arbeitet fast keiner von jenen Kumpels mehr, die damals geschützt werden sollten. Stattdessen arbeiten deren Enkel und frisch angeworbene türkische Gastarbeiter unter Tage. Hätte man auf die Subventionierung des Kohleabbaus schon in den sechziger Jahren verzichtet, so wären diese neuen Arbeitskräfte in andere, wettbewerbsfähige Sektoren gewandert, oder sie wären gar nicht erst nach Deutschland gekommen. Das soziale Problem, das heute angeblich mit der Kohlesubvention gelöst werden soll, gäbe es schon lange nicht mehr.

Auf den Weltmärkten kostet die Kohle nur ein Viertel von dem, was sie in Deutschland ohne die Subvention kosten würde. Wir schaden uns selbst, wenn wir heimische Kohle statt der ausländischen Kohle nutzen. Auf jeden Beschäftigten in der Kohlewirtschaft entfällt heute ein Subventionsbetrag von etwa 56.000 Euro. Dafür könnte man ihn ganzjährig auf Urlaub nach Mallorca schicken und dort köstlich bewirten. Die Kohlesubventionierung hat den dringend notwendigen Strukturwandel im Ruhrgebiet verzögert und zu den bleibenden Strukturproblemen Nordrhein-Westfalens beigetragen.

Die Kohlepolitik ist noch nicht einmal im Sinne einer langfristigen Versorgungssicherheit der deutschen Bevölkerung zu rechtfertigen, denn die Subventionierung führt ja zu einem besonders raschen Abbau der noch vorhandenen Restbestände. Wenn die Weltenergiereserven eines Tages einmal knapp werden und Schwierigkeiten entstehen, die deutsche Wirtschaft mit Energie zu versorgen, möchten unsere Kinder und Kindeskinder vielleicht auf die Ruhrkohle zurückgreifen. Doch wegen der Subventionierung des vorzeitigen Kohleabbaus ist dann keine Kohle mehr im Boden. Die Minen sind leer. »Rettet die Kohle! – Und baut sie nicht ab!« muss man denen entgegenhalten, die eine Fortsetzung der Kohlesubvention fordern.

Neben dem Kohlebergbau gehören auch die Landwirte zu den großen Subventionsempfängern. Da werden zur Stützung der Preise Butterberge in Kühlhäusern aufgehäuft, um die Butter nach einigen Jahren, wenn sie ranzig geworden ist, zu Butterfett zu verarbeiten oder zu Schleuderpreisen auf den Weltmärkten zu verkaufen. Da wird die Produktion von Milchkühen durch Milchsubventionen angeregt, und anschließend werden Abschlachtprämien für die Kühe gezahlt, die das Licht der Welt nur wegen der Subventionen erblickt haben. Clevere Unternehmer aus Holland haben landwirtschaftliche Areale in den neuen Bundesländern gekauft, nur um sie anschließend brachliegen zu lassen und die entsprechenden Stilllegungsprämien der EU zu kassieren. Schweine werden von der Geburt bis zur Schlachtung mehrfach kreuz und quer durch Europa gekarrt, weil es auch dafür EU-Subventionen gibt.

Einfuhrzölle und Kontingente schützen die europäischen Produzenten vor ausländischer Konkurrenz, treiben die Preise weit über das Weltmarktniveau, regen die Bauern zur Produktionsausweitung an und zwingen die staatlichen Vorratsstellen, das überschüssige Angebot mit Steuergeldern aufzukaufen und zu vernichten.

Die Liste des staatlich fabrizierten Unsinns ist gerade in der Landwirtschaft lang. Alles dient der Stützung der Einkommen der Bauern und der Vermögenssicherung der Eigentümer landwirtschaftlichen Bodens. Das kostet nicht nur Unsummen Geldes und belastet den Steuerzahler über Gebühr. Fast noch schlimmer ist, dass die Natur durch die intensive Landwirtschaft verschandelt wird, dass den Entwicklungsländern durch die Handelsschranken die Absatzmärkte für ihre Produkte genommen werden und dass die landwirtschaftliche Hochpreispolitik den ärmeren Bevölkerungsschichten einen Gutteil jenes Geldes wieder aus der Tasche zieht, das der Sozialstaat dort hineingesteckt hat.

Die Preise für Zucker sowie Rind- und Kalbfleisch sind in der EU etwa dreimal so hoch wie auf dem Weltmarkt. Schweinefleisch kostet 31 % und Geflügel 56 % mehr. Die Milch ist 85 % teurer.[24] Mit Steuergeldern werden die Einkommen der ärmeren Bevölkerungsschichten gestützt, und mit weiteren Steuergeldern wird ein System von Agrarsubventionen geschaffen, dessen Zweck es ist, einen Teil dieser Einkommen in die Taschen der Bauern und Bodenbesitzer weiterzuleiten.

Zum Glück wird die Osterweiterung der EU diesem Unsinn wenigstens teilweise ein Ende bereiten. Das alte System der Förderung durch Preisstützungsmaßnahmen würde nämlich unbezahlbar, wenn all die osteuropäischen Bauern und Agrargenossenschaften ebenfalls auf diese Weise gefördert würden. Allein der Beitritt Polens erhöht die in der Landwirtschaft beschäftigte EU-Bevölkerung um circa die Hälfte, und vermutlich würde der polnische Landwirtschaftssektor unter dem Einfluss der Förderung eher noch wachsen. Es ist deshalb ein gewisser Trost, dass die EU-Kommission im Juni 2003 vorgeschlagen hat, die Förderung der Landwirtschaft durch ein System von mengenunabhängigen Zuzahlungen an Landwirte zu ersetzen. Dies wird tendenziell preissenkende Wirkungen haben, aber es wird dennoch wenig daran ändern, dass ein viel zu großer Teil der Erwerbsbevölkerung der osteuropäischen Länder durch künstliche Anreize in der Landwirtschaft gehalten wird.

Zu viele Abgaben:
Weltmeister bei der Grenzabgabenlast

Der deutsche Staat kann sich die vielen Subventionen in Zukunft nicht mehr leisten. Weder kann er weiterhin auf die Wünsche der Subventionsempfänger eingehen, noch kann er die Ansprüche auf soziale Leistungen in der gewohnten Höhe befriedigen. Die Steuerschraube lässt sich nicht mehr weiter anziehen, und die Staatsverschuldung ist bereits an ihre europarechtlichen Grenzen gestoßen.

Dass weitere Steuererhöhungen in Deutschland nicht möglich sind, sondern dass ganz im Gegenteil eine dramatische Senkung der Steuern erforderlich ist, um die Hemmkräfte des Steuersystems in den Griff zu bekommen, wird an einem Vergleich der Grenzbelastungen der Wertschöpfung durchschnittlicher Arbeitnehmer verschiedener Länder deutlich, wie er vom ifo Institut angestellt wurde. Die Grenzbelastung gibt den Prozentsatz der aus einem zusätzlichen Arbeitseinsatz resultierenden Wertschöpfung des Arbeitnehmers an, der in Form von Steuern und Beiträgen an den Staat abgeführt werden muss. Es ist diese Grenzbelastung, von der die Hemmkräfte der Besteuerung ausgehen, und nicht etwa die Durchschnittsbelastung, die angibt, welcher Prozentsatz der gesamten Wertschöpfung des betrachteten Arbeitnehmers vom Staat beansprucht wird. Ein progressives Steuersystem hat stets eine Grenzbelastung, die höher ist als die Durchschnittsbelastung.

Um klar zu machen, was gemeint ist, stelle man sich vor, dass ein Kunde zu einem Malerbetrieb mit der Bitte kommt, dass ihm ein Zimmer tapeziert und angemalt werde. Der eigentlich schon gut beschäftigte Geselle akzeptiert den Wunsch des Chefs, den Auftrag noch zu übernehmen, wenn er dafür zusätzliche Arbeitsstunden bezahlt bekommt. Die Arbeit wird erledigt, und dem Kunden wird die Rechnung gestellt. Die Rechnung weist neben der Farbe, der Tapete, den Pinseln, der Anfahrt und einem Deckungsbeitrag für den sonstigen Materialverbrauch einen Betrag von 1.000 Euro inklusive Mehrwertsteuer allein für die Arbeitsleistung des Gesellen aus. Diese 1.000 Euro sind die Wertschöpfung der zusätzlichen Arbeitsleistung, die mit dem Anstreichen des Zimmers verbunden ist. Die Frage ist, wie viel von der zusätzlichen Wertschöpfung nach Steuern und Sozialbeiträgen an den Gesellen ausgezahlt werden kann und wie viel an den Staat fließt. Letzteres ist, als Prozentsatz ausgedrückt, die Grenzbelastung der Wertschöpfung des Arbeitnehmers.

Abbildung 6.6 zeigt das Ergebnis der Berechnungen für verschiedene Länder. Die Höhe der Säulen misst die Grenzbelas-

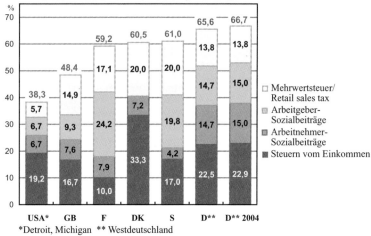

Grenzabgabenbelastung des Faktors Arbeit im Jahr 2000
(in Prozent der Wertschöpfung)
Industriearbeiterfamilie, ein Arbeitnehmer mit vollem, einer
mit 33 % des Durchschnittsverdienstes, zwei Kinder

USA* GB F DK S D** D** 2004
*Detroit, Michigan ** Westdeutschland

Quelle: OECD, Berechnungen des ifo Instituts.

ABBILDUNG 6.6

tung, und die Aufteilung der Säulen zeigt, wie sich diese Grenzbelastung auf die persönliche Einkommensteuer, die Arbeitnehmersozialbeiträge, die Arbeitgebersozialbeiträge und die
Mehrwertsteuer oder verwandte Steuern auf den Umsatz des
Malerbetriebes aufteilt. Es wird ein standardisierter Arbeitnehmer betrachtet, wie ihn die OECD für ihre Zwecke definiert.
Der Arbeitnehmer bezieht das jeweils landestypisch durchschnittliche Lohneinkommen eines Industriearbeiters, hat
zwei Kinder und ist mit einem Ehepartner verheiratet, der
noch einmal ein Drittel hinzuverdient.

Wie man sieht, liegt Deutschland unter den betrachteten
Ländern mit einer Grenzabgabenbelastung von knapp 66 %
eindeutig an der Spitze, und vermutlich gibt es gar kein Land,
wo die Grenzabgabenbelastung so hoch ist wie in Deutschland.[25] Selbst Schweden, Dänemark oder Frankreich, die eben-

falls hohe Grenzabgabenbelastungen aufweisen, reichen nicht an die deutschen Werte heran. Großbritannien liegt mit einer Grenzabgabenbelastung von »nur« 48,4 % demgegenüber eindeutig bei wesentlich niedrigeren Werten, und in den USA liegen die Belastungen noch viel niedriger. Unter Einschluss der Bundessteuern kommt man zum Beispiel in Detroit auf eine Grenzabgabenbelastung von nur 38,3 %.

Von den 1.000 Euro an Wertschöpfung des Gesellen, also von den Lohnkosten, die der Kunde zahlte, flossen in Deutschland im Jahr 2000 bei der unterstellten Konstellation von Familienstand und Einkommen nicht weniger als 656 Euro an den Staat, und nur 344 Euro fand der Geselle in seiner Lohntüte wieder. Das ist ein jämmerlich niedriger Betrag, für den sich das Arbeiten kaum noch lohnt, und die 1.000 Euro, die der Kunde bezahlen soll, sind ein exorbitant hoher Betrag, für den es sich kaum noch lohnt, das Zimmer herrichten zu lassen.

Nun beziehen sich diese Vergleichszahlen auf das Jahr 2000, weil aktuellere international vergleichende Informationen nicht verfügbar waren. Das ist das Jahr der großen Steuerreform der rot-grünen Regierung, die ja unter anderem eine Senkung der Einkommensteuersätze zum Ziel hatte. Nach der Reform, insbesondere nach der mittlerweile für das Jahr 2004 ins Auge gefassten dritten Reformstufe, wird, so sollte man meinen, eine deutlich verringerte Grenzsteuerbelastung zu verzeichnen sein. Das aber ist, wie die Grafik verdeutlicht, nicht der Fall. Die Grenzsteuerbelastung wird im Gegenteil mit 66,7 % noch etwas höher als im Jahr 2000 sein.

Für dieses zunächst befremdlich wirkende Ergebnis gibt es zwei Gründe. Zum einen sind die durchschnittlichen Beitragssätze zur gesetzlichen Renten- und Krankenversicherung gestiegen. Zum anderen rutscht der durchschnittliche Industriearbeiter bei einer Einkommenserhöhung gerade in eine eng begrenzte Spanne des Steuertarifs, bei der die Grenzbelastung durch den Solidaritätszuschlag sehr hoch ist, weil die Nullzone für den Solidaritätszuschlag knapp überschritten wird. Bei etwas höheren Einkommen ist die Grenzbelastung wieder niedriger. Aber die Vernachlässigung dieses Effekts macht den Kohl auch nicht fett. Selbst knapp jenseits dieses Überleitungsbereichs zwischen der Nullzone und der Proportionalzone des Solidaritätszuschlags liegt die Grenzabgabenbelastung des Einkommens bei 64,2 %, und selbst wenn es keinen Solidaritätszuschlag gäbe, läge die Grenzabgabenlast für den durchschnittlichen Industriearbeiter in Deutschland immer noch bei 63,2 %, ein Wert, der weder in Großbritannien, Frankreich, Dänemark oder Schweden noch in den USA erreicht wird. Dies zeigt, wie weit der Weg wirklich ist, den Deutschland noch gehen muss, bis seine Arbeitnehmer wieder mit ähnlich niedrigen Grenzabgaben wie die Arbeitnehmer anderer Länder belastet sind.

Es sei noch einmal betont, dass die Berechnungen sich nicht auf die durchschnittliche Belastung der Wertschöpfung der Arbeitnehmer, sondern auf die Grenzbelastung beziehen, weil nur sie für die ökonomischen Fehlanreize verantwortlich ist, die wir am Arbeitsmarkt beklagen. Die hohe Grenzbelastung impliziert nicht notwendigerweise eine hohe Durchschnittsbelastung. Wegen der Freibeträge im Steuer- und Abgabentarif signalisiert sie aber sehr wohl einen hohen Progressivitätsgrad der Besteuerung, also einen starken Anstieg der durchschnittlichen Belastung bei wachsender Bemessungsgrundlage.[26]

Der betrachtete Industriearbeiter verdient im Jahr 2004 brutto 2.869 Euro im Monat oder 34.433 Euro im Jahr, und sein Ehepartner verdient noch einmal ein Drittel hinzu. Die jährliche Wertschöpfung beider zusammen liegt bei 64.493 Euro. Während die Grenzbelastung der Wertschöpfung, wie gezeigt, 66,7 % beträgt, liegt die Durchschnittsbelastung der Wertschöpfung beider Familienmitglieder bei einem Wert von 52,8 %, was einer Gesamtbelastung von 34.037 Euro entspricht. Soviel Einkommen erwirtschaftet die durchschnittliche Industriearbeiterfamilie also für den Staat. Für Familien mit geringerem Einkommen ist die prozentuale Durchschnittsbelastung deutlich geringer, und für Familien mit höherem Einkommen ist sie höher.

Für eine Familie mit zwei Einkommensbeziehern, die mit 1.913 Euro Monatsverdienst des Erstverdieners und 638 Euro des Ehepartners ein um ein Drittel kleineres Familieneinkommen hat, liegt die Durchschnittsbelastung der Wertschöpfung nur bei 47,2 %. Die jährliche Wertschöpfung dieser Familie beläuft sich nämlich auf 42.996 Euro, und die Abgaben, die an den Staat fließen, betragen 20.315 Euro.

Umgekehrt ist es bei einer Familie, die mehr verdient. Erzielt der Erstverdiener ein Bruttoeinkommen pro Monat, das mit 3.525 Euro knapp unter der Beitragsbemessungsgrenze der Kranken- und Pflegeversicherung liegt, während der Partner wieder ein Drittel hinzuverdient, so liegt die jährliche Wertschöpfung der Familie bei 79.228 Euro, und die Abgaben betragen 43.636 Euro. Die durchschnittliche Abgabenbelastung der Wertschöpfung liegt also bei 55,1 %.

Die Berechnungen demonstrieren eine besondere Eigenschaft des deutschen Abgabensystems: seine enorme Progressivität in Form eines stark überproportionalen Anstiegs der prozentualen Abgabenbelastung bei wachsendem Einkommen und wachsender Wertschöpfung bis zur Beitragsbemessungsgrenze für die gesetzliche Kranken- und die Pflegeversicherung. Je höher das Einkommen ist, desto größer wird der Prozentsatz, den Arbeitgeber und Arbeitnehmer insgesamt von der Wertschöpfung des Arbeitnehmers abführen müssen. Der Grund für den Anstieg dieses Prozentsatzes ist die hohe Grenzabgabenlast. Bei der Grenzabgabenlast liegt Deutschland im internationalen Vergleich in einer einsamen Spitzenposition, und das Thema betrifft nicht nur die Besserverdienenden unter den sozialversicherungspflichtigen Arbeitnehmern, sondern bereits den durchschnittlichen Industriearbeiter.

Schon ein Steuersystem ohne progressive Tarife, mit festen prozentualen Abgabensätzen, würde zu einer Umverteilung der Einkommen und einer Egalisierung der Lebensverhältnisse führen. Die öffentlichen Güter wie die Infrastruktur, das Rechtssystem, der Polizeischutz, die Landesverteidigung, das Schulsystem und ähnliche Leistungen, die der Staat mit seinen Einnahmen zur Verfügung stellt, nützen den Staatsbürgern im Wesentlichen im gleichen Umfang. Jedoch zahlen diejenigen, die ein etwas höheres Einkommen beziehungsweise eine höhere Wertschöpfung als andere haben, mehr dafür. Dieser Umverteilungseffekt wird noch verstärkt, wenn das Steuersystem progressiv ausgestaltet ist.

Wie stark die Progression des deutschen Steuersystems ist, wird auch durch die Ergebnisse einer kürzlich veröffentlichten Untersuchung des Instituts der deutschen Wirtschaft deutlich. Nach dieser Untersuchung werden mehr als zwei Drittel der Einkommensteuern in Deutschland von nur 20 % der Steuerpflichtigen gezahlt, und etwa die Hälfte der Bevölkerung trägt fast gar keine Einkommensteuern bei. Auf sie entfallen gerade einmal 8 % der Gesamtlast.[27]

Die Deutschen müssen sich entscheiden, welche Mischung aus Liberalität und Kommunismus sie in ihrem Steuersystem realisieren wollen. Für eine Progressivität des Steuersystems spricht die Verbesserung des Versicherungsschutzes, den der Staat implizit mit seinem Steuer- und Abgabensystem bietet: Wer im Leben Pech hat, fällt nicht sehr tief, und wer Glück hat, kann dennoch nicht besonders weit aufsteigen. Die Kehrseite ist aber die Verschlechterung der Arbeitsanreize und die damit einhergehende Erosion des normalen Arbeitsmarktes sowie die Verstärkung der unproduktiven Energien, die bei der Steuervermeidung aufgewendet werden.

Schwarzarbeiterparadies Deutschland

Ein besonders offensichtlicher Fehlanreiz, der von der Progression des Steuersystems ausgelöst wird, liegt bei der Schwarzarbeit. In dem oben genannten Beispiel wurde das

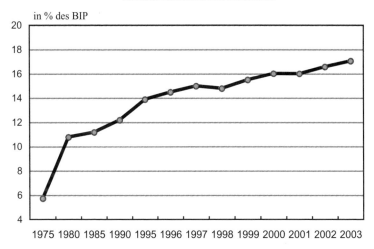

Schwarzarbeit in Deutschland

Quelle: Institut für Angewandte Wirtschaftsforschung, Pressemitteilung vom 29. Januar 2003,
Aktuelle Prognose zur Entwicklung der Schattenwirtschaft in Deutschland im Jahr 2003.

ABBILDUNG 6.7

erste Zimmer über den Meister abgewickelt. Es ist aber klar,
wie die Arbeit beim zweiten Zimmer organisiert wird. Der
Kunde einigt sich mit dem Gesellen auf eine private Lösung
nach Feierabend, und beide können sich die 656 Euro, die sie
sonst hätten an den Staat abführen müssen, brüderlich teilen.

Der Umfang der Schwarzarbeit hat in Deutschland in den
letzten Jahren sehr stark zugenommen. Abbildung 6.7 gibt
einen Überblick über die Ergebnisse indirekter Berechnungen
über Indikatoren, die das Ausmaß der Schwarzarbeit signalisieren.[28] Danach hat die Wertschöpfung, die in Deutschland
schwarz geleistet wird, mittlerweile einen Umfang von 16 %
des offiziell geleisteten Bruttoinlandsprodukts erreicht. Mit
diesem Wert liegen wir zwar erst im europäischen Mittelfeld,
aber der Musterknabe, der wir in dieser Hinsicht einmal
waren, sind wir schon lange nicht mehr. Die Schwarzarbeit ist
der einzige Sektor, der in Deutschland trotz der allgemeinen

Wirtschaftsflaute noch kräftig expandiert. Nach der Schätzung des Instituts für Angewandte Wirtschaftsforschung kann im Jahr 2003 von einem Wachstum in Höhe von 5,6% ausgegangen werden, während die Wirtschaft ansonsten in einer Flaute verharrt. Dieses Wachstum ist das höchste aller OECD-Länder.

Dass die hohe Grenzsteuerbelastung Schwarzarbeit induziert, ist indes nur eine der schädlichen Ausweichreaktionen auf die Besteuerung. Schlimmer ist es, um beim Beispiel des Malers zu bleiben, wenn das zweite Zimmer gar nicht mehr angestrichen wird, weil die Arbeit dem Kunden zu teuer ist. Leider ist auch das eine häufig zu beobachtende Konsequenz der exzessiven Besteuerung, die sich Deutschland leistet. In hohem Umfang wird sinnvolle wirtschaftliche Aktivität durch das Steuersystem unterbunden. Wegen der Lethargie, die die Steuern erzeugen, ist das Sozialprodukt kleiner, als es unter anderen Umständen hätte sein können.

Und wenn nicht Lethargie die Konsequenz ist, dann ist es zumindest ein unwirtschaftliches Verhalten. Es ist nämlich auch denkbar, dass der Kunde beim nächsten Zimmer selbst zum Pinsel greift. Er fährt zu OBI, kauft sich Farbe, Pinsel und Tapeten und richtet das Zimmer des Abends und am Wochenende selbst her. Wenn er in seinem eigenen Beruf – sagen wir, er sei Schlosser – den gleichen Stundenlohn wie der Malergeselle verdient, kann er dreimal so viel Zeit für die Arbeit aufwenden wie der Malergeselle, und dennoch lohnt sich das Selbermachen noch. Es lohnt sich aber nur wegen der Steuern, und nicht wirklich, denn die volkswirtschaftliche Arbeitsteilung wird auf diese Weise ausgehebelt. Statt dass wir uns alle auf das spezialisieren, was wir besonders gut können, und mit unserem Geld die Leistungen von anderen Spezialisten kaufen, fliehen wir wegen der Steuern in die Do-it-yourself-Gesellschaft. Nichts gegen OBI. Das ist eine nette Firma, wo man gutes Werkzeug kaufen kann. Dennoch muss der Umstand, dass OBI und andere Baumärkte in den letzten Jahren wie die

Pilze aus dem Boden geschossen sind, zu denken geben. OBI ist einer der Hauptprofiteure der deutschen Hochsteuerpolitik, geradezu die Inkarnation der Wohlfahrtsverluste, die das überzogene Steuersystem hervorruft.

Die Neidsteuern des Frank Bsirske

Die Progression des deutschen Abgabensystems kann so nicht aufrechterhalten bleiben. Die Grenzbelastung des Arbeitseinkommens ist viel zu hoch, als dass sie noch mit einer funktionierenden Marktwirtschaft kompatibel wäre. Wenn bereits ein normaler Industriearbeiter eine Grenzabgabenlast von zwei Dritteln zu tragen hat, ist etwas falsch an dem System.

Eine nahe liegende Reaktion auf die hohe Belastung der Arbeitseinkommen liegt darin, die Steuerlast stärker auf Kapitaleinkommen und Vermögen zu verlagern. Das ist eine Forderung, die sich vielen auch unter Gerechtigkeitsgesichtspunkten aufdrängt und von den deutschen Gewerkschaften immer wieder erhoben wird. »Dem Staat reicht das Geld nicht? Nun, schauen wir einmal, wo noch etwas zu holen ist!«. Das scheint die Devise der Gewerkschaften in diesen Tagen zu sein. Der ver.di-Vorsitzende Frank Bsirske scheut sich nicht einmal, die Neiddiskussion anzufachen, indem er einzelne Reiche namentlich an den Pranger stellt.[29]

Bsirske liegt mit seinem Plädoyer für die Vermögensteuer falsch, sowohl mit Blick auf die Gerechtigkeit als auch mit Blick auf die wirklichen Interessen der Arbeitnehmer.

Unter Gerechtigkeitsgesichtspunkten liegt er falsch, weil er übersieht, dass Vermögen stets durch Ersparnis, also durch Konsumverzicht entsteht und dass diese Ersparnis aus bereits versteuertem Einkommen stammt. Eine zentrale Anforderung eines gerechten Steuersystems wird durch das Postulat der horizontalen Gerechtigkeit beschrieben. Zwei Menschen, denen die gleiche Menge Geldes zufließt, die aber unterschiedliche Konsumpräferenzen haben, sollten so besteuert werden, dass ihre Konsumgütermengen um den gleichen Prozentsatz schrumpfen, gleichgültig, welche Güter sie konsumieren möchten.

Dieses Postulat ist durch die Einkommensteuer dann erfüllt, wenn das Nettoeinkommen sofort konsumiert wird. Wenn der Steuersatz für Lohneinkommen beispielsweise 50% ist, dann kann derjenige, der gerne Äpfel isst, nur noch die Hälfte der Apfelmenge konsumieren, die er sich sonst hätte leisten können, und derjenige, der lieber Kartoffeln verspeist, kann nur noch die Hälfte der Kartoffelmenge konsumieren.

Das Postulat der horizontalen Gerechtigkeit wird aber verletzt, wenn das Nettoeinkommen gespart und später konsumiert werden soll, denn in diesem Fall wird zusätzlich zum Lohneinkommen auch noch das Zinseinkommen besteuert. Ähnlich wäre es, wenn auch das Vermögen einer periodischen Besteuerung unterworfen würde. Das Postulat wird verletzt, weil derjenige, der später konsumiert, auf einen höheren Prozentsatz seines Konsums verzichten muss als derjenige, der sofort konsumiert.

Dazu ein Beispiel: Die Einkommensteuer sei, was ja gerade für die großen Sparer eine realistische Zahl ist, 50%, und der Zinssatz sei 6%. Wer sein Einkommen heute konsumieren möchte, muss auf die Hälfte seines Konsums verzichten. Wer sein Einkommen erst nach einem Jahr konsumieren möchte, muss zwar zunächst nur auf die Hälfte seiner Ersparnis verzichten, aber er muss auch noch die Hälfte seines Zinseinkommens abtreten, denn statt des 1,06-fachen der Ersparnis steht ihm nach einem Jahr nur das 1,03-fache für Konsum zur Verfügung. Der Konsum ist deshalb nach einem Jahr um mehr als die Hälfte (nämlich um 51,4%) kleiner, als wenn es keine Steuern gäbe. Die Kapitaleinkommensteuer wirkt wie eine doppelte Steuer auf das Lohneinkommen, die den schon versteuerten Nettolohn noch einmal mit 2,8% belastet, wenn man nicht gleich, sondern ein Jahr später konsumieren möchte.

Zukunftsgüter sind wegen des Zinses heute billiger als Gegenwartsgüter, weil mit dem Zins der Verzicht auf den sofortigen Konsum kompensiert wird. Sie deshalb prozentual stärker zu besteuern, ist nicht gerechtfertigt. Dann müsste man auch den Konsum von Kartoffeln geringer besteuern als den Konsum von Äpfeln, weil Kartoffeln billiger als Äpfel sind.

Übrigens wäre in dem gewählten Beispiel eine Vermögensteuer von 3 % bei einem Zinssatz von 6 % der Zinseinkommensteuer von 50 % völlig äquivalent und hätte die gleichen Wirkungen. Auch sie entspräche einer zusätzlichen Steuer auf den Nettolohn in Höhe von 2,8 %. Auch Vermögensteuern sind Sondersteuern, die speziell jene belasten, die ihr Geld lieber später als früher konsumieren.

Nun ist eine zusätzliche Steuerbelastung der Nettolöhne in Höhe von 2,8 % nicht erheblich. Man könnte deshalb geneigt sein, die Zinsbesteuerung als Bagatelle zu betrachten. Indes ging das Beispiel von einer Anlagefrist von nur einem Jahr aus. Viele Menschen wollen in Wahrheit über längere Zeiträume sparen. Wer zum Beispiel im Alter von 30 Jahren aus seinem Lohneinkommen spart, um daraus einen Mehrkonsum in seinem achtzigsten Lebensjahr zu finanzieren, dem werden sehr viel höhere Zusatzbelastungen auferlegt, weil sich Zins- und Zinseszinseffekt potenzieren. In dem betrachteten Beispiel entspricht die Zinseinkommensteuer dann einer zusätzlichen Lohnsteuer auf den schon versteuerten Nettolohn von 76 %, was bedeutet, dass die Konsummenge, die man sich ohne Staat hätte leisten können, nicht um 50 % wie beim Sofort-Konsumierer, sondern um 88 % schrumpft. Bei dieser Größenordnung kann man wahrlich nicht mehr von Bagatellsteuern reden. Vielmehr muss eine extreme Verletzung des Prinzips der horizontalen Gerechtigkeit konstatiert werden.

Nun hat Vermögen nicht immer im Arbeitseinkommen seinen Ursprung. Man kann es durch glückliche Umstände gewinnen, es kann ein Planungsgewinn sein, es kann durch unverhofft gute Geschäfte entstehen, es kann der Ertrag einer

Erfindung sein, es kann aus einem Monopolgewinn resultieren, es kann aus der Bodenpacht entstanden sein, es kann auf eine spekulative Umbewertung eines Aktienpakets zurückzuführen sein. In der Tat spricht manches für die steuerliche Belastung solcher Ursachen von Vermögensgewinnen, sofern dabei die Normalverzinsung des eingesetzten Kapitals ausgespart wird. Aber dies ist kein Argument für die Besteuerung von Zinseinkommen oder die allgemeine Besteuerung von Vermögen. Wenn man das Postulat der horizontalen Gerechtigkeit akzeptiert, dann ist auch bei jenen, die über diese Vermögensquellen verfügen, unabhängig vom Konsumzeitpunkt derselbe Prozentsatz des Konsums wegzunehmen, und das widerspricht der Besteuerung von Zinseinkommen und Vermögen. Eine solche Besteuerung würde den Sofort-Konsumierer steuerfrei lassen, doch den Spät-Konsumierer umso stärker belasten, je später sein Konsum anfällt. Am stärksten würden diejenigen prozentual zu ihrem Konsum belastet werden, die ihr Vermögen erhalten und nur aus ihren Zinsen konsumieren. Das ist und bleibt ungerecht, was auch immer die ursprüngliche Quelle des Vermögens war. Nur die Besteuerung dieser Quelle selbst ist gerecht, nicht aber die Besteuerung des Vermögens oder der von diesem Vermögen verdienten normalen Zinserträge.

Alternativ zur Besteuerung der Quellen würde auch eine Steuer auf den Konsum dem Prinzip der horizontalen Gerechtigkeit entsprechen. Wenn eine solche Steuer in allen Perioden zum selben Satz erhoben wird und alle Güter gleichmäßig trifft, dann reduziert sie die Konsumgütermengen, die man mit dem ursprünglich zugeflossenen Einkommen erwerben kann, um den gleichen Prozentsatz, gleichgültig, was man kauft und wann man kauft. Eine solche ideale Steuer muss nicht erst erfunden werden, sie gibt es in Form der Mehrwertsteuer bereits. Die nötigen Steuersenkungen in Deutschland sollten deshalb zuallerletzt bei der Mehrwertsteuer ansetzen. Diese Steuer gehört unter Gerechtigkeitsgesichtspunkten zu den besten Steuern, die es gibt.

Warum man das Kapital
nicht wirklich besteuern kann

So weit zur Gerechtigkeit. Wichtiger noch als die Gerechtigkeit, über die man lange streiten kann, ist die wirkliche Interessenslage der Arbeitnehmer. Auf den ersten Blick scheint es im Interesse der Arbeitnehmer zu liegen, die Unternehmer, die Kapitalisten ordentlich zu schröpfen. Mit dem Geld, das der Staat einnimmt, können nämlich Ausgaben finanziert werden, die sonst mit Sozialabgaben oder sonstigen die Arbeitnehmer treffenden Abgaben hätten finanziert werden müssen, oder es können Leistungen finanziert werden, die den Arbeitnehmern zugute kommen.

Aber wie so häufig gilt auch hier, dass der erste Blick trügt. Er vernachlässigt nämlich die negativen Rückwirkungen auf die Arbeitnehmer, die von den Ausweichreaktionen der Besteuerten ausgehen. Diese Ausweichreaktionen sind keinesfalls harmlos, sondern rühren an den grundsätzlichen Funktionselementen der Marktwirtschaft. Frank Bsirske sollte nicht vergessen, dass die Produktivitätszuwächse, die die Lohnsteigerungen in der Vergangenheit ermöglicht haben, überwiegend auf die Vermehrung des Kapitaleinsatzes zurückzuführen waren. Wir arbeiten nicht fleißiger als unsere Väter und Großväter, sondern mit immer besseren und teureren Maschinen, die uns die Arbeit mehr und mehr abnehmen, und diese Maschinen müssen von Sparern und Vermögensbesitzern finanziert werden. Fehlt die Ersparnis und flieht das Vermögen in andere Länder, dann ist es aus mit dem schönen Produktivitätszuwachs, und die Gewerkschaften können sich drehen und wenden, wie sie wollen: Sie können dann die Löhne, die sie bislang gewohnt waren, nicht mehr aus der deutschen Wirtschaft herausquetschen.

Die Gefahr, dass bei einer hohen Steuerlast auf Vermögen und Kapitalerträge das Kapital nicht mehr zur Verfügung stehen könnte, von dem alle Arbeitnehmer ihr Einkommen ableiten, ist erheblich. Einerseits wird nämlich die Ersparnis zurückgehen, und andererseits werden Vermögensbestände ins Ausland verschoben.

Deutschland ist ein Land, das die schon aus demografischen Gründen ansteigenden Soziallasten kaum noch beherrschen kann und in dem Vermögensbesitzer ohnehin in der Furcht leben, mit ihren Vermögen eines Tages für die überbordenden Soziallasten aufkommen zu müssen. In dieser Situation hat die Neiddiskussion der Gewerkschaften fatale Auswirkungen. Wer wird sich denn schon bemühen, Vermögen zu bilden, um davon im Alter zu leben, wenn auf ihn mit dem Finger gezeigt wird und wenn er damit rechnen muss, dass dieses Vermögen später einmal zur Deckung der staatlichen Finanzierungslücken herangezogen wird?

Viele halten es für die bessere Alternative, sich beizeiten ein schönes Leben zu machen und sich im Alter stattdessen auf den Sozialstaat zu verlassen. Der Umstand, dass im ersten Jahr nach Einführung des Riester-Sparens gerade einmal ein Zehntel der Zielgruppe mitgemacht hat, ist sicherlich zu einem erheblichen Teil darauf zurückzuführen, dass die Vermögensbesitzer von den linken Gruppierungen in der Politik argumentativ an den Rand der Gesellschaft gedrückt werden und dass die Sparer zu Recht Angst davor haben, eines Tages zur Milchkuh des Sozialstaates gemacht zu werden. Zumindest befürchten sie, durch die eigene Ersparnis ihre Ansprüche auf den Schutz des Sozialstaates zu reduzieren.

Noch wichtiger sind die Möglichkeiten der Kapitalflucht in andere Länder. Wenn die Steuerschraube angezogen wird, werden mehr und mehr Vermögensbesitzer das Land verlassen, oder zumindest wird das von ihnen gebildete Kapital das Weite suchen. Die Welt ist groß, und viele Länder sind gerne bereit, die Steuerflüchtlinge mit offenen Armen aufzunehmen. Die Schweiz hat von diesem Effekt jahrzehntelang profitiert. Zwei Drittel der von Deutschen im Ausland angelegten Finanzvermögen liegen in der Schweiz, und es wird geschätzt, dass 85 % der Erträge auf diese Vermögenswerte in Deutschland nicht mehr besteuert werden. Die Schweiz bietet Steuerflüchtlingen aus Deutschland und aller Welt sogar die Möglichkeit, sich dort mitsamt ihres Vermögens niederzulassen und statt der Schweizer Einkommensteuer eine frei aushandelbare Pauschalsteuer zu zahlen, die in den meisten Fällen gerade einmal ein Zehntel dessen ausmacht, was Schweizer selbst zahlen müssten.

Aber es gibt auch andere Länder, die Steuerflüchtlinge anziehen. Dazu gehören nicht nur die klassischen Steuerparadiese wie die Cayman-Inseln, Guernsey, die Bahamas oder Liechtenstein, sondern auch reguläre Mitgliedsländer der Europäischen Union. So belastet Irland Unternehmensgewinne nur mit einer Körperschaftsteuer von 15 %, und Litauen, das ab Mai 2004 zur Union gehören wird, hat bereits angekündigt, dass es das irische Modell kopieren will. Holland und Belgien haben Sonderregeln für Finanzinstitute und begnügen sich mit einer minimalen Pauschalsteuer auf das angelegte Geld. Selbst die skandinavischen Länder, also Finnland, Schweden, Norwegen und Dänemark, spielen neuerdings auf dem Niedrigsteuerklavier, um Kapitalvermögen aus anderen Ländern anzuziehen beziehungsweise die Abwanderung ihres Kapitals zu verhindern. Nichts anderes tut Österreich, das zu einem populären Fluchtort für vagabundierendes Finanzkapital geworden ist.

All diese Länder haben das Prinzip der so genannten synthetischen Einkommensteuer aufgegeben, nach dem alle Einkunftsarten zusammengefasst und dann dem gleichen Steuertarif unterworfen werden. Sie belasten die Arbeitseinkommen ähnlich wie Deutschland mit einer progressiven Einkommensteuer, doch unterwerfen sie Zinseinkommen nur noch einer niedrigen Pauschalsteuer in Höhe von 25 % (Österreich) bis 30 % (Schweden).[30]

Angesichts dieser Verhältnisse wäre es die reinste Dummheit, wenn sich die deutschen Arbeitnehmer dafür einsetzen würden, die Politik der steuerlichen Belastung der großen Vermögen fortzuführen oder gar auszubauen. Sie würden sich dabei ins eigene Fleisch schneiden, weil sie das Kapital vertreiben würden, das ihnen die hohe Arbeitsproduktivität und die hohen Löhne überhaupt erst ermöglicht.

Wenn der Staat versucht, die Steuern auf Kapital hochzuschrauben, reduziert er zunächst die Nettorendite auf Kapital und ruft deshalb eine Kapitalflucht hervor. Die Folge ist, dass das hier verbleibende Kapital knapper wird und deshalb zu Lasten der Löhne immer höhere Bruttorenditen erwirtschaften kann. Die Löhne werden unter Druck geraten, weil weniger Unternehmen vorhanden sind, die Arbeitskräfte nachfragen. Wenn die Löhne zunächst nicht fallen sollten, weil die Gewerkschaften oder die Lohnersatzleistungen des Sozialstaates das verhindern, nimmt die Kapitalabwanderung kein Ende, und eine immer weiter wachsende Massenarbeitslosigkeit ist die Folge, die schließlich in den Kollaps des Landes mündet. Wenn die Löhne indes nachgeben, gibt es keine Arbeitslosigkeit, weil die verbleibenden Unternehmen dann arbeitsintensivere Produktionsprozesse wählen und weil nicht so viele Unternehmen abwandern. Die Abwanderung kommt frühzeitig zum Stillstand, weil die niedrigeren Löhne aus der Sicht der Kapitalbesitzer einen Ausgleich für die hohen Steuern bieten. Die Bruttorendite, die das Kapital im Inland verdient, ist dann trotz der Besteuerung wieder so hoch, dass die Nettorendite mit dem Rest der Welt Schritt halten kann. Ein größerer Teil des Kapitaleinkommens wird nun allerdings im Ausland verdient.

Die Vermögensbesitzer werden durch die zusätzlichen Steuern auf Vermögen und Kapitaleinkommen nur während des Übergangsprozesses bis zum neuen Gleichgewicht belastet. Danach haben sie keine wirklichen Nachteile mehr, weil sie auf alle Anlagen die Nettorendite verdienen, die der Weltkapitalmarkt vorgibt. Die lokalen Steuern auf Kapital- und Vermögenseinkommen treffen nicht sie, sondern die Arbeitnehmer des Landes, das die Steuern erhebt. Die Vermögensbesitzer haben zwar die Zahllast der Steuer, doch können sie die Traglast vollständig auf die Arbeitnehmer und andere Einkommensbezieher überwälzen, die nicht ausweichen können.

Es ist deshalb für ein einzelnes Land nicht sinnvoll, Kapitaleinkommensteuern zu erheben, die über eine bloße Kostenerstattung für die benutzte Infrastruktur hinausgehen. Vielmehr ist es stets sinnvoll, so viel Kapital im Inland zu halten, dass die letzte Kapitaleinheit, die gedanklich zur Disposition steht, im Inland so viel Bruttoertrag (nach Infrastrukturkosten) für den Staat und die privaten Kapitaleigner abwirft, wie diese Kapitaleinheit im Ausland nach Abzug der ausländischen Steuern erwirtschaften könnte, und diese Bedingung lässt sich nur dann erreichen, wenn dem Kapital prinzipiell kein Beitrag zur Finanzierung des Staatsbudgets abverlangt wird, der über die Finanzierung der von ihm selbst beanspruchten Staatsleistungen hinausgeht. Der Versuch, einen solchen Beitrag zu verlangen, vertreibt so viel Kapital, bis der Bruttoertrag des hier verbleibenden Kapitals über der Weltmarktrendite liegt, und ist deshalb mit einer Verkleinerung des für den Staat und die Privaten zusammen verdienten Einkommens verbunden.[31]

Freilich erhält der Staat dann von den Vermögensbesitzern keine Steuern mehr, die er an andere verteilen könnte. Es liegt deshalb für die Vertreter der Arbeitnehmer nahe, aus Verteilungsgründen die Besteuerung der Kapitaleinkommen zu fordern, obwohl dabei die Summe aller Einkommen fällt. »Lieber ein großes Stück aus einem kleinen Kuchen statt ein kleines Stück aus einem großen Kuchen!«, könnte die Devise lauten.

Indes führt diese Devise in die Irre, denn wenn der Kuchen im Sinne der Summe aller nationalen Einkommen wegen einer steuerinduzierten Kapitalabwanderung kleiner wird, dann wird gerade auch das Stück, das die Arbeitnehmer erhalten, kleiner. Das Stück muss logischerweise kleiner sein, denn die Kapitaleigner erhalten ja nach erfolgter Anpassung im Inland wieder auf ihr gesamtes Vermögen, auch auf das im Inland investierte, eine feste Nettorendite, wie sie vom internationalen Kapitalmarkt vorgegeben ist. Selbst wenn der Staat seine Steuereinnahmen voll und ganz an die Arbeitnehmer ausschüttet, reichen die Gelder nicht zur Kompensation der fallenden Lohneinkommen aus. Selbst dann erleiden die Arbeitnehmer netto Verluste.

Das ist das Dilemma, mit dem sich all jene auseinander setzen müssen, die aufgrund vordergründiger Plausibilitätsüberlegungen hohe Steuern auf Kapital und Vermögen fordern, um die Arbeitnehmer entlasten zu können. Umverteilungsmaßnahmen, die scheinbar die Einkommen der Arbeitnehmer erhöhen, führen in Wahrheit zur Verringerung der Arbeitnehmereinkommen. Der Kuchen wird kleiner, die Kapitalbesitzer erhalten ein genauso großes Stück wie vorher, und die Verringerung des Kuchens geht trotz der scheinbaren Vorteile aus der staatlichen Umverteilung ausschließlich zu Lasten der Arbeitnehmer.

Es sei noch einmal betont, dass dieses Ergebnis nicht besagt, dass man das mobile Kapital gar nicht besteuern kann. Steuern im Sinne von Preisen für die genutzte Infrastruktur sind sicherlich möglich und sinnvoll. Nur den Beitrag zur Finanzierung des allgemeinen Staatsbudgets, den Frank Bsirske fordert, sollten die Arbeitnehmer lieber nicht zu erheben versuchen. Sie würden sich dann ins eigene Fleisch schneiden.

Dabei ist einzuräumen, dass sich diese Aussage nur auf die Besteuerung neuen, noch disponiblen Kapitals bezieht. Sofern die Kapitaleinkommensteuer die Gewinne früherer, bereits realisierter Investitionen belastet, deren Standort bereits feststeht und nicht mehr zu verändern ist, liegt ein etwas anderer Fall vor. Dies ist ein Thema, dem im Zusammenhang mit der deutschen Steuerreform des Jahres 2000 eine erhebliche Bedeutung zukommt, denn unverständlicherweise hat diese Reform zu einer massiven Entlastung früherer Kapitalerträge geführt, was zu großen Einnahmeverlusten für den Staat führte, ohne dass damit ein Anreiz verbunden wäre, das Kapital im Land zu halten. Darauf wird weiter unten ausführlich eingegangen.

Trotz dieser Einschränkung implizieren die vorangegangenen Überlegungen eine ganz andere Besteuerungsphilosophie als jene, die aus vordergründigen Gerechtigkeitsüberlegungen resultiert. Die oben zitierten Länder wie die Schweiz, Irland, Österreich und die genannten skandinavischen Länder haben dies alles sehr gut begriffen und in praktische Politik umgesetzt. Sie wissen, dass es im Interesse der Arbeitnehmer liegt, die Kapitalisten durch eine niedrige Steuer auf Kapitalerträge zu hätscheln, statt sie zu vergraulen. Sie setzten darauf, dass der indirekte Gewinn über die Belebung der gesamten Wirtschaftstätigkeit den Einnahmeverlust des Staates überkompensiert, und sie haben damit sichtbare Erfolge. Nur in Deutschland scheinen sich viele über diese volkswirtschaftlichen Zusammenhänge noch nicht klar geworden zu sein und lassen sich stattdessen von naiven Theorien des wirtschaftlichen Verhaltens, die irgendwelche fachfremden Laien verbreiten, zu politischen Forderungen verleiten, deren Umsetzung sie selbst nur ins Unglück stürzen würde.

Steuerreform 2000: ein kleiner Schritt in die richtige Richtung

Man muss der Regierung Schröder zugute halten, dass sie gegen solche Irrmeinungen Kurs gehalten hat. Mit der Steuerreform des Jahres 2000 hat sie einen wichtigen Schritt in die richtige Richtung unternommen, denn sie hat den Körperschaftsteuersatz, also den Steuersatz der großen Unternehmen, von 40 % auf 25 % gesenkt. Die gesamte Belastung der einbehaltenen Gewinne mit Körperschaftsteuer, Solidaritätszuschlag und Gewerbesteuer, die zuvor auch im internationalen Vergleich sehr hoch war, ist damit von 51,8 % auf 38,6 % zurückgeführt worden, wenn man hier wie im Folgenden einen typischen Hebesatz für die Gewerbesteuer in Höhe von 400 % unterstellt. Jetzt liegt Deutschland in dieser Hinsicht wenigstens im Mittelfeld der OECD-Länder. (Die Angaben sind in Tabelle 6.1 am Ende des Kapitels zusammengefasst.)

Mit Verzögerung soll auch die Belastung der Arbeitseinkommen deutlich reduziert werden. Die Spitzenbelastung der Arbeitseinkommen mit der Lohnsteuer und dem Solidaritätszuschlag war zwar mit der ersten Stufe der Steuerreform zunächst nur von 53,8 % auf 51,2 % gesenkt worden, sie wird aber mit der zweiten und dritten Stufe, die nun beide 2004 umgesetzt werden, auf 44,3 % fallen.

Davon werden auch die Personengesellschaften profitieren. Bei einem Inhaber einer Personengesellschaft, der im oberen Progressionsbereich der Einkommensteuer angekommen ist, ist die Belastung mit Einkommensteuer, Solidaritätszuschlag und Gewerbesteuer bereits von 54,5 % auf 51,4 % gefallen und wird mit der dritten Stufe der Steuerreform nochmals auf 45,7 % zurückgehen.

Nur gering ist freilich die Entlastung der ausgeschütteten Gewinne der Kapitalgesellschaften, denn sie werden neuerdings nicht nur mit der Körperschaftsteuer und der Gewerbesteuer, sondern auch noch mit der Hälfte der persönlichen Einkommensteuer der Aktionäre belastet. Deshalb der Name Halbeinkünfteverfahren. Bei einem Aktionär, der sich in der höchsten Progressionsstufe befindet, lief dies darauf hinaus, dass die Steuerbelastung der ausgeschütteten Gewinne von 61,5 % auf 54,3 % fiel und auch nach der letzten Stufe der Steuerreform nicht unter 52,2 % fallen wird. Die nur geringe Entlastung der ausgeschütteten Gewinne ist insofern vertretbar, als Steuern auf Dividenden die Investitionen nicht diskriminieren, soweit sie mit einbehaltenen Gewinnen finanziert werden, und das ist ja empirisch der Löwenanteil der Eigenkapitalfinanzierung.[32]

Die Kombination aus einer starken Entlastung der einbehaltenen Gewinne und einer schwachen Entlastung der ausgeschütteten Gewinne ist im Grundsatz vernünftig. Mit der Steuerreform des Jahres 2000 wurde insofern ein wichtiger Beitrag zur Wiederherstellung der steuerlichen Wettbewerbsfähigkeit getan.

Das Versiegen der Körperschaftsteuer

Nicht vernünftig ist freilich der Umstand, dass die Steuerreform zum fast vollständigen Wegbrechen der Körperschaftsteuereinnahmen geführt hat. Die Abbildung 6.8 illustriert den Zeitverlauf der Körperschaftsteuereinnahmen des Staates seit dem Jahr 1990 bis zum Jahr 2002. Wie man sieht, ist das Körperschaftsteueraufkommen, das im Jahr 2000 noch bei 24 Milliarden Euro lag, nach der Steuerreform des Jahres 2000 auf minus 400 Millionen Euro gefallen und betrug auch im Jahr 2002 nur knapp 3 Milliarden Euro, was im Vergleich zum früheren Aufkommen sehr wenig war. Die Budgetprobleme des deutschen Staates und die Verletzung des Defizitkriteriums des Stabilitäts- und Wachstumspaktes sind auch hierauf zurückzuführen.

Dieses absonderliche Ergebnis der Steuerreform muss, wie mittlerweile klar geworden ist, als krasser Kunstfehler der Poli-

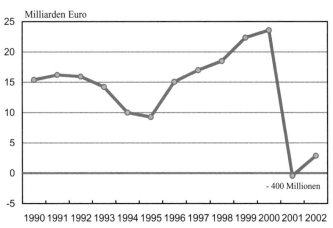

Die Erosion der Körperschaftsteuer

Quellen: Bundesministerium der Finanzen, Finanzbericht 2003; 2002: Ergebnis des Arbeitskreises Steuerschätzungen, Mai 2003.

Abbildung 6.8

tik eingestuft werden. Es hat seine Ursache in der so genannten
Verwendungsfiktion des deutschen Steuerrechts, einer der vielen bürokratischen Regeln, die das System so schwer durch-
schaubar machen. Wenn Unternehmen versteuerte Gewinne
einbehalten, dann müssen sie sie rechnerisch bestimmten
Eigenkapitaltöpfen zuweisen, die unter anderem durch die
Höhe des Steuersatzes zum Zeitpunkt der Einbehaltung
gekennzeichnet sind. Die Verwendungsfiktion besagt, dass ein
Unternehmen, das seine Gewinne als Dividenden ausschütten
will, dies nicht auf direktem Wege tun darf. Vielmehr muss es
die Mittel für die Dividenden aus dem am höchsten besteuerten Eigenkapitaltopf nehmen und als Ersatz einen neuen Topf
mit frischem Eigenkapital füllen. Bei der Ausschüttung wird
dann die früher schon gezahlte Steuer erstattet und durch eine
Ausschüttungssteuer von zunächst 30 % ersetzt. Diese Regelung ist so lange irrelevant, wie der Körperschaftsteuersatz im
Laufe der Zeit konstant bleibt, denn dann gibt es steuerlich keinen Unterschied zwischen einer Direktausschüttung und einer
Ausschüttung über alte Eigenkapitaltöpfe. Doch bei der
beschlossenen Radikalsenkung des Körperschaftsteuersatzes
von zunächst 45 % auf 40 % im Jahr 1999 und dann von 40 %
auf 25 % im Jahr 2001 wurde die Verwendungsfiktion zu einem
Problem für den Staat und zu einem Geldsegen für die Unternehmen. Im Vergleich zu einer steuerlichen Entlastung, die
sich auf die neu erwirtschafteten und dann ausgeschütteten
Gewinne beschränkte, kam es wegen der Verwendungsfiktion
zu einem Ersatz hoch versteuerter durch niedrig versteuerte
Eigenkapitalrücklagen und damit implizit zu einer Ausdeh-
nung der Steuervergünstigung auf den gesamten Eigenkapital-
bestand, der seit der Steuerreform von 1977 angehäuft worden
war.[33]
    Dieser Aspekt der Steuerreform war aus juristischer Sicht
völlig legitim, konnte aber aus finanzwissenschaftlicher Sicht
nur Kopfschütteln hervorrufen, denn er lief auf ein bloßes
Steuergeschenk an die großen Unternehmen hinaus, eine Ent-

lastung, die ihnen unabhängig von ihren Investitions- oder Beschäftigungsentscheidungen gewährt wurde. Wenn man das Wachstum fördern und Kapital in Deutschland halten will, muss man die *für neue Investitionen verwendeten* oder die *aus neuen Investitionen erwirtschafteten* Gewinne entlasten, nicht aber alte Gewinne, die aus Investitionen früherer Zeiten resultieren und längst zu Eigenkapital geronnen sind.

Das Ziel der Steuerreform war, die Gewinnthesaurierung anzuregen. Die »Unternehmen und nicht die Unternehmer« sollten gefördert werden, so lautete die ohnehin sehr zweifelhafte Devise. Doch das Angebot des steuervergünstigten Ersatzes von altem durch neues Eigenkapital veranlasste viele Unternehmen, im Vorgriff auf zukünftige Gewinneinbehaltungen ihre Ausschüttungen kurzfristig zu erhöhen oder diese Ausschüttungen auf dem Vorjahresniveau beizubehalten, obwohl die Gewinne aus konjunkturellen Gründen einbrachen und insofern eigentlich eine Dividendenkürzung angebracht gewesen wäre. Dadurch wurde die Eigenkapitalbasis der Unternehmen geschwächt statt gestärkt, und die Krisenanfälligkeit der Unternehmen wurde erhöht. Vor allem wurde thesauriertes Eigenkapital freigesetzt, sodass es der Kapitalmarkt anschließend in andere Teile der Welt transportieren konnte, wo es höhere Renditen abwirft als in Deutschland. Das war gut für die Welt, doch nicht für Deutschland. Die Kapitalflucht, die man verhindern wollte, hat man in Wahrheit erleichtert.

Dass die deutschen Geschäftsbanken heute über einen erheblichen Eigenkapitalmangel klagen, der Rückwirkungen auf den gesamten Kreditmarkt hat, liegt auch an diesem Effekt. Im Jahr 2001, als sie wegen des schlechten Geschäfts eigentlich ihre Dividenden hätten reduzieren müssen, haben sie sich vor allem auch aus steuerlichen Gründen für die Ausschüttung entschieden.

Steuertechnisch gesehen wäre es ein Leichtes gewesen, die Reform anders zu gestalten. Eine Möglichkeit hätte darin bestanden, die alten Steuern zu Definitiv-Steuern zu erklären, ähnlich wie es bei der Einführung des Vollanrechnungssystems im Jahr 1977 durch die Bildung des so genannten Eigenkapital 03 geschehen war. Dagegen hätte es gewisse, wenn auch überwindbare rechtliche Bedenken gegeben. Andere Wege wären eleganter gewesen. So hätte man zum Beispiel die Regel aufstellen können, dass neu thesaurierte Gewinne, die an die Stelle alter Eigenkapitaltöpfe treten, zum selben Satz besteuert werden wie diese Töpfe und dass nur die zusätzlich thesaurierten Gewinne in den Genuss der Steuersenkung auf 25 % kommen. Das wäre rechtlich einwandfrei gewesen. Am einfachsten wäre es gewesen, wenn man die Reihenfolge der Ausschüttung der thesaurierten Gewinne geändert hätte. Statt der Methode der Ausschüttung nach dem am höchsten belasteten Eigenkapital hätte man die Lifo-Methode – last in first out – vorsehen können. Dann wäre es den Unternehmen nicht möglich gewesen, das früher thesaurierte Eigenkapital durch bloße Umschichtungsoperationen zu entlasten, und bei einer normalen wirtschaftlichen Entwicklung mit wachsenden Eigenkapitalbeständen hätten sich die Steuergeschenke des Staates dauerhaft vermeiden lassen.

Die Steuerreform war im Grundsatz gut, aber der Jubel der Aktionäre war in diesem Fall kein Gradmesser für die volkswirtschaftliche Effizienz dieser Reform. Anstatt den bloßen Austausch von Eigenkapitaltöpfen zu entlasten, hätte man die extreme Verringerung der Arbeitsanreize, die von der deutschen Einkommensteuer ausgeht, korrigieren können. Und man hätte die Personengesellschaften, also vor allem kleinere und mittlere Unternehmen, besser behandeln können. Das wäre für das Wirtschaftswachstum und die gesamtwirtschaftliche Effizienz klüger gewesen.

Aber nun ist es, wie es ist. Das Kind ist bereits in den Brunnen gefallen. Die Milliarden, auf die der Staat unnötigerweise verzichtet hat, kann er nicht wieder zurückholen, indem er nun die Steuerschraube erneut anzieht und statt der alten die neuen Gewinne belastet. Dann würde er genau die schädlichen

Fluchteffekte hervorrufen, die oben beschrieben wurden. Nun hilft nur noch der Blick nach vorne.

Eine wirklich mutige Steuerreform

Angesichts der geplanten Realisierung der lange überfälligen Steuerreform der Einkommen- und Körperschaftsteuer in Deutschland mag eine weitere Reform, die die Überlegungen dieses Kapitels aufgreift, nicht als drängendste aller Maßnahmen des Staates erscheinen. Dennoch ist weder eine Staatsquote von faktisch 57 % bezüglich des Nettoinlandsprodukts noch eine Grenzabgabenlast bezüglich der Wertschöpfung des durchschnittlichen Arbeitnehmers von zwei Dritteln mit einer funktionsfähigen Marktwirtschaft vereinbar. Eine Reform, die Deutschland wirklich voranbringt und dieses Land zu einer neuen wirtschaftlichen Blüte erwachen lässt, muss sehr viel mutiger sein, als das, was bis jetzt vorgelegt wurde.

Eine solche Reform müsste das System auch einfacher machen. Die Vielfalt der Sonder- und Ausnahmeregeln, die im Laufe der Zeit in das Steuersystem hineingekommen sind, schließen es fast aus, dass Normalsterbliche ihre Steuererklärung selbst machen, und wer sie selbst macht und keinen Steuerberater zu Rate zieht, der kann sicher sein, dass er draufzahlt. Das muss nicht so sein. Andere Länder haben einfachere Systeme. In Kanada teilt einem das Finanzamt mit, wie viel Steuern man zahlen muss, und der Einzelne hat kaum eine Möglichkeit, hieran etwas zu ändern. Da nur ganz wenig individuelle Sondertatbestände berücksichtigt werden, hat man auch keine Mühe mit der Steuererklärung.

Nur Zinserträge sind einer Sonderbehandlung zu unterwerfen. Es macht, wie erläutert wurde, aus ökonomischer Sicht nicht den geringsten Sinn, sie genauso wie originäre Einkommensquellen zu besteuern, weil dadurch die Kapitalbildung behindert wird, weil das Kapital zum Schaden der Arbeitnehmer ins Ausland vertrieben wird und weil Personen mit gleicher Leistungskraft, aber unterschiedlichen Vorlieben bezüglich des Zeitpunkts des Konsums unterschiedlich besteuert werden. Zinserträge können nur in einem Rahmen besteuert werden, der durch die Kosten der vom Kapital benutzten Infrastruktur abgesteckt wird.

Allen drei Problemen kann Rechnung getragen werden, wenn ein Reformvorschlag, den das ifo Institut unterbreitet hat, mit der Idee der dualen Einkommensteuer verbunden wird. Die ifo-Steuer hat einen Stufentarif, ähnlich wie ihn das US-amerikanische Steuerrecht kennt, und die duale Einkommensteuer folgt dem Beispiel der skandinavischen Länder. Im Kern geht es darum, echte und kalkulatorische Zinserträge aus der Bemessungsgrundlage der Einkommensteuer herauszunehmen und mit einer Abgeltungssteuer von 20% zu belasten.

Bezüglich der solcherart modifizierten Bemessungsgrundlage für die Einkommensteuer gibt es nur noch vier Tarifbereiche und drei Steuersätze, nämlich 15%, 25% und 35%. Der Tarif wird in der Abbildung 6.9 im Vergleich zur ersten und dritten Stufe der Steuerreform des Jahres 2000 dargestellt. Die erste Stufe, in der noch keine Steuer erhoben wird, geht bis zum Grundfreibetrag von 7.500 Euro, die zweite Stufe mit einer Grenzbelastung von 15% reicht bis zu einem Einkommen von 17.500 Euro, und die dritte mit einer Grenzbelastung von 25% endet bei einem Einkommen von 35.000 Euro. Danach liegt die Grenzbelastung bei einheitlich 35%. Der Solidaritätszuschlag kann, ähnlich wie heute die Gewerbesteuer bei den Unternehmen, von der Steuerschuld abgesetzt werden und ist insofern bereits im Tarif enthalten.

Der Tarif wird für die Arbeitnehmer eine erhebliche Entlastung bringen und neben der Aktivierenden Sozialhilfe (vergleiche Kapitel 4) mithelfen, die Schwarzarbeit zurückzudrängen. Der oben betrachtete durchschnittlich verdienende Industriearbeiter mit zwei Kindern und einer Ehefrau, die ein

Die ifo-Steuer

Grenzbelastung mit Lohnsteuer und Solidaritätszuschlag

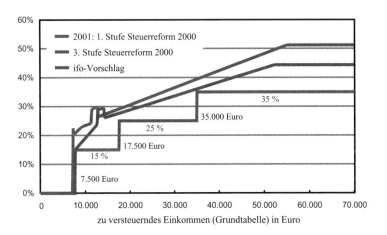

Grenzbelastung mit Lohnsteuer und Solidaritätszuschlag

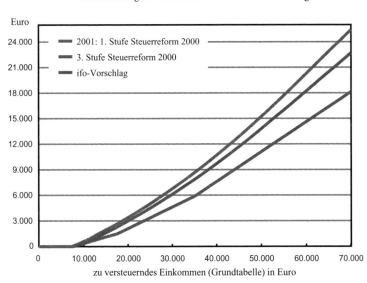

Quelle: Bundesministerium der Finanzen; Berechnungen des ifo Instituts.

ABBILDUNG 6.9

Drittel hinzuverdient, wird nun statt 66,7 % wie nach der dritten Stufe der bereits beschlossenen Steuerreform nur noch eine Grenzbelastung seiner Wertschöpfung in Höhe von 61,3 % zu tragen haben. Das ist zwar immer noch recht viel, aber er kann sich nun wenigstens mit seinen Kollegen in Dänemark und Schweden vergleichen.

Der Charme des Tarifs ist seine Einfachheit. Jeder kann sich die Grenzen und Steuersätze merken und selbst ausrechnen, wie viel Steuern er zahlen muss. Ausnahmen werden breitflächig abgeschafft. Die Steuerberater müssen um ihr Geschäft bangen.

Die Einfachheit erstreckt sich auch auf die Unternehmensbesteuerung. Einbehaltene Gewinne der Kapitalgesellschaften werden mit 25 % Körperschaftsteuer und 10 % Gewerbesteuer auf die Gewinne vor Abzug der Körperschaftsteuer belastet, sodass eine Gesamtbelastung von 35 % entsteht. Die komplizierte Schachtelrechnung von heute, das »Von-sich-selbst-Abziehen« und ähnliche Spielereien, die das heutige Steuerrecht kennzeichnen, entfallen.

Die Verwendungsfiktion früher einbehaltener Gewinne wird so geändert, dass in Zukunft die zuletzt erzielten Gewinne zuerst ausgeschüttet werden müssen. Der rückwirkenden Erstattung von hohen Altsteuern wird damit ein wirksamer Riegel vorgeschoben, der bei sich normal entwickelnden Unternehmen nicht mehr zu Lasten des Fiskus beiseitegeschoben werden kann.

Personengesellschaften werden mit der persönlichen Einkommensteuer belastet. Sie zahlen zwar auch die Gewerbesteuer an die Kommunen, doch ist diese Steuer ähnlich wie heute schon von der Einkommensteuerschuld absetzbar und insofern für die Steuerpflichtigen irrelevant. Wenn der Inhaber der Personengesellschaft über 35.000 Euro verdient, liegt die Grenzbelastung des Einkommens ebenfalls bei 35 %.

Damit ist die unterschiedliche Behandlung der einbehaltenen Gewinne der Personen- und Kapitalgesellschaften, die

| | Alt, bis 2000 | »Steuerreform 2000« | | ifo-Vorschlag |
		1. Stufe (bis 2003)	3. Stufe	
Der ifo-Vorschlag im Vergleich				
Kapitalgesellschaften, einbehaltene Gewinne	52%	39%	39%	35%
Kapitalgesellschaften, ausgeschüttete Gewinne	62%	54%	52%	46%
Personengesellschaften, Lohneinkommen	55% 54%	51% 51%	46% 44%	35% 35%
Eigenkapitalzinsen und Kapitalerträge	Entsprechend dem jeweiligen Einkommensteuersatz			20%

Alle Angaben inklusive Solidaritätszuschlag, Gewerbesteuer auf der Basis eines Hebesatzes von 400%. Einkommensteuer stets für die höchste Progressionsstufe.

TABELLE 6.1

auch nach der dritten Stufe der Steuerreform 2000 noch besteht, beseitigt. Die Kapitalgesellschaften, die derzeit 38,6 % zahlen, werden etwas weniger stark entlastet als die Personengesellschaften, die nach der dritten Stufe der beschlossenen Reform bei 45,7 % liegen. Tabelle 6.1 vergleicht den ifo-Reformvorschlag mit den steuerlichen Regelungen, die in den Jahren seit 2000 galten.

Das Halbeinkünfteverfahren bleibt auch beim ifo-Vorschlag erhalten. Danach liegt dann allerdings in der höchsten Progressionsstufe die Grenzbelastung der ausgeschütteten Gewinne bei etwa 46 %, was ungefähr 6 Prozentpunkte weniger als heute sind. Diese Grenzbelastung besteht zu 25 Prozentpunkten aus der Körperschaftsteuer, zu 10 Prozentpunkten aus der Gewerbesteuer und zu 11 Prozentpunkten aus der persönlichen Einkommensteuer. Wenn der Gewinn 100 ist, können nämlich nach den Steuern des Unternehmens 65 ausgeschüttet werden, und hiervon wird die Hälfte der persönlichen Einkommensteuer unterworfen, was eine persönliche Steuer von etwa 11 impliziert.

Wie erwähnt wird die Reform außerdem in Richtung der dualen Einkommensteuer nach dem Muster Schwedens, Finnlands, Norwegens und Dänemarks modifiziert. Danach werden die echten und rechnerischen Zinserträge bei den Haushalten und Unternehmen aus der Bemessungsgrundlage der Einkommensteuer herausgenommen und einer separaten Abgeltungssteuer von 20 % unterworfen. Der Prozentsatz ist etwas niedriger als in den skandinavischen Ländern, doch die Idee ist die gleiche. Jegliche Einkünfte werden aufgespalten in einen Zinsertrag und ein Quelleneinkommen, das Arbeitnehmerlöhne, rechnerische Unternehmerlöhne, Reingewinne, Spekulationsgewinne und alle anderen Quellen umfasst. Das Quelleneinkommen unterliegt der oben beschriebenen Besteuerung, doch der Zinsertrag unterliegt nur der Abgeltungssteuer von 20 %. Sofern kalkulatorische Zinsen zu berechnen sind, weil es um die Besteuerung von Eigenkapitalerträgen geht, wird der Zinsertrag aus dem Produkt aus dem eingesetzten Eigenkapital und dem vom Finanzamt festgestellten langfristigen Kapitalmarktzins bestimmt. Schuldzinsen der Unternehmen sind zum gleichen Steuersatz (20 %) absetzbar, zu dem auch Zinserträge besteuert werden.

Die duale Einkommensteuer hat die Vorzüge, die oben beschrieben wurden. Insbesondere sorgt sie für eine attraktive Position Deutschlands im Steuerwettbewerb und belässt bei den privaten Haushalten stärkere Anreize, für die Zukunft zu sparen. Sie kommt außerdem dem Postulat der horizontalen Gerechtigkeit näher, weil sie insbesondere die Mehrbelastung derjenigen, die ihr Lohneinkommen erst in der Zukunft konsumieren wollen, gegenüber der heutigen Situation erkennbar zurückfährt.

Die Steuer wird nach überschlägiger Rechnung gegenüber

der dritten Stufe der Steuerreform noch einmal Einnahmeausfälle des Staates in Höhe von rund 32 Milliarden Euro bringen und könnte die Staatsquote somit um weitere 1,6 Prozentpunkte zurückführen. Geht man von einer vollen Gegenfinanzierung aller bisher schon beschlossenen Reformstufen sowie des ifo-Vorschlags durch Ausgabenkürzungen aus, so würde die Staatsquote gegenüber dem für das Jahr 2003 erwarteten Wert von 49,1 % auf 46,3 % fallen. Das ist ein Wert, der, wie ein Blick auf die Abbildungen 6.1 und 6.2 zeigt, Ende der achtziger Jahre in Deutschland erreicht wurde und sich im internationalen Vergleich als hinnehmbar herausstellt. Niedrig ist er dann noch immer nicht. Zusätzliche Maßnahmen zur Begrenzung der sozialen Leistungen und Abgaben sind ebenfalls dringend erforderlich. Dennoch könnte mit der Steuerreform der Neubeginn in einer Welt mit weniger Staat, mehr Eigeninitiative und mehr Wirtschaftswachstum eingeläutet werden.

Anmerkungen

Der Steuerstaat: Fass ohne Boden

1 Th. Hobbes, Leviathan, London 1651.

2 Eine aufschlussreiche Diskussion über diese Sicht des Staates und eine andere, freundlichere Sicht findet man in J. M. Buchanan und R. A. Musgrave, Public Finance and Public Choice – Two Contrasting Visions of the State, MIT Press, Cambridge, Mass., 2000.

3 Vergleiche C. Pauly, Hollywood statt Babelsberg, Der Spiegel, Nr. 42, 15. Oktober 2001, S.144f. Dort heißt es: »Über 700 Millionen Mark investierten Anleger, um die heimische Filmwirtschaft zu fördern und die eigene Steuerlast zu mindern. Das Geld floss fast ausschließlich nach Hollywood.... Wohl selten sind Steuergelder so fehlgeleitet worden. So finanzierte beispielsweise der Filmfonds Nummer 117 mit Geldern des deutschen Fiskus ausweislich eines Lageberichts an die Gesellschafter unter anderem zu 93,29 Prozent den Film ›Eight Millimeter‹, zu 87,49 Prozent den Film ›Crazy in Alabama‹ und mit immerhin noch 32,18 Prozent den Kinoerfolg mit der kleinen Maus ›Stuart Little‹. Die deutsche Filmindustrie profitierte von dem Geldsegen so gut wie gar nicht.«

4 Das gilt unabhängig davon, ob und wie die Schuld getilgt wird. Auch dann, wenn die Tilgung negativ ist, weil sogar ein Teil der Zinsen auf die Altschulden durch eine Nettoneuverschuldung abgedeckt wird, wie es heute in Deutschland der Fall ist, ist der Gegenwartswert der verbleibenden und nun besonders schnell wachsenden Steuerlast zur Bedienung des Restes der Zinslast exakt gleich der anfänglich aufgenommenen Schuld. Nur dann,

wenn die Zinslasten vollständig durch eine Nettoneuverschuldung gedeckt werden, kommt es nie zur Besteuerung, und dann gilt die Rechnung nicht mehr. Doch in diesem Fall wächst, da der Zins einer Volkswirtschaft deren Wachstumsrate langfristig übersteigt, die Schuldenlast prozentual schneller als das Sozialprodukt. Die Folge ist der sichere Staatsbankrott.

5 Website des Statistischen Bundesamtes: http://www.destatis.de/basis/d/vgr/vgrtab7.htm, 13. Juni 2003.

6 A. Baring, Bürger, auf die Barrikaden! Deutschland auf dem Weg zu einer westlichen DDR, Frankfurter Allgemeine Zeitung, Nr. 269, 19. November 2002, S.33.

7 Dabei sind noch nicht einmal alle Staatsausgaben dieser Zeit in der Staatsquote erfasst. Die Mittel, die die Treuhandanstalt auf dem Wege der eigenen Verschuldung bekam und zur Subventionierung der ostdeutschen Wirtschaft verwendete, wurden in einem Sonderhaushalt geführt und nicht dem Staatskonto zugeschlagen. Nur die akkumulierten Schulden der Anstalt selbst, die sich bis zu ihrer Auflösung auf 104 Milliarden Euro beliefen, wurden im Jahr 1995 in einem Schritt in offizielle Staatsschulden umgewandelt und sind insofern seit diesem Zeitpunkt in der Kurve der Staatsschuldenquote enthalten. (Ähnlich die kommunalen Schulden in Höhe von 14,9 Milliarden Euro, die in diesem Jahr auf den Bund übertragen wurden.) Rechnet man die mit eigenen Schulden finanzierten Ausgaben der Treuhandanstalt den Staatsausgaben zu, so ergibt sich in den Jahren 1991 bis 1995 eine um etwa einen Prozentpunkt höhere Staatsquote, als sie in dem Diagramm ausgewiesen ist.

8 Herbstprognose der EU-Kommission, 2002.

9 Vergleiche Website des Statistischen Bundesamtes vom 12. Juni 2003 (Mikrozensus) http://www.destatis.de/basis/d/erwerb/erwerbtab1.htm; danach gab es in Deutschland im Jahr 2002 insgesamt 2,224 Millionen Beamte. Laut Fachserie 18, Reihe 3.1, zählte man im selben Jahr 34,590 Millionen Arbeitnehmer im Inland.

10 Statistisches Jahrbuch 2002, S.648, 529 und passim. Eigene Berechnung. Die Versorgungsbezüge für Angestellte und Beamte sind Bruttobezüge einschließlich einmaliger Zahlungen.

11 Für das Jahr 2001 werden von der OECD für Deutschland 4.319.000 Beschäftigte im öffentlichen Dienst ausgewiesen: Diese Zahl setzt sich zusammen aus 736.000 Personen beim Bund (einschließlich Grundwehrdienst- und Zivildienstleistenden und Beschäftigten bei der Eisenbahnvermögensverwaltung), 2.035.000 bei den Ländern, 1.127.000 bei Gemeinden und Zweckverbänden, 350.000 bei den Sozialversicherungsträgern und 71.000 Beamten, die ohne Bezüge beurlaubt sind. Nicht erfasst sind allerdings die in privater Rechtsform geführten selbständigen Einrichtungen öffentlicher Arbeitgeber mit 1.191.200 Beschäftigten, zum Beispiel die Deutsche Bahn, die Post, die Telekom, kommunale Krankenhäuser oder Großforschungseinrichtungen. Dies wird von der OECD einheitlich bei allen Ländern so gehandhabt. Rechnet man die dort beschäftigten Personen hinzu, so steigt der deutsche Anteil der Staatsbediensteten bei den Arbeitnehmern auf gut 15 %. Damit läge er auch dann noch unter dem US-amerikanischen Wert, wenn dieser Wert nicht entsprechend korrigiert würde.

12 Leistungsgruppe II: Kaufmännische und technische Angestellte mit besonderer Erfahrung und selbständigen Leistungen in verantwortlicher Tätigkeit in der Privatwirtschaft.

13 H. Hofmann, Homo doctus in se semper divitas habet. Aber verdient er auch genug Geld?, ifo Schnelldienst 54, 2000, Nr. 8, S.39–41. Die Angestelltengehälter stiegen nach Auskunft des Verfassers in diesen 30 Jahren um insgesamt 342 %, und die Beamtengehälter stiegen um 192 %.

14 Vergleiche OECD, Education at a Glance. OECD Indicators 2002, Paris 2002, S.170.

15 Vergleiche Bundesministerium für Bildung und Forschung, Zur technologischen Leistungsfähigkeit Deutschlands 2002, Bonn 2003, S.10. Das Ministerium bezieht sich dabei selbst auf die OECD-Studie Education at a Glance, 2002, sowie auf andere Quellen.

16 Bis vor kurzem zog sich dieser Fehler bis in die OECD-Berechnung der Staatsquote hinein, die in der OECD-Statistik niedriger ausgewiesen war als beim Statistischen Bundesamt. Da die OECD ihre diesbezüglichen Angaben bei der Staatsquote

inzwischen korrigiert hat, steht zu vermuten, dass sie dies in Kürze auch bei der Sozialausgabenquote tun wird.

17 Presse- und Informationsamt der Bundesregierung, Sozialpolitische Umschau, Nr. 14, 168/2002. Siehe auch http://www.bundesregierung.de/emagazine_entw,-76899/Sozialbudget-2001.htm (13. Juni 2003).

18 Vergleiche Bundesministerium für Gesundheit und Soziales, Sozialbericht 2001.

19 Der Bundeswahlleiter, Pressemitteilung vom 30. Januar 2002 (http://www.destatis.de/presse/deutsch/wahl2002/p2001211.htm).

20 Zahlen zur Arbeitslosenhilfe und zum Arbeitslosengeld für März 2003 von der Bundesanstalt für Arbeit (http://www.pub.arbeitsamt.de/hst/services/statistik/detail/l.html); Sozialhilfebezieher Ende 2001 gemäß Pressemitteilung des Statistischen Bundesamtes vom 21. August 2002 (http://www.destatis.de/presse/deutsch/pm2002/p2900081.htm); Rentner 2002 (VDR Statistik»Rentenbestand 2002«, Tabelle 13); Unfallversicherung (2000) und Wohngeldempfänger (Ende 1999) aus: Sozialbericht 2001; Pensionäre 2001 (http://www.destatis.de/presse/deutsch/pm2001/p2180061.htm); BAföG-Empfänger 2001 (http://www.destatis.de/presse/deutsch/pm2002/p2950071.htm).

21 Vergleiche G. Tullock, The Welfare Costs of Tariffs, Monopolies and Theft, Western Economic Journal 5, 1967, S.224–232; ders., Efficient Rent Seeking, in: J. M. Buchanan, R. D. Tollison und G. Tullock: Toward a Theory of the Rent-Seeking Society, A&M University Press, College Station, Texas, 1980, S.97–112.

22 Subventionsbericht der Bundesregierung, Berlin 2001, S.22.

23 A. Boss und A. Rosenschon, Subventionen in Deutschland: Quantifizierung und finanzpolitische Bewertung, Kieler Diskussionsbeiträge 392/393, Institut für Weltwirtschaft, August 2002.

24 OECD, PSE/CSE Support Estimate Data Base 1986 – 2002, berechnet durch DG AGRI. Ferner eigene Berechnungen auf der Basis von: Verband Süddeutscher Zuckerrübenanbauer, http://www.vsz.de/news/weltmarktpreise.htm (20. Juni 2003); Food and Agricultural Organization of the United Nations (FAO), http://www.fao.org/es/esc/en/index.html, Preise für

März 2003 (20. Juni 2003); EU-Kommission: Agrarmärkte Nr. 1/2003, Preise für März 2003, http://europa.eu.int/comm/agriculture/publi/prices/2003/prix2003_1.pdf.

25 Da die Rechnungen extrem aufwendig sind, weil die komplizierten Details der landesspezifischen Steuer- und Sozialversicherungsgesetze zu sichten sind, war es bislang nicht möglich, mehr als nur die hier betrachteten Länder zu analysieren.

26 Es ist nochmals hervorzuheben, dass die Berechnungen sich auf die Wertschöpfung des Arbeitnehmers und nicht auf das Bruttoeinkommen beziehen. Das Bruttoeinkommen ist eine rechtlich definierte Größe zwischen der Wertschöpfung, die ein Arbeitnehmer erarbeitet, und dem Nettoeinkommen, das er bezieht. Dieser Größe fehlt jede tiefere ökonomische Bedeutung, und sie kommt deshalb als Bezugsgröße für internationale Vergleiche nicht in Frage. Berechnungen, die die Gesamtabgabenlast als Prozentsatz des Bruttoeinkommens darstellen, wären grob fehlerhaft, weil sie für ein Land mit einem geringen Arbeitgeber- und einem hohen Arbeitnehmeranteil an den Abgaben auch dann geringere prozentuale Belastungswerte ausweisen, wenn die Gesamtbelastung, die Wertschöpfung und das Nettoeinkommen gleich sind.

27 IWD, Informationsblatt des Instituts der deutschen Wirtschaft 29, Nr. 22, Mai 2003.

28 Institut für Angewandte Wirtschaftsforschung (IAW), Tübingen, Pressemitteilung vom 29. Januar 2003; Berechnungen von Friedrich Schneider, Linz.

29 Frank Bsirske hatte sich bei einer Kundgebung in Berlin während des Konflikts zum Tarifabschluss für den öffentlichen Dienst (ZDF: heute-journal vom 11. Dezember 2002; Kurzvideo: http://www.zdf.de/ZDFde/mediathek/0,1903,VI-2015405,00.htm, 23. Juni 2003) für die Wiedereinführung der Vermögensteuer ausgesprochen und die Namen reicher Bürger genannt, die von der Vermögensteuer betroffen wären. Es müsse nicht Lohnverzicht geübt werden, um diese Bürger vor Steuerzahlungen zu verschonen.

30 In den skandinavischen Ländern wird auch der Zinsanteil in den Unternehmensgewinnen nur noch mit der niedrigen Steuer

belastet. Zu diesem Zweck werden die Unternehmensgewinne rechnerisch in einen Zinsanteil und einen Unternehmerlohn aufgespalten. Nur Letzterer unterliegt der normalen Einkommensteuer.

31 Vergleiche P. B. Musgrave, United States Taxation of Foreign Investment Income. Issues and Arguments, Harvard University, Cambridge, Mass., 1969.

32 Zwar belasten Steuern auf Dividenden die Erträge der mit einbehaltenen Gewinnen finanzierten Investitionen und verringern insofern die Investitionsanreize. Dieser Effekt wird jedoch voll und ganz dadurch kompensiert, dass die Einhaltung zum Zwecke der Reinvestition zunächst zu einer Steuerersparnis führt. Die anfängliche Steuerersparnis in der Investitionsphase und die spätere Besteuerung der Erträge heben sich in ihren Anreizwirkungen auf. Aus diesem Grunde gehören Dividendensteuern zu den neutralsten Steuern, über die das Steuersystem verfügt. Bloße Belastungsrechnungen decken diesen Sachverhalt nicht auf. Freilich haben auch Dividendensteuern insofern eine Verzerrungswirkung, als sie die Neugründung von Unternehmen und die Finanzierung durch Kapitalerhöhungen diskriminieren.

33 Ein Unternehmen, das im Jahr 2001 Gewinne ausschüttete, die in den Jahren vor 1999 mit 45 % Steuer belastet worden waren, und stattdessen neue Gewinne einbehielt oder »thesaurierte«, wie man sagt, wurde für die bloße Umschichtung des Eigenkapitals, also ohne dass es netto zu einer zusätzlichen Thesaurierung von Gewinnen kam, mit einer Steuerersparnis von 15 % des Umschichtungsvolumens belohnt. Die Regelung sollte im Wesentlichen noch bis zum Jahr 2016 gültig bleiben. Die Thesaurierung der laufenden Gewinne änderte nichts an deren Steuerbelastung in Höhe von 25 %, doch die Ausschüttung der alten, früher thesaurierten Gewinne reduzierte deren Steuerlast von 45 % auf 30 %, wie es auch schon vor der Steuerreform der Fall gewesen war. Etwas geringer war der Vorteil bei der Ausschüttung von Gewinnen, die in den Jahren 1999 und 2000 mit 40 % belastet waren. Die Umstellung auf einen Steuersatz von 25 % bewirkte, dass die Belastung der Ausschüttungen mit der

Körperschaftsteuer beim »Durchschütten« neuer Gewinne durch alte Eigenkapitaltöpfe faktisch von 25 % auf 10 % beziehungsweise 15 % abgesenkt wurde. Hätten die Gewinne direkt ausgeschüttet werden müssen, wäre es zu dieser Steuerersparnis nicht gekommen, und hätte es die Absenkung der Steuersätze nicht gegeben, hätte die Verwendungsfiktion keine Bedeutung für die Steuerzahllast gehabt. Erst vor dem Hintergrund der Verwendungsfiktion wurde die Steuerreform zu einem großen Geschäft für die Unternehmen, weil zusätzlich zur Entlastung des laufenden Gewinns ein großer Teil des existierenden Eigenkapitalbestands nachträglich steuerlich entlastet wurde. Vergleiche H.-W. Sinn, Des Guten zu viel, ifo Standpunkt 34, 2002; http://www.ifo.de.

*Für Konrad Adenauer, der glaub-
te, dass die Deutschen ihre Kinder
auch von alleine bekommen.*

7.
LAND DER GREISE

Warum werden wir immer älter? – Land ohne Kinder – Der Weg in die
Gerontokratie: die Herrschaft der Alten – Rentenversicherung vor dem
Kollaps – Die Scheinlösungen – Humankapital oder Realkapital: von
nichts kommt nichts – Warum die Einwanderung nur einen kleinen
Beitrag zur Lösung leisten kann – Adenauers Denkfehler oder: Warum
wir eine aktive Bevölkerungspolitik brauchen – Das französische Bei-
spiel – Kinderrente für Eltern und Riester-Rente für Kinderlose –
Gewappnet für die Zukunft: die vier Rentensäulen

Warum werden wir immer älter?

Deutschland steckt in der größten wirtschaftlichen Krise der
Nachkriegszeit, aber vielleicht ist diese Krise noch harmlos
gegenüber der schleichenden Stagnation, die als Folge demografischer Verwerfungen in den nächsten Jahrzehnten auf
unser Land zukommen wird. Der Anteil der alten Menschen
wird sich in den nächsten 30 Jahren nämlich sehr stark vergrößern, und das Durchschnittsalter der Deutschen wird erheblich
zunehmen. Die Konsequenzen für die Innovationskraft und
Vitalität dieses Landes sind absehbar. Das Land, von dem im

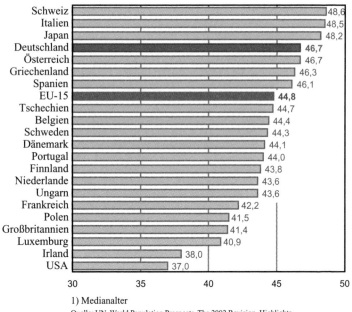

Alternde Deutsche: Durchschnittsalter[1] 2020

Schweiz	48,6
Italien	48,5
Japan	48,2
Deutschland	46,7
Österreich	46,7
Griechenland	46,3
Spanien	46,1
EU-15	44,8
Tschechien	44,7
Belgien	44,4
Schweden	44,3
Dänemark	44,1
Portugal	44,0
Finnland	43,8
Niederlande	43,6
Ungarn	43,6
Frankreich	42,2
Polen	41,5
Großbritannien	41,4
Luxemburg	40,9
Irland	38,0
USA	37,0

1) Medianalter
Quelle: UN, World Population Prospects, The 2002 Revision, Highlights.

ABBILDUNG 7.1

Guten wie im Bösen so viele Impulse auf die Entwicklung der Welt ausgingen, vergreist.

Die Entwicklung ist zwar in den meisten OECD-Ländern ähnlich. Überall schreitet die Alterung der Bevölkerung voran. Die Wachstumskräfte verlagern sich ganz eindeutig auf die asiatischen Länder, deren Bevölkerung noch jung ist und nach wie vor mit hoher Rate wächst. Aber wir Deutschen sind vom Problem der Alterung überdurchschnittlich stark betroffen. Das Durchschnittsalter (Medianalter) in Deutschland ist mit 41 Jahren schon heute sehr hoch und liegt über dem in Ländern wie Frankreich mit 38 Jahren oder den USA mit 36 Jahren.[1] Und es wird in den nächsten Jahrzehnten weiter zunehmen. Abbildung 7.1 verdeutlicht die Ergebnisse der neuesten Projektionen der Bevölkerungsabteilung der Vereinten Nationen für das Jahr 2020.

Man sieht, dass die Deutschen im Jahr 2020 mit einem Wert von 46,7 Jahren zu den Völkern mit dem höchsten Durchschnittsalter gehören und damit natürlich auch deutlich über dem Durchschnitt der alten EU-Länder liegen werden, der 44,8 Jahre beträgt.[2] Nur die Japaner (48,2 Jahre), die Italiener (48,5 Jahre) und die Schweizer (48,6 Jahre) werden uns übertreffen. Bemerkenswert niedrig sind dagegen die Werte für die USA (37,0 Jahre), Frankreich (42,2 Jahre) oder Irland (38,0 Jahre). Auch die künftigen EU-Länder aus Osteuropa haben eine deutlich jüngere Bevölkerung als Deutschland.

Warum werden die Deutschen so alt sein? Leben wir länger als andere? Haben wir einen gesünderen Lebenswandel, die robustere Konstitution oder die besseren Ärzte und Hospitäler? Solche schmeichelhaften Vermutungen werden von den Politikern immer wieder kolportiert, doch sie treffen den Punkt leider nicht. Zwar steigt die Lebenserwartung der Deutschen beständig an. Alle acht Jahre erhöht sich das durchschnittliche Sterbealter um ein Jahr: »Alle acht Jahre werden wir ein Jahr älter«, könnte man mit einem Augenzwinkern sagen. Doch das ist nicht der Grund für die rasche Zunahme des Durchschnittsalters. Auch anderswo steigt die Lebenserwartung, und ob sie hier zu Lande schneller steigen wird, kann man schwerlich prognostizieren. Heute ist die deutsche Lebenserwartung jedenfalls keineswegs höher als jene anderer Länder. Wie die Abbildung 7.2 zeigt, sind wir in dieser Hinsicht gerade einmal Mittelmaß. Länder wie Schweden, die Schweiz, Frankreich oder Italien, aber noch viele andere Länder, haben eine höhere Lebenserwartung als wir. Das gute Bier und die fette Wurst fordern ihren Tribut.

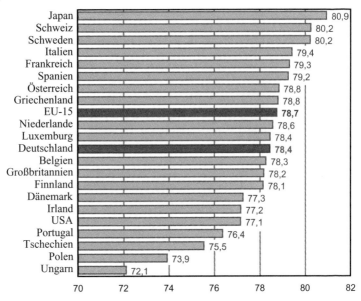

Lebenserwartung bei der Geburt im Jahr 2003

Japan	80,9
Schweiz	80,2
Schweden	80,2
Italien	79,4
Frankreich	79,3
Spanien	79,2
Österreich	78,8
Griechenland	78,8
EU-15	**78,7**
Niederlande	78,6
Luxemburg	78,4
Deutschland	**78,4**
Belgien	78,3
Großbritannien	78,2
Finnland	78,1
Dänemark	77,3
Irland	77,2
USA	77,1
Portugal	76,4
Tschechien	75,5
Polen	73,9
Ungarn	72,1

Quelle: Bureau of the Census, International Data Base, Website.

ABBILDUNG 7.2

Land ohne Kinder

Nein, der Grund für das vergleichsweise hohe erwartete Durchschnittsalter der Deutschen liegt nicht in der hohen Lebenserwartung, sondern in der geringen Zahl der Geburten. Niedrige Geburtenzahlen bedeuten, dass der Anteil junger Menschen an der Bevölkerung gering und das durchschnittliche Lebensalter hoch ist. Eine rasch wachsende Bevölkerung hat viele Kinder und ein niedriges Durchschnittsalter, eine schrumpfende Bevölkerung hat wenige Kinder und ein hohes Durchschnittsalter.

Deutschland gehört zur zweiten Kategorie. Heute wohnen in Deutschland einschließlich der Ausländer, die 7,3 Millionen

Personen[3] oder 9 % der Bevölkerung umfassen, 82,5 Millionen Personen. Aus der neuesten Prognose des Statistischen Bundesamtes kann man schließen, dass sich diese Bevölkerung einschließlich ihrer Kinder und Kindeskinder bis zum Jahr 2050 um knapp 21 Millionen Menschen verringern wird.[4] Sie wird dann nur noch einen Umfang von 62 Millionen haben. Der voraussichtliche Bevölkerungsschwund bis zum Jahr 2050 wird um fünf Millionen Personen größer sein als seinerzeit der Zuwachs der Bevölkerung der Bundesrepublik durch die Integration der neuen Bundesländer.

Doch es werden mehr Zuwanderer kommen. Wie viele, das weiß niemand, denn das hängt von den Weichenstellungen der Politik ab (vergleiche Kapitel 8). Wenn wir die Tore aufmachen, kommen aus der Dritten Welt so viele, wie wir wollen. Das ist im Wesentlichen unsere eigene Entscheidung. Wenn wir den Bevölkerungsschwund vollständig ausgleichen wollen, brauchen wir 20 Millionen zusätzlich zu den siebeneinhalb, die schon da sind. Wenn wir ihn nicht vollständig ausgleichen wollen, brauchen wir weniger.

Das Statistische Bundesamt hat verschiedene, willkürlich gegriffene Szenarien berechnet. Bei einer Nettozuwanderung von jährlich 100.000 Personen wird Deutschland im Jahr 2050 etwa 68 Millionen Einwohner haben, und bei einer Nettozuwanderung von 200.000 pro Jahr ergibt sich eine Zahl von 75 Millionen Einwohnern. Der Leser kann diese Szenarien selbst weiter hochrechnen. Pro 100.000 jährlicher Zuwanderer kann man unter Berücksichtigung der Sterbefälle und der Geburten innerhalb dieser Gruppe mit sechs bis sieben Millionen zusätzlichen Menschen im Jahr 2050 rechnen.

Der Kindermangel und das daraus folgende Schrumpfen der derzeit in Deutschland ansässigen Bevölkerung ist ein Faktum, mit dem man sich auseinander setzen muss, wie auch immer man die Möglichkeiten der Einwanderung beurteilt. 100 deutsche Frauen haben, wenn man die Verhältnisse des Jahres 2001 zugrunde legt, im Laufe ihres Lebens gerade einmal

135 Kinder.[5] Die Geburtenrate als durchschnittliche Zahl der Kinder pro Frau ist also 1,35.[6]

Das ist sehr wenig, denn die Rate müsste bei 2,08 liegen, damit die Bevölkerung konstant bleibt. 200 Kinder je 100 Frauen würden ausreichen, wenn gleich häufig Jungen und Mädchen geboren würden und wenn Mädchen niemals stürben, bevor sie selbst wieder Kinder haben. Berücksichtigt man die natürliche Mortalität der Mädchen (circa 1 %) sowie den Umstand, dass etwas häufiger Jungen geboren werden als Mädchen, so ergibt sich empirisch die Zahl von 208 Kindern pro 100 Frauen als Minimum für den Erhalt der Bevölkerung. Diese Zahl stellt sicher, dass genau 100 Mädchen wieder das gebärfähige Alter erreichen. Wenn man die Konstanz der Bevölkerung als Bezugspunkt für eine natürliche Kinderzahl nimmt, müssten zu den 135 Kindern, die von 100 Frauen geboren werden, also noch 73 hinzukommen.

Auch dieses Thema betrifft Deutschland nicht allein, sondern alle entwickelten Länder, doch die deutschen Geburtenraten sind schon extrem niedrig. Abbildung 7.3 gibt einen Überblick über die Entwicklung der Geburtenraten im internationalen Vergleich. Natürlich kann Deutschland bei der so gemessenen Geburtenrate nicht mit Ländern wie China oder Indien mithalten. Die Abbildung macht aber deutlich, dass die Deutschen auch im Vergleich zu ähnlich gut entwickelten Ländern zurückfallen. Die Fertilitätsraten von Schweden, Frankreich, den USA oder der EU insgesamt lagen während der letzten 30 Jahre deutlich über den deutschen Werten. Sogar Japan, das schon immer sehr niedrige Geburtenraten hatte, steht in dieser Hinsicht noch etwas besser da als wir. Nur in allerjüngster Zeit hat sich die japanische Fertilitätsrate wieder bis fast auf das deutsche Niveau gesenkt, was wohl auf den Einfluss der nun schon über zehn Jahre währenden ökonomischen Krise des Landes zurückzuführen ist.

Allerdings ist Deutschland nicht mehr das Land mit der niedrigsten Geburtenrate in der OECD. Wir waren es in den

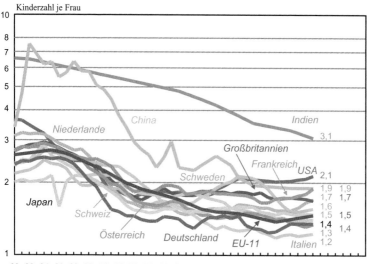

Internationaler Vergleich der Geburtenraten im Jahr 2000

Kinderzahl je Frau

Niederlande China Indien
Großbritannien
Frankreich USA 2,1
Schweden
Japan 1,9 1,9
Schweiz 1,7 1,7
1,6
Österreich Deutschland 1,5 1,5
EU-11 Italien 1,4 1,4
1,3
1,2

60 62 64 66 68 70 72 74 76 78 80 82 84 86 88 90 92 94 96 98 00

Quelle: World Bank, World Development Indicators 2002.

ABBILDUNG 7.3

Jahren von 1974 bis 1985 und im Jahre 1992, doch mittlerweile (2000) liegen einige Länder, so Tschechien, Italien, Spanien, Ungarn und Österreich, sogar noch etwas unter uns. Diese Länder werden mit ganz ähnlichen Problemen zu kämpfen haben wie wir. Unter allen OECD-Ländern sind wir heute (2000) die Nummer sechs von unten.[7]

Das ist insofern bemerkenswert, als Deutschland zur Mitte des 19. Jahrhunderts unter 16 Ländern, die heute zu den OECD-Ländern zählen, die Nummer drei von oben war.[8] Das 19. Jahrhundert war eine Periode, in der die deutsche Bevölkerung geradezu explodierte. Der Grund dafür war die Befreiung der deutschen Landarbeiter aus der Leibeigenschaft, die mit dem Recht auf die freie Entscheidung für die Eheschließung verbunden war. Der Zunahme der Zahl der Familiengründungen

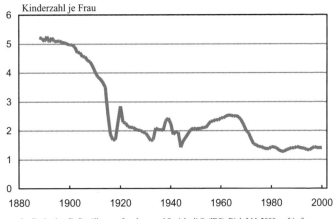

Die Entwicklung der Geburtenrate im Deutschen Reich
seit 1888 sowie in den alten Bundesländern

Kinderzahl je Frau

Quelle: Institut für Bevölkerungsforschung und Sozialpolitik (IBS), Bielefeld 2000, auf Anfrage.

ABBILDUNG 7.4

folgte eine entsprechende Zunahme der Geburtenrate. Der deutsche Geburtenüberschuss induzierte eine Massenauswanderung in die USA, die die Deutschstämmigen bis zum heutigen Tage dort noch vor den Amerikanern englischer Abstammung zur größten Bevölkerungsgruppe machte. Das alles ist lange vorbei. Deutschland ist in einer Zeitspanne von 150 Jahren im Hinblick auf die internationale Rangskala der Fertilitätsziffern vom einen zum anderen Extrem übergegangen.

Wie Abbildung 7.4 zeigt, hatte eine Frau noch bis zum Jahr 1900 im Durchschnitt etwas mehr als fünf Kinder, was mehr als eine Verdoppelung der Bevölkerung innerhalb einer Generation bedeutete. Da auch damals einige Frauen keine Kinder hatten, musste die Zahl der Kinder in den Familien sehr hoch sein, um diesen Durchschnitt zu erreichen. Der Leser wird sich erinnern, dass seine Großeltern oder Urgroßeltern häufig bis zu zehn Geschwister und in Einzelfällen auch mehr hatten.

344

Früher galten Kinder als ein Zeichen von Reichtum und Wohlstand. Jeder strebte den Familienstand an, und wer Kinder hatte, musste sich um seinen Lebensabend keine Sorgen machen. Heute sind Kinder in Deutschland zum Störfaktor geworden. Sie kosten Geld, schränken die Konsumfreiheit ein und führen zum sozialen Abstieg. Das Single-Dasein wird zum Normalfall, lockere Partnerschaften ersetzen die Ehe, und wenn schon eine Familie gegründet wird, dann müssen die Kinder zunächst einmal warten. Das erste Kind kommt Anfang 30, und allzu häufig bleibt es dann dabei. Die DINK-Familie ist noch populärer. »Double income, no kids« ist die Devise für eine zunehmende Zahl junger Paare: Mit zwei Einkommen und ohne Kinder lebt es sich halt besser als mit einem Einkommen und drei Kindern.

Wie dramatisch die demografische Trendwende verlief, wird durch einen Vergleich der Alterspyramide des Jahres 1875 mit der Form dieser Pyramide aus dem Jahr 2002 deutlich, wie er in Abbildung 7.5 angestellt wird. Die Alterspyramide stellt für ein bestimmtes Kalenderjahr nach Männern und Frauen getrennt die Besetzungsstärke der verschiedenen Alterklassen dar. Schon wegen der natürlichen Sterblichkeit nimmt die Besetzungsstärke der Altersklassen mit wachsendem Alter ab: Die Alterspyramide verjüngt sich gleichmäßig nach oben. Eine Pyramide in der Form, wie sie 1875 vorlag, entsteht durch eine wachsende Bevölkerung, bei der die nachrückenden jungen Alterskohorten immer stärker besetzt sind.

Man sieht an dem Diagramm, dass aus der Pyramide von 1875 heute eine Art Tannenbaum oder Busch geworden ist, dessen dicke untere Äste bei einem Lebensalter von knapp unter 40 Jahren liegen. Das Jahr 1964 war in Deutschland das Jahr mit der höchsten Geburtenrate. Die schlechten Zeiten waren vorbei, und die Vorkriegsjahrgänge, die Hitlers Babyboom entsprungen waren, bekamen nun ihre Kinder. Die damals Geborenen sind im Jahr 2003 schon 39 Jahre alt.

In den nachfolgenden Jahren, von Mitte der sechziger bis

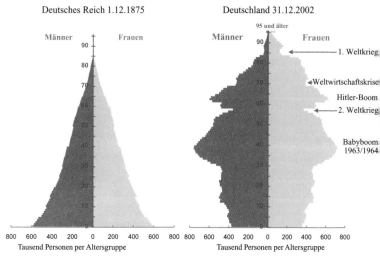

Deutsche Alterspyramide zur Zeit Bismarcks (1875)
und in der Gegenwart

Deutsches Reich 1.12.1875   Deutschland 31.12.2002

Quellen: Statistisches Bundesamt 2003, Kaiserliches Statistisches Amt, Statistisches Jahrbuch für das Deutsche Reich 1878.

ABBILDUNG 7.5

Mitte der siebziger Jahre, brachen die Geburtenraten als Folge der Antibabypille und der kriegsbedingt geringen Zahl potenzieller Eltern geradezu dramatisch ein. Die Besetzungsstärke der Altersklassen im Bereich von bis zu 30 Jahren liegt um etwa 40 % unter der Stärke der Babyboom-Kohorten.

Das Diagramm zeigt deutlich die Folgen der beiden Weltkriege und der Weltwirtschaftskrise. Bei den Altersgruppen der 84- bis 87-Jährigen, der 69- bis 72-Jährigen und der 57- bis 58-Jährigen gibt es deutliche Einschnitte, die auf diese Ereignisse zurückzuführen sind.

Die Fläche des Pyramidenbildes entspricht der Größe der Gesamtbevölkerung. Man sieht, um wie viel massiger die deutsche Bevölkerung heute im Vergleich zu 1875 ist. Heute hat Deutschland 82 Millionen Einwohner, damals hatte es 43

Millionen. Dennoch liegt heute die Zahl der Einjährigen um mehr als ein Drittel unter der entsprechenden Zahl von damals, und ganz offenkundig ist die Tendenz weiter fallend. Die Pyramide von 1875 kennzeichnete ein wachsendes, dynamisches Volk, das sich auch in wirtschaftlicher Hinsicht zur Spitze der Welt hin bewegte. Der im mittleren Bereich bauchige Tannenbaum kennzeichnet das Gegenteil, eine saturierte, schlaffe Gesellschaft, die auch beim wirtschaftlichen Wachstum immer weiter zurückfällt.

Der Weg in die Gerontokratie:
die Herrschaft der Alten

Wegen der Alterung wird die geistige und wirtschaftliche Dynamik Deutschlands erlahmen. Wenn wir ein Land der Greise werden, dann braucht die Welt zwar keine Angst mehr vor den Deutschen zu haben, aber Bäume werden wir auch nicht mehr ausreißen, um das Terrain für eine neue Zukunft des Landes zu ebnen.

Wie wird die Welt der Deutschen dann aussehen? Die Nachfrage nach Schwarzwälder Kirschtorte, koffeinfreiem Kaffee und Wellnessbädern boomt, und die Hersteller von Babynahrung, Pampers oder Kinderwagen melden Kurzarbeit an. H&M, WOM oder McDonald's kennt man gar nicht mehr. Stattdessen finden Fachgeschäfte für orthopädische und medizinische Produkte sowie Reformhäuser verstärkten Anklang. Die Essen auf Rädern AG hat gerade den Einstieg in die Riege der 30 DAX-Unternehmen geschafft, dicht gefolgt von den Rhön-Kliniken und dem Methusalem Fonds für Altersheim-Aktien. Kinderspielplätze machen Boule-Anlagen Platz, und Discos weichen gepflegten Tanzcafés für das reifere Publikum. Der Kreuzfahrttourismus boomt, doch Rucksackreisen sind out. Im Fernsehen wird der Superstar nicht mehr gesucht. VIVA und MTV sind pleite. Doch der Grand Prix der Volks-

musik feiert Einschaltrekorde, dicht gefolgt von der Schlager-
parade und der neuen Welle der Heimatfilme. Pflegejobs sind
trotz der Greencard für thailändische Krankenschwestern
kaum noch zu besetzen, und die Bundesregierung beschließt
die Umwidmung von zwei Dritteln der Jugendherbergen in
Altersheime. Dies ist zwar eine Persiflage, aber eine, die möglicherweise die Zielrichtung für die Entwicklung der bundesdeutschen Wirtschaft vorgibt.

Das alles ist vielleicht kein wirkliches Problem, denn über
Geschmack lässt sich trefflich streiten. Ein echtes Problem ist
aber, dass der technische Fortschritt erlahmen könnte, weil die
jungen innovativen Forscher fehlen. Nach einer Untersuchung
von Guilford aus dem Jahre 1967 erreichen Wissenschaftler im
Durchschnitt aller Disziplinen im Alter von circa 35 Jahren ein
Maximum ihrer Leistungskraft.[9] Schon heute sind die gebur-
tenstärksten Jahrgänge in Deutschland mit etwa 40 Jahren
schon deutlich älter. Diese Jahrgänge werden Deutschland
noch ein paar Jahre Dynamik bringen, doch nach einem weiteren Jahrzehnt sind die heute Vierzigjährigen 50 Jahre alt. Mit
50 schreibt man keine nobelpreisverdächtigen Arbeiten mehr,
sondern beginnt, am Schreibtisch über die Rente nachzudenken.

Damit wird der Trend verstärkt, der wegen des schlechten
deutschen Schulsystems (vergleiche PISA, Kapitel 1) ohnehin
zu erwarten ist. Deutschland hat nur noch wenige junge Leute,
von denen eine gewisse Dynamik zu erwarten ist, und es bildet
die wenigen auch noch schlecht aus. Das passt zusammen. Ein
Land, das sich aufgeben will, muss genau so verfahren.

Manchmal wird vermutet, die altersbedingte Verringerung
der Erwerbstätigkeit sei ein Vorteil für den Arbeitsmarkt, weil
so die Arbeitslosenquote gesenkt werden könne. Diese Vermutung ist freilich irrig. Sie entspringt einer allzu primitiven
Sichtweise des Wirtschaftsgeschehens und übersieht, dass die
Alterung nicht nur Arbeitnehmer, sondern auch Arbeitgeber
aus dem Arbeitsmarkt eliminiert. Neue Unternehmen, die

neue Arbeitsplätze schaffen, werden von jungen Leuten gegründet. Das durchschnittliche Alter der Unternehmensgründer liegt in Deutschland bei 34 bis 35 Jahren, es fällt also mit dem Alter der maximalen wissenschaftlichen Leistungsfähigkeit zusammen.[10] Insofern ist als Ergebnis einer weiteren Alterung der deutschen Bevölkerung nicht eine Verminderung der Arbeitslosigkeit, sondern ganz im Gegenteil ein Verschärfung des ohnehin schon bestehenden Mangels an Unternehmern und Arbeitsplätzen zu befürchten. Dass ein Land von Greisen eine geringere Arbeitslosigkeit als ein Land von jungen, arbeitsfähigen Menschen aufweisen würde, ist eine aus ökonomischer Sicht ziemlich absurde Vorstellung.

Die Alterung der deutschen Bevölkerung wird die Innovationskraft des Landes, von der seine internationale Wettbewerbsfähigkeit maßgeblich abhängt, weiter verringern. Deutschland hat im internationalen Vergleich immer noch eine sehr gute Position in der Spitzengruppe der Patentanmeldungen, doch wuchs die Zahl der deutschen Patentanmeldungen schon seit den achtziger Jahren des letzten Jahrhunderts weit langsamer als die der USA, die in dieser Hinsicht eine besonders bemerkenswerte Entwicklung hatten. Während Amerikaner 1980 doppelt so viele Patente in ihrem Heimatland anmeldeten wie die Deutschen in dem ihren, sind es heute dreimal so viele.[11]

Die Investoren nehmen die demografischen Probleme vorweg und halten sich schon heute zurück. Auch die Aktienmärkte, die sehr stark von den langfristigen Gewinnerwartungen der Anleger geprägt sind, antizipieren die zu erwartende Entwicklung schon heute. Vielleicht ist der allgemeine Attentismus der Investoren und der im internationalen Vergleich starke Verfall der deutschen Aktienkurse bereits auf diesen Effekt zurückzuführen. Künftig werden noch die Aktien von Altersheimen boomen. Sie werden sich durch wachsende Kurse vom allgemeinen Trend nach oben hin abheben, denn in den Altersheimen liegt die Zukunft des Landes.

Die Alterung wird nachhaltige Auswirkungen auf den politischen Entscheidungsprozess haben. Die entscheidende Variable für die Prognose von politischen Mehrheiten ist der so genannte Median der Altersverteilung der wahlberechtigten Bevölkerung. Wenn man die wahlberechtigte Bevölkerung nach ihrem Lebensalter aufreiht, dann ist der Median jenes kritische Alter, das die so aufgereihten Menschen in zwei gleich große Gruppen teilt. In der Demokratie kann keine Entscheidung gegen die Interessen des Medianwählers durchgeführt werden, weil sie keine Mehrheit fände, und die Parteien werden ungeachtet ihrer ideologischen Vorprägung stets bestrebt sein, Programme zu entwickeln, die den Präferenzen des Medianwählers möglichst nahe kommen. Heute ist der deutsche Medianwähler 47 Jahre alt, doch in 20 Jahren wird er bereits 54 Jahre alt sein. Dies wird eine signifikante Veränderung der Politik erzwingen.

Man kann anhand der zeitlichen Entwicklung des Medianalters der wahlberechtigten Bevölkerung ausrechnen, ob und wie lange noch strategische Mehrheiten für bestimmte Umverteilungsmaßnahmen zwischen den Generationen vorhanden sind. Für eine Rentenkürzung à la Riester, die die Rentenbeiträge und die Rentenansprüche senkt und insofern die Jungen zu Lasten der Rentner begünstigt, ergibt sich das Jahr 2015 als kritischer Wert.[12] Bis etwa zu diesem Jahr kann man für eine solche Politik noch Mehrheiten finden, doch danach wird es schwer, weil die Verlierer mehr als 50 % der Wählerschaft ausmachen werden. Reformen vom Riester-Typ sind dann kaum noch durchsetzbar. Dann kippt das politische System Deutschlands um und mutiert zur Gerontokratie, zur Herrschaft der Alten über die Jungen.

Rentenversicherung vor dem Kollaps

Unter den Konsequenzen der raschen Alterung der deutschen Bevölkerung für Staat und Gesellschaft stehen die Auswirkungen auf das Rentensystem denn auch im Mittelpunkt der Sorgen. Viele Leute glauben ja, ihre Renten würden aus den verzinsten Beiträgen bestritten, die sie selbst im Laufe ihres Lebens eingezahlt haben. In der Tat ist die deutsche Rentenformel so konstruiert, dass man diesen Eindruck gewinnen kann. Wer Zeit seines Lebens 10 % mehr eingezahlt hat als sein Nachbar, bekommt auch etwa 10 % mehr Rente. Mit der Einzahlung erwirbt man eine Anwartschaft, die das Verfassungsgericht sogar unter den Eigentumsschutz des Grundgesetzes gestellt hat.[13]

In Wahrheit wird aber nichts gespart. Das System lebt von der Hand in den Mund. Der Kapitalstock der Rentenversicherung reicht gerade einmal für einen Monat. Wenn keine neuen Beiträge eingezahlt werden, können auch keine Renten ausgezahlt werden. Die Rentenversicherung ist nach dem Umlagesystem konstruiert. Etwas flapsig formuliert, ist sie ein Kettenbriefvertrag, bei dem man darauf hofft, dass immer mehr Menschen mitmachen. Indem man die Generation seiner Eltern im Alter ernährt, erwirbt man gegen die Generation seiner Kinder den Anspruch, von ihnen ebenfalls im Alter ernährt zu werden, und je mehr Kinder da sind, desto eher kann man auf eine hohe Rente hoffen. Heute gibt es nicht so viele Kinder, wie es früher vermutet worden war. Deswegen beschließt die Politik seit Beginn der neunziger Jahre eine Rentenkürzung nach der anderen.

Im deutschen System ist die Höhe des Anspruchs gegen die Generation der Kinder sehr stark davon abhängig, mit wie viel Geld man die Generation seiner eigenen Eltern unterstützt hat. Andere Länder, so insbesondere die angelsächsischen, haben Systeme, bei denen der Zusammenhang zwischen Einzahlung und Anspruch weniger eng ist. Zwar hängt der Anspruch wie in Deutschland von der Zahl der Jahre ab, während derer man eingezahlt hat, doch nicht davon, wie viel man in jedem Jahr eingezahlt hat. Die so genannte Beitragsäquivalenz der Renten ist ein Eckpfeiler des Systems, das Bismarck im Jahr 1889 eingeführt hatte. Alle Systeme, ob mit oder ohne Beitragsäquivalenz, sind aber Umlagesysteme, die nur in dem Maße in der Lage sind, Renten zu zahlen, wie neue Menschen als Beitragszahler nachkommen, sei es in Form von Kindern oder in Form von Einwanderern.

Die Rentenproblematik erkennt man sehr deutlich, wenn man die tatsächliche deutsche Alterspyramide mit der fiktiven Alterspyramide einer konstant bleibenden Bevölkerung vergleicht. Dieser Vergleich ist in Abbildung 7.6 ausgeführt. Das schattierte Gebilde ist die fiktive Pyramide einer solchen konstanten Bevölkerung, die die gleiche Zahl von Menschen im Alter von 25 bis unter 65 Jahren aufweist wie die tatsächliche Pyramide.

Der Vergleich zeigt, dass Deutschland nicht nur ein Defizit an jungen, sondern auch ein Defizit an alten Menschen hat. Angesichts der überbordenden Rentenlasten mag dies Verwunderung auslösen, aber so ist es. Zum einen hat der Zweite Weltkrieg die Zahl der älteren Männer sehr stark reduziert, zum anderen hatten die jetzt Alten noch relativ viele Kinder, was eben bedeutet, dass es im Vergleich zu einer Situation mit einer stationären Bevölkerung ein Altendefizit gibt.

So gesehen ist ein gewisser Argwohn angebracht, wenn man die erwerbstätige Generation bereits heute über die hohen Rentenlasten und die hohen Lohnnebenkosten stöhnen hört. Stöhnen muss die nächste Generation, die die Masse der jetzt um die Vierzigjährigen später in deren Rentenalter ernähren muss. Heute gibt es dafür noch keinen Anlass. Die Generation der heute Erwerbstätigen befindet sich im Gegenteil in der außergewöhnlich komfortablen Situation, dass sie weder die normale Zahl von alten noch die normale Zahl von jungen Menschen ernähren muss. Anders gesagt: Das Leben der

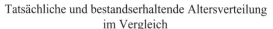

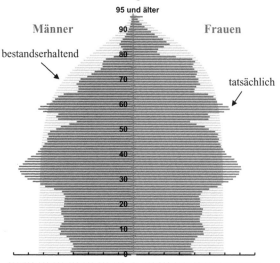

95 und älter

Männer   90   Frauen

bestandserhaltend

tatsächlich

800 700 600 500 400 300 200 100 0 100 200 300 400 500 600 700 800

Tausend Personen per Altersgruppe

Tatsächliche Alterspyramide zum 1. Januar 1999; bei einer bestandserhaltenden, stationären Alterspyramide wird eine Bevölkerung unterstellt, die eine Geburtenrate von konstant 2,08 Kindern pro Frau aufweist und deren Altersaufbau nicht durch Kriege oder Schwankungen der Geburtenrate beeinflusst ist, sondern dem tatsächlichen Muster der altersspezifischen Sterberaten des Bezugsjahres folgt. Das Volumen der bestandserhaltenden Pyramide ist so gewählt, dass sie die gleiche Zahl von Personen in der Altersgruppe von 25 bis 65 Jahren umfasst wie die tatsächliche Pyramide (49,9 Millionen Personen).

Quelle: H. Adrian, Die demographische Entwicklung in Deutschland und Europa mit ihren katastrophalen Auswirkungen auf Wirtschaft und Gesellschaft. Vergleich Deutschland, Europa, Japan, USA, Welt. Problematik und Lösungswege, Foliensatz, Universität Mainz 2003.

ABBILDUNG 7.6

DINK-Familie ist nicht nur deshalb so schön, weil sie zwei Einkommen hat und keine Kinder ernähren muss, sondern auch, weil sie sich die Finanzierung der Eltern mit vielen Geschwistern teilen kann.

Fairerweise muss man allerdings zugeben, dass der Vorteil des doppelten Defizits nicht nur bei der Generation der jetzt Erwerbstätigen liegt. Auch den Rentnern geht es so gut, wie es in Relation zum Lebensstandard der Erwerbstätigen nie einer Generation von Rentnern gegangen ist und vermutlich auch nie wieder gehen wird. Außerdem wachsen die wenigen Kinder, die die Deutschen noch haben, in einem in historischer Perspektive ungewöhnlichen Luxus auf. Wenn man ein oder zwei Kinder hat, kann man ihnen einen anderen Lebensstandard gewähren, als wenn man deren fünf oder zehn hat.

Die demografische Situation wird sich in den nächsten 30 Jahren fundamental verändern, denn das Defizit an alten Menschen wird in einen Überschuss umschlagen. Die starke Generation der jetzt Erwerbstätigen wird dann nämlich selbst im Rentenalter stehen, und die dicken Äste des Tannenbaums, die jetzt bei knapp 40 Lebensjahren liegen, werden im Bereich von knapp 70 Jahren angesiedelt sein. Gleichzeitig werden die wegen der wenigen Kinder dünneren Äste in den Lebensbereich der Erwerbstätigkeit wandern. Man sieht mit dem bloßen Auge, dass dies die Rentenversicherung in Schwierigkeiten bringen muss.

Der so genannte Altenquotient, das Zahlenverhältnis der Menschen ab 65 Jahren zu jenen von 20 bis 64 Jahren, lag im Jahr 2001 bei 27,5 %. Dieser Quotient wird sich nach den jüngsten Angaben des Statistischen Bundesamtes bis zur Mitte der dreißiger Jahre hin verdoppeln. Dabei ist bereits eine Zuwanderung von jährlich 100.000 Menschen unterstellt. Wenn die Zuwanderung 200.000 Personen beträgt, wird diese Entwicklung etwas hinausgezögert, aber sie wird nicht verhindert. Die Verdoppelung der Zahl der Alten relativ zu den Jungen ist dann bis zum Jahr 2050 zu erwarten.[14] Grob gesprochen stehen heute knapp vier Erwerbstätige zur Verfügung, um einen Rentner zu ernähren, doch in 30 bis 50 Jahren werden es nur zwei sein. Das ist das Problem.

Man muss kein Rentenmodell rechnen, um zu erkennen, was dies für das Umlagesystem bedeutet. Entweder werden die Rentenbeiträge relativ zu den Bruttolöhnen verdoppelt, oder es werden die Renten relativ zu den Bruttolöhnen halbiert. Die

Politik kann sich innerhalb dieses Spektrums eine beliebige Kombination aussuchen, aber an dem Mangel an sich kann sie im Rahmen des Umlagesystems wenig verändern. Gölte noch die alte Adenauer'sche Rentenformel von 1957, dann wäre die erstgenannte Variante relevant, weil die Renten bei ihr an die Bruttolöhne gekoppelt waren. Dann müsste man also mit einer Zunahme des Beitragssatzes von jetzt 20 % auf 40 % rechnen. Diese Rentenformel wurde jedoch schon 1992 durch eine neue Formel auf der Basis der so genannten Nettolohnanpassung ersetzt. Der Trick dabei war, dass die Renten nur noch mit den Nettolöhnen wachsen sollten, die unter anderem wegen des aus demografischen Gründen wachsenden Beitragssatzes nicht so schnell wie die Bruttolöhne zunehmen können. Dem System wurde eine Art Auflaufbremse verpasst, die eine allzu rasche Zunahme der Renten verhindern sollte. Das Nachsehen hatten freilich die Rentner, deren Ansprüche damit gegenüber dem alten System ganz erheblich gekappt wurden. Weitere Rentenkürzungen wurden in den Jahren 1999 und 2001 beschlossen, und sie waren bestimmt nicht die letzten.

Wie sich die Verschiebung in der Altersstruktur der deutschen Bevölkerung bei der heutigen Gesetzeslage auf das Rentensystem auswirken wird, ist vom ifo Institut auf der Basis des CESifo-Rentenmodells berechnet worden.[15] Das Ergebnis dieser Berechnungen, die auf der Basis der neunten koordinierten Bevölkerungsvorausberechnung des Statistischen Bundesamtes (Variante 2) erstellt wurden, wird in Abbildung 7.7 dargestellt.[16]

Aus gutem Grund wird der Rolle des Bundeszuschusses hier gesondert Rechnung getragen. Wie schon in Kapitel 6 im Zusammenhang mit der Sozialquote erwähnt wurde, werden derzeit (2002) 25 % der Ausgaben der gesetzlichen Rentenversicherung nicht durch Beiträge, sondern durch Bundeszuschüsse finanziert, die aus dem allgemeinen Steueraufkommen stammen. Diese Bundeszuschüsse sollten in der Vergangenheit die versicherungsfremden Leistungen abdecken, doch sehen

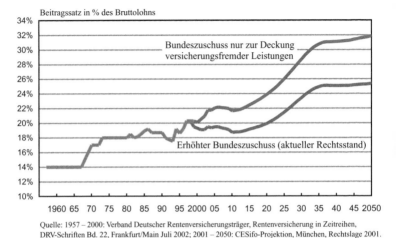

Beitragssatz in der deutschen Rentenversicherung 1957 – 2050

Beitragssatz in % des Bruttolohns

Bundeszuschuss nur zur Deckung versicherungsfremder Leistungen

Erhöhter Bundeszuschuss (aktueller Rechtsstand)

Quelle: 1957 – 2000: Verband Deutscher Rentenversicherungsträger, Rentenversicherung in Zeitreihen, DRV-Schriften Bd. 22, Frankfurt/Main Juli 2002; 2001 – 2050: CESifo-Projektion, München, Rechtslage 2001.

ABBILDUNG 7.7

die letzten Rechtsänderungen aus dem Jahre 1998 vor,[17] dass sie in Zukunft faktisch auch zur Begrenzung des Anstiegs der Beitragssätze verwendet werden sollen.

Der linke Teil der Abbildung zeigt die Vergangenheit, die farbigen Kurven im rechten Teil die Zukunft. Dabei verkörpert die blaue Kurve die Projektion für den tatsächlichen Beitragssatz und die rote Kurve einen rechnerischen Beitragssatz, wie er sich ergäbe, wenn die Bundeszuschüsse auch in Zukunft nur den gleichen Prozentsatz der Renten abdecken würden wie heute. Zwar konzentriert sich die politische Diskussion auf den faktischen Beitragssatz, doch darf man die Steuern zur Finanzierung des Bundeszuschusses nicht vergessen. Die rote Kurve misst die Summe aus dem Beitragssatz und einem auf den Bruttolohn bezogenen fiktiven Steuersatz, der gerade ausreichen würde, den Bundeszuschuss zu bezahlen. Die Rechnungen zeigen, dass der kombinierte Beitrags- und Steuersatz bis zur Mitte der dreißiger Jahre auf 31 % steigen wird, während der faktische Beitragssatz wegen der Zahlenkosmetik nur auf etwa 25 % steigen wird.

31 % Gesamtbelastung allein nur für die Rente ist mehr, als der Arbeitsmarkt verkraften kann, zumal die Lasten aus der Pflegeversicherung, der Krankenversicherung und der Arbeitslosenversicherung hinzukommen. Die Gesamtbelastung des Bruttolohns eines typischen Arbeitnehmers mit allen Sozialversicherungsbeiträgen, die er und sein Arbeitgeber zahlen, liegt derzeit (2003) bei 42,1 %. Sie spaltet sich auf in 19,5 Prozentpunkte für die Rentenversicherung, 14,1 Punkte für die gesetzliche Krankenversicherung, 6,5 Punkte für die Arbeitslosenversicherung und 1,7 Punkte für die Pflegeversicherung. Nach einer Projektion des ifo Instituts wird diese Gesamtbelastung bis zum Jahr 2035 auf etwa 63 % anwachsen, wovon dann die besagten 31 Prozentpunkte auf die Rentenversicherung, 23 Punkte auf die Krankenversicherung, 6 Punkte auf die Arbeitslosenversicherung und 3 Punkte auf die Pflegeversicherung entfallen.[18]

Wie aus Kapitel 6 (Abschnitt »Zu viele Abgaben: Weltmeister bei der Grenzabgabenlast«) bekannt ist, wird die Wertschöpfung eines Arbeitnehmers freilich zusätzlich mit der persönlichen Einkommensteuer und der Mehrwertsteuer belastet. Wenn die persönliche Grenzsteuerlast bezüglich des Einkommens bei dem durchschnittlichen Industriearbeiter, der dort betrachtet wurde, immer noch so hoch wäre wie derzeit und wenn sich der Mehrwertsteuersatz nicht ändern würde, so betrüge die Grenzabgabenlast bezüglich der Wertschöpfung dieses Arbeiters im Jahr 2035 nicht mehr 66,7 %, sondern mindestens etwa 76 %. Es ist klar, dass das so nicht geht und dass deshalb etwas passieren muss, um die Belastungen zu senken.

Die Scheinlösungen

Unter den Lösungen für das Rentenproblem gibt es echte Lösungen, die helfen, die ökonomische Basis für die Rentenzahlung in späteren Jahren zu stärken, und es gibt Lösungen, die eher vordergründiger Natur sind und darauf abstellen, den sich abzeichnenden Mangel besser zu verwalten, indem die Einkommen zwischen den Generationen und innerhalb der Generationen anders verteilt werden.

Zur zweiten Kategorie gehört die weitere Erhöhung des Bundeszuschusses zur Rentenversicherung. Sie ist im Wesentlichen Gesichtskosmetik zur Geringrechnung der Belastung, weil auch ein solcher Zuschuss durch Steuern finanziert werden muss, die von den Arbeitenden zu entrichten sind. Versuche, neben den Lohneinkommen die Kapitaleinkommen zur Finanzierung der Renten (Stichwort: Wertschöpfungsabgabe) heranzuziehen, werden scheitern, weil die internationale Kapitalmobilität die wirksame Besteuerung des Kapitals verhindert (vergleiche Kapitel 6). Allenfalls über die Mehrwertsteuer ließe sich eine geringfügige Belastungsverschiebung auf andere Gruppen erreichen, doch selbst diese Steuer trifft in erster Linie die privaten Arbeitnehmer.

Verschiedentlich sind Forderungen laut geworden, auch Beamte beitragspflichtig zu machen. Dieser Weg führt aber auch nicht sehr weit. Einerseits ist der Anteil der Beamten mit nur 6,4 % an der Gesamtzahl der Arbeitnehmer oder 5,5 % an der Gesamtzahl der Erwerbspersonen viel zu gering, als dass ihre Einbeziehung eine nennenswerte Linderung bringen könnte.[19] Der Entlastungseffekt bei den Arbeitgeber- und Arbeitnehmerbeiträgen der Nichtbeamten würde deshalb nur etwa 1,5 Prozentpunkte ausmachen. Andererseits entsteht insofern ein Gerechtigkeits- und Anreizproblem für die Funktionsfähigkeit des staatlichen Sektors, als die Beamtengehälter ja wegen des Umstands, dass keine Pensionsbeiträge abgezogen werden, von vornherein entsprechend niedriger taxiert sind.

Der Wettbewerb auf dem Arbeitsmarkt, an dem sich auch der Staat beteiligt, hat eine gleichgewichtige Nettolohnstruktur zwischen Beamten und privat Beschäftigten hervorgebracht, die man nicht durcheinander bringen sollte, zumal der öffentliche Sektor wegen der in den letzten 30 Jahren gegenüber dem privaten Sektor zurückgebliebenen Lohnsteigerung ohnehin schon Schwierigkeiten hat, fähiges Personal zu akquirieren.[20] Wie in Kapitel 6 bereits dargelegt wurde, war die Lohndrift zu Lasten der Beamten zumindest im oberen Bereich der Gehaltsskala in dieser Zeit so immens, dass sie mehr als das Doppelte des heutigen Arbeitgeber- und Arbeitnehmerbeitrags zur Rentenversicherung aufwiegt. Auch Beamte nehmen implizit an einem Umlagesystem teil, denn die Pensionen der nicht mehr arbeitenden Beamten werden durch Bruttoeinkommensverzichte der noch tätigen Beamten im Vergleich zur Privatwirtschaft finanziert, die wegen der Konkurrenz auf dem Arbeitsmarkt den Sozialversicherungsbeiträgen der Arbeiter und Angestellten ungefähr entsprechen. Auf die fehlende formelle Zahllast der Beamten zu verweisen, ist aus ökonomischer Sicht vordergründig. Im Übrigen wäre eine Schlechterstellung der Beamten durch eine explizite Beitragspflicht, die zu ihren impliziten Beiträgen hinzutritt, auch nur ein Stück Mangelverwaltung, ohne dem Mangel selbst abzuhelfen.

Eine ähnliche Kritik betrifft auch die Vorschläge, eine so genannte Bürgerversicherung einzuführen, die für alle Bevölkerungsgruppen gelten würde. Eine solche Versicherung würde neben den Beamten allerdings auch noch die Selbständigen und jene Personen einbeziehen, deren Einkommen oberhalb der heutigen Beitragsbemessungsgrenzen liegen.[21] Auch die Bürgerversicherung wäre nur eine andere Verwaltung des Mangels durch eine Umverteilung innerhalb der Generation der Erwerbstätigen, aber sie wäre kein Beitrag zur Reduktion des Mangels. Sie hätte so, wie sie propagiert wird, zudem noch den Nachteil, dass die Beitragsäquivalenz der Rentenversicherung abgeschafft würde. Die Beitragsäquivalenz gehört zu den wichtigsten Vorteilen des deutschen Rentensystems, weil sie bei den Beitragspflichtigen ein gewisses Interesse an der ordnungsgemäßen Abführung der Beiträge weckt und die Schwarzarbeit einzudämmen hilft. Man sollte sie unbedingt erhalten. Es sollte den Protagonisten der Bürgerversicherung zu denken geben, dass Schweden in seiner Reform des Jahres 1998 gerade von dieser Versicherung Abstand genommen und neben einer Teilkapitaldeckung die deutsche Beitragsäquivalenz eingeführt hat. Es macht wenig Sinn, in Deutschland ein System einzuführen, das in Schweden gerade wegen seiner erheblichen Nachteile abgeschafft wurde.

Zum Bereich der eher banalen Scheinlösungen gehört ein Trick, der mit der letzten Rentenreform unter Walter Riester realisiert wurde. Riester hat eine Neudefinition der Nettolöhne ins Gesetz schreiben lassen, um das so genannte Rentenniveau, die Relation von Rente zu Nettolohn, optisch zu vergrößern. Nettolöhne sind neuerdings nicht mehr Bruttolöhne minus Abgaben, wie man denken sollte, sondern Bruttolöhne minus Abgaben minus die im Zuge der Riester-Rente empfohlene Ersparnis. Durch diese definitorische Reduktion der Nettolöhne erhöht sich das rechnerische Rentenniveau im Jahre 2035 optisch auf 68,9%, obwohl es in Wahrheit nach der Reform nur bei 64,4% liegt.

Weitere optisch verschleierte Maßnahmen zur Kürzung der Renten sind derzeit in Vorbereitung. Die Rürup-Kommission wird eine Palette von subtilen Modifikationen der Rentenformel vorlegen, die recht logisch aussehen werden, doch allesamt darauf hinauslaufen, die Renten möglichst unbemerkt zu kürzen, wenn das Geld mangels nachwachsender Beitragszahler knapp wird.

Zu den substanzielleren Vorschlägen der Kommission wird der Vorschlag einer Erhöhung des Renteneintrittsalters auf 67 Jahre gehören. Diesen Vorschlag, der eine Abkehr von der Frühverrentungsideologie des Arbeitsministers Norbert Blüm bedeutet, wird man umsetzen müssen. Jedes Jahr, um das ein

Arbeitnehmer später in Rente geht, bedeutet eine doppelte Entlastung für das Rentensystem. Zum einen zahlt er ein Jahr länger, zum anderen bekommt er seine Rente für ein Jahr weniger. Sicher, auch die Erhöhung des Rentenalters ist eine Rentenkürzung, die nur den Mangel anders verteilt, aber unter den denkbaren Kürzungsmaßnahmen ist sie wahrscheinlich diejenige, gegen die es den geringsten Widerstand gibt. Die Deutschen müssen länger arbeiten, um den fehlenden Nachwuchs an jungen Menschen zu kompensieren. So war es schon immer in der Geschichte der Menschheit. Wer keine Kinder hatte, die ihn im Alter ernähren konnten, musste weiterarbeiten, solange es ging, und trotz der Kollektivierung der Rentenversicherung hat sich an diesem Zusammenhang nichts geändert.

Freilich ist die Erhöhung des Rentenalters auf 67 Jahre nur ein Tropfen auf den heißen Stein. Die demografischen Verwerfungen sind viel zu groß, als dass hierin bereits die Lösung der Rentenkrise gesehen werden kann. Nach Berechnungen der Vereinten Nationen müsste das gesetzliche Rentenalter in Deutschland nicht von 65 auf 67 Jahre, sondern auf 77 Jahre ansteigen, wollte man die Renten in Relation zu den Bruttolöhnen bis zum Jahr 2050 konstant halten.[22] Nun beträgt aber die Restlebenserwartung von sechzigjährigen Männern nach einer Prognose des Statistischen Bundesamtes selbst unter Berücksichtigung des medizinischen Fortschritts im Jahr 2050 gerade einmal 24 Jahre.[23] Das hieße also, dass man ein Leben lang arbeitet, um zum Schluss gerade einmal sieben Jahre eine Rente zu erhalten, eine absurde Vorstellung. Nur die Frauen, die dann vermutlich 88 Jahre alt werden, wenn man den Prognosen glauben darf, hätten ein wenig mehr von der Sache.

So kommt man also nicht viel weiter. Die wirklichen Lösungsansätze für Deutschlands demografische Krise liegen nicht in immer neuen Einfällen zur Änderung der Umverteilung von Einkommen zwischen den und innerhalb der Generationen und der Kaschierung dieser Änderungen, sondern in Maßnahmen, die dem Mangel selbst abhelfen: Man muss dafür sorgen, dass in der kritischen Zeit, wenn die Rentnerzahlen wachsen, entweder mehr Ersparnisse oder mehr Menschen zur Finanzierung der Renten zur Verfügung stehen. Es geht deshalb prinzipiell um die Kapitaldeckung, eine Forcierung der Einwanderung und die Anhebung der Geburtenrate, wobei über die quantitative Bedeutung dieser Wege damit noch nichts gesagt ist. Insbesondere die Einwanderung ist weniger ergiebig, als es zunächst erscheinen mag. Alle drei Maßnahmen sind grundsätzlich als Teile eines sinnvollen Gesamtpakets zur Verminderung der anstehenden Probleme anzusehen. Die nächsten Abschnitte wenden sich ihnen zu.

Humankapital oder Realkapital: von nichts kommt nichts

Zu den Reformen der Rentenversicherung, die über die bloße Mangelverwaltung hinausgehen, gehört die Teilumstellung der Rentenversicherung vom Umlagesystem auf ein Kapitaldeckungssystem. Jede Generation wird einmal alt, und im Alter kann sie nur leben, wenn sie in ihrer Jugend selbst vorgesorgt hat. Entweder muss sie Kinder in die Welt gesetzt und großgezogen haben, oder sie muss gespart haben, um vom Verzehr der Ersparnisse zu leben. Um es platt, aber deutlich in der Sprache der Ökonomen auszudrücken: Um im Alter eine Rente zu haben, muss man entweder Humankapital oder Realkapital gebildet haben. Eine Generation, die weder Human- noch Realkapital gebildet hat, muss im Alter hungern, denn von nichts kommt nun einmal nichts.

Die Deutschen bilden derzeit aus welchen Gründen auch immer viel weniger Humankapital, als es ihre Vorfahren taten. Der relative Einkommensverzicht, den junge Menschen heute für die Kindererziehung in Kauf nehmen, ist wesentlich geringer, als er es früher war, denn sie haben viel weniger Kinder. Wenn sie gleichwohl im Alter nicht darben wollen, so bleibt ihnen nur die Möglichkeit, heute schon erhebliche Teile des Einkommens zu sparen, um sich auf dem Wege der Kapitalbildung eine Rente zu sichern, deren Zahlung sie den wenigen zukünftigen Beitragszahlern nicht mehr zumuten können. Realkapital muss in dem Maße gebildet werden, wie es an Humankapital fehlt.

Dies ist der zentrale Gedanke, der der Rentenreform des Jahres 2000 zugrunde liegt, die mit dem Namen Riester verbunden ist und vom Wissenschaftlichen Beirat beim Bundesministerium für Wirtschaft sowie vom Center for Economic Studies (CES) in München vorbereitet worden war.[24] Nach den Berechnungen, die das CES für den Beirat und das Ministerium gemacht hatte, reicht bereits eine vierprozentige Ersparnis aus, um bis zur Mitte der dreißiger Jahre, also bis zum Maximum der demografischen Krise, so viel Kapital zu bilden, dass daraus ein Viertel der Altersrenten finanziert werden kann. Einen erheblichen Teil der mangels Kinder notwendigen Kürzungen der gesetzlichen Renten kann man auf diese Weise bereits abfangen und durch Renten finanzieren, die aus eigener Ersparnis stammen. Die Teilkapitaldeckung ist inzwischen Gesetz geworden. Sie bietet einen gangbaren Weg zur deutlichen Linderung der Probleme des deutschen Rentenversicherungssystems.

Allerdings darf die Entscheidung über das Riester-Sparen nicht in das eigene Belieben der Beitragszahler gestellt werden. Freiwillig kommt die notwendige Ersparnis nicht zustande, wie die geringe Beteiligungsquote bei der Riester-Rente von nicht einmal 10% im ersten Jahr nach ihrer Einführung zeigt. Der Grund liegt nicht in der Unmündigkeit der Bürger, sondern in Wechselwirkungen mit dem restlichen Sozialsystem. Wenn ein Geringverdiener freiwillig spart, wird ihm das nicht viel nützen, weil er dadurch nur den Anspruch auf ergänzende Sozialhilfe verringert, den er ohnehin im Alter hat. Außerdem muss der Sparer immer befürchten, dass ihm bei weiteren Rentenreformen im Alter die Umlagerente mit der Begründung versagt wird, dass er ja über eigene Mittel verfüge. Deswegen muss das Riester-Sparen auch im Falle einer kindergerechten Ausgestaltung zur Pflicht gemacht werden, und so war es von Seiten der Wissenschaft auch empfohlen worden.

Viele empfinden die Belastung durch das Riester-Sparen als unerträglich und wehren sich deshalb gegen die Pflicht. Man müsste ja vielleicht sein Auto verkaufen oder auf eine Urlaubsreise verzichten. Objektiv stellt sich der Sachverhalt aber völlig anders da, denn der Lebensstandard der arbeitenden Generation ist heute wesentlich höher als jener sämtlicher früherer Generationen, und er wäre es auch dann noch, wenn diese Generation den gleichen Anteil ihres Einkommens für die Kindererziehung opfern würde, wie es früher üblich war, sei es in Form von Ausgaben für die Finanzierung der Kinder, sei es in Form von Einkommensverzichten durch die Zeit, die für die Kindererziehung benötigt wird. Nein, ein solcher Standpunkt stellt die Dinge auf den Kopf. Gerade wegen der Kinderarmut ist die Leistungsfähigkeit zur Finanzierung der Riester-Rente vorhanden.

Warum die Einwanderung nur einen kleinen Beitrag zur Lösung leisten kann

Angesichts des Konsumverzichts, der mit der Riester-Rente verbunden ist, liegt es nahe, stattdessen bei der Einwanderung eine Lösung zu suchen. Wenn es an Kindern fehlt, die einmal zu Beitragszahlern werden, kann man ja die Beitragszahler aus dem Ausland holen, so die Überlegung.

In der Tat würden Einwanderer helfen, die Renten zu finanzieren. Eine permanente Zuwanderung, bei der auch die Kinder und Kindeskinder der Einwanderer in Deutschland bleiben, hilft der Rentenversicherung am meisten. Bei einer solchen Einwanderung kann man davon ausgehen, dass die gesamten Bruttobeiträge während des Arbeitslebens der Einwanderer als Nettobeitrag für das Fiskalsystem zu rechnen sind, weil ja die Rentenansprüche der Einwanderer von deren eigenen Kindern bedient werden. Nach einer überschlägigen Rechnung könnte die Rentenversicherung Ende der neunziger Jahre bei einem zwanzigjährigen Einwanderer, der hier ein durchschnittliches Arbeitnehmereinkommen erhielt und deshalb durchschnittliche Beiträge zur Rentenversicherung zahlte, einen barwertmäßigen Vorteil in der Größenordnung von 175.000 Euro verzeichnen, der zu Gunsten der anderen Teilnehmer am Rentensystem verwendbar ist.[25]

Freilich ist die Einwanderung meistens nicht permanent. Schon nach zehn Jahren vom Zeitpunkt der Einwanderung gerechnet ist mehr als die Hälfte der Einwanderer wieder in ihr Heimatland zurückgekehrt, und nach 25 Jahren sind es 75 %.[26] Eine solche temporäre Einwanderung führt zu wesentlich kleineren Vorteilen für das Rentensystem, weil die Rentenansprüche der Migranten trotz der Rückkehr in ihr Heimatland erhalten bleiben und nicht durch deren eigene Kinder, sondern durch das Kollektiv der deutschen Beitragszahler abgedeckt werden. Man kann bei einem Einwanderer, der mit 20 Jahren kommt, dann bis zum 65. Lebensjahr arbeitet und keine Kinder im deutschen Rentensystem belässt, mit schätzungsweise nur etwa 40 % des genannten Betrags, also mit bis zu 70.000 Euro, rechnen, und das auch nur, wenn er das durchschnittliche Einkommen verdienen und darauf seine Beiträge entrichten würde, was aber nicht der Fall ist.

Man darf auch nicht übersehen, dass die Einwanderer nicht nur das Rentensystem entlasten, sondern dem Sozialstaat an anderer Stelle Lasten aufbürden. Einwanderer profitieren von der Umverteilung zugunsten ärmerer Bevölkerungsschichten, die der Sozialstaat durch die Gesamtheit seiner Steuern, Beiträge, Transfers und öffentlichen Leistungen für die Infrastruktur vornimmt. Pro Kopf und Jahr liegt, wie in Kapitel 8 näher erläutert wird, die finanzielle Last des Staates bei einem Zuwanderer, der sich hier weniger als zehn Jahre aufhielt, im

Jahr 1997 bei etwa 2.400 Euro. Dabei sind auch die Vorteile für die Rentenversicherung, die aus den Arbeitgeber- und Arbeitnehmeranteilen resultieren, barwertmäßig bereits berücksichtigt worden. So gesehen verändert sich das Bild, das ein alleiniger Blick auf die Rentenversicherung liefert, erheblich.

Wie gering die wirklichen Möglichkeiten sind, Deutschlands demografische Probleme durch eine forcierte Zuwanderung zu lösen, wird auch klar, wenn man sich vor Augen führt, wie viele Menschen zuwandern müssten, wollte man das Rentensystem durch eine Zuwanderung in dem Sinne stabilisieren, dass die Altersstruktur der Bevölkerung (im Sinne des Altersquotienten) konstant bleibt. Unterstellt man einmal fiktiv, dass alle Zuwandernden jung bleiben und dem Rentensystem dauerhaft als Beitragszahler zur Verfügung stehen, so ergibt sich rechnerisch bis zum Jahr 2035 eine notwendige Nettoeinwanderung von etwa 43 Millionen Menschen nach Deutschland. Die Gesamtbevölkerung der in Deutschland ansässigen Menschen müsste dann auf circa 100 Millionen ansteigen. Berücksichtigt man, dass heute bereits 7,3 Millionen Ausländer in Deutschland wohnen, wobei vergangene Einbürgerungen nicht mitgerechnet sind, so bestünde die in Deutschland ansässige Population zur Hälfte aus Ausländern und zur Hälfte aus Inländern, wenn man von weiteren Einbürgerungen absieht.

Aber natürlich ist die Annahme, dass die Ausländer nicht altern, unrealistisch. Die aus dem Ausland hereinströmenden Populationen sind nicht frei von den demografischen Problemen, unter denen Deutschland leidet. Auch die Zuwanderer werden älter und gehen irgendwann in Rente. Wenn die zuwandernden Populationen die gleiche Altersstruktur wie die bereits vorhandene Population aufweisen, ist nichts gewonnen; sie müssten schon deutlich jünger sein. Berechnungen der Vereinten Nationen zum Umfang der zur Stabilisierung des Rentensystems notwendigen Ersatz-Einwanderung, bei denen diese Effekte berücksichtigt werden, zeigen ein extrem problematischeres Bild. Danach sind bis zum Jahr 2050 netto nicht weniger als 190 Millionen Zuwanderer oder 3,4 Millionen Personen pro Jahr erforderlich, um das Verhältnis von Alten und Jungen in Deutschland, also den Altersquotienten, auf dem Niveau des Jahres 1995 zu stabilisieren.[27] Die in Deutschland lebende Bevölkerung würde dementsprechend auf etwa 300 Millionen Personen ansteigen. 80 % dieser Bevölkerung wären dann seit dem Jahr 1995 nach Deutschland Eingewanderte und deren Nachfahren. Das sind astronomisch hohe Zahlen, die so natürlich niemals realisiert werden und von der UNO auch keinesfalls als Empfehlungen gemeint sind. Gerade die Größe der Zahlen zeigt in aller Deutlichkeit, wie gering der Beitrag zur Lösung der demografischen Probleme Deutschlands ist, den man von der Zuwanderung erwarten kann. Das Thema wird in der öffentlichen Diskussion total überschätzt, und es wird missbraucht, um heute schon aus ganz anderen Gründen billige Arbeitskräfte ins Land zu holen.

Dabei braucht auch der Arbeitsmarkt selbst vorläufig keine Einwanderung, jedenfalls keine aus Nicht-EU-Ländern. Einerseits leidet Deutschland unter einer Massenarbeitslosigkeit, also einem Mangel an Stellen, und nicht einem Mangel an Menschen. Andererseits ist der Zeitpunkt noch nicht gekommen, an dem das Erwerbspersonenpotenzial aus demografischen Gründen abzubröckeln beginnt. In der Abbildung 7.8 sind entsprechende Projektionen des Instituts für Arbeitsmarkt- und Berufsforschung (IAB), das bei der Bundesanstalt für Arbeit angesiedelt ist, dargestellt.

Man sieht, dass bei einer mäßigen Zuwanderung von 200.000 Personen pro Jahr, wie sie nach der Osterweiterung der EU ohnehin erwartet werden kann (vergleiche Kapitel 8), erst ab etwa 2020 mit einer Abnahme der Erwerbsbevölkerung zu rechnen ist. Vorher steigt die Zahl der Erwerbstätigen sogar noch. Will man die um das Jahr 2020 zu erwartende Abnahme kompensieren und die Erwerbsbevölkerung stabilisieren, so ist etwa von diesem Zeitpunkt an eine zusätzliche Zuwanderung

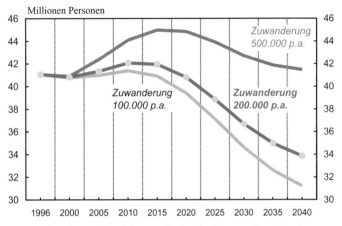

Entwicklung des Erwerbspersonenpotenzials[1]
in Deutschland

1) Wohnortkonzept. Es wird unterstellt, dass der Frauenanteil am Erwerbspersonenpotenzial von 1996 bis 2016 um zwei Prozentpunkte ansteigt.
Quelle: Institut für Arbeitsmarkt- und Berufsforschung, IAB-Kurzbericht Nr. 4/20. Mai 1999.

ABBILDUNG 7.8

zu erwägen. Heute sind besondere Maßnahmen mit dem Ziel,
die Zuwanderung aus Nicht-EU-Ländern zu erleichtern, im
Hinblick auf den Arbeitsmarkt deplaziert. Ließe man jetzt
schon eine Zuwanderung von 500.000 Personen pro Jahr zu, so
stiege die Zahl der Erwerbspersonen in den nächsten Jahren
sogar sehr rasch an und würde bis zum Jahr 2018 ein Maximum
erreichen, das um etwa 4 Millionen Personen oder 10 % über
dem heutigen Wert liegt. Auch diese Zahlen zeigen, dass die
Zuwanderungsdebatte in Deutschland von falschen Voraussetzungen ausgeht. Dem Zuwanderungsgesetz, das wegen eines
Verfahrensfehlers vom Bundesverfassungsgericht gekippt wurde und das vermutlich den Weg für eine verstärkte Zuwanderung aus Nicht-EU-Ländern geebnet hätte, muss man im
Lichte dieser Überlegungen mit erheblichen Bedenken gegenübertreten.

Das alles heißt nicht, dass die Zuwanderung keinerlei Beitrag zur Lösung der anstehenden demografischen Probleme leisten kann. Es ist vorstellbar, Regeln für die Integration von Einwanderern zu definieren, die sicherstellen, dass der Sozialstaat nicht belastet, sondern entlastet wird (vergleiche wiederum Kapitel 8). Aber es ist klar, dass die Zeit, die Lösung der demografischen Probleme in der Zuwanderung zu suchen, überhaupt noch nicht gekommen ist. Um das Rentenproblem in den Griff zu bekommen und den Arbeitsmarkt zu stabilisieren, brauchen wir nicht schon heute mehr erwachsene Menschen, die arbeiten und Beiträge zahlen, sondern erst in 20 bis 30 Jahren, wenn die jetzt knapp vierzigjährigen Babyboomer, die Anfang der sechziger Jahre geboren wurden, aus dem Erwerbsleben ausscheiden. Die demografischen Verwerfungen in Deutschland beginnen etwa ab 2020 virulent zu werden, sie kulminieren im Bereich des Jahres 2035, und danach klingen sie ganz langsam ein wenig ab, freilich ohne dass zum heutigen Zeitpunkt bereits irgendwo eine Entwarnung sichtbar wäre.

Adenauers Denkfehler oder:
Warum wir eine aktive Bevölkerungspolitik brauchen

Dies lenkt den Blick wieder zurück auf die gegenwärtigen Ursachen der demografischen Krise im Allgemeinen und des Rentenproblems im Besonderen: die Kinderlosigkeit der Deutschen. Statt die Symptome der Krise zu bekämpfen oder das fehlende Humankapital durch Realkapital zu ersetzen, kann man auch daran denken, gegen die Ursachen selbst vorzugehen, also eine aktive Bevölkerungspolitik mit dem Ziel der Erhöhung der Geburtenraten zu betreiben. Wenn es gelänge, die Geburtenraten auf ein Niveau anzuheben, wie es eine stationäre Bevölkerung kennzeichnet, dann ließe sich die Bevölkerung allmählich wieder verjüngen. Das Rentenproblem würde sich lösen, der Arbeitsmarkt würde stabilisiert, und unser

Land würde wieder zu der Dynamik bei der Wirtschaft und Wissenschaft zurückkehren, die es einmal besaß. Das bedeutet, dass je 100 Frauen sich entschließen müssten, gut 70 Kinder zusätzlich zur Welt zu bringen.

Auch hierbei darf man freilich keine Illusionen hegen, denn obgleich es für die Liberalisierung der Zuwanderung noch zu früh ist, könnte es, was das Maximum der Rentenkrise im Jahr 2035 betrifft, für die Erhöhung der Geburtenraten fast schon zu spät sein. Die am stärksten besetzten Jahrgänge der jetzt knapp Vierzigjährigen können aus biologischen Gründen kaum noch weitere Kinder bekommen. Außerdem würden Kinder, die von nun an zusätzlich geboren werden, dem Arbeitsmarkt erst in 20 Jahren zur Verfügung stehen, kurz bevor die jetzt Vierzigjährigen in Rente gehen. Ein großer Bestand an zusätzlichen Erwerbstätigen kann bis dahin nicht aufgebaut werden. Selbst wenn sich die Geburtenrate sofort auf den Normalwert von 2,08 erhöhen würde, der eine stationäre Bevölkerung kennzeichnet, stiege der Bestand an Erwerbstätigen, die dem Arbeitsmarkt im Jahr 2035 zur Verfügung stehen, gerade einmal um etwa 10 %. Dies würde eine Senkung der gemeinsamen Last von Bundeszuschuss und Beitragssatz um etwa drei Prozentpunkte ermöglichen.[28] Ohne eine Teilkapitaldeckung des Rentensystems ist deshalb keine wirkliche Lösung in Sicht, die Krise des Rentensystems, die im Jahr 2035 ihrem Gipfel zusteuert, zu beherrschen.

Aber immerhin, 10 % mehr Erwerbstätige und drei Prozentpunkte weniger Beitragssatz sind mehr als nichts, und auf jeden Fall würde sich der Bestand an zusätzlichen Erwerbstätigen in den Folgejahren sehr rasch vergrößern. Bereits im Jahr 2040, wenn die Babyboomer 80 Jahre alt sind, wäre die erwerbstätige Bevölkerung um etwa 18 % größer als bei der alten Geburtenrate. Die kombinierte Beitragslast könnte dann um etwa 4,5 Prozentpunkte niedriger sein. Im Jahr 2050 wäre die erwerbstätige Bevölkerung um 30 % größer, und der Beitragssatz könnte um sieben Prozentpunkte, also um fast ein

Viertel niedriger sein als ohne die Erhöhung der Geburtenrate. Die Bevölkerungsstruktur würde sich in diesen Jahren allmählich wieder normalisieren, und in der zweiten Hälfte des Jahrhunderts hätte Deutschland seine demografische Krise allmählich wieder überwunden. So viel zur Mechanik der Bevölkerungsentwicklung, die klaren Gesetzen folgt und recht sichere Prognosen über sehr lange Zeiträume erlaubt.

Aus politischer Sicht ergibt sich indes die Frage, ob überhaupt eine Bevölkerungspolitik betrieben werden sollte, die darauf abzielt, die Geburtenraten zu verändern. Das Thema ist durch die Missbräuche in der Nazizeit in Deutschland in solchem Maße mit Tabus befrachtet, dass sich die Politik kaum dort herantraut. Doch geht es um Sachverhalte, die für die Zukunft unseres Volkes im wahrsten Sinne des Wortes von lebenswichtiger Bedeutung sind. Die oben dargestellten Bevölkerungstrends sind so verheerend, dass ideologische Vorprägungen hier nicht sonderlich zielführend sind.

Aber dennoch: Ist es nicht der Entscheidung eines jeden Paares selbst zu überlassen, wie viele Kinder es zur Welt bringen will? Was geht das den Staat an? Muss er sich nicht aus den Fertilitätsentscheidungen der Menschen heraushalten und die Konsequenzen als gegeben hinnehmen, welche immer sie sind? Wenn die Deutschen aussterben wollen, dann sollen sie es eben, könnte eine Devise sein, die einem liberalen Staatstheoretiker hierzu einfällt.

Der Staat muss sich in der Tat vom Ehebett fernhalten. Die Familienplanung geht ihn in einem Rechtswesen, das auf individuellen Freiheitsrechten basiert, wahrlich nichts an. Aber er hält sich nicht fern. Er mischt sich seit über 100 Jahren in massiver Weise in die Geburtenplanung ein, und eben das ist das Problem.

Die Einmischung des Staates ist freilich indirekter Natur, so, dass wir sie kaum erkennen können, dass wir nicht merken, wie unsere eigene Familienplanung durch Politikentscheidungen beeinflusst worden ist. Sie ist auch nicht beabsichtigt. Aber sie findet statt, indem der Staat die Beiträge, die die Arbeitenden für die Generation ihrer Eltern zur Verfügung stellen, nicht an die jeweiligen Eltern selbst, sondern auch an die Eltern anderer Beitragzahler sowie an ältere Menschen, die gar keine Eltern sind, weiterleitet. Er sammelt die Beiträge ein, wirft sie in einen großen Topf und teilt sie dann wieder an die Generation der Alten aus, ohne dass es dabei wesentlich darauf ankäme, ob und inwieweit diese Alten selbst durch die Erziehung von Kindern dazu beigetragen haben, dass Rentenbeiträge gezahlt werden können. Kinder sind Humankapital. Der Staat sozialisiert die Erträge dieses Humankapitals, indem er den Zugriff der Eltern auf die Beiträge ihrer eigenen Kinder nur indirekt, auf dem Wege eines kollektiven Zwangssystems, organisiert.

Das ist kein grundsätzlich falscher Ansatz. Es gibt sehr gute Gründe dafür, ein Rentensystem auf der Basis von Zwangsabgaben kollektiv zu organisieren. Ein Grund, der für Bismarck eine besondere Rolle gespielt hatte, ist die Sicherung des Anspruchs der Eltern gegenüber zahlungsunwilligen Kindern. Ein anderer ist die Versicherung gegen ungewollte Kinderlosigkeit, die auf biologische Ursachen oder auch nur auf Pech bei der Partnersuche zurückzuführen sein mag.[29] In der Tat ist die Rentenversicherung nach dem Umlageverfahren in ihrem Kern eine Versicherung gegen Kinderlosigkeit und die daraus entstehende Altersarmut. Auch wenn man selbst keine Kinder haben kann, muss man im Alter nicht darben, weil man von den Kindern anderer Leute ernährt wird. Der gegenseitige Versicherungsschutz ist zumindest im Vorhinein, bevor man weiß, ob man Kinder haben kann oder nicht, ein großer Vorteil für alle Beteiligten.

Problematisch ist aber, dass diese Versicherung gegen Kinderlosigkeit die ökonomischen Gründe für den Kinderwunsch aus der Familienplanung ausblendet. Nicht nur in den Entwicklungsländern haben Menschen Kinder, um sich vor Altersarmut zu schützen, auch bei uns war das früher so. Vor der Einführung der Rentenversicherung durch Bismarck war die Sicherung des Alterskonsums auch in Deutschland ein dominantes Motiv für die Familiengründung und die Nachwuchsplanung. Wer Kinder hatte, war reich, und wer keine hatte, war arm. Die Begriffe »Kinderreichtum« und »Kinderarmut« erinnern noch an die alten Zeiten, obwohl heute Leute mit Kindern eher zu den ärmeren und Leute ohne Kinder eher zu den reicheren Bevölkerungsschichten gehören. Das Versorgungsmotiv entfällt heute in Deutschland, denn auf eigene Kinder kommt es bei der Versorgung im Alter nicht mehr an. Es reicht, wenn andere Leute Kinder in die Welt setzen, die später die Rente zahlen, wenn die Gesellschaft als ganzes kinderreich ist. Ob man selbst Kinder hat oder nicht, spielt keine Rolle, die eigene materielle Versorgung im Alter wird davon kaum berührt. Eines der wichtigsten ökonomischen Motive für den Kinderwunsch ist unter dem Schutze der Rentenversicherung erloschen, weil der Kinderreichtum sozialisiert wurde.

Kaum ein junges Paar verbindet den Kinderwunsch heute noch mit der Frage, wie der eigene Lebensabend zu sichern ist. Der fehlende einzelwirtschaftliche Zusammenhang zwischen Kinderwunsch und Rententhema in den Köpfen der Menschen zeigt in aller Deutlichkeit, auf welch dramatische Weise das staatliche Rentensystem auf die gesellschaftlichen Normen Einfluss genommen hat. Vor Bismarck musste jeder bei der Familiengründung diesen ökonomischen Zusammenhang im Blick haben, und manche Ehe wäre nicht gestiftet worden, wenn die Not der kinderlosen Alten den jungen Menschen nicht als warnendes Beispiel vor Augen gestanden hätte. Nach Bismarck wurde alles anders.

Es ist kein Zufall, dass Deutschland, welches als erstes Land eine umfassende staatliche Rentenversicherung eingeführt hat, heute zu den Ländern mit der niedrigsten Geburtenrate gehört. Generationen von Deutschen haben nach der Einführung der gesetzlichen Rentenversicherung im Jahre 1889 die Erfahrung gemacht, dass man auch ohne eigene Kinder im

Alter zurechtkommt. So haben sich auf dem Wege der Nachahmung von Generation zu Generation neue Lebensmuster verbreitet, die an die neuen institutionellen Verhältnisse angepasst waren. Man sah, dass der Onkel und die Tante ohne Kinder im Alter ordentlich leben konnten, weil sie ja dennoch ihre Rente erhielten, und so erfuhr man, dass es bei der Lebensplanung Alternativen zur traditionellen Familiengründung gab. Kinderlosigkeit verlor das soziale Stigma des persönlichen Unglücks, und die Zahl der Menschen, die sich für ein Leben ohne Kinder entschieden, wurde von Generation zu Generation größer. Heute sind wir so weit, dass die lose Partnerschaft und das Single-Dasein sogar als attraktive Lebensmuster und Kinder als entbehrlich gelten. Die Zahl der jungen Paare, die zumindest vorläufig keine Kinder haben wollen und auch die Heirat noch nicht einplanen, hat in den letzten Jahrzehnten sehr stark zugenommen. Die ökonomischen Reaktionen auf die Rentenversicherung kamen extrem langsam. Aber heute, über 100 Jahre später, sind sie in den Geburtenstatistiken und den Statistiken der Standesämter in aller Klarheit zu sehen.

Früher erwuchs aus der Kinderlosigkeit eine Bedrohung für das eigene Leben, die es unter allen Umständen zu vermeiden galt. Heute entsteht aus der Kinderlosigkeit ein massiver materieller Vorteil, den immer mehr Menschen für sich reklamieren. Der neue Golf und der Urlaub auf den Malediven können mit dem Geld finanziert werden, das bei der Kindererziehung eingespart wurde oder das die Frau hinzuverdienen konnte, weil sie sich statt für Kinder für eine Berufstätigkeit entschied. Gerade auch die untere Mittelschicht der Gesellschaft, die früher hohe Geburtenraten aufwies, hat in der Kinderlosigkeit einen Weg entdeckt, den materiellen Aufstieg zu schaffen.

Die Bedrohung, die aus der Kinderlosigkeit erwächst, ist zwar auch heute noch vorhanden, aber sie ist keine individuelle Bedrohung mehr, sondern sie verlagert sich diffus auf das gesamte Gemeinwesen. Deutschland vergreist, die Dynamik des Landes lässt nach, der Sozialstaat gerät in die Krise, und dennoch hat der Einzelne kaum etwas davon, wenn er seinen Beitrag zur Verhinderung dieser Entwicklung leistet, indem er sich für mehr Kinder entscheidet.

Der Zusammenhang zwischen Kinderlosigkeit und Rentenversicherung ist unter dem Stichwort »Sozialversicherungshypothese« in der wissenschaftlichen Literatur ausgiebig diskutiert und dokumentiert worden. So haben Ehrlich und Chong sowie Ehrlich und Kim in Studien, die 57 Länder umfassen, nachweisen können, dass die Einführung und der Ausbau umlagefinanzierter Rentensysteme im Zeitraum von 1960 bis 1992 einen signifikanten negativen Einfluss auf Familienbildung und Geburtenziffer hatten.[30] Ähnliche Resultate finden Cigno und Rosati,[31] wobei diese Autoren in einer neueren Studie aus dem Jahr 2000 speziell auch für Deutschland zu eindeutigen, die Hypothese bestätigenden Resultaten kommen.[32]

Als Konrad Adenauer 1957 dem Bismarck'schen Umlagesystem mit der dynamischen Altersrente die Form gab, die es heute hat, war er vermutlich auf die Gefahren sinkender Geburtenraten hingewiesen worden. Berater wie Wilfried Schreiber und Oswald von Nell-Breuning hatten empfohlen, die individuelle Kinderzahl als maßgeblichen Bestandteil für die Höhe der Rentenbeiträge zu berücksichtigen, also die Beiträge »abzukindern«, wie Nell-Breuning sagte, wenngleich nicht ganz klar war, ob sie die Anreize oder die Gerechtigkeit im Auge hatten.[33] Adenauer sah die Notwendigkeit, Kinder in die Rentenformel einzubauen, jedoch nicht. Kinder bekämen die Leute schließlich von alleine, ist eine Aussage, die ihm zugeschrieben wird. Heute wissen wir, wie falsch diese Sicht der Dinge war. Viele Rentner werden die Konsequenzen dieses Politikfehlers in den nächsten Jahrzehnten leidvoll erfahren.

Die fiskalischen Fehlanreize auf das Geburtenverhalten sind so groß wie die Renten und Beiträge selbst. Man kann sie auch berechnen, indem man die Frage zu beantworten versucht, welchen Gegenwartswert an fiskalischen Vorteilen ein neugeborenes Kind, das im Lebenszyklus eine durchschnittliche Erwerbsbiografie aufweist und selbst wieder für eigene Nachkommen sorgt, für andere Mitglieder des Rentensystems erzeugt. Das Kind wird erwachsen, zahlt dann bis zum eigenen Rentenalter Beiträge und bezieht anschließend eine Rente, die freilich auf dem Wege der Beitragszahlung von den eigenen Nachkommen aufgebracht wird. Im Jahr 1997 lag der Gegenwartswert der Leistungen, den ein neugeborenes Kind als Beitragszahler für die Rentenversicherung erbringt, bei 90.000 Euro, wenn man unterstellt, dass der Beitragssatz trotz der demografischen Probleme nicht steigt, sondern bei 20 % verharrt. Dies entspricht nach heutiger Rechnung (2003) einem Betrag von ziemlich genau 100.000 Euro.

Nun kann man freilich der Meinung sein, diesem Betrag seien die staatlichen Hilfen für die Kindererziehung einschließlich der freien Schulausbildung gegenüberzustellen. Selbst wenn man das tut, kommt man netto immer noch auf einen Betrag von etwa 39.000 Euro.[34] Dabei wird freilich nicht berücksichtigt, dass die Kosten der Kindererziehung von den Steuern, die Eltern zahlen, mitfinanziert werden. Auch bleibt unberücksichtigt, dass Kinder den Staat später nicht nur auf dem Wege der Rentenversicherung finanzieren, sondern auch, indem sie die Steuern zur Finanzierung jener Staatsausgaben aufbringen, die den kinderlosen Alten ebenfalls Nutzen verschaffen. Diese Staatsausgaben reichen von den öffentlichen Leistungen der Verwaltung inklusive Polizei und Justiz über die Erhaltung der öffentlichen Infrastruktur bis hin zu diversen Zuschüssen für soziale Versorgungssysteme. Zu Letzteren gehört auch die Rentenversicherung selbst, die mit erheblichen Bundeszuschüssen unterstützt wird, die in Zukunft weit über die so genannten versicherungsfremden Leistungen hinausgehen werden.

Häufig wird in diesem Zusammenhang darauf hingewiesen, dass Müttern bereits nach heutiger Rechtslage aus der Geburt eines Kindes zusätzliche Rentenansprüche erwachsen und dass ihrer Leistung für die Rentenversicherung insofern bereits

Rechnung getragen werde. Dies ist vom Grundsatz her zutreffend, nicht aber im Hinblick auf die Größenordnungen, um die es geht. Nach einer Berechnung des ifo Instituts liegt der Maximalwert der zusätzlichen Rente einer verheirateten Frau nach heutigen Verhältnissen bei etwa 164 Euro monatlich (zuzüglich 53 Euro, wenn sie Witwe wird). Wenn die Frau ihr Kind mit 25 Jahren bekommt, bis 65 Jahre arbeitet, dann in Rente geht, mit 70 Jahren Witwe wird und mit 80 Jahren stirbt, entspricht dies einem Gegenwartswert von etwa 11.000 Euro. Das ist gerade einmal 11 % dessen, was das Kind an finanziellen Vorteilen für die Rentenversicherung beisteuert.

Für das Erreichen dieses Maximums muss vorausgesetzt werden, dass die Mutter nach der Geburt des Kindes mindestens zehn Jahre arbeitet und dabei exakt zwei Drittel des Durchschnittslohnes der Versicherten verdient. Verdient sie mehr oder weniger, oder arbeitet sie weniger, dann ist auch der Rentenvorteil kleiner. Eine Mutter, die in den zehn Jahren nach der Geburt des Kindes nicht arbeitet oder arbeitet und den Durchschnittslohn verdient, bekommt nach heutigen Verhältnissen gerade einmal 78 Euro mehr Rente, und der Gegenwartswert aller zusätzlichen Rentenansprüche liegt bei 4.250 Euro, also 4,3 % des Gegenwartswertes der Leistungen des Kindes.

Das alles sind sehr geringe Beträge, die den wahren Vorteil der Kinder für die Rentenversicherung auch nicht annähernd widerspiegeln. Es wäre unseriös, wenn man den Müttern mit dem Hinweis auf ihre zusätzliche Rentenansprüche den Eindruck vermitteln wollte, sie würden in der Rentenversicherung gerecht behandelt und bekämen das heraus, was sie mit der Geburt eines Kindes beisteuern.

Diese Aussage bleibt übrigens auch dann richtig, wenn man berücksichtigt, dass nicht alle Kinder wieder zu Beitragszahlern für die Rentenversicherung werden. Nach heutigen Verhältnissen liegt die Wahrscheinlichkeit dafür, dass ein Kind zu einem Beitragszahler in der Rentenversicherung wird, bei etwa zwei Dritteln, denn das ist derzeit der Anteil der Beitragspflichtigen an der Bevölkerung im Alter von 20 bis unter 60 Jahren. Zwei Drittel des Gegenwartswertes von 100.000 Euro, den ein Kind für die Rentenversicherung beisteuert, wenn es denn beitragspflichtig wird, sind immer noch ein Vielfaches dessen, was die Mutter zurückbekommt.

Die Rentenbeiträge sind ein Geschenk, das Eltern, die sich für ein Kind entscheiden, für andere Gruppen der Gesellschaft außerhalb ihrer eigenen Nachkommenschaft bereitstellen. Sie sind einer Kindersteuer gleichzusetzen, die der Staat den Eltern bei der Geburt ihres Kindes auferlegt, jedoch zu marktüblichen Zinsen stundet, bis das Kind erwachsen ist. Würde der Staat die Wirkung dieser Steuer durch eine entsprechende Transferleistung von 100.000 Euro zum Zeitpunkt der Geburt eines Kindes kompensieren, so würden sicherlich sehr viel mehr Kinder geboren, als es heute der Fall ist.

Dies ist der Zusammenhang, der eine aktive Bevölkerungspolitik durch finanzielle Anreize rechtfertigen würde. Es geht nicht darum, den Staat bei der Familienplanung mitreden zu lassen, sondern ihn ganz im Gegenteil wieder ein Stück weit aus dieser Planung herauszunehmen. In unserer freiheitlichen, auf individuellen Rechten basierenden Grundordnung darf der Bezugspunkt für die Beurteilung einer staatlichen Politikmaßnahme nie der Status quo sein, bei dem der Staat bereits interveniert. Vielmehr muss der Bezugspunkt immer die Situation sein, die ohne staatliche Intervention gelten würde. Ein fiskalischer Anreiz zur Erhöhung der Geburtenraten ist vor dem Hintergrund des deutschen Rentenversicherungssystems keine Intervention des Staates in die freie Familienplanung, sondern das Gegenteil davon. Ein Verzicht auf die staatliche Bestrafung des Kinderkriegens ist kein Eingriff in die freie Familienplanung der Bürger! Man muss diesen Punkt mit aller Härte vorbringen, weil es viele Politiker gibt, die in diesem Punkte einer vordergründigen Semantik zum Opfer fallen.

Die massive Intervention in die Familienplanung, die der Staat mit der Rentenversicherung vornahm, betrieb er sicherlich nicht mit der Absicht, die Kinderzahl zu reduzieren. Faktum ist aber, dass die Intervention diese Wirkung hat und die Fertilitätsentscheidung verzerrt. Insofern kommt die Politik heute nicht mehr an der Frage vorbei, wie sie die ungewollten Verzerrungen vermindern kann. Nicht mehr, sondern weniger Staatseinfluss auf die Familienplanung ist zu fordern.

Das französische Beispiel

Ein Blick über die Grenze gen Westen ist an dieser Stelle hilfreich. Der französische Staat hat mit einer aktiven Bevölkerungspolitik weniger ideologische Probleme als der deutsche. Seit dem Ende des Ersten Weltkriegs hat Frankreich durch staatliche Einflussnahme versucht, die Geburtenraten zu erhöhen, und wie schon anhand der Abbildung 7.3 gezeigt wurde, ist ihm der Erfolg nicht versagt geblieben. Die französische Geburtenrate war in der Nachkriegszeit dauerhaft höher als die deutsche. Bemerkenswert ist vor allem, dass in Frankreich der Anteil der Frauen, die keine Kinder haben, kleiner ist als in Deutschland und dass diejenigen, die Kinder haben, sich dann häufiger als in Deutschland auch gleich für drei oder mehr Kinder entschieden. Frankreich ist nicht zufällig das Land der Großraumlimousinen wie Renault Espace oder Peugeot Familiale.

Tabelle 7.1 zeigt eine aufschlussreiche Statistik zur Verteilung der Kinderhäufigkeit unter deutschen und französischen Frauen der Jahrgänge von 1945 bis 1960, die im Jahr 2003 zwischen 43 und 58 Jahre alt sind. Es wird eine repräsentative Gruppe von je 100 deutschen und französischen Frauen verglichen. Man sieht zum Beispiel, dass in Deutschland 19 von diesen 100 Frauen keine Kinder hatten, während in Frankreich nur 8 kinderlos waren, oder dass 22 Französinnen, doch nur 13 deutsche Frauen drei Kinder hatten.

Multipliziert man die Kinderzahlen mit der jeweiligen Anzahl der Frauen, dann kommt man auf die entsprechende

Wie viele Frauen haben wie viele Kinder?				
Geburtenverteilung unter hundert Frauen der Jahrgänge 1945 bis 1960*				
Kinderzahl pro Frau	Deutschland		Frankreich		Deutsches Geburtendefizit
	Frauen	Kinder	Frauen	Kinder	
0	19	0	8	0	0
1	27	27	20	20	−7
2	34	68	40	80	12
3	13	39	22	66	27
4	7	28	11	44	16
	100	162	100**	210	48

*Durchschnitt der Jahre 1945, 1950, 1955, 1960; **Summe der ungerundeten Werte
Quelle: Eurostat, Bevölkerungsstatistik, Daten 1960 – 1999, S. 108 – 113.

TABELLE 7.1

Geburtenzahlen, wie sie in der zweiten und vierten Spalte dargestellt sind. Die Tabelle zeigt, dass die Frauen der betrachteten Geburtsjahrgänge in Deutschland insgesamt 162 Kinder und in Frankreich 210 Kinder gebaren. Die letzte Spalte zeigt die Ursache des Kinderdefizits Deutschlands im Vergleich zu Frankreich. Offenkundig fehlt es hier insbesondere an Mehr-Kinder-Familien. Allein schon durch den größeren Anteil der Frauen, die drei Kinder haben, gibt es in Frankreich 27 Kinder pro 100 Frauen mehr als in Deutschland.

Die Unterschiede sind inzwischen noch gewachsen. Die aktuellsten vergleichbaren Zahlen beziehen sich auf das Jahr 2001 und zeigen für Deutschland einen Wert von 135 Kindern und für Frankreich einen solchen von 191 Kindern pro 100 Frauen. Das deutsche Defizit liegt also heute bereits bei 56 Kindern. Dabei wäre die deutsche Zahl noch niedriger, als sie ohnehin schon ist, wenn die Kinder der hier lebenden Ausländerinnen nicht mitgezählt würden. 100 in Deutschland lebende Ausländerinnen bekommen, ähnlich wie die Französinnen, 190 Kinder, und 100 deutsche Frauen bekommen nur 130 Kinder.[35]

Die hohe französische Geburtenrate wird das Größenverhältnis zwischen den Bevölkerungen Deutschlands und Frankreichs verändern. Deutschland hatte im Jahr 2001 bei 82,4 Millionen Einwohnern 734.500 Geburten. Frankreich hatte bei 60,9 Millionen Einwohnern indes 804.100 Geburten. Obwohl die französische Bevölkerung kleiner als die deutsche ist, bringt sie schon heute eine absolut größere Gesamtzahl an Kindern hervor. Es ist nur eine Frage der Zeit, bis Frankreich das größte Land in West- und Mitteleuropa sein wird.

Damit könnte sich spiegelbildlich eine Entwicklung wiederholen, wie sie im 19. Jahrhundert stattgefunden hatte. Um 1820 hatte die französische Bevölkerung bei 31 Millionen gelegen, während die deutsche nur 25 Millionen umfasste. Innerhalb von nur 90 Jahren hatte sich dieses Größenverhältnis dann aber umgekehrt. Im Jahr 1910 lag Frankreichs Bevölkerung bei 40 Millionen Personen, doch die deutsche Bevölkerung war auf 65 Millionen angewachsen.[36] Während Deutschlands Bevölkerungspyramide diesen Namen wirklich verdiente (vergleiche Abbildung 7.5), glich die französische mit ihrer starken Besetzung der älteren Altersgruppen eher einer Urne, nicht unähnlich den Projektionen, die das Statistische Bundesamt für Deutschland im Jahr 2050 veröffentlicht hat.

Die Verschiebung in der Bevölkerungsrelation zwischen Frankreich und Deutschland führte zu Friktionen im Machtgefüge der europäischen Länder, die in zwei Kriegen gipfelten und den Franzosen einen bleibenden Schock versetzten, der sich tief in das Bewusstsein der politischen Klasse eingegraben hat. Bis zum heutigen Tage schaut das Land argwöhnisch auf seinen deutschen Nachbarn und beobachtet seine Bevölkerungs- und Wirtschaftsentwicklung mit einer Mischung aus Neid, Bewunderung und Sorge.

Die Erfahrungen des 19. Jahrhunderts haben Frankreich veranlasst, eine aktive Bevölkerungspolitik zu betreiben, um die Geburtenraten wieder zu erhöhen. Diese Politik setzte bereits in den zwanziger Jahren des letzten Jahrhunderts ein und wur-

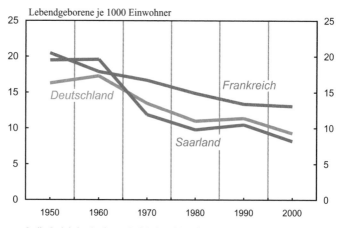

Geburtenentwicklung im Saarland nach dem Beitritt zur Bundesrepublik

Lebendgeborene je 1000 Einwohner

Quelle: Statistisches Bundesamt; Statistisches Jahrbuch für die Bundesrepublik Deutschland: diverse Jahrgänge, Statistisches Jahrbuch 2002 für das Ausland, S.195 f.

ABBILDUNG 7.9

de danach weiter perfektioniert, und das mit großem Erfolg. Der französische Kindersegen wurde mit der finanziellen und materiellen Unterstützung des Staates fabriziert.

Wie sehr diese Unterstützung das Geburtenverhalten beeinflusst, zeigt nicht nur die oben dargelegte statistische Information zum internationalen Vergleich, sondern auch ein einzigartiges Experiment aus der deutschen Geschichte, nämlich der Wechsel des Saarlandes vom französischen zum deutschen Fördersystem. Das Saarland stand ja nach dem Krieg unter französischer Verwaltung, und es galten dort dieselben Gesetze wie in Frankreich selbst. Als das Saarland nach einer Volksabstimmung im Jahr 1956 in die Bundesrepublik Deutschland integriert wurde, wurden alle staatlichen Regeln und Institutionen inklusive des familienpolitischen Fördersystems auf einen Schlag gegen die entsprechenden Regeln und Institutionen aus Deutschland ausgetauscht. Der Effekt auf die Geburtenraten ließ nicht lange auf sich warten. Während die Geburtenrate des Saarlandes bis zum Jahr 1957 auf dem vergleichsweise hohen französischen Niveau lag, fiel sie nach dem Beitritt zur Bundesrepublik deutlich ab, rutschte sogar etwas unter das westdeutsche Niveau und näherte sich dem bundesrepublikanischen Durchschnitt in den Folgejahren mehr und mehr an.[37] Abbildung 7.9 verdeutlicht diese Entwicklung. Ähnlich war übrigens die Reaktion der Geburtenraten in den neuen Bundesländern auf den Wechsel von den vergleichsweise hohen Anreizen für Kinder in der DDR auf die eher mageren Anreize in der Bundesrepublik Deutschland.[38]

Die konkreten Politikmaßnahmen Frankreichs, die den Kindersegen hervorrufen, sind facettenreich. Besonders offenkundig sind die Unterschiede bei den Einrichtungen zur Betreuung von Kindern. Abbildung 7.10 zeigt einen internationalen Vergleich der Versorgung mit Kindergärten und Vorschuleinrichtungen. Frankreich steht unter anderem wegen seiner »ecole maternelle«, einer von praktisch allen Kindern besuchten Vorschule, ganz oben auf der Rangskala, Deutschland befindet sich statt dessen im Mittelfeld, zwischen Japan und Schweden. Während 100 % der französischen Kinder im Alter von drei bis fünf Jahren mit Plätzen versorgt sind, sind es in Deutschland nur 73 %, und dabei handelt es sich in aller Regel nur um Kindergärten statt um echte Vorschulen nach französischem Muster.

Kindergärten und Vorschulen sind ein Thema, das uns Deutsche besonders interessieren sollte, denn die Kindergärten wurden im 19. Jahrhundert von dem deutschen Pädagogen Friedrich Fröbel entwickelt und propagiert. Obwohl der preußische Staat sie anfänglich verbot, verbreiteten sich die Kindergärten über die ganze Welt. Der Weg führte über die USA, wo Mitte des 19. Jahrhunderts Margarethe Schurz, die Frau des emigrierten deutschen Revolutionärs und amerikanischen Innenministers Carl Schurz, das deutsche Kindergartensystem einführte.[39] Bis heute benutzen die Amerikaner das deutsche

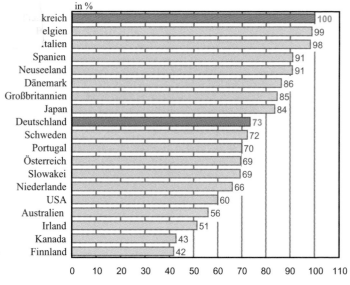

Besuch von Kindergärten und Vorschuleinrichtungen
Anteil der drei- bis fünfjährigen Kinder an gesamter
Altersgruppe in Prozent, 2000

Quelle: OECD, Society at a Glance, 2002, Social Indicators, Tabelle SS 15.1.

ABBILDUNG 7.10

Wort zur Kennzeichnung ihrer Kindergärten. Das Land, das
den Kindergarten erfunden hat, ist bei den Kindergärten und
Vorschuleinrichtungen gegenüber seinem Nachbarland Frankreich und einer Reihe von anderen Ländern zurückgefallen.

Noch deutlicher sind die Unterschiede bei den Ganztagsschulen. Es gibt kaum noch Länder mit Halbtagsschulen, wie
sie in Deutschland üblich sind. Die Ganztagsschule ist in den
meisten OECD-Ländern die Regel. Auch wegen des Systems
der Halbtagsschulen werden in Deutschland junge Frauen vor
die schwierige Entscheidung gestellt, entweder ihren Beruf
auszuüben oder Kinder großzuziehen. Sehr häufig fällt die
Entscheidung zunächst gegen die Kinder aus, die noch warten

müssen, bis die Frau ihre Karriere gemacht und ihre Stelle gesichert hat, und in aller Regel ist eine Verringerung der Kinderzahl die Folge. Das Fehlen von Kindergärten, Vorschuleinrichtungen und Ganztagsschulen bedeutet einen erheblichen Einkommensverzicht der Frauen, wenn sie sich für Kinder entscheiden. Dieser Einkommensverzicht stellt vermutlich den größten Teil der Kosten der Kindererziehung dar und erklärt einen erheblichen Teil der internationalen Unterschiede in den Fertilitätsraten.

Dies gilt umso mehr, als die Lohneinkommen der Frauen relativ zu den Lohneinkommen der Männer in der Nachkriegszeit erheblich gestiegen sind. Die Gehälter vollzeitbeschäftigter weiblicher Angestellter, die noch im Jahre 1960 bei 55 % der Gehälter ihrer männlichen Kollegen lagen, sind inzwischen auf über 70 % angestiegen.

Höhere Löhne für die Frauen bedeuten höhere Einkommensverzichte bei der Kindererziehung, und insofern kann auch in ihnen ein Grund für die im Zeitverlauf sinkenden Geburtenraten gesehen werden. Die Wichtigkeit dieses Effekts kann man jedoch füglich bezweifeln, denn es ist bemerkenswert, dass die Geburtenraten in Frankreich höher als in Deutschland sind, obwohl die Frauen dort in Relation zu den Männern mehr verdienen als in Deutschland.[40] Daher ist eher zu vermuten, dass die gestiegenen Einkommen der Frauen indirekt wirken, indem sie den Effekt fehlender Vorschuleinrichtungen und Ganztagsschulen verstärken. Je höher die Lohneinkommen der Frauen sind, desto größer ist der Anreiz, beim Fehlen solcher Einrichtungen auf Kinder zu verzichten.

Neben den Vorschuleinrichtungen und Ganztagsschulen gibt es zwischen Frankreich und Deutschland vor allem auch erhebliche Unterschiede bei der steuerlichen Behandlung der Kinder. Während bei uns ein für alle Kinder einheitlicher Kinderfreibetrag gewährt wird, der erst dann zur Anwendung kommt, wenn seine Entlastungswirkung höher ist als das alternativ gezahlte Kindergeld, erlaubt der französische Staat ein

Familien-Splitting (quotient familial), das die Steuerbelastung auf eine ähnliche Weise reduziert, wie es in Deutschland beim Splitting durch die gemeinsame Veranlagung von Ehepartnern der Fall ist, wenn diese unterschiedliche Einkommen verdienen. Bis zu fünf Kinder werden beim Familiensplitting mit berücksichtigt, wobei die ersten beiden Kinder jeweils ein halbes Gewicht erhalten, während dem dritten, vierten und fünften Kind ein volles Gewicht zugeteilt wird. Obwohl der Splitting-Vorteil bei höherer Kinderzahl begrenzt ist und nur die Lohnsteuer und nicht die steuerähnlichen Sozialabgaben betrifft, kann er für kinderreiche Familien mit höheren Einkommen erheblich sein, weil er die Progression des Steuertarifs stark reduziert.

Insbesondere für die bürgerliche Mittelschicht sind diese Steuervorteile ein großer Anreiz, Kinder zu bekommen. Ein solches System widerspricht der in der deutschen Politik vorherrschenden Vorstellung, dass die steuerliche Leistungsfähigkeit von der Kinderzahl unabhängig und es deshalb ein Gebot der Gerechtigkeit sei, dass der Staat die Kindererziehung mit festen, für alle gleichen Geldbeträgen bezuschusst. In Frankreich herrscht stattdessen die Meinung vor, dass Kinder die steuerliche Leistungsfähigkeit einer Familie reduzieren und deshalb durch eine Absenkung der Progression des Einkommensteuertarifs auf dem Wege der gemeinsamen Veranlagung der Familienmitglieder Berücksichtigung finden sollten. Dem deutschen System machen französische Ökonomen häufig den Vorwurf, dass es die tatsächliche Leistungsfähigkeit von Familien mit Kindern stark überschätze. Kinderreiche Familien würden bei gleicher Leistungsfähigkeit viel stärker besteuert als Familien ohne Kinder oder mit nur wenigen Kindern. Das Prinzip der horizontalen Gerechtigkeit werde verletzt. Auch von deutscher Seite ist dieses Argument übrigens kompetent vorgetragen worden.[41]

Ungeachtet dieser juristischen Problemlage sprechen Anreizüberlegungen für das französische System. Während sich in

Deutschland die fiskalischen Anreize, mehrere Kinder in die Welt zu setzen, bei den ärmeren Familien bis hin in den Bereich der Asozialität konzentrieren, sind sie in Frankreich auch bei mittleren und höheren Einkommensschichten bedeutsam. Der französische Weg setzt klare Anreize, dass Kinder insbesondere auch in den sozial intakten Familien der Mittelschicht auf die Welt kommen und großgezogen werden. Das führt zu einer besseren Ausbildung der Kinder und sorgt beim Erbgang sozusagen automatisch, ohne staatliche Eingriffe, für eine gleichmäßigere Vermögensverteilung.

Das französische Anreizsystem ist freilich nicht auf das Familien-Splitting beschränkt, sondern kennt noch weitere finanzielle Anreize, zu denen zum Beispiel das progressiv nach der Kinderzahl gestaffelte Kindergeld und ein Familienzuschlag für Bedürftige mit mindestens drei Kindern gehören. Bemerkenswert ist, dass das französische Anreizsystem noch nicht besonders stark beim ersten Kind, dafür aber umso stärker beim zweiten und vor allem beim dritten Kind ansetzt. Das ist insofern sinnvoll, als nach einer Untersuchung des Bevölkerungswissenschaftlers Birg die Entscheidung für das erste Kind viel weniger auf ökonomische Gegebenheiten reagiert als die Entscheidung für das zweite oder dritte Kind.[42] Für das erste Kind entscheidet man sich eher aus grundsätzlichen Erwägungen. Entweder will man Kinder oder keine, und wofür man sich entscheidet, hängt von vielen Determinanten ab, unter denen die ökonomischen relativ unbedeutend sind. Das ist bei den weiteren Kindern jedoch anders. Nachdem die Grundsatzentscheidung für Kinder getroffen ist, hängt die Entscheidung über die Zahl der Kinder sehr stark von ökonomischen Faktoren ab.

Für die verstärkte Förderung des zweiten und dritten Kindes spricht auch der Umstand, dass sie implizit ein Anreiz für die Geburt des ersten Kindes ist, dass aber umgekehrt die Förderung des ersten Kindes keinen Anreiz bietet, das zweite oder dritte Kind zu bekommen. Wenn man das zweite und dritte

Kind fördert, fördert man indirekt auch das erste Kind, aber wenn man das erste Kind fördert, fördert man nicht zugleich das zweite oder dritte Kind. Schließlich kann man ja das zweite und das dritte Kind nicht vor dem ersten bekommen. Die oben dargestellte Tabelle 7.1 verdeutlicht in aller Klarheit die empirische Relevanz dieser Überlegung.

Berechnungen des ifo Instituts, bei denen das gesamte fiskalische Anreizsystem mit allen seinen komplizierten Facetten berücksichtigt wird, zeigen, dass das erste Kind in Deutschland vom Staat stärker unterstützt wird als in Frankreich, dass aber in Frankreich das zweite und dritte Kind stärker gefördert werden. Die staatliche Entlastung durch das Kindergeld und durch Steuerersparnisse beim zweiten und dritten Kind ist prozentual gesehen deutlich größer als in Deutschland.[43]

Ein französisches Ehepaar mit drei Kindern und einem Einkommensbezieher, der den Durchschnittslohn eines Industriearbeiters bekommt, hatte im Jahre 2000 ein um 9,1 % höheres Nettoeinkommen als ein Ehepaar mit zwei Kindern und dem gleichen Bruttoeinkommen. Für Deutschland betrug der entsprechende Zuwachs beim Nettoeinkommen nur 6,5 %. Erzielte auch der zweite Ehepartner ein Arbeitseinkommen in Höhe von einem Drittel des Durchschnitts, so belief sich der Zuwachs an Nettoeinkommen durch die Geburt des dritten Kindes in Frankreich auf 7,5 % und in Deutschland auf 5,9 %. Falls das Arbeitseinkommen des zweiten Ehepartners zwei Drittel des Durchschnitts betrug, stieg das Einkommen bei der Geburt des dritten Kindes in Frankreich um 7,7 %, während es in Deutschland dagegen nur noch um 4,8 % zunahm. Gerade auch dann, wenn die Ehefrauen berufstätig sind, werden die Familien in Frankreich viel stärker entlastet, wenn sie sich für das dritte Kind entscheiden, als das in Deutschland der Fall ist.

Noch deutlich größer sind die Anreizunterschiede bei Familien, die über überdurchschnittliche Einkommen verfügen und der schon erwähnten bürgerlichen Mittelschicht entstammen. Wenn das Gesamteinkommen der Familie das Drei-

fache des jeweils landestypischen Industriearbeiterlohns ausmacht, was in Deutschland im Jahr 2000 einem Jahresbruttoe-
inkommen von 95.679 Euro entsprach, steigt das Nettoeinkommen mit der Geburt eines dritten Kindes gerade einmal
um 3,5 %, in Frankreich (bei dem entsprechenden Wert in
Höhe von 62.428 Euro) nimmt es hingegen um 6,5 % zu.

Sicher, all das bedeutet für den Staat Einnahmeausfälle und
Ausgabenerhöhungen. Das Budget wird noch stärker strapaziert. Aber in Deutschland könnte man daran denken, die Sozialausgaben des Staates umzuschichten. Vielleicht sollte man
das System der Lohnersatzleistungen, das ohnehin sehr negative Auswirkungen auf den Arbeitsmarkt hat, etwas abspecken,
und vielleicht sollte man den Rentnern zu Gunsten besserer
Schulen für die Enkel die ein oder andere Fernreise streichen.
Schließlich braucht ein jedes Land nicht nur eine Vergangenheit, sondern auch ein Zukunft.

Kinderrente für Eltern und
Riester-Rente für Kinderlose

Deutschland kann und muss von Frankreich lernen, das vor
hundert Jahren bezüglich seiner Geburtenzahlen in einer ähnlichen Situation stand wie Deutschland heute und es mit ener-
gischen Politikmaßnahmen geschafft hat, eine signifikante
Trendwende herbeizuführen. Eine Kopie der französischen
Anreizsysteme wäre ein denkbarer Weg. Vieles spricht dafür,
die gemeinsame Veranlagung von Kindern und Erwachsenen
im Steuersystem vorzusehen, um der verringerten Leistungsfähigkeit der Familien mit Kindern Rechnung zu tragen. Auch
sollte die Zahl der Kindergärten in Relation zur Zahl der Kinder auf das international übliche Niveau gehoben werden, und
an der Ganztagsschule führt wegen der notwendigen Effizienz-
steigerung des Bildungssystems ohnehin kein Weg vorbei.

Weniger sinnvoll sind weitere Geldleistungen an Familien

mit Kindern, wie sie zum Beispiel mit dem so genannten Familiengeld der CDU/CSU vorgeschlagen wurden. Zwar sind solche Leistungen im Prinzip geeignet, den Kinderwunsch wieder zu stärken und die Geburtenzahlen zu erhöhen. Das Problem ist aber, dass sie alle auf eine doppelte Intervention des Staates hinauslaufen. Durch die Sozialisierung der Rentenbeiträge in der staatlichen Rentenversicherung wird der Kinderwunsch vertrieben, und durch andere, kompensierende staatliche Ausgaben wird er von neuem geweckt. Eine solche doppelte Intervention ist für sich genommen nicht sinnvoll, denn bei beiden Interventionen gibt es noch andere Verzerrungen im Verhalten neben der Änderung der Geburtenhäufigkeit, die sich nicht kompensieren, sondern addieren und per saldo zu Nachteilen für die Staatsbürger führen. So ruft zum Beispiel die Rentenversicherung künstliche Anreize zur Frühverrentung, zum Verzicht auf Arbeit oder zur Schwarzarbeit hervor, und beim Familiengeld muss man mit künstlichen Anreizen für die Immigration Kinderreicher sowie mit einem Anstieg der Schwarzarbeit und einer Leistungsverweigerung bei denjenigen rechnen, die dieses Familiengeld durch ihre Steuern finanzieren sollen. Angesichts der ohnehin schon exorbitant hohen Steuerbelastung der deutschen Arbeitnehmer kann dies kein gangbarer Weg sein.

Besser ist es, die primäre Intervention in die Familienplanung zurückzufahren, die im Rentensystem angelegt ist, indem das Ausmaß der fiskalischen Umverteilung von den Familien mit Kindern zu den Personen ohne Kinder reduziert wird.[44] Einen Ansatzpunkt für die möglichen Reformen liefert die Riester-Rente, die mit der Rentenreform des Jahres 2000 eingeführt wurde. Wie erläutert, ist die richtige Erwägung hinter dieser Reform, dass die Deutschen heute weniger Humankapital bilden, als es frühere Generationen taten, und zum Ausgleich zusätzliches Realkapital ansparen müssen. Die Riester-Rente ist aber noch nicht zu Ende gedacht. Sie kuriert die Symptome der deutschen Krankheit, doch nicht ihre Ursachen. Sie verringert die Fehlanreize für die Familienplanung nicht und führt zu kaum erträglichen Lasten bei denjenigen, die durch die Erziehung von Kindern bereits den vollen Beitrag zur Finanzierung der zukünftigen Umlagerenten leisten und mit ihren finanziellen Beiträgen zur Rentenversicherung die heutigen Rentner ernähren.

Statt eine ganze Generation kollektiv in die Verantwortung zu nehmen, sollten die Rentenkürzungen, die durch die demografische Krise ab etwa 2020 nötig werden und ihren Höhepunkt um das Jahr 2035 erreichen werden, auf die Kinderlosen konzentriert werden. Wer keine Kinder in die Welt setzt und großzieht, dem kann eine größere Rentenkürzung zugemutet werden als Eltern, die die demografische Krise nicht zu verantworten haben. Die Rente der Kinderlosen sollte nicht auf null reduziert werden, denn das würde ihre ökonomische Hauptfunktion als Versicherungsschutz gegen die ökonomischen Konsequenzen der Kinderlosigkeit negieren und unberücksichtigt lassen, dass die Kinderlosen auf dem Wege des Familienlastenausgleichs einen gewissen, wenn auch geringen Beitrag zur Mitfinanzierung der Kinder leisten. Doch erscheint beim durchschnittlichen Rentenbezieher eine Kürzung der Rente auf die Hälfte dessen als angebracht, was nach der alten, bis 1992 geltenden Rentenformel gewährt worden wäre. Eine solche Kürzung ergibt sich wegen der Verdoppelung der Zahl der Alten bis zum Jahr 2035 automatisch, wenn man die Beitragssätze konstant hält und den Bundeszuschuss nicht erhöht. Ein Gutteil dieser Kürzung ist mit den Rentenreformen von 1992 und 1999 auch schon beschlossen worden. Wer mindestens drei Kinder großzieht und durchschnittliche Beiträge gezahlt hat, dem sollte freilich auch auf dem Höhepunkt der demografischen Krise eine auskömmliche Rente erhalten bleiben. Wer ein oder zwei Kinder hat, dem kann eine anteilige Rentenkürzung zugemutet werden.

Die von Kürzungen Betroffenen müssen angehalten werden, etwa in dem Maße eine Riester-Rente anzusparen, wie ihnen die umlagefinanzierte Rente mangels Beitragszahlern nicht mehr gewährt werden kann. Dabei wird die derzeit vorgesehene Ersparnis von nur 4 % bei Kinderlosen nicht ausreichen, um den Verlust an Umlagerente wettzumachen. Eher muss man an einen Betrag in der Höhe von 6 % bis 8 % denken.

Die Staffelung von Umlagerente und Riester-Rente nach der Kinderzahl wird zu der wünschenswerten Änderung der Familienplanung führen. Wenn Kinderlose 6 % bis 8 % ihres Bruttoeinkommens für ein bloß kompensierendes Riester-Sparen verwenden müssen, mit dem sie sich die gleiche Gesamtrente wie Leute mit Kindern sichern können, erhalten Kinder in der Lebensplanung wieder ein stärkeres Gewicht. Manch ein bislang noch unschlüssiges junges Paar wird sich unter diesen Umständen doch für Kinder entscheiden. Und wie gesagt: Es geht nicht darum, den Staat bei der Familienplanung mitreden zu lassen, sondern ganz im Gegenteil, ihn wieder ein Stück weit aus der Familienplanung herauszunehmen.

Bei der Rentenkürzung für Kinderlose dürfen allerdings die bereits aufgebauten Anwartschaften nicht angetastet werden. Die Reform betrifft nur die heute noch jüngeren Menschen; somit nimmt sie niemandem etwas weg, was ihm gehört. Die heute Jungen haben Zeit genug, sich auf dem Wege des Riester-Sparens eine auskömmliche Rente zu sichern, falls sie keine Kinder haben können oder wollen. Je älter man ist, desto mehr Anwartschaften hat man im alten System erworben, und desto geringer sind die Möglichkeiten, die Riester-Rente anzusparen. Ältere Menschen werden deshalb von der notwendigen Reform kaum erfasst, und wer schon Rente bezieht, den betrifft sie gar nicht.

Die Einführung eines von der Kinderzahl abhängigen Renten- und Pensionssystems ist nicht nur geeignet, die Staatsintervention in die Familienplanung zurückzunehmen und die natürlichen Motive für den Kinderwunsch wieder stärker zur Geltung kommen zu lassen. Sie ist zudem auch gerecht, denn sie folgt dem Verursacherprinzip und dem Leistungsfähigkeits-prinzip.

Wer keine Kinder hat und insofern zu wenig tut, um seine eigene Rente im Umlagesystem zu sichern, muss die Konsequenzen tragen und selbst auf dem Wege der Ersparnis für Ersatz sorgen. Und wer keine Kinder hat, der kann sparen, weil er keine Ausgaben für die Kindererziehung leisten muss. Er ist vergleichsweise liquide und kann die bei der Kindererziehung eingesparten Geldmittel am Kapitalmarkt anlegen, um auf diese Weise seine gekürzte Umlagerente zu ergänzen. Die Leistungsfähigkeit für ein kompensierendes Riester-Sparen ist vorhanden.

Man mag gegen den Vorschlag einwenden, mit der Zahlung des Rentenbeitrags erbrächten junge, kinderlose Bürger bereits eine Leistung für die eigene Rente, und insofern sei es ungerecht, sie auf dem Wege des Riester-Sparens zu einer zweiten Leistung zu zwingen. Dieses Argument verkennt, dass es im Generationenzusammenhang zu den normalen Pflichten einer jeden Generation gehört, *zwei* Leistungen zu erbringen: In der leistungsfähigen Lebensphase muss man seine Eltern *und* seine Kinder ernähren. Die erste dieser beiden Leistungen wird in Form der Rentenbeiträge erbracht, die in vollem Umfang an die heutigen Rentner fließen. Doch die zweite Leistung wird von vielen Menschen nicht erbracht, weil sie sich gegen Kinder entscheiden oder keine Kinder bekommen können. So gesehen ist es sehr wohl gerecht, nun auch diesen Menschen eine zweite Leistung in Form des Riester-Sparens abzuverlangen. Dadurch sichern sie sich die Rente, deren Vollfinanzierung man den wenigen zukünftigen Beitragszahlern nicht mehr zumuten kann, und es wird möglich, den Eltern einen größeren Teil der von ihren eigenen Kindern gezahlten Rentenbeiträge zu belassen. Menschen, die mehrere Kinder großziehen, an der Riester-Rente zu beteiligen, hieße indes, ihnen eine dreifache Last aufzuerlegen. Als Beitragszahler ernähren sie die jetzt Alten, als Eltern finanzieren sie über die Kosten der Kindererziehung die Renten aller zukünftigen Rentenbezieher, und als Riester-Sparer müssten sie zusätzlich ihre eigenen Renten finanzieren.

Ungewollt Kinderlose mögen sich durch den Vorschlag bestraft vorkommen. Zum Nachteil der Kinderlosigkeit gesellt sich der Nachteil der verringerten Umlagerente hinzu. Man beachte aber, dass das Leistungsfähigkeitsargument nichts mit dem Grund der Kinderlosigkeit zu tun hat. Es gilt unabhängig davon, warum Menschen keine Kinder haben, ob sie keine bekommen wollen oder keine bekommen können. Auch die ungewollt Kinderlosen haben die Leistungsfähigkeit für ein kompensierendes Riester-Sparen. Das Geld, das sie nicht für die Kindererziehung ausgeben können, obwohl sie es gerne wollten, steht ihnen für die Ersparnis zur Verfügung. Sie können es auf dem Kapitalmarkt anlegen, um so die ihnen nicht mögliche Investition in Humankapital durch eine Investition in Realkapital zu ersetzen. Unabhängig davon müssen sie natürlich wie alle anderen mit ihren Rentenbeiträgen die Generation ihrer eigenen Eltern weiter unterstützen.

Ein Einwand gegen die Staffelung der Umlagerenten nach der Kinderzahl, der vom Geschäftsführer des Verbandes Deutscher Rentenversicherungsträger (VDR), Franz Ruland, erhoben wurde,[45] bezieht sich auf den Umstand, dass ein Teil der Kinder als Mitglieder der gesetzlichen Rentenversicherung nicht wieder zu Beitragszahlern werden, sondern als Beamte, Selbständige oder nicht Erwerbstätige keine Beiträge leisten. Ruland sieht es als ungerecht an, wenn auch jene, deren Kinder gar nicht in die Rentenversicherung einzahlen, eine höhere Umlagerente bekommen.

Dieses Problem ist von begrenzter quantitativer Bedeutung, denn wie schon erwähnt wird ein neugeborenes Kind nach heutigen Verhältnissen mit einer Wahrscheinlichkeit von etwa zwei Dritteln zu einem Beitragszahler in der Rentenversicherung. Demnach könnte man ohne weiteres auch ein System begründen, bei dem zwei Drittel der Ansprüche auf umlagefinanzierte Renten an die Bedingung geknüpft werden, dass Kinder vorhanden sind, und nur ein Drittel als Sockel für alle, inklusive der Kinderlosen, zur Verfügung steht. Wenn diese Sockelrente aber nicht nur ein Drittel, sondern 50 % betragen soll, wie hier vorgeschlagen wird, und den Kinderlosen insofern im Sinne der Versicherung gegen die Kinderlosigkeit immer noch ein Anspruch auf die Leistungen der Kinder anderer Leute gewährt werden soll, sticht der Einwand nicht.

Das hat in ähnlicher Form übrigens auch das Bundesverfassungsgericht in seinem so genannten Mütterrentenurteil vom 7. Juli 1992 festgestellt.[46] Das Argument, dass man die Rentenhöhe nicht von der Zahl der Kinder der Rentner abhängig machen könne, weil ein Teil der Kinder keine Beitragszahler würde, hat es als nebensächlich beiseite geschoben.

Man kann den Einwand von Ruland aber auch positiv aufgreifen und die Kinderrente verallgemeinern. Die von der Kinderzahl abhängige Rente könnte allen gewährt werden, die Kinder großziehen, auch wenn sie selbst keine Beiträge in die Rentenversicherung eingezahlt haben, also auch den Selbständigen, den Beamten und insbesondere auch den erwerbslosen Frauen. Für jedes Jahr, während dessen man als deutscher Staatsbürger das Sorgerecht für ein Kind ausgeübt hat, würde man Entgeltpunkte bekommen, auf deren Basis später eine Rente ausgezahlt wird. Im Ausgleich muss man dann freilich neue Anwartschaften auf Beamtenpensionen ebenfalls in ähnlicher Weise reduzieren wie neue Anwartschaften auf umlagefinanzierte Renten. Wie oben schon erläutert, sind Beamtenpensionen nur rechtlich etwas anderes als umlagefinanzierte Renten. Ökonomisch sind sie im Wesentlichen dasselbe, denn Beamte zahlen implizit Umlagebeiträge zur Finanzierung der Pensionen, indem der Wettbewerb auf dem Arbeitsmarkt sie zwingt, sich mit niedrigeren Bruttogehältern als vergleichbare Arbeitnehmer der Privatwirtschaft zu begnügen. Insofern wäre es aus ökonomischer Sicht durchaus denkbar, auch die Beamtenpensionen in das System einzubeziehen.

Gewappnet für die Zukunft: die vier Rentensäulen

Das neue Rentensystem, in das die Bevölkerung allmählich, über den weiteren Aufbau von Anwartschaften, hineinwachsen würde, hätte demgemäß vier Säulen.

Die erste Säule ist die reduzierte, umlagefinanzierte gesetzliche Altersrente nach bisherigem Muster. Sie operiert weiter wie bisher, aber sie erhält keine höheren Bundesmittel und auch keine Mittel aus Beitragserhöhungen. Sie muss mit dem Geld auskommen, das bei konstanten Beitragssätzen und einem konstanten prozentualen Bundeszuschuss hereinkommt. Die demografische Krise wird sich dann in einer entsprechenden Verlangsamung des Rentenanstiegs äußern.

Die zweite Säule besteht aus Beamtenpensionen. Die Pensionen werden nach den gleichen Regeln wie heute ausgezahlt, doch werden sie an das durchschnittliche Rentenniveau der gesetzlichen Renten der ersten Säule gebunden und entwickeln sich prozentual genauso wie diese. Auch sie werden also wegen der demografischen Krise insbesondere ab den zwanziger Jahren nur noch sehr langsam ansteigen.

Die dritte Säule ist die Kinderrente. Für diese Rente werden, beginnend mit dem Zeitpunkt der Reform, durch die Wahrnehmung des Sorgerechts für Kinder Anwartschaften aufgebaut. Die Anwartschaften werden später, wenn entsprechende Renten fließen, von allen dann Erwerbstätigen inklusive der Beamten und Selbständigen finanziert.[47] Die Maximalrente soll erreicht werden, wenn man drei Kinder großzieht. Die nach der derzeitigen Rechtslage notwendige Mittelerhöhung für die gesetzliche Rentenversicherung im Umfang von etwa 12 % der Bruttolöhne (vergleiche Abbildung 7.7, Kapitel 7), die bis zum Jahr 2035 zu erwarten ist, entfällt und wird partiell durch den Beitrag für die Kinderrente ersetzt. Letzterer kann sehr viel niedriger sein, weil unter dem neuen System nur noch die Kinderreichen in den Genuss der vollen

Umlagerente kommen, wie sie früher einmal für alle geplant war.

Die vierte Säule besteht aus dem kompensierenden Riester-Sparen, das etwaige Defizite bei der Kinderzahl ausgleicht. Man muss in dem Maße Rentenansprüche durch eigene Ersparnis bilden, wie man selbst keine Kinder hat und wie man folglich von der dritten Säule nichts zu erwarten hat. Die Ersparnis ist Pflicht, um auszuschließen, dass jemand darauf spekulieren kann, sich im Alter durch die Sozialhilfe versorgen zu lassen und sich deshalb heute ein schönes Leben macht, statt für das Alter zu sparen.

Alle Komponenten des Systems sind so auszutarieren, dass die Summe der Rentenansprüche beim Durchschnittsverdiener ein einheitliches Rentenniveau in Relation zu den Nettolöhnen der Arbeitnehmer erbringt. Dabei kann man zum Beispiel das Niveau anpeilen, das nach der heutigen Rechtslage in der Summe aus Riester-Rente und Umlagerente längerfristig angestrebt ist. Das dargestellte System würde die Renten und Pensionen in Deutschland sichern. Es wäre leistungsrecht, es würde niemanden überfordern, und vor allem würde es die ökonomischen Gründe für den Kinderwunsch, die das System von Bismarck und Adenauer vertrieben hat, wenigstens teilweise wieder zum Tragen bringen.

LAND DER GREISE

1 United Nations Population Division, World Population Prospects: The 2002 Revision, Mittlere Projektion.

2 Hier wie im Folgenden bezieht sich die Nationalitätsbezeichnung normalerweise auch auf die in den jeweiligen Ländern lebenden Ausländer. Aus dem Zusammenhang sollte klar werden, wann im Unterschied dazu die formelle Staatsangehörigkeit gemeint ist.

3 Man beachte, dass es hier um die Ausländer und nicht die Zugewanderten geht, für die es nur ungenaue Statistiken gibt. Ende 2002 lebten in Deutschland 7,336 Millionen Personen mit nichtdeutscher Staatsangehörigkeit. Dazu zählen die 1,5 Millionen Ausländer, die in Deutschland geboren sind, doch nicht die 3,5 Millionen Neubürger, die in der Zeitspanne von 1970 bis 2002 eingebürgert wurden.

4 Statistisches Bundesamt, Bevölkerung Deutschlands bis 2050, 10. koordinierte Bevölkerungsvorausberechnung, Wiesbaden 2003. Die Angabe zur prognostizierten Bevölkerungszahl ohne Zuwanderung ist eine eigene, sich aber unmittelbar ergebende Berechnung auf der Basis der Varianten 4 und 5 des Amtes. Die anderen Zahlen sind aus dem Bericht des Amtes zitiert, wobei immer auf die mittlere Variante bei der unterstellten Zunahme der Lebenserwartung zurückgegriffen wird. (Bereits die niedrige Variante geht allerdings von einer beschleunigten Zunahme der Lebenserwartung aus, die nur schwer nachvollziehbar ist.)

5 Vergleiche Statistisches Bundesamt, auf Anfrage.

6 Die Geburtenrate eines bestimmten Kalenderjahres ist definiert als die durchschnittliche Zahl der Kinder, die Frauen von ihrem 15. bis zu ihrem 49. Lebensjahr gebären würden, wenn sich ihre Geburtenhäufigkeit im Lebenszyklus genau nach dem Muster entwickeln würde, wie es in diesem Kalenderjahr bei Frauen verschiedenen Alters tatsächlich beobachtbar ist.

7 Vergleiche Weltbank, World Development Indicators, 2002, CD-ROM.

8 Vergleiche A. Maddison, Dynamic Forces in Capitalist Development. A Long-run Comparative View, Oxford University Press, Oxford 1991, S.241.

9 Vergleiche F. E. Weinert, Wissen und Denken – Über die unterschätzte Bedeutung des Gedächtnisses für das menschliche Denken, Jahrbuch 1996 der Bayerischen Akademie der Wissenschaften, München 1997, S.98, beziehungsweise J. P. Guilford, The Nature of Human Intelligence, McGraw-Hill, New York 1967, und H. C. Lehmann, Age and Achievement, Princeton University Press, Princeton 1953.

10 Vergleiche J. Brüderl, P. Preisendörfer und R. Ziegler, Der Erfolg neugegründeter Betriebe, Duncker & Humblot, Berlin 1996.

11 Deutsches Patent- und Markenamt, München, auf Anfrage, 2002.

12 H.-W. Sinn und S. Übelmesser, Pensions and the Path to Gerontocracy in Germany, European Journal of Political Economy 19, 2002, S.153–158.

13 Entscheidungen des Bundesverfassungsgerichts, Urteil vom 28. Februar 1980, Bd. 53, S.257. Siehe dazu auch das Urteil vom 16. Juli 1985, ebenda, Bd. 69, S.272ff. und S.301.

14 Statistisches Bundesamt, Bevölkerung Deutschlands bis 2050, a.a.O., Varianten 4 und 5.

15 Mit Hilfe dieses Rentenmodells wurden seinerzeit auch die Berechnungen für das Gutachten des Wissenschaftlichen Beirats beim Bundesministerium für Wirtschaft (Wissenschaftlicher Beirat beim BMWi, Grundlegende Reform der gesetzlichen Rentenversicherung, Gutachten, Bonn 1998) durchgeführt, das eine vierprozentige Ersparnis für eine Teilkapitaldeckung der

Rentenversicherung empfahl und die Basis für die Rentenreform Walter Riesters war.

16 In der Projektion wird die kurzfristige konjunkturelle Dynamik weitgehend ausgeblendet. Außerdem beruht die Schätzung bis auf weiteres auf vergleichsweise günstigen Annahmen, insbesondere hinsichtlich der Überwindung struktureller Probleme am Arbeitsmarkt und der Effekte der schrittweisen Vereinheitlichung aller relevanten Altersgrenzen beim gesetzlichen Rentenalter von 65. Die Entwicklung der Beitragssätze wird daher vor allem während der ersten Jahre des Projektionszeitraums möglicherweise noch unterschätzt.

17 Der Bundeszuschuss wurde in zwei Schritten aufgestockt. Mit dem Gesetz zur Finanzierung eines zusätzlichen Bundeszuschusses zur gesetzlichen Rentenversicherung vom April 1998 wurde zunächst das Aufkommen der um einen Prozentpunkt erhöhten Mehrwertsteuer herangezogen. Sodann wurde der Rentenversicherung mit dem Rentenkorrekturgesetz vom Dezember 1998 das Aufkommen der so genannten Ökosteuer zugesprochen. Eine Zweckbindung dieser Einnahmen im engeren Sinn existiert allerdings nicht.

18 R. Koll, Die Entwicklung der Staatsquote in Deutschland bis 2050, mimeo, ifo Institut für Wirtschaftsforschung, München 2001.

19 Zahlen für 2002: Statistisches Bundesamt, Mikrozensus, Wiesbaden 2002 (http://www.destatis.de) und Statistisches Bundesamt, Fachserie 18, Reihe 3.1, erstes Vierteljahr 2003.

20 Vergleiche Kapitel 6, Abschnitt »Wohin fließt das viele Geld?«.

21 Vergleiche M. Miegel, Perspektiven der sozialen Sicherung: über die fehlende Nachhaltigkeit des Umlageverfahrens, in: Freiheit und Fortschritt: die Suche nach einem gemeinsamen Nenner, Zürich Verlag, 2001, S.123–135; M. Miegel und S. Wahl, Solidarische Grundsicherung – private Vorsorge: der Weg aus der Rentenkrise, Aktuell im Olzog-Verlag, München 1999.

22 United Nations, Department of Economic and Social Affairs, Population Division, Replacement Migration: Is it a Solution to Declining and Ageing Populations?, New York 2001, S.42.

23 Statistisches Bundesamt, Bevölkerung Deutschlands bis 2050, ebenda, S.16.

24 Wissenschaftlicher Beirat beim Bundesministerium für Wirtschaft, Grundlegende Reformen der gesetzlichen Rentenversicherung, Gutachten, Bundesministerium für Wirtschaft, Bonn 1998. Vergleiche auch H.-W. Sinn, Die Krise der Gesetzlichen Rentenversicherung und Wege zu ihrer Lösung, Jahrbuch der Bayerischen Akademie der Wissenschaften, Vortrag auf der Jahrestagung 1998, C. H. Beck, München 1999. Auf Bitten des Ministeriums hatte das Center for Economic Studies seinen Mitarbeiter Jakob von Weizsäcker zur Mithilfe bei der Vorbereitung der Reform in das Ministerium entsandt.

25 Vergleiche H.-W. Sinn, The Value of Children and Immigrants in a Pay-as-you-go Pension System, ifo Studien 47, 2001, S.77–94.

26 Vergleiche H.-W. Sinn und M. Werding, Zuwanderung nach der EU-Osterweiterung: Wo liegen die Probleme?, ifo Schnelldienst 54, 2001, Nr. 8, S.18–27.

27 United Nations, Department of Economic and Social Affairs, Population Division, Replacement Migration: Is it a Solution to Declining and Ageing Populations?, New York 2001, Scenario VI, S.42.

28 Eigene Berechnung auf der Basis von Berechnungen, die H. Adrian durchgeführt hat. Vergleiche H. Adrian, a.a.O, Folie 31.

29 Vergleiche H.-W. Sinn, The Pay-as-you-go Pension System as a Fertility Insurance and Enforcement Device, erscheint in: Journal of Public Economics (NBER Working Paper Nr. 6610, 1998; CESifo Working Paper Nr. 154, 1998).

30 Vergleiche I. Ehrlich und J.-G. Chong, Social Security and the Real Economy: An Inquiry into Some Neglected Issues, American Economic Review 88, 1998, S.151–157, beziehungsweise I. Ehrlich und J. Kim, Social Security, Demografic Trends, and Economic Growth: Theory and Evidence from the International Experience, SUNY Working Paper, Buffalo, mimeo, 2001.

31 Vergleiche A. Cigno und F. C. Rosati, Jointly Determined Saving and Fertility Behaviour: Theory, and Estimates for Germany, Italy, UK and USA, European Economic Review 40,

1996, S.1561–1589, beziehungsweise A. Cigno und F. C. Rosati, Rise and Fall of the Japanese Saving Rate: the Role of Social Security and Intra-family Transfers, Japan and the World Economy 9, 1997, S.81–92.

32 Vergleiche A. Cigno, L. Casolaro und F. C. Rosati, The Role of Social Security in Household Decisions: VAR Estimates of Saving and Fertility Behaviour in Germany, CESifo Working Paper Nr. 394, 2000.

33 Vergleiche W. Schreiber, Zur Reform der gesetzlichen Rentenversicherung, Zeitschrift für Sozialreform 1956, S.2–4; O. von Nell-Breuning, Soziale Sicherheit? Zu Grundfragen der Sozialordnung aus christlicher Verantwortung, Herder, Freiburg/Basel/Wien 1979, S.59f., 84 und 87.

34 Unterstellt wurde: Aufnahme einer sozialversicherungspflichtigen Beschäftigung im Alter von 20 Jahren; Entwicklung des jährlichen Arbeitseinkommens über die Erwerbsphase hinweg nach einem durchschnittlichen Lohnprofil, das auf Mikrodatenbasis hergeleitet wurde; Berücksichtigung der durchschnittlichen Wahrscheinlichkeit vorzeitiger Invalidität ab dem 54. Lebensjahr; definitives Ausscheiden aus dem Berufsleben mit 65 Jahren; das durchschnittliche Lohneinkommen aller Versicherten wächst real um 1,5 % pro Jahr; es wird ein Kapitalmarktzins von real 4 % und ein Beitragssatz zur Sozialversicherung von 20 % unterstellt, vergleiche H.-W. Sinn, a.a.O., S.77–94. Die Angaben für 2003 sind mit der Steigerungsrate der Bruttolöhne und -gehälter je Arbeitnehmer hochgerechnet worden.

35 Deutschland: Statistisches Bundesamt, auf Anfrage; Frankreich: INSEE, Pressemitteilung Nr. 882 vom Januar 2003, S.2f.

36 Vergleiche A. Maddison, Dynamic Forces in Capitalist Development. A Long-run Comparative View, Oxford University Press, Oxford 1991, S.226ff.

37 Vergleiche H.-W. Sinn, Das demografische Defizit, ifo Schnelldienst 56, 2003, Nr. 5, S.20–36.

38 Vergleiche ebenda.

39 Carl Schurz (1829 – 1906) wurde bei der Revolution von 1848 verhaftet, konnte fliehen, wanderte mit seiner Frau Margarethe, geb. Meyer, nach Amerika aus, arbeitete als Berater für Abraham

Lincoln und diente ihm als General im Bürgerkrieg. Er hatte viele Funktionen im neuen amerikanischen Staat inne. Unter anderem war er Innenminister unter Präsident Rutherford B. Haye und konnte in dieser Funktion Einfluss auf die Verbreitung des Kindergartens nehmen, den seine Frau im Jahr 1856 in Watertown, Wisconsin, gegründet hatte. Der Kindergarten in Watertown, in dem auf Deutsch unterrichtet wurde, bestand bis zum Ersten Weltkrieg und wurde dann wie fast alle deutschsprachigen Einrichtungen in den USA geschlossen.

40 Im Jahre 1999 erreichten die durchschnittlichen Stundenlöhne der Frauen in Deutschland 81 % der Männerlöhne und in Frankreich 88 %; vergleiche Eurostat, Pressemitteilung Nr. 27, vom 5. März 2003, S.3.

41 Vergleiche K. Vogel, Berücksichtigung von Unterhaltspflichten im Einkommensteuerrecht, Deutsches Steuerrecht 1977, S.31ff., hier S.41.

42 H. Birg, Strategische Optionen der Familien- und Migrationspolitik in Deutschland und Europa, erscheint in: C. Leipert, Hrsg., Demografie und Wohlstand. Neuer Stellenwert für Familien in Wirtschaft und Gesellschaft, Leske und Budrich, Opladen 2003.

43 Siehe W. Meister und W. Ochel, Steuerliche Förderung von Familien im internationalen Vergleich, ifo Schnelldienst 56, 2003, Nr. 5, S.65ff.

44 Vergleiche dazu auch E.-J. Borchert, Die Berücksichtigung familiärer Kindererziehung im Recht der gesetzlichen Rentenversicherung, Duncker & Humblot, Berlin 1981; derselbe, Innenweltzerstörung. Sozialreform in die Katastrophe, S. Fischer, Frankfurt/Main 1989; J. Resch und W. Knipping, Die Auswirkungen des in der Bundesrepublik Deutschland bestehenden gesetzlichen Alterssicherungssystems auf die wirtschaftliche Situation der Familie, Jahrbuch für Sozialwissenschaft. Zeitschrift für Wirtschaftswissenschaft 33, 1982, S.92–122; H. Schmidt, U. Fank und I. Müller-Rohr, Kritische Bemerkungen zum System des Kinderlastenausgleichs – zugleich ein Vorschlag zur Neugestaltung der gesetzlichen Rentenversicherung, Finanzarchiv N.F. 43, 1985, S.28–66; R. Dinkel, Die Auswir-

kungen eines Geburten- und Bevölkerungsrückgangs auf Entwicklung und Ausgestaltung von gesetzlicher Alterssicherung und Familienlastenausgleich, Duncker & Humblot, Berlin 1984; M. Werding, Zur Rekonstruktion des Generationenvertrages. Ökonomische Zusammenhänge zwischen Kindererziehung, sozialer Alterssicherung und Familienleistungsausgleich, Mohr/Siebeck, Tübingen 1998.

45 Vergleiche F. Ruland, Volle Rente für Kinderlose, Financial Times Deutschland, 20. Januar 2003, S. 26.

46 Vergleiche BVerfGE 87, 37. In einem Urteil vom 3. April 2001 (1 BvR 1629/94) hat das Verfassungsgericht die gleiche Beitragsbelastung in der Pflegeversicherung von Kinderlosen und Personen, die Kinder betreuen, für grundgesetzwidrig erklärt.

47 Überlegungen, die Rentenansprüche an der »Qualität« der Humankapitalinvestition, also beispielsweise am Einkommen und den Beiträgen der eigenen Kinder auszurichten, drängen sich auf, um auf diese Weise entsprechende Anreize für eine gute Ausbildung der eigenen Kinder zu setzen. Indes würde eine solche Differenzierung des Vorschlags politisch wahrscheinlich eine Überfrachtung bedeuten. Ihr könnte auch mit dem Argument entgegengetreten werden, dass die durch eigene Anstrengungen der Eltern begründeten Unterschiede im Einkommensniveau der Kinder minimal sind. Zum größten Teil resultieren solche Unterschiede vermutlich aus angeborenen Unterschieden in der Intelligenz oder Leistungsfähigkeit. Eine weit gehende Versicherung der Eltern gegenüber solchen Unterschieden erscheint als angebracht.

*Für Valéry Giscard d'Estaing mit
der Bitte, es sich noch einmal zu
überlegen.*

8.
SPIEL OHNE GRENZEN:
EU-ERWEITERUNG, MIGRATION UND
NEUE VERFASSUNG

Prinzipiell positiv: die europäische Vereinigung – Das Problem: extreme Niedriglohnkonkurrenz – Viele werden kommen – Warum die Wanderung eigentlich gut ist – Zuwanderung in die Arbeitslosigkeit – Zuwanderungsmagnet Sozialstaat – Abschreckungswettbewerb der Sozialstaaten – Die neue EU-Verfassung: zwanzig Mezzogiorni in Europa – Die Lösung: verzögerte Integration in das Sozialsystem

Prinzipiell positiv: die europäische Vereinigung

Der 1. Mai 2004 ist der Tag, an dem die Teilung Europas in West und Ost endgültig überwunden wird. An diesem Tag treten acht osteuropäische Länder der Europäischen Union bei. Zusätzlich sind noch Malta und Zypern dabei. In der Warteschleife stehen Bulgarien und Rumänien, die davon ausgehen, dass sie spätestens 2007 aufgenommen werden.

Die osteuropäischen Länder werden mit Westeuropa, und

hier vor allem mit Deutschland und Österreich, in besonders enge wirtschaftliche Austauschbeziehungen treten. Das ermöglicht Handels- und Spezialisierungsgewinne für alle Seiten. Die kapitalarmen, aber an Arbeitskräften reichen Länder Osteuropas können sich auf arbeitsintensive Produktionsprozesse konzentrieren, und wir können uns auf kapital- und wissensintensive Hochtechnologiebereiche spezialisieren. Wir können preisgünstige Konsumgüter aus Osteuropa beziehen und im Austausch die Maschinen und Fertigungssysteme liefern, bei denen wir auch heute noch im internationalen Vergleich an der Spitze liegen.

Die Osterweiterung wird Europa inneren Frieden und allgemeine Prosperität bringen. Die Kräfte der Marktwirtschaft werden die ehemals kommunistischen Wirtschaftssysteme stürmisch wachsen lassen und ihnen eine Entwicklung bescheren, die dem deutschen Wirtschaftswunder der Nachkriegszeit, dem japanischen Aufstieg in den siebziger und achtziger Jahren und dem sich anschließenden Boom der anderen ostasiatischen Ländern ähnelt. Die Integration in die europäischen Güter-, Kapital- und Arbeitsmärkte wird die Verhältnisse in Ost- und Westeuropa während der nächsten Jahrzehnte einander immer mehr annähern, was ohne jeden Zweifel mit einer erheblichen Verbesserung des Lebensstandards der Osteuropäer verbunden sein wird.

Man wird sehen müssen, ob sich Europa dann noch weiter ausdehnt. Auf jeden Fall wartet noch die Türkei mit ihrer rasch wachsenden und mittlerweile schon fast 70 Millionen Einwohner umfassenden Bevölkerung. Die Türkei ist seit 1963 assoziiertes Mitglied der EU, bewarb sich 1987 um die Vollmitgliedschaft und erhielt 1999 von der EU den formellen Kandidatenstatus. Ob und wann sie dabei sein wird, ist noch nicht klar, aber die Amerikaner drängeln, und neuerdings, welch Wunder, auch die Griechen. Der Wunsch, die eigene Randlage zu überwinden, ist stets mächtiger als alte Feindschaften. Durch die Mitgliedschaft Zyperns, dessen interne Grenze zwi-

Bevölkerungszuwachs der EU durch die Osterweiterung im Jahr 2004	
in Millionen	
Polen	38,7
Ungarn	10,3
Tschechien	10,1
Slowakei	5,4
Litauen	3,5
Lettland	2,3
Slowenien	2,0
Estland	1,4
Zypern	0,7
Malta	0,4
Insgesamt (2004)	**74,5**
Bulgarien	7,8
Rumänien	22,3
Türkei	69,6

Quelle: Eurostat, Statistik kurz gefasst Nr. 25, 2002 (Bevölkerung zum Jahresbeginn 2003; Türkei 2002 Weltbank, Website).

TABELLE 8.1

schen dem türkischen und dem griechischen Landesteil gerade geöffnet wurde, sind in dieser Hinsicht bereits Fakten geschaffen worden.

Wie Tabelle 8.1 zeigt, umfasst die Riege der Länder, die im Jahr 2004 beitreten werden, 75 Millionen Einwohner. Die EU wird dadurch von 380 auf 455 Millionen Einwohner anwachsen und ihren Vorsprung gegenüber den USA ausbauen, die nur 290 Millionen Einwohner haben. Wenn Bulgarien und Rumänien eingerechnet werden, was die Zahl der Einwohner der neuen EU-Länder auf 105 Millionen erhöht, steigt die Gesamtbevölkerung der EU etwa um denselben Prozentsatz (28 %) wie seinerzeit die Bevölkerung der Bundesrepublik Deutschland bei der deutschen Vereinigung. So gesehen ist die Osterweiterung der EU für die soziale Marktwirtschaft der Bundesrepublik Deutschland die zweite große Herausforderung der Nachkriegszeit, hoffentlich eine, die sie besser besteht als die erste.

Das bedeutet nicht, dass die ökonomischen Probleme, die zu meistern sein werden, identisch sind. Der große Unterschied besteht ja darin, dass die EU, jedenfalls bislang, nur ein lockerer Staatenbund ist, der nicht in der Lage ist, eine ähnliche Politik gegenüber den osteuropäischen Ländern durchzusetzen wie seinerzeit die Bundesrepublik gegenüber den neuen Bundesländern. Die EU kann ihren Gewerkschaften und Arbeitgeberverbänden nicht in Osteuropa die Gelegenheit geben, zum Schutz der westeuropäischen Industrien eine rasche Lohnangleichung durchzusetzen. Sie kann keine westlichen Standards bei den Lohnersatzleistungen des Sozialstaates vorschreiben, die die Lohnangleichung zusätzlich erzwingen würde. Sie verfügt nicht über die Mittel, ähnliche Finanztransfers von West nach Ost auszulösen, wie es die Bundesrepublik nach der Vereinigung innerhalb Deutschlands tat. Und schließlich darf sie auch keine Schulden machen, um solche Transfers auf diese Weise zukünftigen Generationen anzulasten.

Die Befürchtung, dass die Osterweiterung uns alle sehr viel Geld kosten wird, wird freilich immer wieder geäußert. Würde die Osterweiterung der EU ähnlich teuer wie die Osterweiterung der Bundesrepublik Deutschland, dann müsste der Westen sich auf weitere vier bis fünf Prozent seines Bruttosozialprodukts als Transferlast einstellen. Das ist aber nicht zu erwarten. Das gesamte EU-Budget hat derzeit nur einen Umfang von 1,1 % des europäischen Bruttosozialprodukts. Die deutschen Bruttozahlungen in die Kassen der EU lagen im Jahr 2002 bei 18,9 Milliarden Euro oder einem Fünftel des Haushaltsvolumens der EU. Hiervon bekam Deutschland 11,5 Milliarden Euro wieder zurück. Die Nettozahlungen betrugen also

7,4 Milliarden Euro oder knapp ein Drittel Prozent des deutschen Bruttosozialprodukts.[1]

Die Osterweiterung der EU wird das EU-Budget nach Angaben der EU-Kommission um weitere 17 % ausweiten.[2] Unter der Annahme, dass die Rückzahlungen aus dem EU-Topf konstant bleiben und wir uns anteilig an der Ausweitung des Budgets beteiligen, werden die deutschen Nettozahlungen um etwa 2,4 Milliarden Euro oder ein Drittel steigen. Sie liegen dann bei etwa einem halben Prozent des deutschen Bruttosozialprodukts. Das ist gerade mal ein Neuntel der Belastung durch die deutsche Vereinigung.

Diese Zahlen zeigen, dass die finanziellen Kosten der Osterweiterung zunächst beherrschbar bleiben, was nicht ausschließt, dass sie über politische Prozesse, wie sie am Ende dieses Kapitels diskutiert werden, schließlich doch noch weiter ausufern könnten. Aber es wäre ein weiter Weg, bis einmal ähnliche finanzielle Lasten wie bei der deutschen Vereinigung entstehen.

Das Problem: extreme Niedriglohnkonkurrenz

Die wirklichen Probleme der Osterweiterung für Deutschland liegen beim Arbeitsmarkt und den möglichen Standortverlagerungen der deutschen Industrie. Die Verschärfung der Wettbewerbslage kommt auch und in besonderem Maße durch die Eingliederung der Wirtschaft Osteuropas zustande.

Die osteuropäischen Länder werden aus drei Gründen besonders intensive Wettbewerber für die deutsche Wirtschaft sein. Erstens verfügen sie über eine gut ausgebildete Arbeitnehmerschaft. Im technischen Bereich waren die Universitäten und Ausbildungssysteme der kommunistischen Länder wettbewerbsfähig, und der kulturelle Hintergrund ist mit dem Westeuropas vergleichbar. Zweitens liegen die neuen EU-Länder nahe bei Westeuropa. Geringe Entfernungen bedeuten geringe Transportkosten für Menschen, Kapital und Güter und des-

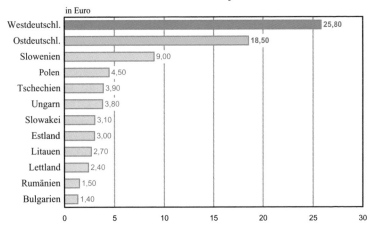

Arbeitskosten[1] je Stunde

in Euro

Westdeutschl.	25,80
Ostdeutschl.	18,50
Slowenien	9,00
Polen	4,50
Tschechien	3,90
Ungarn	3,80
Slowakei	3,10
Estland	3,00
Litauen	2,70
Lettland	2,40
Rumänien	1,50
Bulgarien	1,40

0   5   10   15   20   25   30

1) Durchschnittliche Arbeitskosten in der Industrie und dem Dienstleistungssektor im Jahr 2000.
Quelle: Eurostat; Westdeutschland: Institut der deutschen Wirtschaft;
Ostdeutschland: ifo-Schätzung.

ABBILDUNG 8.1

halb einen intensiven Wettbewerb. Drittens sind die Löhne auch im zweiten Jahrzehnt nach dem Fall des Eisernen Vorhangs immer noch sehr niedrig.

Abbildung 8.1 bietet einen Überblick über die Stundenlohnkosten der Arbeiter in Osteuropa und in Deutschland im Jahr 2000.[3] Man sieht, dass die westdeutschen Lohnkosten in diesem Jahr sechsmal so hoch waren wie die polnischen, siebenmal so hoch wie die ungarischen und einundzwanzigmal so hoch wie die bulgarischen. Selbst die neuen Bundesländer spielen, was die Löhne betrifft, in einer ganz anderen Liga als die osteuropäischen Länder. Ihre Löhne waren viermal so hoch wie die polnischen, fünfmal so hoch wie die ungarischen und vierzehnmal so hoch wie die bulgarischen.

Diese Unterschiede werden sich im Laufe der Zeit verringern. Aber der Anpassungsprozess braucht viele Jahre. Bislang lag die Konvergenz in Westeuropa bei 1,1 %, und als Maximum für sehr rasch verlaufende Anpassungsprozesse geht man empirisch als Faustregel von 2 % pro Jahr aus.[4] Bei einer maximalen Konvergenz von 2 % pro Jahr werden die ungarischen und polnischen Löhne auch im Jahr 2010 nur ein Drittel der westdeutschen Löhne und weniger als die Hälfte der ostdeutschen Löhne ausmachen. Die westdeutschen Löhne werden dann noch beim Viereinhalbfachen der bulgarischen Löhne liegen und die ostdeutschen Löhne noch beim Dreieinhalbfachen.

Die Unterschiede sind und bleiben vorläufig so extrem, dass man kein Ökonom sein muss, um zu erkennen, dass der deutsche Arbeitsmarkt einer extremen Belastung ausgesetzt sein wird. Die deutschen Unternehmen des verarbeitenden Gewerbes werden mehr und mehr Betriebe und damit immer größere Teile der Wertschöpfungskette nach Osteuropa verlagern. Dabei wird sich insbesondere die Flucht des Mittelstands beschleunigen, der nun in kleinerem Rahmen das wiederholen kann, was die Großindustrie in Asien schon vorgemacht hat. Der Markenschwindel mit osteuropäischen Produkten, die in Deutschland noch ihr Herstellungsschild erhalten, wird zunehmen. Die deutsche Konkurswelle wird sich weiterwälzen, weil osteuropäische Wettbewerber sich anstelle der deutschen Firmen auf den Märkten breit machen werden, und das nun auch bei Produkten mit hohen Transportkosten, bei denen sie keine Konkurrenz aus den fernöstlichen Niedriglohngebieten fürchten müssen. All dies ist schon in Kapitel 2 ausführlich erörtert worden. Die dort beschriebenen Prozesse werden mit großer Macht ablaufen.

Gleichzeitig wird es einen erheblichen Wanderungsdruck von Osteuropäern geben, die im Westen ihr Glück suchen. Die Politik wird versuchen, die Wanderungen zu verhindern, aber je erfolgreicher sie dabei ist, desto stärker werden die Kräfte, die auf eine Produktionsverlagerung nach Osteuropa hindrängen. Entweder kommen die Menschen zum Kapital oder das Kapital kommt zu den Menschen. Keine der im Bereich des Möglichen liegenden Regelungen der EU, wie auch immer sie gestaltet sein mag, wird hieran etwas ändern können.

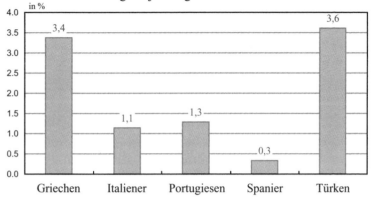

In Deutschland lebende Immigranten als Anteil der Bevölkerung der jeweiligen Herkunftsländer 2002[1)]

1) Ausgewählte Staatsangehörigkeiten; Bestand an Ausländern in Deutschland am Jahresende 2002, vermehrt um die zwischen 1970 und 2002 Eingebürgerten.

Quelle: Eurostat, Pressemitteilung Thema 3 Nr. 25, 2002 (Bevölkerung in der EU), Statistisches Bundesamt, Website 2. April 2003 (Ausländische Bevölkerung in Deutschland), auf Anfrage (Einbürgerungen).

ABBILDUNG 8.2

Viele werden kommen

Es ist nicht einfach, eine Prognose darüber anzustellen, wie viele Osteuropäer nach der Osterweiterung der EU zu uns kommen werden, weil die möglichen politischen Beschränkungen unbekannt sind. So kann man nur das Wanderungspotenzial abschätzen, also die Zahl der Menschen, die kämen, wenn sie dürften.

Einen ersten Anhaltspunkt gibt der Blick auf die Zahlen der in Deutschland bereits ansässigen Ausländer. Wie Abbildung 8.2 darlegt, wohnen etwa vier Prozent der Türken und Griechen in Deutschland und immerhin noch ein bis eineinhalb Prozent der Italiener. Ähnliche Größenordnungen wird man für die Immigration aus den osteuropäischen Ländern erwarten können, wobei freilich nicht klar ist, ob eher die italienischen Zahlen oder eher die türkischen Zahlen relevant sein werden.

Manchmal wird beschwichtigend auf die Immigration aus Spanien und Portugal hingewiesen, weil die Süd-Erweiterung der EU am ehesten mit der Osterweiterung vergleichbar sei. Da die Wanderung nach Deutschland damals gering war, sei auch jetzt keine hohe Wanderung aus Osteuropa zu erwarten.

Der Vergleich hinkt. Erstens führen die Wanderungen zumeist in die benachbarten EU-Staaten. So wie die Spanier und Portugiesen damals vorwiegend nach Frankreich gegangen sind, werden die Polen, Tschechen und Ungarn bevorzugt nach Deutschland und Österreich kommen. Zweitens war der Einkommensabstand bei der Süd-Erweiterung viel geringer. Damals lag das durchschnittliche Lohneinkommen der Spanier und Portugiesen bei knapp 50 % des westdeutschen Lohneinkommens.[5] Im Jahr 2000 lag demgegenüber das Lohneinkommen in den osteuropäischen Beitrittsländern im Schnitt erst bei 16 % des westdeutschen Lohneinkommens.[6] Entsprechend höher wird nun der Anreiz sein, nach Deutschland auszuwandern. Drittens hatte die Wanderung damals bereits vor dem EU-Beitritt stattgefunden, während aus Osteuropa bislang nur eine vergleichsweise geringe Zuwanderung zu verzeichnen war, wenn man von den Osteuropäern absieht, die, nur mit einem Touristenvisum ausgestattet, auf dem deutschen Schwarzmarkt arbeiten. Wer schon ausgewandert ist, kann nach dem EU-Beitritt schließlich nicht noch einmal auswandern. Dieses triviale Faktum darf man bei der Suche nach Parallelen nicht übersehen.[7]

In der Zeit von 1960 bis 1974/75, bis zum Ende der Diktaturen von Franco und Salazar, hatte es bereits eine Massenauswanderung aus Portugal und Spanien gegeben. Obwohl die beiden Länder damals eine besonders hohe Immigration aus ihren ehemaligen Kolonien zu verzeichnen hatten, waren in dieser Zeit netto bereits 5,5 % der iberischen Bevölkerung ausgewandert.

Die Möglichkeit der Wanderung unterschied die Diktaturen der iberischen Halbinsel von jenen in Osteuropa. Während

Franco und Salazar in dieser Hinsicht Freizügigkeit gewährt hatten, hatte die Sowjetunion ihr Territorium mit einem Eisernen Vorhang abgeschlossen, den nur ganz wenige unter Gefahr für Leib und Leben überwanden. Als der Eiserne Vorhang im Jahr 1989 fiel, drängten zwar viele Osteuropäer gen Westen, so insbesondere nach Deutschland, doch setzten die westeuropäischen Länder mit der Verschärfung ihrer Immigrations- und Asylgesetzgebung sofort einen rechtlichen Vorhang an die Stelle des Eisernen Vorhangs. Bis heute ist deshalb der Wanderungsdruck aus Osteuropa ungebrochen.

In einer ökonometrischen Studie des ifo Instituts wurde der Versuch unternommen, die zu erwartenden Migrationsströme aus Osteuropa auf der Basis der Erfahrungen mit Migrationsströmen früherer Jahre zu prognostizieren. Die Prognose kommt zu dem Schluss, dass etwa 4 % bis 5 % der Bevölkerung der im Jahr 2004 hinzutretenden Beitrittsländer in den nächsten 15 Jahren in die alten EU-Länder einwandern werden, wenn die Wanderung nicht beschränkt wird. Ob und in welchem Maße sie beschränkt wird, ist eine politische Entscheidung, die nicht prognostiziert werden kann. Die prognostizierte langfristige Migration könnte während der ersten Jahre einer Nettoimmigration von 300.000 bis 380.000 Personen entsprechen; später wird der Wanderungsdruck etwas nachlassen.

Die Zuwanderer werden sich auf alle alten EU-Länder verteilen, aber sie werden es nicht gleichmäßig tun. Bislang kamen ziemlich genau zwei Drittel aller osteuropäischen Einwanderer in die EU nach Deutschland. Ein Drittel verteilte sich auf alle anderen 14 EU-Staaten.[8] Unterstellt man, dass diese Relation auch in Zukunft aufrechterhalten bleibt, dann kann man damit rechnen, dass von den im Jahr 2004 beitretenden Ländern innerhalb der nächsten 15 Jahre 2,5 Millionen Menschen nach Deutschland kommen werden, was in den ersten Jahren wohl einer Jahresrate von etwa 200.000 bis 250.000 Personen entsprechen wird, immer vorausgesetzt, dass die Politik diese Wanderung nicht wirksam bremst.

Warum die Wanderung eigentlich gut ist

Bezüglich der Bewertung der zu erwartenden Wanderung gibt es sehr unterschiedliche Vorstellungen, die mit der Schätzung des Wanderungsvolumens korreliert sind. Entweder ist man für die Freizügigkeit und vermutet kleine Zahlen oder man ist dagegen und vermutet große Zahlen. So schürt der rechtsliberale Politiker Jörg Haider die Angst vor der Zuwanderung, indem er massenhafte Wanderungen prognostiziert, und die EU wiegelt vor der Diskussion um Probleme ab, indem sie nur vernachlässigbare Wanderungen sieht.[9] Diese Polarisierung führt nicht weiter, und sie macht beide Seiten unglaubwürdig.

Im Prinzip, nämlich bei funktionierenden Arbeitsmärkten und ohne verzerrende Eingriffe des Staates, kann man erwarten, dass die freie Wanderung für Europa und alle beteiligten Länder Vorteile bringt, und zwar unabhängig davon, ob das Wanderungsvolumen groß oder klein ist. Was Zuwanderer in Deutschland verdienen können, übersteigt das, was ihr Weggang zu Hause an Produktionsverlust bedeutet, bei weitem, und was sie hier verdienen, ist normalerweise weniger als das, was sie erzeugen. Es entsteht deshalb für beide Seiten ein Gewinn. Das gilt auch, wenn man die subjektiven und objektiven Kosten der Wanderung mit berücksichtigt, denn diese Kosten werden vom Zuwanderer ja selbst mit ins Kalkül genommen. Wären sie größer als der Lohnvorteil, dann fände die Wanderung nicht statt.

Freilich werden sich aufgrund der Wanderung die Löhne verändern. Im Herkunftsland steigen sie, weil Arbeitskräfte knapper werden, und in Deutschland fallen sie, weil mehr Arbeitskräfte verfügbar sind. Sie müssen fallen, weil andernfalls die Unternehmen kein Interesse hätten, die zusätzlichen Arbeitsplätze bereitzustellen, die die Zuwanderer benötigen.

Wegen der Lohnänderungen gibt es bei uns auch Verlierer der Osterweiterung der Europäischen Union. Dabei handelt es sich um all jene Berufsgruppen, die ähnliche Leistungen am

Arbeitsmarkt zur Verfügung stellen, wie die Zuwanderer es tun. Kapitalbesitzer, Immobilieneigner und auch Arbeitnehmer mit einer qualifizierteren Ausbildung, die dem Druck der Konkurrenz nicht so sehr ausgesetzt sind, werden stattdessen zu den Gewinnern gehören, weil sich der Bedarf an den von ihnen angebotenen Produktionsfaktoren und Leistungen erhöht und sie deshalb in den Genuss höherer Preise oder Löhne kommen. Insgesamt werden die Deutschen durch die Zuwanderung gewinnen, aber nur, weil die Gewinner mehr gewinnen, als die Verlierer verlieren.

Die Verringerung der Lohnunterschiede zwischen dem Herkunftsland und dem Zielland der Wanderungen ist ein notwendiges Regulativ des Wanderungsprozesses, so wie Löhne generell in der Markwirtschaft eine Signal- und Lenkungsfunktion ausüben. Durch die Senkung der Lohndifferenz wird die Zunahme des Wanderungsstroms abgebremst und an einer Stelle zum Stillstand gebracht, wo die Lohndifferenz gerade den Wanderungskosten des letzten Zuwanderers entspricht. Dieser Zuwanderer ist fast indifferent bezüglich der Wanderungsentscheidung, und Personen mit höheren Wanderungskosten ziehen es vor, zu Hause zu bleiben.

Die Arbeitsbevölkerung ist zu jedem Zeitpunkt optimal zwischen den beteiligten Ländern aufgeteilt. Sowohl in Deutschland als auch im Herkunftsland stellen die jeweiligen Unternehmen so viele Leute ein, bis der jeweils letzte Beschäftigte gerade so viel Wertschöpfung erzeugt, wie er kostet. Die Löhne gleichen deshalb in jedem Land der jeweiligen Wertschöpfung der Arbeitnehmer, und die Lohndifferenz misst zugleich das Mehr an gesamteuropäischem Sozialprodukt, das durch die Wanderung eines weiteren Arbeitnehmers zustande kommt. Da die Lohndifferenz beim letzten Migranten gerade den Wanderungskosten entspricht, entspricht auch das Mehr an gesamteuropäischem Sozialprodukt, das durch die Wanderung erzeugt wird, gerade diesen Kosten. Die Summe der Sozialprodukte beider Länder abzüglich der Wanderungskosten aller

Beteiligten kann durch ein bisschen mehr oder ein bisschen weniger Wanderung, als der Markt sie von allein hervorbringt, nicht mehr verändert werden. Diese Summe wird durch die »unsichtbare Hand« des Marktes maximiert, um eine den Ökonomen geläufige Metapher zu gebrauchen. Es wäre auch einem weisen und allwissenden Zentralplaner, so es ihn denn gäbe, nicht möglich, eine ökonomisch sinnvollere Aufteilung der Arbeitsbevölkerung auf die Länder zu finden.

Die Aufteilung der Arbeitsbevölkerung zwischen Deutschland und den osteuropäischen Herkunftsländern der Migranten wird im Zeitablauf nicht konstant bleiben. Vielmehr kommt es wegen der niedrigeren Löhne in den Herkunftsländern zu einem ständigen Kapitalzufluss in diese Länder, der die Produktivität der Arbeitskräfte dort vergrößert und die Unternehmen veranlasst, mehr Arbeitskräfte nachzufragen. Dies führt dort im Laufe der Zeit zu weiteren Lohnerhöhungen. Umgekehrt führt der Kapitalabfluss aus Deutschland zu Lohnsenkungen, wenn auch vielleicht nur zu Senkungen relativ zum Wachstumstrend der Löhne. Dadurch wird der Wanderungsstrom abgebremst, und viele der nach Deutschland gekommenen Ausländer sehen sich veranlasst, schließlich wieder in ihr Heimatland zurückzukehren. Dabei handelt es sich um all jene Personen, denen der Aufenthalt in Deutschland subjektive und objektive Kosten verursacht, die höher sind als die nun immer kleiner werdende Lohndifferenz. Ein Teil der Migranten wird allein aus diesem Grunde zurückwandern.

Ein solcher zweiseitiger Migrationsfluss war auch schon bei früheren Wanderungsprozessen zu beobachten. So sind die meisten Italiener, die in den sechziger Jahren nach Deutschland kamen, inzwischen wieder in Italien, und auch die Griechen kehren allmählich wieder zurück. Nur die Türken scheinen sich eher auf einen längeren Aufenthalt in Deutschland einzurichten, was aber zum großen Teil auch darauf zurückzuführen sein mag, dass die ökonomischen Unterschiede zum Heimatland noch sehr groß sind. Dies ist übrigens für sich genommen ein

Argument für die Aufnahme der Türkei in die EU, so sehr andere Argumente, die dagegen sprechen, ins Gewicht fallen mögen.

Das verbreitete Misstrauen gegenüber der freien Wanderung ist also insofern aus ökonomischer Sicht unangebracht. Gerade wegen der sehr großen Lohn- und Produktivitätsunterschiede, die in der erweiterten EU zu verzeichnen sind, gehört die Massenwanderung von Arbeitskräften aus den unterentwickelten in die besser entwickelten Gebiete zu einer rationalen Konvergenz- und Wachstumsstrategie für Europa. So wie die Gastarbeiterwanderungen aus Italien, die Deutschland in den sechziger Jahren problemlos verkraftete, im Prinzip allen beteiligten Ländern Vorteile brachten, gehören auch in Zukunft Gastarbeiterwanderungen aus Ost- nach Westeuropa zu den wünschenswerten Begleiterscheinungen des europäischen Konvergenzprozesses.

Allerdings gilt dies alles nur grundsätzlich, unter der Annahme freier Märkte und ohne möglicherweise verzerrende Einflüsse des Sozialstaates. Die Wirklichkeit der Immigration nach Deutschland während der letzten 30 Jahre sah deutlich anders aus, und damit beschäftigen sich die beiden nachfolgenden Abschnitte.

Zuwanderung in die Arbeitslosigkeit

Die wichtigste Voraussetzung für die wohlfahrtserhöhenden Effekte der Wanderung ist die Lohnflexibilität. Nur dann, wenn die Löhne bei den Berufsgruppen nachgeben, in denen die Zuwanderung stattfindet, werden sich die Arbeitgeber veranlasst sehen, neue Arbeitsplätze für die Zuwandernden zu schaffen. Nur dann kommt es hier zu Lande zu einer Mehrproduktion, und nur dann ist es möglich, dass diese Mehrproduktion die Minderproduktion im Heimatland und die Wanderungskosten überkompensiert, sodass die Wanderung aus ökonomischer Sicht sinnvoll ist.

Länder wie Israel oder die USA, die sehr viele Zuwanderer hatten, sind durch eine solche Lohnflexibilität gekennzeichnet. Sie haben, wie in Kapitel 3 schon erwähnt wurde, problemlos eine Massenimmigration verkraften können. In Israel ging die Arbeitslosenquote von 1990 bis zum Jahr 2000 sogar von 9,6 % auf 8,8 % zurück, obwohl die Bevölkerung in dieser Zeitspanne um ein Viertel zunahm. In den USA stieg die Bevölkerung von 1970 bis 2000 durch die Zuwanderung um 19,3 % oder fast 40 Millionen Personen. Dennoch fiel die Arbeitslosenquote von 5,0 % im Jahr 1970 auf 4,0 % im Jahr 2000.[10] Keines der Länder hat wegen der Zuwanderung besondere Integrationsprobleme gehabt, und beiden gelang es, die Zuwanderung in einen erheblichen Wachstumsschub umzumünzen. Wenn man den Arbeitsmarkt ungestört wirken lässt, ist die Zuwanderung kein Problem, sondern ein großer Vorteil für die Volkswirtschaft.

Wir Deutschen lassen den Arbeitsmarkt aber nicht ungestört wirken. Lohnflexibilität lassen wir nicht zu. Das wurde in den Kapiteln 3 und 4 ausführlich erörtert. Zum einen verhindern die Flächentarifverträge der Gewerkschaften, dass die Zuwandernden Lohnzugeständnisse machen *dürfen*, zum anderen verhindern die Lohnersatzleistungen des Sozialstaates in Form des Arbeitslosengeldes, der Arbeitslosenhilfe und der Sozialhilfe, dass gering qualifizierte Einheimische, die durch die Zuwanderung Konkurrenz bekommen, Lohnzugeständnisse machen *wollen*.

Beide Gründe für eine mangelnde Lohnflexibilität spielen in Israel und den USA keine Rolle. Die Gewerkschaften haben nur wenig Macht, und Lohnersatzleistungen vom Ausmaß der deutschen Sozialhilfe kennt man dort nicht. Wer nichts hat, muss arbeiten, und weil das so ist, arbeitet er. Wer keine Arbeit hat, muss sich welche suchen, und er findet sie, wenn er sich günstiger anbietet als andere. Im Wettbewerb fällt der Lohn, bis tatsächlich für alle mehr Arbeit vorhanden und die Arbeitslosigkeit bis auf einen friktionellen Rest verschwunden ist. Diese trivialen Zusammenhänge erklären den Unterschied zu Deutschland.

In Deutschland folgen die Löhne einem starren Entwicklungstrend, der den Wünschen der Gewerkschaften und den Gerechtigkeitsvorstellungen der Sozialpolitiker statt den Gegebenheiten des Marktes gehorcht. Deshalb führt der zusätzliche Angebotsdruck der Zuwandernden nicht zu einer Mäßigung in der Lohnentwicklung. Und weil die Löhne nicht gegen den Trend zurückfallen, werden auch nicht mehr Arbeitsplätze geschaffen. Es findet eine Zuwanderung in die Arbeitslosigkeit statt.

Dies ist im Großen und Ganzen der Prozess, der in den letzten Jahrzehnten in Deutschland abgelaufen ist. Darauf war beim Vergleich der Lohnentwicklung in Holland, den USA und Deutschland in Kapitel 2 schon hingewiesen worden.

Das heißt nun freilich nicht, dass alle Zuwanderer sofort und ausschließlich selbst in die Arbeitslosigkeit gingen, dass es also eine direkte Zuwanderung in die Arme des Sozialstaates gegeben hätte. Das wäre schon deshalb nicht möglich gewesen, weil man als Ausländer keinen unmittelbaren Anspruch auf soziale Leistungen wie die Arbeitslosenhilfe oder die Sozialhilfe hat, sondern erst, nachdem man in Deutschland gearbeitet hat. Nein, die weitaus meisten Zuwanderer haben in Deutschland reguläre Stellen angenommen, und stattdessen sind die Einheimischen in die Arbeitslosigkeit gegangen. Die Drehtür des deutschen Arbeitsmarktes dreht sich schnell. Jedes Jahr werden etwa 7 Millionen Menschen in Deutschland entlassen, und fast genauso viele finden auch wieder eine Stellung, ohne dass dies auf den durchschnittlichen Bestand an Arbeitslosen einen Einfluss hat. Den Zuwandernden gelang es, in dieser Drehtür viele Plätze zu besetzen, die dann für die Einheimischen nicht mehr zur Verfügung standen.

Die Arbeitslosenquote unter den Ausländern ist zwar mit 19,1 % doppelt so hoch wie die der Einheimischen, die bei 9,2 % liegt, doch ist sie weit von den 100 % entfernt, die sie erreichen müsste, wenn es nur eine direkte Zuwanderung in die Arbeitslosigkeit und die Arme des Sozialstaates gegeben hätte.[11] Der Löwenanteil der arbeitsfähigen Zuwanderer hat in Deutschland Arbeitsplätze gefunden. Wäre das nicht der Fall, dann wären die Menschen sicherlich auch gar nicht erst gekommen, denn wie gesagt: Einen unmittelbaren Zugang zum Sozialstaat haben sie nicht. Die unter den Zuwanderern gemessene Arbeitslosigkeit ist denn auch in aller Regel eine Arbeitslosigkeit, die sich an eine anfängliche Erwerbsphase anschließt, die lang genug ist, den Anspruch auf Arbeitslosengeld zu begründen. Die Arbeitslosenquote unter den frisch zugewanderten Ausländern ist vermutlich außerordentlich gering, auch wenn hierzu keine präzisen Zahlen bekannt sind.

Dass Ausländer in der Drehtür Plätze haben besetzen können, die Einheimischen dann nicht mehr zur Verfügung standen, heißt nicht, dass die Mehrbeschäftigung von Ausländern eins zu eins zu einem Zuwachs an Arbeitslosigkeit bei den Einheimischen geführt hat. Unter den Zuwanderern entfaltet sich auch ein eigenes Wirtschaftsleben, das insbesondere im Bereich der lokalen Dienstleistungen neue Beschäftigungsverhältnisse entstehen lässt. Nicht alle erwerbstätigen Zuwanderer nehmen Stellen an, die sonst auch von Einheimischen hätten übernommen werden können, sondern viele Arbeitsplätze schaffen sie sich selbst, auch wenn man von der Schwarzarbeit einmal absieht. Unter den Zuwanderern gibt es viele Unternehmer, die eigene Geschäfte eröffnen, in denen Arbeitsplätze entstehen. Darüber hinaus mag es einige Zuwanderer gegeben haben, die mit ihrer überdurchschnittlichen Qualifikation mitgeholfen haben, die deutschen Unternehmen flottzumachen und die Nachfrage nach weniger qualifizierten deutschen Arbeitskräften zu erhöhen. Solche positiven, Beschäftigung schaffenden Effekte der Zuwanderung darf man nicht übersehen. Dennoch sind das wohl eher Nebenerscheinungen. Ein massiver Verdrängungseffekt, der in die Millionen geht, war das empirisch dominante Ereignis.

Ein näherer Blick auf die Entwicklung des deutschen Arbeitsmarkts seit dem Jahr 1970 (vergleiche Abbildung 1.1) ist in diesem Zusammenhang aufschlussreich. Von 1970, als es praktisch noch keine Arbeitslosigkeit gab, bis zum Jahr 2002 stieg die Arbeitslosigkeit unter Einheimischen und Zugewanderten in Deutschland um 3,9 Millionen Personen an. In dieser Zeitspanne lag die Nettozuwanderung nach Deutschland bei 7,5 Millionen Personen, wozu freilich auch die nicht Erwerbstätigen gehörten. Man weiß nicht genau, wie hoch die Erwerbsquote unter den Zuwanderern ist, aber die Quote für die Ausländer ist bekannt. Sie liegt bei 61 %. Multipliziert man diese Quote mit der akkumulierten Nettozuwanderung, kommt man auf 4,6 Millionen zugewanderte Erwerbspersonen. Hiervon dürften knapp 900.000 (19,1 %) arbeitslos sein und 3,7 Millionen (offiziell) arbeiten. Einer Mehrbeschäftigung von Zuwanderern im Umfang von 3,7 Millionen stand also eine Zunahme an Arbeitslosigkeit unter den Einheimischen von 3 Millionen gegenüber. Unter Berücksichtigung des beschriebenen Selbstbeschäftigungseffekts könnte die Zunahme an Arbeitslosigkeit unter den Einheimischen, die wir in den letzten 30 Jahren zu verzeichnen hatten, tatsächlich im Wesentlichen durch die Verdrängung seitens der Zuwanderer erklärt werden.

Die Zuwanderung in die Arbeitslosigkeit ist aus ökonomischer Sicht völlig sinnlos, denn in ihrem Heimatland stehen die Zuwanderer für den Produktionsprozess nicht mehr zur Verfügung, und in Deutschland kommt es nicht zu einer Mehrproduktion, weil nur die Plätze getauscht werden. Das gemeinsame Sozialprodukt der beteiligten Länder ist kleiner, als es sonst der Fall gewesen wäre, und zusätzlich entstehen noch Wanderungskosten.

Da dies ein politisch sensibles Thema ist, muss man an dieser Stelle davor warnen, in eine Ausländerschelte zu verfallen. Dass jemand aus ökonomischen Gründen in ein anderes Land wandert, ist völlig legitim und verständlich, auch dass er dort

Arbeit sucht. Ein moralischer Vorwurf gegenüber den zugewanderten Ausländern wäre deshalb völlig verfehlt. Wenn ein moralischer Vorwurf angebracht ist, so muss er sich gegen die verantwortlichen Politiker richten, die unser Sozialsystem und unser Tarifrecht bar ökonomischer Kenntnisse in einer Art und Weise zurechtgezimmert haben, dass am Arbeitsmarkt ein solcher Murks zustande gekommen ist. Der Vorwurf richtet sich gegen diejenigen, die für die institutionellen Verhältnisse unseres Landes verantwortlich sind, gegen diejenigen, die die Spielregeln des Systems gestaltet haben, nicht aber gegen jene Menschen, die nach diesen Spielregeln handeln. Man kann nicht Millionen von Menschen ins Land holen, wenn man die institutionellen Verhältnisse so belässt, wie sie heute sind. Die egalisierende Lohnpolitik, der Ausbau des Sozialstaates in Form des Lohnersatzsystems und die Massenimmigration: Das sind drei Dinge, die einfach nicht zusammenpassen. Deutschland muss seine institutionellen Verhältnisse in dieser Hinsicht ändern, damit es die Zuwanderung aus den neuen EU-Staaten verkraften und die grundsätzlichen Wohlfahrtsgewinne, die im letzten Abschnitt beschrieben wurden, tatsächlich realisieren kann.

Die Fehlentwicklungen, die auf dem deutschen Arbeitsmarkt abgelaufen sind, sind in der Logik des Lohnersatzsystems begründet und folgen ganz grundlegenden ökonomischen Wirkungsmechanismen. Wie in Kapitel 4 schon dargelegt wurde, ist das Lohnersatzsystem selbst für die Arbeitslosigkeit verantwortlich, weil es einen Mindestlohnanspruch begründet, den ein privater Unternehmer erfüllen muss, damit sich die Beschäftigung für die Arbeitnehmer lohnt. Wenn dieser Mindestlohnanspruch über der Produktivität der Arbeitsplätze liegt, die eingerichtet werden müssten, damit Vollbeschäftigung herrscht, entsteht Arbeitslosigkeit. Wenn in einer solchen Situation Zuwanderer auf den Arbeitsmarkt drängen, die bereit sind, zu etwas niedrigeren Löhnen als die einheimischen Erwerbspersonen zu arbeiten, weil sie keinen oder keinen vol len Anspruch auf Lohnersatzleistungen haben, bevor sie nicht hinreichend lange in Deutschland gearbeitet haben, dann erhalten sie die Arbeitsplätze, und die Einheimischen werden in dem Maße verdrängt, wie Zuwanderer zur Verfügung stehen. Mehr Arbeitsplätze gibt es gleichwohl nicht, weil die Zuwanderer nur einen Teil des Bedarfs an Arbeitskräften seitens der Unternehmen abdecken können und der Puffer bei der Entscheidung, mehr oder weniger Leute einzustellen, immer nur von den einheimischen Arbeitslosen gebildet wird, die Lohnersatzleistungen beziehen und deshalb hohe Anspruchslöhne haben. Dass mit der Zeit auch die Zuwanderer, sozusagen in der zweiten Runde, Ansprüche auf Lohnersatz erhalten, ebenfalls hohe Lohnansprüche entwickeln und dann auch selbst in die Arbeitslosigkeit gedrängt werden, steht dieser Interpretation nicht entgegen.

Es ist eines der Grundprinzipien der Marktwirtschaft, dass der Preis und das Absatzvolumen auf dem Markt stets nur von jenen gerade noch am Markt vertretenen Anbietern bestimmt werden, die die höchsten Kosten und deshalb die höchsten Preisansprüche haben. Treten mehr kostengünstige Anbieter auf den Markt, kommt es nur dann zu einer Preissenkung und Mengenausweitung, wenn deren Kapazität so groß ist, dass die Anbieter mit den hohen Kosten vollständig verdrängt werden. Am Arbeitsmarkt ist es nicht anders. Diejenigen, die Lohnersatzleistungen vom Sozialstaat beziehen, sind die Anbieter mit den hohen Kosten, und zwar in dem Sinne, dass sie viel zu verlieren haben, wenn sie ein Arbeitsplatzangebot annehmen und deshalb hohe Lohnansprüche haben. Wenn »kostengünstige« Zuwanderer auf dem Arbeitsmarkt erscheinen, hat das ebenfalls keinen Effekt auf das Beschäftigungsvolumen und das allgemeine Lohnniveau, sondern führt nur zur Verdrängung der Anbieter mit den hohen Kosten, die von den Zuwanderern mit minimalen Lohnzugeständnissen oder kleinen Zugeständnissen bei anderen Arbeitsbedingungen unterboten werden. Erst nach einer vollständigen Verdrängung kämen die Löhne allgemein ins Rutschen, und erst dann würde es sich für die Unternehmer lohnen, zusätzliche Arbeitsplätze zu schaffen, aber dieser Fall ist bei den gegebenen Größenordnungen für den Arbeitsmarkt vorläufig nicht realistisch.

Es war in Kapitel 4 schon darauf hingewiesen worden, dass dieser Zusammenhang auch die Wirkungslosigkeit der Minijob-Förderung impliziert, die der Bundesrat im Januar des Jahres 2003 beschlossen hat. Solange nicht all jene, die prinzipiell berechtigt sind, Lohnersatzleistungen zu beziehen, in die Arbeitslosigkeit gedrängt wurden, kann eine Förderung der Schüler, Studenten und mitarbeitenden Ehepartner, die deren Anspruchslöhne senkt, netto keine Beschäftigungswirkungen auf dem Arbeitsmarkt entfalten. Die Förderung bestimmter Teilgruppen des Arbeitsmarktes hat stets nur die Verdrängung von anderen Arbeitnehmern zur Folge, genauso wie die Zuwanderung von Niedriglohnanbietern auf dem Arbeitsmarkt diese Folge hat.

Den Verdrängungseffekt durch die Zuwanderung sieht man übrigens nicht nur in der Statistik, sondern man kennt ihn auch aus eigener Anschauung. Welcher Kellner, welcher Straßenarbeiter, welcher Müllkutscher, welche Putzfrau, welcher Erntehelfer, welche Krankenschwester, welcher Hilfsarbeiter am Bau, welcher Fließbandarbeiter ist denn noch deutsch? Sicher, es gibt sie noch, die Deutschen, die in diesen Funktionen tätig sind, aber ihre Zahl schwindet. Ein sehr hoher und wachsender Anteil dieser Berufsgruppen besteht aus Ausländern. Die Deutschen, die früher solche Arbeiten ausgeführt hätten, sitzen heute zu Hause und beziehen ihre Arbeitslosenhilfe, ihr Arbeitslosengeld oder ihre Sozialhilfe.

Das zeigt, wie unsinnig die Immigration unter den institutionellen Rahmenbedingungen der Bundesrepublik Deutschland tatsächlich war. Die betroffenen Deutschen haben die Verdrängung mit einem Achselzucken zur Kenntnis genommen. Sie waren nicht glücklich, wurden aber auch nicht ins Unglück gestürzt, sondern haben sich mit den Ersatzeinkommen, die der Staat anbot, abgefunden und sich daran gewöhnt. Heute will keiner mehr auf die Sozialhilfe oder die Arbeitslosenhilfe verzichten, um stattdessen, bei nur geringfügig höherem Gehalt, Müllkutscher zu werden. Solange das Geld vom Sozialamt kommt, ist die Sache mit den Ausländern schon in Ordnung. Aber sie ist aus volkswirtschaftlicher Sicht eben nicht in Ordnung, denn das Geld, das vom Sozialamt verteilt wird, müssen andere erarbeiten. Die ausländischen Müllkutscher sind ein Minusgeschäft für die Deutschen in ihrer Gesamtheit, wenn die freigesetzten deutschen Müllkutscher aufhören zu arbeiten und gleichwohl ihr Geld bekommen.

Nicht nur die Zuwanderung von Ausländern in die Bundesrepublik löst übrigens solcherlei ineffiziente Verdrängungseffekte aus. Auch innerdeutsche Wanderungen wirken sich in exakt der gleichen Weise aus. Bayern war in den letzten drei Jahren besonders hiervon betroffen, denn es hatte eine recht starke Immigration zu verkraften. Der Leser wird sich erinnern, dass Kanzler Schröder die rasche Zunahme der Arbeitslosigkeit in Bayern seinem Herausforderer Stoiber beim zweiten Fernsehduell mit einem Zeichen der Anteilnahme für die bemitleidenswerten Bayern entgegenhielt. Der vom Kanzler beschriebene Sachverhalt ist korrekt. Die bayerische Arbeitslosigkeit stieg schneller als die Arbeitslosigkeit anderswo in Deutschland, aber sie stieg von einem Niveau aus, das neben jenem von Baden-Württemberg das niedrigste in ganz Deutschland war. Eine genauere Analyse der Gründe für die Zunahme der Arbeitslosigkeit durch das ifo Institut, bei der eine Reihe von alternativen Erklärungshypothesen geprüft wurde, hat inzwischen gezeigt, dass diese Zunahme nicht durch spezifische Probleme der bayerischen Wirtschaft, wie zum Beispiel die Flaute der Computerindustrie, sondern ausschließlich durch die massive Zuwanderung nach Bayern verursacht wurde, die aus Thüringen, Sachsen, Niedersachsen sowie anderen Bundesländern und auch dem Ausland kam. Die Zuwanderer kamen aus Gebieten mit hoher Arbeitslosigkeit und niedrigen

Sozialhilfe im Westen, Lohn im Osten (2000)		
	Monatsnettolohn, alleinstehender Industriearbeiter Euro	Monatsnettolohn, Industriearbeiter-Familie (Alleinverdiener, zwei Kinder) Euro
Polen	322	349
Tschechische Republik	317	417
Slowakei	214	260
Ungarn	202	256
Westdeutschland	1.541	2.135
Westdeutsche Sozialhilfe	614	1.508
Ostdeutsche Sozialhilfe	548	1.412

Quelle: OECD, Taxing Wages 2000 – 2001, Paris 2002.

TABELLE 8.2

Löhnen nach Bayern und haben dort die Arbeitslosigkeit unter der einheimischen Bevölkerung vergrößert, denn wegen der Tarifvereinbarungen und der Lohnersatzleistungen ist das bayerische Lohnniveau genauso unflexibel wie jenes der anderen Bundesländer.

Nach der Osterweiterung der Union wird sich die Zuwanderung in die bundesdeutsche Arbeitslosigkeit weiter verstärken, denn der Unterschied zwischen den osteuropäischen Löhnen und den deutschen Lohnersatzeinkommen ist viel zu groß, als dass unter den heutigen institutionellen Voraussetzungen der Bundesrepublik Deutschland ein glimpflicher Verlauf des Anpassungsprozesses möglich erscheint. Tabelle 8.2 zeigt, wie die Verhältnisse heute sind. Danach liegt die westdeutsche Sozialhilfe für eine vierköpfige Familie etwa beim Vierfachen des Nettolohnes eines verheirateten Industriearbeiters mit zwei Kindern in Polen und Tschechien, und sie liegt beim Sechsfachen des Nettolohns in Ungarn und der

Slowakei.[12] Die entsprechenden Werte für Ostdeutschland sind nicht viel niedriger, sie liegen beim Fünffachen des ungarischen und slowakischen Nettolohns, beim Dreifachen des tschechischen Lohns und beim Vierfachen des polnischen. Eine Migration, bei der gering qualifizierte Einheimische den Ausländern ihren Arbeitsplatz freimachen und sich selbst lieber in den Sozialstaat abschieben lassen, als Lohnzugeständnisse zu machen, ist unter diesen Verhältnissen vorprogrammiert.

Aber das Programm darf so nicht ablaufen. Damit sich die Verdrängung der einheimischen Arbeitskräfte nach der Osterweiterung der EU nicht zu einem Fiasko für die Bundesrepublik steigert, müssen die Reformen des Arbeitsmarkts und des Sozialsystems, die in Kapitel 3 und 4 beschrieben wurden, unverzüglich umgesetzt werden. Dazu gehört die Durchlöcherung des Flächentarifvertrags durch betriebliche Öffnungsklauseln und vor allem der Wechsel von einem auf Lohnersatzleistungen basierenden Sozialsystem zu einem System von Lohnergänzungszahlungen. Der ifo-Vorschlag der aktivierenden Sozialhilfe, den sowohl der Sachverständigenrat als auch der Wissenschaftliche Beirat beim Bundesministerium für Wirtschaft übernommen hat und der mittlerweile auch von Schleswig-Holstein, Hessen, Bayern und Sachsen unterstützt wird, liegt voll ausgearbeitet und durchgerechnet auf dem Tisch. Er muss nur in das Gesetzgebungsverfahren eingebracht werden.

Wenn der Sozialstaat sein Geld nicht mehr unter der Bedingung des Nichtstuns auszahlt, sondern das Tätigwerden zur Bedingung macht, dann fallen die Anspruchslöhne und mit ihnen die tatsächlichen Löhne, zu denen gering Qualifizierte zu arbeiten bereit sind. Das Fallen der tatsächlichen Löhne veranlasst die Arbeitgeber, zusätzliche Arbeitsplätze zu schaffen. Die Zuwanderung führt dann nicht mehr zur Verdrängung einheimischer Arbeitskräfte, sondern zu einem Zuwachs an Beschäftigung, und die prinzipiellen Wohlfahrtsgewinne der

Zuwanderung, die im vorigen Abschnitt beschrieben wurden, lassen sich eher realisieren.

Zuwanderungsmagnet Sozialstaat

Auch wenn die Maßnahmen getroffen sind, die die Gefahr der Zuwanderung in die Arbeitslosigkeit wirksam bannen, gibt es freilich noch ein zweites Problem, das das Erreichen eines optimalen Wanderungsergebnisses erschwert. Es ist in der Umverteilungsaktivität des Sozialstaates begründet. Da es im Wesen des Sozialstaates liegt, den Reichen zu nehmen und den Armen zu geben, wird die durch Lohndifferenzen gesteuerte Zuwanderung verzerrt. Qualifizierte Arbeitskräfte, die in Deutschland ein überdurchschnittliches Arbeitseinkommen verdienen würden, werden gleichsam mit einem Eintrittsgeld belegt, und weniger Qualifizierte, die in Deutschland ein unterdurchschnittliches Einkommen verdienen, erhalten eine Art Wanderungsprämie, die die Anreize zur Zuwanderung über das Maß hinaus verstärkt, das durch die Lohn- und Produktivitätsdifferenzen erklärt wird. Der Sozialstaat wirkt aus diesen Gründen wie eine Art zweipoliger Magnet für die wanderungsbereiten Menschen. Mit der einen Seite stößt er die reichen Nettozahler ab und mit der anderen zieht er die armen Kostgänger des Staates an.

Wie schon in Kapitel 4 erläutert wurde, findet die Umverteilung nicht nur, und nicht einmal im Wesentlichen, durch die Instrumente der Sozialversicherung statt, sondern vor allem über die normalen Budgetposten. Der Staat erhebt Steuern, deren Umfang mit dem Einkommen steigt, doch er lässt seine Mittel mehr oder weniger gleichmäßig allen zugute kommen. Auch über die freie Inanspruchnahme von Straßen und Brücken, von Parks und öffentlichen Ämtern, von Richtern und Polizisten oder von Schulen und Universitäten findet die Umverteilung statt. Alle können diese Leistungen in Anspruch nehmen, doch einige zahlen dafür mehr als andere. Wer meint, dies seien keine Wanderungsmotive oder im Hinblick auf die Egalisierung der Lebensverhältnisse Nebensächlichkeiten, dem sei empfohlen, sich eine Weile in einem Land der Dritten Welt oder auch nur in der Türkei aufzuhalten.

Bislang kamen in die Bundesrepublik ganz überwiegend gering Qualifizierte, jedenfalls Personen, die hier ein unterdurchschnittliches Einkommen verdienten. Das liegt einerseits in der Natur der Sache, denn den Zuwanderern fehlt regelmäßig die sprachliche Qualifikation. Andererseits folgt es aus der Selektionskraft, die die Umverteilungsaktivität des Staates entfaltet. Wegen ihres nur geringen Einkommens erhielten die gering qualifizierten Zuwanderer zusätzlich zu ihrer Wertschöpfung noch den Umverteilungsgewinn des Sozialstaates als Wanderungsprämie. Zwar zahlten sie und ihre Arbeitgeber ihre Steuern und Sozialbeiträge, doch erhielten sie vom Staat wertmäßig mehr zurück, als sie zahlten, und dieser Effekt war umso stärker, je geringer die Qualifikation und damit der Lohn der Zuwanderer war. Der Zuwanderungsmagnet entfaltete seine Wirkung.

Die fiskalischen Anreize haben zwar für viele Menschen, die sich zur Auswanderung entschlossen hatten, keine Rolle gespielt. Wer ohnehin starke Motive für die Wanderung hatte, hat die Geschenke des Staates gerne mitgenommen, ohne dadurch in seinem Verhalten beeinflusst zu werden. Indes hat es auch Menschen gegeben, die erst durch die staatlichen Umverteilungsgeschenke zur Wanderung veranlasst wurden und die aus volkswirtschaftlicher Sicht besser zu Hause geblieben wären. Dabei handelte es sich

– um Personen, die eine besonders geringe Qualifikation hatten, sodass der Umverteilungsgewinn für sie besonders groß war,

– um Personen, die durch ihre Wanderung nur einen kleinen Nettozuwachs an Wertschöpfung in den beteiligten Ländern erzeugten und

– um Personen, deren subjektive oder objektive Wanderungskosten hoch waren.

Durch die Wanderung dieser Menschen wäre auch dann ein
Wohlfahrtsverlust entstanden, wenn es das im letzten
Abschnitt diskutierte Problem der Immigration in die Arbeits-
losigkeit nicht gegeben hätte. Der jeweils letzte Migrant, der
zwar noch kommt, aber fast indifferent ist, ist jemand, dessen
Wanderung einen Wohlfahrtsverlust in Höhe des Umverteilungsgewinns erzeugt. Diese Person hat Wanderungskosten,
die den Lohn- und damit Wertschöpfungszuwachs durch die
Integration in die produktivere Wirtschaft im Umfang des
Umverteilungsgewinns übersteigen. Die Mittel, die diese Person erhält, vergrößern deren Lebensstandard gegenüber einem
Verbleib im Heimatland nicht, aber dem Steuerzahler gehen
sie ersatzlos verloren.

Die Frage ist, wie groß die Geschenke des Staates an
Zuwanderer tatsächlich sind. In einer umfangreichen Studie
auf der Basis des sozioökonomischen Panels hat das ifo Institut
versucht, die staatlichen Leistungsströme für die bisherigen
Zuwanderer zu erfassen, wie sie im Jahr 1997 in Deutschland
anzutreffen waren. Dabei wurden die Steuern, Beiträge, Renten, Sozialleistungen sowie die indirekten Vergünstigungen
durch die so genannten öffentlichen Güter berücksichtigt. Zu
den öffentlichen Gütern gehören zum Beispiel Straßen, Brücken, Parks, Naturschutz, Justiz, Verwaltung, Polizei, Feuer-
wehren und Ähnliches. Das Ergebnis dieser Studie wird in
Tabelle 8.3 dargestellt.

Die Tabelle zeigt, dass Zuwanderer weniger in die Krankenversicherung einzahlten, als sie vom Staat zurückbekamen,
doch für die Rentenversicherung einen hohen positiven Nettobeitrag erzeugten, weil sie in Gegenwartswerten gerechnet
mehr einzahlten, als sie an Rentenansprüchen erwarben. Die
Arbeitslosenversicherung wurde durch jene Zuwanderer entlastet, die weniger als 25 Jahre in Deutschland lebten, und

Die finanziellen Effekte der Migration für den deutschen Staat Saldo Staatseinnahmen minus Staatsausgaben Angaben pro Immigrant und Jahr in Euro			
Budgetposten	Aufenthaltsdauer (Jahre)		
	0–10	10–25	25 +
Krankenversicherung	-590	-43	49
Rentenversicherung*	1.376	1.606	2.148
Pflegeversicherung	95	117	176
Arbeitslosenversicherung	127	217	-519
Steuern und steuerfinanzierte Leistungen	-3.375	-3.227	-1.001
Gesamtsaldo	**-2.367**	**-1.330**	**853**

Anhand des Sozioökonomischen Panels (6.810 befragte Haushalte in Deutschland) wird der Bestand an Zuwanderern in Westdeutschland im Jahre 1997 betrachtet; das sind die in Westdeutschland lebenden Personen mit nichtdeutscher Staatsangehörigkeit, eingebürgerte Personen und Personen mit Müttern nichtdeutscher Staatsangehörigkeit ohne Aus- und Übersiedler.
* Barwert der Einzahlungen und Auszahlungen ohne Berücksichtigung eines Kindereffekts.
Quelle: H.-W. Sinn, G. Flaig, M. Werding, S. Munz, N. Düll und H. Hofmann, EU-Erweiterung und Arbeitskräftemigration: Wege zu einer schrittweisen Annäherung der Arbeitsmärkte. ifo Beiträge zur Wirtschaftsforschung, Nr. 2, München 2001; Sozioökonomisches Panel (SOEP).

TABELLE 8.3

durch Zuwanderer belastet, die schon länger hier waren. Da Letztere nicht sehr zahlreich waren, wurde die Arbeitslosenversicherung per Saldo entlastet. Indes zahlten die Zuwanderer weniger Steuern, als sie an steuerfinanzierten Sozialleistungen und öffentlichen Infrastrukturleistungen vom Staat zurückbekamen. Hier entstand ein dickes Minus für den Staat.

Pro Kopf konnten Immigranten, die sich weniger als zehn Jahre in der Bundesrepublik aufgehalten hatten, per Saldo einen Nettogewinn aus der Umverteilung des Staates in Höhe von jährlich 2.367 Euro realisieren. Dieser Nettogewinn ist als eine Wanderungsprämie interpretierbar. Er ist nicht gering. Eine türkische Familie, die 1997 mit drei Kindern nach Deutschland kam und zehn Jahre in Deutschland bleibt, erhält auf der Basis der Verhältnisse des Jahres 1997 insgesamt 118.350

Euro als Wanderungsprämie. Dass ein solcher Betrag Einfluss auf die Wanderungsentscheidung nimmt und sie erheblich verzerrt, liegt auf der Hand.

Bleiben die Immigranten länger, so gelingt es ihnen, sich besser in die deutsche Arbeitsgesellschaft einzugliedern. Die beruflichen Kenntnisse und die Sprachkompetenz verbessern sich, und mit der Produktivität am Arbeitsplatz steigt auch der Lohn. Bei höherem Lohn müssen mehr Steuern gezahlt werden, und der Umverteilungsgewinn durch die Aktivitäten des Staates wird kleiner. Migranten, die weniger als 25 Jahre, aber mindestens zehn Jahre in Deutschland waren, erhielten im Schnitt netto pro Jahr nur noch 1.331 Euro vom Staat, und Migranten, die bereits länger als 25 Jahre in Deutschland waren, zahlten netto pro Jahr bereits 853 Euro mehr an den Staat, als sie an Leistungen zurückerhielten.

Leider blieben die Zuwanderer in der Regel nicht lange genug in Deutschland, um in den Status des Nettozahlers überzuwechseln. Etwa die Hälfte der in der Stichprobe untersuchten Zuwanderer war schon nach fünf Jahren wieder nach Hause zurückgekehrt, und nach 25 Jahren waren mehr als 80 % entweder verstorben oder in ihr Heimatland zurückgekehrt. Insofern besteht kein Zweifel, dass die Zuwanderung insgesamt für den Staat ein erhebliches Verlustgeschäft war.

Wohlgemerkt: Nach der Analyse dieses Abschnitts hätte sich das Verlustgeschäft schon dann ergeben, wenn die Zuwanderer auf einen flexiblen Arbeitsmarkt getroffen wären, der sie ohne die Verdrängung von Einheimischen mit neuen Jobs versorgt hätte. Tatsächlich tritt das im vorigen Abschnitt beschriebene Problem der Verdrängung der Einheimischen in die vom Sozialstaat abgefederte Arbeitslosigkeit hinzu. Addiert man die Kosten, die durch die Zahlung von Lohnersatz an diese Arbeitslosen entstanden, dann kommt man auf noch sehr viel höhere Minusbeträge für den Staat.

Bislang war der direkte Verlust des Staates durch den Umverteilungsgewinn der Zuwanderer beherrschbar. Über den Daumen gepeilt könnte es sich dabei derzeit um einen Betrag in der Größenordnung von jährlich 20 Milliarden Euro handeln. Die Situation könnte sich aber drastisch ändern, wenn die Zuwanderungszahlen nach der Osterweiterung wieder steigen sollten. Dann könnte der ohnehin sehr stark strapazierte Sozialstaat in Schwierigkeiten kommen und sich gezwungen sehen, die sozialen Leistungen zu kürzen.

Abschreckungswettbewerb der Sozialstaaten

Ein Abbau sozialstaatlicher Leistungen ist insbesondere deshalb zu erwarten, weil die westeuropäischen Staaten in eine Art Abschreckungswettbewerb gegenüber den Wirtschaftsflüchtlingen aus Osteuropa und anderen Teilen der Welt geraten werden. Der Grund ist, dass die wanderungswilligen Menschen aus Osteuropa mögliche Zielländer miteinander vergleichen und sich auf jene Länder konzentrieren werden, in denen sie am besten behandelt werden. Zwar ist die Wanderungsentscheidung eine schwerwiegende persönliche Entscheidung, in die auch sehr viele nichtökonomische Abwägungen einfließen, doch wird die Entscheidung darüber, in welches Land man wandert, wenn man sich bereits entschlossen hat, seiner Heimat den Rücken zu kehren, in erheblichem Umfang durch die ökonomischen Verhältnisse in den potenziellen Zielländern bestimmt.

In dieser Situation tut ein jedes der möglichen Zielländer gut daran, sich genau zu überlegen, welche sozialstaatlichen Leistungen es anbieten sollte. Ist es zu großzügig, dann zieht es die Kostgänger des Staates an und muss gegebenenfalls mit erheblichen Ausgaben rechnen. In der Tendenz wird deshalb jedes Land versuchen, eher knauseriger als die Nachbarländer zu sein. Wenn freilich alle westeuropäischen Länder knauseriger als ihre Nachbarn sein wollen, dann führt der Abschreckungswettbewerb in der Konsequenz zu einer wechselseitigen allmählichen Erosion des Sozialstaates.[13]

434

Das ist insbesondere auch dann zu erwarten, wenn die Migration durch Netzwerkeffekte verstärkt wird, wenn also davon auszugehen ist, dass die ersten Migranten aus einem bestimmten Land ihre Landsleute nachziehen werden. Die Befürchtung von Netzwerkwanderungen zwingt die Sozialstaaten in besonderem Maße, Acht zu geben, dass sie den Migranten keine Geschenke machen. Was anfangs kleine Geschenke sind, die man finanzieren kann, könnten später finanzielle Lasten werden, die man ohne einen allgemeinen Sozialabbau größeren Ausmaßes nicht mehr beherrschen kann.[14] Sicherlich laufen diese Prozesse langsam ab. Die Reaktionen der Staaten brauchen mitunter viele Jahre. Aber sie werden andererseits von recht mächtigen Kräften gesteuert, die das Gesicht des Sozialstaates westeuropäischer Prägung langfristig deutlich verändern könnten. Deutschland befindet sich gerade jetzt in einer Phase, wo es über Reaktionen auf die ausufernden Sozialausgaben nachdenkt. Andere Länder waren schon früher so weit, und wieder andere werden folgen. Der Abschreckungswettbewerb hat bereits begonnen.

Möglicherweise wird sich Europa auch in dieser Hinsicht schleichend in die Richtung der Vereinigten Staaten von Amerika entwickeln. Dort gibt es keinen Sozialstaat. Der Grund ist nicht, dass die Amerikaner keinen wollen, sondern dass er sich angesichts der Mobilität der Bevölkerung nicht halten kann. New York hatte einmal gegen Ende der siebziger Jahre unter Bürgermeister Lindsay versucht, großzügigere sozialstaatliche Regelungen nach europäischem Muster einzuführen, um die Armen von der Straße zu bringen. Die Konsequenz war, dass alsbald die Armen aus ganz Amerika angereist kamen und New York an den Rand des Bankrotts getrieben wurde. Jedenfalls waren die Banken ab einem bestimmten Punkt nicht mehr bereit, die Stadt weiter zu finanzieren. Dies zwang die Politik zu einer Kehrtwende zurück zu den harschen Regeln, die in Amerika bis zum heutigen Tage gelten. Ganz ähnlich erging es der Stadt Washington, die ihre zunächst großzügigen Sozialprogramme zusammenstreichen musste, weil sie die Kostensteigerung durch die Zuwanderung von Armen nicht mehr im Griff hatte.

Damit es in Europa nicht zu ähnlichen Entwicklungen kommt, gibt es im Prinzip nur drei Wege.

1. Die freie Wanderung von EU-Bürgern wird ausgeschlossen. Das wäre nicht sinnvoll. Es widerspräche den Verträgen von Rom und würde die Wohlfahrtsgewinne der Wanderung, wie sie oben beschrieben wurden, verhindern.

2. Zuwandernde werden nicht oder nicht sofort in den Sozialstaat des Ziellandes integriert. Das ist ein Weg, den unter anderen der Wissenschaftliche Beirat beim Bundesministerium der Finanzen vorgeschlagen hat. Der übernächste Abschnitt wird sich damit beschäftigen.

3. Die Sozialsysteme werden harmonisiert, sodass ihre Erosion im Wettbewerb ausgeschlossen ist. Es scheint, dass dies die Lösung ist, auf die die neue EU-Verfassung hinsteuert, deren Entwurf der EU-Verfassungskonvent vor kurzem vorgelegt hat. Dieses Thema ist für die Zukunft Europas so wichtig, dass es sich lohnt, einen näheren Blick auf den Entwurf zu werfen.

Die neue EU-Verfassung: zwanzig Mezzogiorni in Europa

Der Verfassungskonvent, der unter der Leitung des ehemaligen französischen Staatspräsidenten Valéry Giscard d'Estaing tagte, hat seinen Entwurf für die neue EU-Verfassung im Juni des Jahres 2003 vorgelegt. Dieser Entwurf soll auf der Regierungskonferenz in Rom im Dezember 2003 abschließend beraten und dann den Parlamenten der Länder Europas zur Abstimmung vorgelegt werden.

Die neue Verfassung definiert die Grundrechte der Unionsbürger, die Entscheidungsorgane, die Aufgabenteilung zwischen der Europäischen Union und den Einzelstaaten und vieles mehr. Vor allem sichert sie die Wirtschafts- und Währungsunion, zu der sich die Staaten Europas zusammengefunden haben, sowie die für eine Marktwirtschaft essenziellen Freizügigkeitsrechte und das Recht auf Eigentum.

Problematisch ist, dass die Verfassung ganz eindeutig auf das Ziel der Schaffung einer europäischen Sozialunion ausgerichtet ist. Bei diesem Thema sollten wir Deutschen aufhorchen, denn wir wissen aus eigener Erfahrung, was eine Sozialunion bedeutet. Schließlich haben wir sie bei der deutschen Vereinigung neben der Wirtschafts- und Währungsunion eingeführt. Wir wissen, dass eine Sozialunion teuer werden und den Arbeitsmarkt ziemlich in Unordnung bringen kann (vergleiche Kapitel 5). Wenn auf der europäischen Ebene nun das Gleiche passieren soll, was nach der Vereinigung innerhalb Deutschlands abgelaufen ist, dann könnte die Leistungskraft der deutschen Volkswirtschaft über das Maß des Möglichen hinaus strapaziert werden. Insofern kann uns nicht gleichgültig sein, was in Rom verabschiedet wird.

Der Verfassungsentwurf umreißt die europäische Sozialunion in vielen Artikeln, die sich mit der sozialen Kohärenz, der Bekämpfung von Armut, der Solidarität und Ähnlichem beschäftigen. Besonders hervorzuheben sind die folgenden Aussagen:

Artikel I-4, Grundfreiheiten und Nichtdiskriminierung:
(2) Unbeschadet besonderer Bestimmungen dieser Verfassung ist in ihrem Anwendungsbereich jede Diskriminierung aus Gründen der Staatsangehörigkeit verboten.

Artikel I-8, Unionsbürgerschaft:
(1) Unionsbürgerin und Unionsbürger ist, wer die Staatsangehörigkeit eines Mitgliedsstaates besitzt. Die Unionsbürgerschaft tritt zur nationalen Staatsbürgerschaft hinzu, ohne diese zu ersetzen.

(2) Die Unionsbürgerinnen und Unionsbürger haben die in dieser Verfassung vorgesehenen Rechte und Pflichten. Sie haben das Recht, sich im Hoheitsgebiet der Mitgliedstaaten frei zu bewegen und aufzuhalten...

Artikel II-34, Soziale Sicherheit und soziale Unterstützung:
(1) Die Union anerkennt und achtet das Recht auf Zugang zu den Leistungen der sozialen Sicherheit und zu den sozialen Diensten, die in Fällen wie Mutterschaft, Krankheit, Arbeitsunfall, Pflegebedürftigkeit oder im Alter sowie bei Verlust des Arbeitsplatzes Schutz gewähren...
(2) Jeder Mensch, der in der Union seinen rechtmäßigen Wohnsitz hat und seinen Aufenthalt rechtmäßig wechselt, hat Anspruch auf die Leistungen der sozialen Sicherheit und die sozialen Vergünstigungen...
(3) Um die soziale Ausgrenzung und die Armut zu bekämpfen, anerkennt und achtet die Union das Recht auf eine soziale Unterstützung und eine Unterstützung für die Wohnung, die allen, die nicht über ausreichende Mittel verfügen, ein menschenwürdiges Dasein sicherstellen soll.

Diese Artikel klingen beim ersten Lesen nicht unplausibel. Die Unionsbürgerschaft und die freie Wohnsitzwahl sind essenzielle Schritte für ein vereintes Europa, und wer wollte schon Bürger aus anderen EU-Staaten diskriminieren! Indes könnte die Verbindung des Diskriminierungsverbots mit Artikel II-34 folgenträchtig sein. Offenbar sagt nämlich die Verfassung, dass ein Unionsbürger seinen Wohnsitz nehmen darf, wo er will, und dass er dann im Gastland den vollen Anspruch auf die Leistungen der sozialen Sicherung und soziale Vergünstigungen hat. Dabei darf er nicht anders behandelt werden als Einheimische. Es gilt das Recht auf Inklusion in den Sozialstaat; so jedenfalls lautet der juristische Fachterminus.

Die genannten Rechte wurden zwar in Europa auch bislang schon gewährt, doch indem sie nun auf die Ebene von Verfassungsrechten gehoben werden, stärken sie den Gedanken der sozialen Inklusion. Damit stärken sie aber leider auch die Erosionskräfte des Abschreckungswettbewerbs à la USA, die im vorigen Abschnitt beschrieben wurden. Sie schaffen geradezu ideale Bedingungen dafür, dass sich dieser Wettbewerb voll entfalten kann. Die Regeln, die den Sozialstaat stärken sollen, schwächen ihn in Wahrheit, weil sie ökonomische Reaktionen bei den begünstigten Bürgern und den belasteten Staaten provozieren.

Vermutlich werden die Inklusionsrechte der EU-Bürger gegenüber dem heutigen Rechtszustand durch die Verfassung noch ausgedehnt. Bislang gelten diese Rechte nämlich im Wesentlichen nur für Arbeitnehmer. Wer aus anderen Gründen das Land wechselt, als anderswo eine Arbeit zu übernehmen, sei es zum Beispiel als Tourist, als Rentner oder als Student, dem zeigt der Sozialstaat des Gastlandes die kalte Schulter. Er hat keinen Anspruch auf Rente, Arbeitslosengeld oder Sozialhilfe. Nur eine Notfallhilfe im Krankheitsfall wird ihm gewährt. Für ihn gilt ein recht striktes Exklusionsprinzip.

Eine solche Einschränkung der Inklusion auf Arbeitnehmer ist im neuen Verfassungstext nicht mehr erkennbar. Jeder EU-Bürger, der sich rechtmäßig in einem Land niederlässt, nicht nur der Arbeitnehmer, hat gemäß Artikel II-34 Anspruch auf soziale Sicherung und soziale Vergünstigungen, wie sie auch Inländern gewährt werden.

Was das im Einzelnen heißt, wird die Rechtspraxis zeigen müssen. Jedenfalls kann man schon jetzt auf den Prozess gespannt sein, bei dem ein mittelloser Pole, der nicht die Absicht hat, in Deutschland zu arbeiten, seinen Wohnsitz nach Deutschland verlegt und hier wegen einer Sozialwohnung und der Unterstützung durch die Sozialhilfe vorstellig wird. Es wird schwer sein, ihm diese sozialen Vergünstigungen, die ja den Deutschen zur Verfügung stehen, mit dem Hinweis zu verwehren, dass er aus einem anderen Land stammt, denn gemäß Artikel I-4 ist die Diskriminierung aus Gründen der Staatsangehörigkeit verboten, und gemäß Artikel II-34 (3) müssen die Gesetze und Verordnungen der Union und die Urteile ihrer Richter das Recht auf soziale Unterstützung und die Unterstützung für eine Wohnung anerkennen und achten. Das europäische Richterrecht hat die einschlägigen EU-Verträge schon in der Vergangenheit stets zu Gunsten einer sehr weiten Auslegung des Inklusionsprinzips interpretiert. Man braucht wenig Phantasie, um sich vorzustellen, wie die Richter in Zukunft mit der Rückendeckung der neuen EU-Verfassung entscheiden werden.

Der Anreiz für einen Polen, seinen Job zu Hause aufzugeben und stattdessen mit seiner Familie in Deutschland Sozialhilfe zu beziehen, wird jedenfalls groß sein. Wie schon Tabelle 8.2 gezeigt hat, liegt die deutsche Sozialhilfe je nach Familienstand beim Doppelten bis Vierfachen seines polnischen Nettolohnes. Der Gewinn wird reichen, sich nach wenigen Jahren in der Heimat ein solides Haus zu bauen, zumal man die freie Zeit für eine lukrative Tätigkeit auf dem deutschen Schwarzmarkt nutzen kann. Auch die bringt noch einmal das Drei- bis Vierfache des polnischen Nettolohnes.

Es ist unklar, in welcher Breite das in der EU-Verfassung angelegte Inklusionsprinzip in Zukunft praktiziert werden wird. Doch schon in der heutigen Interpretation ist es ein Problem, weil es die Wanderungsentscheidungen der Arbeit Suchenden verzerrt und weil es den Sozialstaaten Europas wachsende Lasten auferlegt. Die Osterweiterung wird dieses Problem vergrößern, und die allgemeine Erhöhung der Mobilität der Arbeitskräfte in Europa wird es ebenfalls tun. Dass sich der Abschreckungswettbewerb verstärken wird und die Leistungen der Sozialstaaten immer weiter zurückgefahren werden, ist wahrscheinlich.

Es ist absehbar, dass unter diesen Voraussetzungen der Ruf nach einer Harmonisierung der sozialstaatlichen Regeln in Europa lauter werden wird, der von den Sozialpolitikern aller Länder, die neben der Wirtschafts- und Währungsunion auch eine Sozialunion für Europa fordern, ohnehin schon zu vernehmen ist. Eine solche Harmonisierung stünde im Einklang mit Artikel I-14 (4) des Verfassungsentwurfs, der explizit vorsieht, dass die EU Initiativen zur Koordinierung der Sozialpolitik der Mitgliedstaaten ergreifen kann.

Wir Deutschen haben die Erfahrung gemacht, was eine Sozialunion wirklich bedeutet, und die Italiener haben diese Erfahrung auch gemacht. Eine Sozialunion impliziert einheitliche Lohnersatzeinkommen und damit einheitliche Mindestlohnansprüche in allen Landesteilen. In den schwächeren Landesteilen drücken diese Mindestlohnansprüche den tatsächlichen Lohn über das mit einer Vollbeschäftigung kompatible Niveau. Arbeitslosigkeit ist die Folge. Die Arbeitslosigkeit muss dann durch entsprechende Transfers von den reicheren Landesteilen bezahlt werden. Deutschlands Erfahrungen stammen aus den neuen Bundesländern, und Italiens Erfahrungen stammen aus dem Mezzogiorno, seinen südlichsten Landesteilen. Aus der Dauerstagnation, die die Sozialunion erzeugt, haben die beiden Länder bis heute noch keinen Ausweg gefunden.

Was in Italien und Deutschland bereits erhebliche Probleme bereitet, könnte sich zur chronischen Krankheit ganz Europas auswachsen. Der Grund ist unschwer anhand der Abbildung 8.3 zu erkennen, die die Nettolöhne alternativer Länder und Regionen mit dem westdeutschen Sozialhilfeniveau vergleicht. Eine Harmonisierung der Sozialhilfe auf einem Niveau, das für Deutschland noch als angemessen erscheint, würde auf dem Wege erzwungener Lohnerhöhungen den wirtschaftlichen Tod ganzer Regionen und Länder in Europa bedeuten. Davon wäre nicht nur Osteuropa betroffen. Auch viele Regionen in der alten EU wären außerstande, die Löhne zu zahlen, die mit einem auf deutschem Niveau harmonisierten

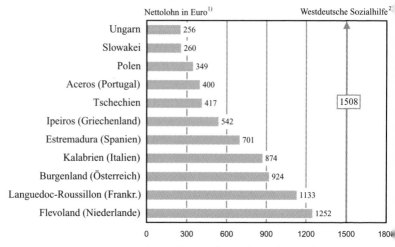

Nettolöhne in Europa im Vergleich zur westdeutschen Sozialhilfe (2000)

Nettolohn in Euro[1]   Westdeutsche Sozialhilfe[2]

Ungarn	256
Slowakei	260
Polen	349
Aceros (Portugal)	400
Tschechien	417
Ipeiros (Griechenland)	542
Estremadura (Spanien)	701
Kalabrien (Italien)	874
Burgenland (Österreich)	924
Languedoc-Roussillon (Frankr.)	1133
Flevoland (Niederlande)	1252

1508

0   300   600   900   1200   1500   180⦁

1) Verheirateter Industriearbeiter mit 2 Kindern.
2) Familie mit 2 Kindern.
Quelle: OECD 2002; Taxing Wages 2000 – 2001, Eurostat.

ABBILDUNG 8.3

Sozialstandard Schritt halten können. Es gäbe nicht nur zwei, sondern zwanzig Mezzogiorni in Europa. Diese zwanzig Mezzogiorni müssten so wie die zwei schon bestehenden mit den Geldern der noch funktionsfähigen Regionen über Wasser gehalten werden. Bei den eingangs genannten Ziffern für das EU-Budget würde es dann nicht bleiben. Sie würden sich vervielfachen, und die EU begänne, dann auch ein finanzielles Problem für die Mitgliedsländer zu werden.

Insofern sollte sich Giscard d'Estaing doch noch einmal genau überlegen, ob er den Regierungen Europas den Artikel II-34 in seiner jetzigen Form vorlegen möchte. Glücklicherweise gibt es eine Alternative für Europa, die mit der wirtschaftlichen Prosperität aller Regionen und der Funktionsfähigkeit der europäischen Sozialstaaten vereinbar ist, und mit ihr beschäftigt sich der nachfolgende Abschnitt.

Die Lösung:
verzögerte Integration in das Sozialsystem

Der Wissenschaftliche Beirat beim Bundesministerium der Finanzen und ähnlich auch das ifo Institut haben empfohlen, Migranten nur verzögert unter den vollen Schutz des Sozialsystems zu stellen, und zwar möglichst so, dass der fiskalische Leistungssaldo in einer Übergangszeit bis zur Vollintegration vollständig ausgeglichen ist.[15] Die Devise ist, dass jeder EU-Bürger, der kommen will, kommen kann, aber keine Geschenke erhält.

Der ausländische Arbeitnehmer ist uneingeschränkt steuer- und beitragspflichtig, und er behält sämtliche Ansprüche auf die beitragsfinanzierten Leistungen wie heute auch, jedoch werden die steuerfinanzierten Leistungen des Staates zunächst nicht in vollem Umfang gewährt. Die meisten Leistungen des Staates, wie zum Beispiel den freien Zugang zur öffentlichen Infrastruktur und den Schutz des Rechtssystems seitens der Justiz und der Polizei, kann und soll man nicht begrenzen. Aber einige Leistungen, wie das Wohngeld, die Sozialhilfe, das Kindergeld für im Ausland verbliebene Kinder oder die Möglichkeit zum Bezug von Sozialwohnungen, die ohnehin nur für ein Viertel der Anspruchsberechtigten reichen, werden eingeschränkt. Die Einschränkungen sollen so austariert werden, dass der finanzielle Saldo des Staates ausgeglichen wird. In der obigen Tabelle 8.3 sollte also nicht mehr ein Minusbetrag von knapp 2.400 Euro für die jährlichen Nettokosten des Staates während der ersten zehn Jahre stehen, sondern ein Betrag von null.

Die verzögerte Integration in das Sozialsystem würde das Übermaß an Wanderungen, das andernfalls zu erwarten wäre, auf das ökonomisch sinnvolle Maß reduzieren, weil keine Wanderungsprämien mehr gezahlt würden. Darüber hinaus würde sie den Druck von den Sozialstaaten nehmen, den fiskalischen Implikationen der Wanderung durch einen allgemeinen und

443

undifferenzierten Sozialabbau zu begegnen. Die Erosion der in einen Abschreckungswettbewerb verfangenen Sozialstaaten würde vermieden. Europa würde keine zwanzig Mezzogiorni entwickeln, sondern in der ökonomischen Differenziertheit, die nun einmal vorliegt, prosperieren und, getrieben durch die natürlichen ökonomische Prozesse, die in Kapitel 2 beschrieben wurden, auch allmählich konvergieren.

Damit diese Entwicklung zustande kommen kann, sollte der Artikel II-34 des Entwurfs der EU-Verfassung noch geändert werden.

So könnte der Absatz 2 lauten:

(2) Jeder Mensch, der in der Union seinen rechtmäßigen Wohnsitz hat und seinen Aufenthalt rechtmäßig wechselt, hat **nach einer angemessenen Frist** Anspruch auf die Leistungen der sozialen Sicherheit und die sozialen Vergünstigungen **seines Wohnsitzlandes**...

Und in Absatz 3 könnte es heißen:

(3) Um die soziale Ausgrenzung und die Armut zu bekämpfen, anerkennt und achtet die Union das Recht auf eine soziale Unterstützung und eine Unterstützung für die Wohnung, die allen, die nicht über ausreichende Mittel verfügen, ein menschenwürdiges Dasein sicherstellen soll. **Dieses Recht soll nach einer angemessenen Frist auch für Unionsbürger gelten, die ihr Wohnsitzland rechtmäßig gewechselt haben.**

Das würde, jedenfalls auf der Verfassungsebene, ausreichen, das Prinzip der verzögerten Integration festzuschreiben. Deutschland könnte für eine solche Initiative Verbündete suchen und sie vor und bei der Regierungskonferenz von Rom durchzubringen versuchen. Die Chancen, dass man Länder wie Italien, Frankreich und Großbritannien gewinnen kann, stehen angesichts der Zuwanderungsdebatten, die derzeit in diesen Ländern stattfinden, nicht schlecht. Aber auch wenn wir keine Verbündeten fänden, könnten wir diese Änderung verlangen, denn die Verfassung muss einstimmig verabschiedet werden. Deutschland hat sich im Vorfeld der Verfassungsdiskussion ohnehin ausbedungen, dass Fragen der Immigrationspolitik aus Drittländern auch in Zukunft in der nationalen Kompetenz verbleiben und nicht, oder jedenfalls nicht allein, von der EU entschieden werden können. Zu dieser auch im Ausland akzeptierten Linie würde die vorgeschlagene Modifikation passen. Sie wäre die adäquate Ergänzung für EU-interne Binnenwanderungen.

Die Osterweiterung der Union ist für unser Land eine wirtschaftliche Herausforderung wie für kein anderes EU-Land außer vielleicht Österreich. Es ist ein Faktum, dass zwei Drittel der osteuropäischen EU-Immigranten nach Deutschland kamen. Das wird aller Voraussicht nach auch in Zukunft so bleiben, wenn die Osteuropäer EU-Bürger sind und den Schutz der EU-Verfassung genießen. Deswegen müssen wir gegenüber den anderen EU-Ländern auch einmal unsere eigenen Interessen vertreten und das Prinzip der verzögerten Integration zur Bedingung für unsere Zustimmung zur Verfassung machen. Der deutsche Bundeskanzler darf dem Artikel II-34 in seiner jetzigen Form nicht zustimmen, wenn er, wie es ihm das Grundgesetz aufträgt, Schaden vom deutschen Volk abwenden will.

Der EU-Kommission ist offenbar selbst nicht ganz wohl bei dem Gedanken, dass nach der Osterweiterung eine freie Wanderung in die westeuropäischen Wohlfahrtsstaaten möglich wird. Deshalb ist sie auf die Lösung verfallen, die Freizügigkeit der Arbeitnehmer der Beitrittsstaaten in einer Übergangsphase von bis zu sieben Jahren nach der Osterweiterung zu suspendieren und für diese Zeit nationale Beschränkungen zu erlauben.[16] Aus deutscher Sicht bedeutet das, dass Staatsangehörige der Beitrittsstaaten während dieser Zeitspanne wie

Nicht-EU-Bürger behandelt werden und Zutritt zum deutschen Arbeitsmarkt nur auf der Basis von Einzelfallprüfungen der örtlichen Arbeitsverwaltung erhalten, wobei gewisse Obergrenzen beachtet werden, die einer Kontingentierung nahe kommen. Ähnlich war man seinerzeit bei der Süd-Erweiterung verfahren, konnte die Beschränkung dann aber frühzeitig aufheben, weil der Wanderungsdruck viel geringer als erwartet war. Der Druck war ja, wie oben schon erläutert wurde, durch die Massenauswanderung während der Diktaturen bereits vor dem EU-Beitritt abgebaut worden, was im Falle Osteuropas ganz anders ist.

Dieser Vorschlag der EU-Kommission ist aus zwei Gründen nicht überzeugend. Zum einen bietet er nur eine temporäre Möglichkeit, die Wanderungsströme zu beeinflussen. Die Übergangsfrist nach dem EU-Beitritt der Ostländer ist schnell vorbei, und auch danach wird der westdeutsche Sozialstaat seine Funktion als Zuwanderungsmagnet für gering qualifizierte Osteuropäer behalten.[17] Die verzögerte Integration bietet demgegenüber eine Dauerlösung gegen die Wohlfahrtsmigration, weil sie jedem Individuum, wann immer es zuwandert, eine Integrationsfrist zuweist, während derer es nur partiell integriert wird. Sie ist eine dauerhafte Bremse gegenüber einer exzessiven Wirkung des Zuwanderungsmagneten Sozialstaat und damit eine Maßnahme zum Schutz dieses Sozialstaates.

Zum anderen sind Mengenbeschränkungen aus ökonomischer Sicht ein grobschlächtiges und wenig zielgenaues Mittel zur Optimierung des Wanderungsprozesses. Nach irgendwelchen starren Regeln werden die Menschen bestimmt, die kommen dürfen. Jemand muss am Tor stehen und eine Selektion vornehmen. Dass bei einer solchen Selektion tatsächlich diejenigen kommen werden, die die niedrigsten subjektiven und objektiven Wanderungskosten haben und die den höchsten Produktivitätsgewinn durch den Standortwechsel erwarten lassen, ist zu bezweifeln. Selbst der beste Bürokrat kann die Qualität der Selbstselektion des Marktes nicht annähernd erreichen. Wäre das so, dann wäre die Planwirtschaft der Markt-wirtschaft ebenbürtig. Die Selektion sinnvoller Aktivitäten aus der riesigen Menge der möglichen Aktivitäten ist der wichtig-ste Grund dafür, dass die Marktwirtschaft der Planwirtschaft überlegen ist. Sie nun gerade bei einem so wichtigen Thema wie der internationalen Arbeitskräftewanderung außer Kraft zu setzen, wäre sicher eine ganz dumme Entscheidung. Statt Geschenke an staatlich Auserwählte zu verteilen, ist es aus öko-nomischer Sicht wirklich viel besser, die Geschenke, für die dem Staat ohnehin das Geld fehlt, nicht zu verteilen und die EU-Bürger selbst entscheiden zu lassen, ob sie kommen wollen oder nicht. Eine solche liberale Lösung wäre auch mit dem Geist der Verträge von Rom, die unter anderem die volle Frei-zügigkeit für die Bürger der EU verlangen, besser vereinbar. Die Sozialunion à la Giscard d'Estaing darf so nicht kommen!

Spiel ohne Grenzen

1 Institut der deutschen Wirtschaft Köln, Deutschland in Zahlen 2003, S.72.

2 Vergleiche Pressemitteilung IP/03/217 der EU-Kommission vom 11. Februar 2003, http://europa.eu.int/comm/enlargement/docs/news_de.htm.

3 Die Darstellung bezieht sich auf Wechselkurse und nicht auf Kaufkraftparitäten, weil es für Fragen der Wettbewerbsfähigkeit nur auf die tatsächlichen Lohnkosten ankommt. Ein Unternehmer, der erwägt, seine Waren in Tschechien statt in Deutschland zu produzieren, interessiert sich nicht für die Frage, was die Tschechen mit ihren Löhnen kaufen können. Kaufkraftparitäten sind aber für Wanderungsprozesse in dem Maße relevant, wie Migranten ihr Geld im Zuwanderungsland konsumieren. Die Lohnunterschiede zu Kaufkraftparitäten sind stets kleiner als die Unterschiede zu laufenden Wechselkursen, weil ein Land, das niedrige Löhne hat, auch niedrige Preise für die lokalen Dienstleistungen aufweist. Dieser Effekt tendiert dazu, die relativen Lohnunterschiede bei realer Rechnung zu verringern, er ändert in der Regel aber nicht ihre Rangfolge.

4 Vergleiche H.-W. Sinn und W. Ochel, Social Union, Convergence and Migration, CESifo Working Paper Nr. 961, 2003.

5 H.-W. Sinn, EU Enlargement and the Future of the Welfare State, Scottish Journal of Political Economy 49, 2002, S.104–115, hier S.107.

6 Durchschnittliche Bruttomonatsverdienste der Arbeitnehmer in der Industrie und im Dienstleistungssektor im Jahr 2000, Sta-

tistisches Bundesamt, Statistisches Jahrbuch 2003 für das Ausland, Tabelle 13.4, vorab auf Anfrage.

7 Vergleiche H.-W. Sinn, G. Flaig, M. Werding, S. Munz, N. Düll und H. Hofmann, EU-Erweiterung und Arbeitskräftemigration: Wege zu einer schrittweisen Annäherung der Arbeitsmärkte, ifo Beiträge zur Wirtschaftsforschung, Nr. 2, München 2001; T. Boeri und H. Brücker, The Impact of Eastern Enlargement on Employment and Labour Market in the EU Member States, Final Report, European Integration Consortium, Berlin 2002; H.-W. Sinn und M. Werding, Zuwanderung nach der EU-Osterweiterung: Wo liegen die Probleme?, ifo Schnelldienst 54, 2001, Nr. 8, S.18–27.

8 W. Ochel, Mittel- und osteuropäische Einwohner in Westeuropa, ifo Schnelldienst 53, 2000, Nr. 19–20, S.49.

9 Vergleiche EU-Kommission, Die Erweiterung der Europäischen Union. Errungenschaften und Herausforderungen, Expertenbericht über die Konsequenzen der Erweiterung, Brüssel 2003, S.45: »Nach Expertenberechnungen wird die mögliche Migration tendenziell gering ausfallen«. http://www.europa.eu.int/comm/enlargement/ communications/index_de.htm.

10 US-Bevölkerung: Economic Report of the President, statistical tables 2003, http://w3.access.gpo.gov/eop/; US-Wanderungen: US Bureau of the Census, Annual Geographical Mobility Rates, by Type of Movement, 1947 – 2001, http://www.census.gov/ population/www/socdemo/migrate.html; Arbeitslosigkeit in Israel: Bank of Israel, Annual Report 1999 – Statistical Appendix, http://www.bankisrael.gov.il; israelische Bevölkerung: Central Bureau of Statistics Israel, Selected Data, Population, http://www.cbs.gov.il.

11 Zahlen für 2002, vergleiche: Bundesanstalt für Arbeit, http://www.arbeitsamt.de.

12 Die Zahlen sind zwar nicht mehr ganz aktuell, weil sie sich auf eine Untersuchung der OECD aus dem Jahr 2000 stützen. Seit dieser Zeit hat sich aber nicht viel geändert. Auch im Falle einer raschen Konvergenz würde der Lohnabstand nach einer empirischen Faustregel pro Jahr nicht um mehr als 2 % schrumpfen.

13 Vergleiche H.-W. Sinn, The New Systems Competition. Yrjö Jahnsson Lectures, Helsinki 1999, Basil Blackwell, Oxford 2003, sowie die dort angegebene Literatur.

14 Vergleiche M. Thum, EU Enlargement, Fiscal Competition and Network Migration, bisher unveröffentlichtes Diskussionspapier, siehe Website des Autors http://www.tu-dresden.de/wwvwlfw/.

15 Vergleiche Wissenschaftlicher Beirat beim Bundesministerium der Finanzen, Gutachten zur »Freizügigkeit und sozialen Sicherung in Europa«, 2001, http://www.bundesfinanzministerium.de; H.-W. Sinn, G. Flaig, M. Werding, S. Munz, N. Düll und H. Hofmann, EU-Erweiterung und Arbeitskräftemigration: Wege zu einer schrittweisen Annäherung der Arbeitsmärkte. ifo Beiträge zur Wirtschaftsforschung, Nr. 2, München 2001.

16 Vergleiche W. Husemann, Europa im Wandel – Zehn Fragen, Bundesarbeitsblatt 3/2002, S.10–13.

17 Im Übrigen werden, wie eingangs dieses Kapitels schon dargelegt wurde, die ungarischen und polnischen Löhne selbst bei einer maximalen Konvergenzgeschwindigkeit von jährlich 2 % im Jahr 2010 nur ein Drittel der westdeutschen Löhne und weniger als die Hälfte der ostdeutschen Löhne ausmachen. Auch von daher wird der Wanderungsdruck erhalten bleiben.

Das 6+1-Programm
für den Neuanfang

TOP 1:   Kehrtwende bei den Tarifvereinbarungen
Länger arbeiten: mindestens 42 Stunden
Sparlohn statt Barlohn, Mitbeteiligung statt Mitbestimmung

TOP 2:   Weniger Macht für die Gewerkschaften!
Weg mit den starren Flächentarifen, mehr Tarifautonomie
    für die Betriebe
Unbefristete Verträge statt Kündigungsschutz

TOP 3:   Weniger Geld für das Nichtstun, mehr Geld für Jobs
Aktivierende Sozialhilfe: Hilfe zur Selbsthilfe
Frühverrentung ja, aber ganz anders

TOP 4:   Den Zuwanderungsmagneten abschalten
Verzögerte Integration in das Sozialsystem
Sozialunion für Europa? – eine Katastrophe

TOP 5:   Eine wirklich radikale Steuerreform
Weniger Staat und weniger Steuern
Die ifo-Steuer

TOP 6:   Mehr Kinder, mehr Rente, mehr Fortschritt
Von Frankreich lernen
Ein neues Rentensystem auf vier Säulen

TOP 6+1: Neuer Schwung in den neuen Ländern
Aktivierende Sozialhilfe zum Schutz vor Niedriglöhnern aus
    Polen und Tschechien
Mitbeteiligung: im Osten ein Auftrag von Verfassungsrang

Deutschlands Versuch, soziale Ziele gegen die Regeln der Marktwirtschaft durchzusetzen, ist gescheitert. Falsche politische Weichenstellungen, die zum Teil schon 30 Jahre zurückliegen, haben unser Land in eine schwere Strukturkrise getrieben, die uns im Vergleich zu unseren Nachbarländern immer mehr zurückwirft. Um Deutschlands Position als führende Wirtschaftsnation zu retten, bedarf es grundlegender Reformen der institutionellen Verhältnisse, unter denen die private Wirtschaft arbeitet.

Die notwendigen Reformen konzentrieren sich auf den Arbeitsmarkt, denn die Arbeit ist die Quelle des Wohlstands, und die Kosten der Arbeit sind die einzigen relevanten Standortkosten im internationalen Wettbewerb. Wenn der Arbeitsmarkt nicht mehr funktioniert, dann funktioniert bald nichts mehr in diesem Lande. Die Bevölkerungsentwicklung, die Einwanderung und die Umverteilungsaktivitäten des Staates müssen dabei mit in den Blick genommen werden.

Das Hauptproblem liegt bei den Lohnkosten. Um im Wettbewerb zu bestehen, kann man so viel teurer sein, wie man besser ist. Ob wir noch viel besser als andere sind, kann man bezweifeln, denn das technische Wissen verbreitet sich schnell auf andere Länder. Auf jeden Fall sind wir aber teurer. Deutschlands Industrie hat die höchsten Arbeitskosten je Stunde auf der ganzen Welt. Bei den gering Qualifizierten ist auf diese Weise eine im internationalen Vergleich ganz ungewöhnlich hohe Massenarbeitslosigkeit entstanden, die mittlerweile das ganze Land hinunterzieht.

Der Grund für die hohen Arbeitskosten liegt einerseits in einer hemmungslosen Kartellpolitik der Gewerkschaften, die für die beschäftigten Arbeiter zu Lasten ihrer Kollegen vor den Werktoren herausgeholt haben, was nur eben ging. Andererseits liegt er beim Sozialstaat. Der Sozialstaat hat versucht, die Konsequenzen der Arbeitslosigkeit durch immer großzügigere Lohnersatzleistungen wie Arbeitslosengeld, Arbeitslosenhilfe, Sozialhilfe und auch Frührente abzufedern, aber er hat die

Arbeitslosigkeit dadurch in Wahrheit noch vergrößert. Niedriglohnwettbewerber aus aller Welt bedrängen die deutschen Unternehmen auf ihren Absatzmärkten. Der Hochlohnwettbewerber Sozialstaat bedrängt sie auf dem heimischen Arbeitsmarkt. In diesem doppelten Wettbewerb wird die deutsche Wirtschaft allmählich zerrieben. Die meisten Unternehmen haben auszuweichen versucht, indem sie ihre Werkhallen mit Robotern statt Menschen gefüllt haben. Viele Unternehmen sind mit Teilen ihrer Produktion ins Ausland geflohen. Andere sind Pleite gegangen und haben ihren Markt den ausländischen Wettbewerbern überlassen.

Trotz der Arbeitslosigkeit locken die hohen Löhne für einfache Arbeit und die Leistungen des Sozialstaates nach wie vor Heerscharen von Ausländern in das Land. Aber die deutsche Wirtschaft ist wegen der Starrheit der Lohnstrukturen außerstande, ihnen neue Jobs zur Verfügung zu stellen. Deshalb findet eine Zuwanderung in die Arbeitslosigkeit statt. Zwar finden die zuwandernden Ausländer meistens eine Stelle, doch drängen sie stattdessen Einheimische in die Sessel, die der Sozialstaat für sie bereitstellt. Deutschland hat noch keinen Weg gefunden, die Zuwandernden sinnvoll in seine Wirtschaft zu integrieren und ihnen statt der Arbeitsplätze der Einheimischen neue Arbeitsplätze zur Verfügung zu stellen. Angesichts der Osterweiterung der EU und der immer noch riesigen Lohnunterschiede zwischen Ost- und Westeuropa, die weitere Wanderungsbewegungen anregen werden, besteht akuter Handlungsbedarf.

Trotz der Zuwanderung schrumpft und vergreist die Bevölkerung, denn es werden immer weniger Familien gegründet und immer weniger Kinder geboren. Schon heute hat das kleinere Nachbarland Frankreich mehr Neugeborene als Deutschland. Da die Generationen der Unternehmensgründer und Forscher ausdünnen, werden immer weniger wettbewerbsfähige Arbeitsplätze geschaffen. Zugleich türmt sich ein Berg von Rentenansprüchen auf, die in 30 Jahren mangels arbeitsfähiger Menschen kaum noch erfüllt werden können.

Die Kosten für den Staat wachsen wegen der zunehmenden Arbeitslosigkeit und der alternden Bevölkerung schneller als die Wirtschaftsleistung. Die Staatsquote steigt, und mit ihr steigt die Steuer- und Abgabenlast. Das belastet den Standort weiter und vergrößert die Arbeitslosigkeit abermals. Deutschlands Industriearbeiter müssen heute die höchste Grenzabgabenlast unter vergleichbaren Ländern tragen. Viele fliehen in die Schwarzarbeit, viele ziehen sich ganz aus dem Arbeitsleben zurück, und die Jungen verlieren das Interesse an der Ausbildung.

Die Teufelsspirale, in der unser Land seit nunmehr 30 Jahren gefangen ist, muss mit einem Befreiungsschlag durchbrochen werden. Wir können nicht hinnehmen, dass Deutschland bei der Wirtschaftsleistung von einem Nachbarn nach dem anderen überholt wird und dass es zu einem Land der Greise wird, in dem nichts mehr prosperiert außer den Altersheimen.

Deutschland muss sich endlich mit der Marktwirtschaft versöhnen und seine idealistischen Vorstellungen von den Möglichkeiten des Sozialstaates aufgeben. Der Belastungstest der Marktwirtschaft ist schief gegangen. Wenn Willy Brandt noch lebte, würde auch er dies anerkennen. Wir waren damals alle viel zu naiv, was die wirtschaftlichen Dinge betraf.

Wir müssen ein System errichten, bei dem die natürlichen Anreize für die Menschen, sich Wohlstand und Sicherheit zu verschaffen, wieder zum Zuge kommen. Diese Anreize sind in der Vergangenheit durch staatliche Interventionen massiv verzerrt worden mit der Folge, dass Deutschland seine Dynamik verloren hat. Mit einem konsequent an den Erfordernissen der Marktwirtschaft ausgerichteten Programm, das auf die Selbstheilungskräfte der Wirtschaft vertraut und uns alle wieder in stärkerem Umfang für die Konsequenzen unseres Handelns verantwortlich macht, wird es gelingen, ein stabiles Fundament für einen neuen Aufschwung unseres Landes zu legen. Die notwendigen Reformen sind in Einzelfällen schmerzlich, und sie werden auch keine raschen Wirkungen entfalten, denn sie sind struktureller und nicht konjunktureller Natur. Für eine wirkliche Kehrtwende braucht man einen langen Atem. Aber der Erfolg wird nicht ausbleiben. Die Gesetze der Ökonomie arbeiten zwar langsam, aber sie arbeiten beständig und mit großer Kraft.

Die folgenden sechs Programmbereiche fassen meine Forderungen an die Politik zusammen. Sie erschöpfen die Liste der notwendigen Reformen nicht, aber sie umfassen die wichtigsten, jedenfalls was die wirtschaftliche Seite des Themas betrifft. Es folgt ein weiterer Programmbereich, der besonders dringlich ist, aber systematisch etwas aus dem Rahmen fällt, weil er einige der schon genannten Programmpunkte speziell im Hinblick auf die neuen Länder diskutiert. Deswegen ist dies ein 6+1-Programm.

TOP 1: Kehrtwende bei den Tarifvereinbarungen

Länger arbeiten: mindestens 42 Stunden

Zur Wiederherstellung der Wettbewerbsfähigkeit müssen die Stundenlöhne fallen. Um wie viel, das ist angesichts der sich stürmisch ändernden Wettbewerbsverhältnisse unklar. Ein guter gedanklicher Bezugspunkt ist jedoch Holland, weil dieses Land vor 25 Jahren ähnliche Probleme wie Deutschland hatte und diese Probleme dann mittels einer langfristigen Lohnmoderation, die 1982 im Abkommen von Wassenaar beschlossen wurde, tatsächlich lösen konnte. Wenn man den Lohnabstand zu den Holländern, der sich seitdem aufgebaut hat, kompensieren möchte, müssten die Arbeitgeberbeiträge zur Renten- und Krankenversicherung von den Arbeitnehmern übernommen werden, oder die Löhne müssten elf Jahre lang um je einen Prozentpunkt langsamer wachsen als die Produktivität.

Schneller und einfacher ist das Ziel erreichbar, wenn die Arbeitszeit ohne Lohnausgleich verlängert wird. Wenn wir bei gleichem Lohn 10% länger arbeiten, kann die Lohnkostenschere zu unserem Nachbarn ebenfalls wieder geschlossen werden. Die wöchentliche Arbeitszeit müsste wieder von 38 Stunden auf 42 Stunden erhöht werden, wo sie vor 20 Jahren bereits einmal lag. Wir würden dann immer noch weniger als die Briten oder Iren und etwa so viel wie die Italiener heute arbeiten. Bekanntlich ist das mit der dolce vita noch kompatibel.

Dies zu vereinbaren ist die Aufgabe der Tarifpartner, nicht des Staates. Aber der Staat kann die Tarifpartner ermuntern. Wenn sie nicht reagieren, kann er sogar damit drohen, ersatzweise Feiertage zu streichen. Das Wassenaar-Abkommen der Tarifpartner hatte der niederländische Staat mit der massiven Drohung erzwungen, den Lohnanstieg andernfalls per Gesetz zu begrenzen.

Allzu feinfühlig braucht auch der deutsche Staat in diesem Punkte nicht vorzugehen, denn es liegt hier eindeutig ein großer Notstand vor, der die Rücksichtnahme auf partikulare Interessen verbietet.

Sparlohn statt Barlohn, Mitbeteiligung statt Mitbestimmung

Darüber hinausgehende Lohnkostensenkungen können im Austausch gegen eine Mitbeteiligung an den Unternehmen ausgehandelt werden. Dafür sind längerfristige Tarifvereinbarungen erforderlich. Wenn die Mitbeteiligung nur den bereits vorhandenen Beschäftigten als Kompensation für eine Lohnzurückhaltung zur Verfügung steht, doch neu eingestellte Mitarbeiter ausspart, entsteht ein positiver Beschäftigungseffekt, obwohl die bereits vorhandenen Beschäftigten keine Nachteile erleiden. Solche Vereinbarungen würden den historischen Fehler korrigieren, den die Gewerkschaften in den sechziger Jahren mit der Entscheidung für die Mitbestimmung und gegen die Mitbeteiligung gemacht haben.

Partnerschaftliche Beteiligungsmodelle werden in Deutschland bei Tausenden von Unternehmen mit Erfolg praktiziert.

Dazu gehören solch bekannte Unternehmen wie Bertelsmann, BMW, Altana oder Otto, aber auch sehr viele kleine Unternehmen, die keine Aktiengesellschaften sind. Das Know-how für die Mitbeteiligung an solchen Unternehmensformen ist in Deutschland reichlich vorhanden.

Auch die Vereinbarung partnerschaftlicher Beteiligungsmodelle muss Sache der Tarifpartner sein. Der Staat kann die Vereinbarung jedoch nachhaltig unterstützen, indem er die Rahmengesetze zur Absicherung der Arbeitnehmer verbessert und die Sparlöhne lediglich der nachgelagerten Besteuerung unterwirft.

TOP 2: Weniger Macht für die Gewerkschaften!

Weg mit den starren Flächentarifen, mehr Tarifautonomie für die Betriebe

Die Gewerkschaften haben die Tarifautonomie benutzt, Lohnkartelle gegenüber den Arbeitgebern und indirekt auch gegenüber den Konsumenten durchzusetzen. Sie haben die Löhne über das Niveau hinaus erhöht, bei dem Angebot und Nachfrage nach Arbeitskräften sich die Waage halten, und dadurch Arbeitslosigkeit erzeugt. Die Arbeitslosigkeit ist geradezu der Erfolgsbeleg für eine Kartellpolitik, die es schafft, höhere Löhne zu erzwingen, als sie der Markt von allein hervorbringt.

Tarifautonomie darf aber nicht als Kartellmacht verstanden werden. Sie muss so interpretiert werden, dass sie mit der Konkurrenz der Betriebe auf den Arbeits- und Produktmärkten kompatibel ist. Die Unternehmen müssen in die Lage versetzt werden, die Preise und Löhne ihrer Wettbewerber bei Bedarf auch zu unterbieten, ohne dass die Wettbewerber oder eine Gewerkschaft die Möglichkeit hätten, dies zu verhindern.

Die Tarifpartner sollten deshalb per Gesetz verpflichtet werden, in ihren Tarifverträgen wirksame Öffnungsklauseln vorzusehen, die es der Belegschaft eines Betriebs ermöglichen, auf dem Wege der freiwilligen betrieblichen Vereinbarung mit der Unternehmensleitung von den Vereinbarungen des Flächentarifvertrags abzuweichen. Dabei muss auch eine Abweichung nach unten möglich sein, wenn die Belegschaft der Meinung ist, dass dies der Weg ist, auf dem sie versuchen sollte, ihre Arbeitsplätze zu sichern. Ein Quorum von zwei Dritteln der Arbeitnehmer sollte für eine Lohnkonzession reichen. Diese Regelung würde das System der Lohnfindung im Normalfall nicht ändern und würde die Betriebe auch in Zukunft nicht mit der Aufgabe der Lohnfindung belasten. Sie ließe ihnen aber eine Hintertür für Anpassungen offen, wenn sie erforderlich sind. Die Öffnungsklauseln würden die Tarifautonomie stärken, weil sie den Belegschaften mehr Mitspracherechte bei der Lohnbildung gäben.

Betriebliche Tarifvereinbarungen mit den Gewerkschaften wären kein Ersatz für eine solche Politik, denn sie würden eine Fortsetzung des Lohnkartells bedeuten und den Arbeitnehmern von Konkurrenzbetrieben die Möglichkeit der Einflussnahme bieten.

Angesichts der rasch wachsenden Zahl der Konkurse deutscher Unternehmen sind betriebliche Öffnungsklauseln eine akut erforderliche Notmaßnahme zur Abwendung größeren Unglücks. Tausende von Unternehmenspleiten könnten noch verhindert werden, wenn der Gesetzgeber schnell handeln und den Arbeitnehmern das Recht geben würde, ihren Unternehmen durch eine Lohnzurückhaltung zu helfen.

Unbefristete Verträge statt Kündigungsschutz

Der gesetzliche Kündigungsschutz ist eine der wirksamsten Waffen der Gewerkschaften im Tarifpoker. Er zwingt die privaten Unternehmen, die Arbeitsleistung auch dann noch zu kaufen, wenn sie ihnen zu teuer geworden ist. Er ist mitverantwortlich für die aggressive Lohnpolitik der Gewerkschaften, die zur Arbeitslosigkeit geführt hat. Der Kündigungsschutz trägt zudem auch insofern zur Arbeitslosigkeit bei, als er Neueinstellungen verhindert, weil Unternehmen bei unsicherer Geschäftsentwicklung Angst vor der Bindungswirkung eines Arbeitsvertrags haben.

Der Kündigungsschutz hat für die deutschen Arbeitnehmer keine sicheren Arbeitsplätze geschaffen, sondern die Arbeitsplatzsicherheit verringert, weil er die Arbeitslosigkeit vergrößert hat. Nichts schafft mehr Sicherheit am Arbeitsplatz als ein hoher Beschäftigungsstand.

Der gesetzliche Kündigungsschutz sollte nicht nur für Kleinbetriebe, sondern für alle Betriebe abgeschafft werden. Unternehmen und Arbeitnehmer sollten nach ihren eigenen Präferenzen befristete Verträge, unbefristete Verträge oder auch Verträge mit vollem Kündigungsschutz abschließen dürfen, aber der Staat sollte die Wahlfreiheit nicht beschränken. In der Praxis werden sich dann unbefristete Verträge durchsetzen, und das ist gut so. Jede Seite muss stets zufrieden mit dem Arbeitsverhältnis sein, und wenn es eine der Seiten nicht mehr ist, dann muss sie das Recht haben, dieses Verhältnis nach Maßgabe des Vertrags zu beenden. Ein Arbeitsverhältnis ist schließlich keine Ehe.

Die Abschaffung des gesetzlichen Kündigungsschutzes wird die Gewerkschaften zur Lohnmäßigung und die Unternehmen deshalb zur Schaffung von Arbeitsplätzen veranlassen. Sie wird die Unternehmen zudem ermuntern, mehr Einstellungen zu wagen, weil sie flexibler auf unerwartete Änderungen der Absatzlage reagieren können. Schließlich wird sie die Arbeitsanreize stärken, weil jeder Arbeitnehmer die Konsequenzen eines fehlenden Engagements vor Augen hätte. Wenn die deutschen Lohnkosten relativ zur Arbeitsproduktivität zu hoch sind, dann ist dies jedenfalls auch ein Aspekt, der für die Wiedererlangung der Wettbewerbsfähigkeit von Bedeutung ist. Der Ersatz des Kündigungsschutzes durch unbefristete

Verträge wird sehr viele Arbeitsplätze in Deutschland retten. Die Arbeitsplatzsicherheit der Arbeitnehmer wird steigen.

Freilich muss man die Reform behutsam durchführen. In der jetzigen Zeit der konjunkturellen Flaute ist es ratsam, zunächst nur den Kündigungsschutz für neu eingestellte Arbeitnehmer abzuschaffen, damit keine Dämme brechen, weil aufgestaute Entlassungswünsche auf einmal zum Durchbruch kommen. Wenn im kurzfristigen Auf und Ab der Wirtschaft der nächste konjunkturelle Aufschwung kommt, kann in einem zweiten Schritt der Kündigungsschutz auch für bestehende Arbeitsverhältnisse gelockert werden.

Der Kündigungsschutz ist im Übrigen nicht nur für die Arbeitnehmer der Privatwirtschaft abzuschaffen. In aller Regel brauchen auch Beamte keinen solchen Schutz. Dass sich der Arbeitseifer noch steigern lässt, gilt auch für sie.

TOP 3: Weniger Geld für das Nichtstun, mehr Geld für Jobs

Aktivierende Sozialhilfe: Hilfe zur Selbsthilfe

Von zentraler Bedeutung für die Gesundung des Arbeitsmarktes sind Schritte, die vom Lohnersatz zur Lohnergänzung führen. Der Lohnersatz in Form des Arbeitslosengelds, der Arbeitslosenhilfe, der Sozialhilfe und der Frührente ist der Hauptgrund dafür, dass der Arbeitsmarkt in Deutschland nicht funktioniert. Mit der Zahlung von Lohnersatz macht sich der Staat auf dem Arbeitsmarkt zum Konkurrenten der privaten Wirtschaft. Wenn man nicht in der Privatwirtschaft arbeitet, bekommt man Geld vom Staat, und wenn man dort arbeitet, bekommt man das Geld nicht mehr. Folglich will man von seinem privaten Arbeitgeber wenigstens so viel Arbeitslohn erhalten, wie der Staat für das Nichtstun bezahlt. Wenn aber der

Staat mehr für das Nichtstun bezahlt, als ein Arbeitnehmer selbst an Werten erzeugen kann, gibt es keinen Job. Schließlich wird ein Unternehmer, der Gewinn machen muss, niemanden einstellen, der ihn mehr kostet, als er bringt.

Das Lohnersatzsystem war dafür verantwortlich, dass die Zuwanderung nach Deutschland, die während der letzten 30 Jahre stattgefunden hat, im Wesentlichen eine Zuwanderung in die Arbeitslosigkeit war. Die einheimischen Arbeitnehmer, die auf die Lohnersatzleistungen des Staates bauen konnten, ließen sich eher in die Arbeitslosigkeit drängen, als dass sie bereit gewesen wären, mit den Zuwanderern in einen Niedriglohnwettbewerb um die knappen Arbeitsplätze zu treten. Die Folge war, dass die Löhne nicht nachgaben und die Arbeitsplätze knapp blieben.

Das Problem war im Bereich der gering Qualifizierten am größten, denn deren Löhne wurden durch die Sozialhilfe gegenüber dem markträumenden Niveau am stärksten hochgedrückt. Deutschland hatte in den letzten Jahrzehnten im Vergleich zu den anderen großen Ländern die meisten Zuwanderer, und es weist die bei weitem größte Arbeitslosigkeit unter den gering Qualifizierten auf. Wir haben Millionen ins Land geholt und dann die für ihre Beschäftigung erforderliche Lohnanpassung durch das Lohnersatzsystem verhindert. Das war alles ziemlich sinnlos.

Nun scheint auch die Politik allmählich zu begreifen, dass dies ein Irrweg war. Die Verkürzung der Bezugsdauer für das Arbeitslosengeld auf zwölf Monate sowie die Abschaffung der Arbeitslosenhilfe und die Verschmelzung mit der Sozialhilfe stehen bereits auf der Agenda. Das reicht aber bei weitem nicht, denn die Sozialhilfe ist viel zu hoch, als dass sie mit einem funktionierenden Arbeitsmarkt für gering Qualifizierte vereinbar wäre. Die Sozialhilfe ist eine absolute Untergrenze für die Tariflohnstruktur, die die notwendige Lohnspreizung verhindert und das gesamte Lohngefüge im Niedriglohnbereich durcheinander bringt. Diese Wirkung hat die Sozialhilfe schon heute, und sie hätte sie erst recht, wenn nur die Arbeitslosenhilfe durch die Sozialhilfe ersetzt würde, aber sonst nichts weiter geschähe. Hinzu kommen muss auf jeden Fall die grundlegende Änderung des Sozialhilfesystems selbst.

Das ifo Institut hat unter dem Namen »Aktivierende Sozialhilfe« ein Alternativmodell für den Lohnersatz entwickelt. Auch bei diesem Modell wird die Arbeitslosenhilfe durch die Sozialhilfe ersetzt. Zusätzlich werden aber die Sozialhilfesätze für arbeitsfähige Personen, die keiner Erwerbsarbeit nachgehen, um etwa ein Drittel abgesenkt, und die frei werdenden Mittel werden zu Geringverdienern umgeschichtet, die einen Job annehmen. Bis zu einem Einkommen von 400 Euro wird im Gegensatz zum heutigen System keine Sozialhilfe entzogen. Der Staat zahlt im Gegenteil zu dem selbst verdienten Geld noch etwas hinzu, und zwar umso mehr, je mehr man verdient. Auch danach wird ein großzügiger Hinzuverdienst ermöglicht, ohne dass die Sozialhilfe wieder eins zu eins für jeden selbst verdienten Euro gestrichen wird, wie es heute in weiten Einkommensbereichen der Fall ist.

Personen, die keinen Job finden, haben die Möglichkeit, sich bei ihrer Kommune zu einem Lohn in Höhe des heutigen Sozialhilfesatzes in einem Leiharbeitsverhältnis beschäftigen zu lassen. Die Kommune verleiht ihre Arbeitskraft dann meistbietend an die private Wirtschaft.

Das lokale Handwerk wird von dieser Regelung profitieren, denn die Aktivierende Sozialhilfe ist ein Programm zur Integration der Schwarzarbeiter in die Handwerksbetriebe. Zum einen hat das Handwerk mehr Kunden, weil den Sozial- und Arbeitslosenhilfebeziehern in Zukunft die Zeit fehlt, ihre Leistungen auf dem Schwarzmarkt anzubieten. Zum anderen stehen die betroffenen Personen dem lokalen Handwerk als billige Arbeitskräfte zur Verfügung, entweder direkt auf dem Wege eines subventionierten Beschäftigungsverhältnisses oder indirekt auf dem Wege eines Leiharbeitsverhältnisses.

Die Aktivierende Sozialhilfe wird Arbeitsplätze schaffen. Sie reduziert die Anspruchslöhne, zu denen man bereit ist, in der Privatwirtschaft zu arbeiten. Das senkt die Löhne für einfache Arbeit. Und wegen der Lohnsenkung finden die Unternehmen mehr profitable Beschäftigungsmöglichkeiten. Dabei geht die Wirkung der Reform weit über die Gruppe der arbeitsfähigen Sozialhilfeempfänger hinaus, denn die durch relativ feste Lohnabstände gebildete Kette der Niedriglöhne wird im Ganzen nach unten gezogen. Im gesamten Niedriglohnsektor kommt es deshalb zu einem Beschäftigungsboom, der nach einer Weitergabe der niedrigeren Löhne in die Verbraucherpreise von einem Anstieg der Nachfrage nach den Leistungen dieses Sektors begleitet wird. Dabei werden insbesondere auch viele der bisherigen Arbeitslosenhilfeempfänger Beschäftigung finden. Nach Schätzungen des ifo Instituts wird der langfristige Beschäftigungszuwachs, der durch die Abschaffung der Arbeitslosenhilfe und die Einführung der Aktivierenden Sozialhilfe zu erwarten ist, bei etwa 2,3 Millionen liegen.

Trotz der Lohnsenkung bei den gering Qualifizierten geht es den bisherigen Sozialhilfebeziehern besser als zuvor, denn in der Summe aus dem selbst verdienten Lohn und der hinzugezahlten Sozialhilfe haben sie mehr Geld in der Tasche als heute. Und dem Staat geht es nicht schlechter. Das Programm ist so konstruiert, dass die Hinzuzahlung von Sozialhilfe im Falle der Arbeitsaufnahme voll und ganz durch die Einsparung bei der Arbeitslosenhilfe und beim Eckregelsatz der Sozialhilfe finanziert wird. Rechnet man noch die Erlöse des Staates aus dem Verleih von Arbeitnehmern hinzu, entsteht sogar ein Überschuss.

Mit der Aktivierenden Sozialhilfe wird ein rationalerer Sozialstaat begründet als der, den wir heute haben, denn die Hilfe, die er gewährt, ist eine Hilfe zur Selbsthilfe. Heute bekommt man die maximale Hilfe vom Staat, wenn man nicht arbeitet. Im neuen System bekommt man die maximale Hilfe nur, wenn man arbeitet. Jeder muss nach seinen Fähigkeiten arbeiten, wenn er ein auskömmliches Einkommen erhalten will, und wer dabei nicht genug verdient, der bekommt vom Staat noch etwas hinzu. Das ist die neue Devise.

Die Durchführung der Reform wird Deutschlands Sonderproblem der extrem hohen Arbeitslosigkeit bei den gering Qualifizierten beseitigen, und sie wird verhindern, dass die Zuwanderung nach Deutschland weiterhin eine Zuwanderung in die Arbeitslosigkeit ist. Angesichts der Migrationswelle, die nach der Osterweiterung der EU ab dem Jahr 2004 zu erwarten ist, führt an dieser Reform kein Weg vorbei. Die Reform wird es Deutschland erleichtern, Nutzen aus der Zuwanderung zu ziehen und Kraft für neues wirtschaftliches Wachstum zu schöpfen.

Frühverrentung ja, aber ganz anders

Auch die Frühverrentungsprogramme der Bundesrepublik Deutschland laufen darauf hinaus, das Nichtstun zu prämieren. Wer von der Altersteilzeitregelung Gebrauch macht, kann seinen Stundenlohnsatz um 40 % vergrößern, und auch wer früher als mit 65 Jahren in die Rente geht, braucht keine versicherungsmathematisch korrekten Rentenabschläge zu befürchten. Wer früher geht, erhält, in Gegenwartswerten gerechnet, bis zu seinem Tode mehr Rente vom Staat als jemand, der später geht, aber die Voraussetzung ist, dass er geht. Weiterarbeiten darf er nicht.

Auch die Frühverrentung erhöht die Lohnansprüche gegenüber dem Arbeitgeber und trägt zur Verfestigung und Ausweitung von Arbeitslosigkeit bei. Die Frühverrentung verringert die Konkurrenz unter den Arbeitskräften, die zur Lohnmäßigung und zur Schaffung von Jobs führen würde, und schafft erst dadurch die Bedingungen, unter denen sie vielen als sinnvolle Politikmaßnahme zur gerechten Verwaltung des Jobmangels erscheint.

Wenn man Arbeit schaffen will, darf man das Nicht-Arbeiten nicht prämieren. Diese Devise muss auch im Rentensystem berücksichtigt werden. Deshalb sollten in Zukunft Frühverrentungsmöglichkeiten nur zu versicherungsmathematisch völlig korrekt berechneten Abschlägen gewährt werden, die auch für den Arbeitgeber und den Staat fair sind und kein Geld kosten. Wer sich trotz dieser Abschläge für die Frühverrentung entscheidet, dem sollte die Möglichkeit im Rahmen der heute geltenden Fristen weiterhin gewährt werden.

Dabei sollte ein unbeschränkter Hinzuverdienst erlaubt sein, so wie es heute schon für Rentner über 65 Jahren der Fall ist. Auf die mühsam ersparte Altersrente hat man einen Anspruch. Dieser Anspruch darf nicht gekürzt werden, wenn man sich entschließt, parallel zum Rentenbezug weiterzuarbeiten. Wenn der Zeitpunkt des Rentenbezugs vom Zeitpunkt der Beendigung des Arbeitsverhältnisses getrennt wird, verschwinden die unguten Anreize, weniger zu arbeiten und hohe Löhne zu fordern, die die Frühverrentungsprogramme bislang hervorgerufen haben. Es wird sich ähnlich wie in Japan oder Italien ein zweiter Arbeitsmarkt mit niedrigeren Löhnen entwickeln, auf dem Rentner tätig werden, die ihre hauptsächliche Berufskarriere bereits hinter sich haben. Zu niedrigeren Löhnen wird sich auf diesem Markt eine rege wirtschaftliche Aktivität entfalten, die zur Mehrung des allgemeinen Wohlstands beiträgt.

Die Entkoppelung von Frührente und Arbeitsverhältnis wird es dann auch leichter machen, das Regelalter für den erstmaligen Bezug der Altersrente auf 67 Jahre hochzusetzen, wie es die Rürup-Kommission im Zusammenhang mit ihren Vorschlägen zur Bewältigung der Rentenkrise zu Recht ins Gespräch gebracht hat. Für viele Rentner wird sich die Bedeutung dieser Maßnahme in einer Änderung des rechnerischen Bezugspunktes für die Abschläge bei der Frühverrentung erschöpfen.

TOP 4: Den Zuwanderungsmagneten abschalten

Verzögerte Integration in das Sozialsystem

Zusätzlich zu den künstlich hoch gehaltenen Löhnen für gering Qualifizierte lockt auch die Umverteilungsaktivität des Staates mehr Zuwanderer nach Deutschland, als wir gebrauchen können. Sie wirkt wie ein Wohlfahrtsmagnet, weil der Staat Zuwanderern mit unterdurchschnittlicher Produktivität und unterdurchschnittlichen Löhnen Wanderungsprämien zahlt. Er verlangt von ihnen weniger Steuern und Beiträge, als er ihnen an öffentlichen Leistungen einschließlich der frei verfügbaren Infrastruktur und ähnlicher Sachleistungen zurückgibt. Die Wanderungsprämie betrug nach einer Berechnung des ifo Instituts im Jahr 1997 bei Migranten, die weniger als zehn Jahre in Deutschland waren, knapp 2.400 Euro pro Jahr, was bei einer fünfköpfigen Familie einem Vorteil von knapp 120.000 Euro in zehn Jahren entspricht.

Solche Wanderungsprämien sollte Deutschland nicht zahlen. Jeder EU-Bürger, der kommen möchte, soll kommen dürfen. Auch nach der Osterweiterung der EU sollte die Wanderung nach Deutschland nicht beschränkt werden. Die restriktiven Pläne zur administrativen Beschränkung der Wanderung, die die EU-Kommission in der Schublade hat, führen nicht in die richtige Richtung. Indes sollten keine Geschenke verteilt werden, damit die Wanderungsentscheidung nicht verzerrt, sondern von echten ökonomischen Motiven gelenkt wird. Nur eine unverzerrte Wanderung ist für alle beteiligten Länder von Vorteil.

Deshalb dürfen Migranten nur verzögert in das deutsche Sozialsystem integriert werden. Zwar sollten sie sofort nach ihrer Ankunft an den beitragsfinanzierten Sozialleistungen beteiligt und der Besteuerung unterworfen werden, und sie sollten ebenfalls den Zugang zu den meisten staatlichen Leis-

tungen erhalten. Jedoch sind die steuerfinanzierten Transferleistungen so zu begrenzen, dass die finanzielle Bilanz des Staates bezüglich der Zuwanderung ausgeglichen wird. Das Wohngeld, der freie Bezug von Sozialwohnungen, Kindergeld für im
Ausland verbliebene Kinder und Ähnliches mehr gehört zur
Liste der Posten, die man streichen muss.

Sozialunion für Europa? – eine Katastrophe

In diesem Zusammenhang muss nachdrücklich vor der europäischen Sozialunion gewarnt werden, die im Entwurf für die
neue EU-Verfassung angelegt ist. Jeder EU-Bürger darf seinen
Wohnsitz in jedem anderen Land wählen und hat dann dort, so
will es der Entwurf, Anspruch auf die Leistungen der sozialen
Sicherheit und soziale Vergünstigungen, wobei er nicht anders
behandelt werden darf als die Einheimischen. Dabei anerkennt
und achtet die EU das Recht auf soziale Unterstützung und
Unterstützung für die Wohnung. Eine Einschränkung auf
zugewanderte Arbeitnehmer, wie sie heute praktiziert wird, ist
dem Entwurf nicht zu entnehmen. Man wird sehen müssen,
was sich gegenüber der heutigen Rechtsprechung wirklich
ändert, aber der Gedanke der Inklusion von EU-Bürgern in den
Sozialstaat ihres Wohnortes wird durch diese Verfassungsrechte gestärkt.

Die europäische Sozialunion wird nicht funktionieren. Die
deutsche Sozialhilfe liegt derzeit beim Drei- bis Sechsfachen
der Nettolöhne von Industriearbeitern in den osteuropäischen
Beitrittsländern und beim Doppelten bis Dreifachen mancher
Regionen in Portugal, Spanien und Griechenland. Die Erweiterung der Inklusionsrechte der Ausländer wird mit Sicherheit
zu einer weiteren Forcierung der Zuwanderung und zu einer
Verschärfung der Probleme des deutschen Sozialstaates und
des Arbeitsmarktes führen.

Die Entwicklung wird nicht nur für Deutschland, sondern

für alle Sozialstaaten europäischer Prägung zu einem Problem werden. Die großzügigeren unter den Sozialstaaten Europas werden in Bedrängnis kommen und sich gezwungen sehen, in eine Art Abschreckungswettbewerb einzutreten, um die Wanderungen möglichst an sich vorbei zu lenken und ihre Kosten im Griff zu behalten. Jeder Staat wird etwas weniger großzügig als die Nachbarstaaten sein wollen, aber indem jeder seine Leistungen zurückfährt, wird der Sozialstaat deutscher Prägung allmählich erodieren. In dieser Situation wird der Ruf nach einer Harmonisierung der sozialen Standards auf der Ebene der EU lauter werden, weil man sich von der Harmonisierung eine Eindämmung der Wohlfahrtswanderungen verspricht. Das stünde im Einklang mit dem Verfassungsentwurf, der der EU explizit die Kompetenz für solche Harmonisierungsmaßnahmen gibt.

Eine Harmonisierung der Sozialhilfesätze wäre angesichts der Unterschiede in der wirtschaftlichen Leistungskraft der einzelnen Länder und Regionen Europas indes fatal. Harmonisierte Sozialeinkommen, die für die reicheren Länder noch akzeptabel sind, würden für die ärmeren Länder und Regionen Lohnuntergrenzen bilden, die sie nicht verkraften können, und die Wirtschaft in den Ruin treiben. Nicht zwei, sondern 20 Mezzogiorni gäbe es dann in Europa. Zwangsläufig würden die reicheren Länder zur Kasse gebeten, um die entstehende Massenarbeitslosigkeit in den ärmeren Ländern zu finanzieren. Was in Deutschland im Kleinen ablief, würde sich auf der europäischen Bühne im Großen wiederholen.

Damit das alles so nicht passiert, darf die europäische Sozialunion in der vorgeschlagenen Form nicht kommen. Dafür müsste die Konvergenz der Staaten Europas noch sehr viel weiter vorangeschritten sein, als das bislang der Fall ist. In 30 Jahren wird es vielleicht so weit sein, aber vorher sicherlich nicht. Der Versuch, die reale Konvergenz der Staaten durch eine Sozialunion zu beschleunigen, würde in einem Desaster auf den Arbeitsmärkten enden.

Deshalb sind die entsprechenden Paragraphen des Verfassungsentwurfs so zu ändern, dass die Einzelstaaten mehr, und nicht weniger, Möglichkeiten erhalten, bei ihren sozialen Leistungen zwischen Einheimischen und Migranten zu differenzieren. Der Verzicht auf eine Sozialunion ist die Voraussetzung dafür, dass der einheitliche Binnenmarkt mit voller Freizügigkeit auch für die Arbeitnehmer zustande kommt und dass Europa prosperieren kann.

TOP 5: Eine wirklich radikale Steuerreform

Weniger Staat und weniger Steuern

Seit dem Beginn der sozialliberalen Koalition vor gut 30 Jahren ist der Staatsanteil am Bruttoinlandsprodukt, der damals unter 40 % lag, beständig gestiegen. Er liegt heute knapp unter 50 %. Bezüglich des Nettoinlandsprodukts oder der Summe aller in Deutschland verdienten Einkommen liegt der Staatsanteil bereits bei 57 %. Das ist mehr, als mit einer funktionierenden Marktwirtschaft noch vereinbar ist. Die Steuern und Abgaben, mit denen dieser Staatsanteil finanziert wird, hemmen die private Wirtschaftstätigkeit und lenken die Menschen von ihren eigentlichen Zielen ab, weil sich das Ziel, Steuern zu sparen, in den Vordergrund drängt. Die Verhaltensänderung bei den internationalen und nationalen Investoren, den Sparern und auch den Arbeitnehmern kann so immens sein, dass große Teile der Wirtschaftstätigkeit wegbrechen.

Die Erklärung für die hohe Staatsquote liegt nicht darin, dass Deutschland im internationalen Vergleich ungewöhnlich viele Staatsbedienstete hätte. Das Gegenteil ist der Fall. Was den Anteil der öffentlich Bediensteten an der Arbeitnehmerschaft betrifft, liegen wir sogar noch hinter den Amerikanern. Die Erklärung liegt auch nicht im Bildungsbereich. Auch dort geben wir anteilig weniger Geld aus als die meisten anderen OECD-Länder. Die Staatsquote ist vielmehr deshalb so hoch, weil Deutschland im internationalen Vergleich sehr hohe Sozialausgaben hat. Der deutsche Sozialstaat bringt mit seinen Leistungen nicht nur den Arbeitsmarkt durcheinander und verzerrt die Migrationsströme, er kostet auch sehr viel Geld.

Der Sozialstaat neigt dazu, sich selbst zu verfestigen. Mittlerweile bekommen schätzungsweise 41 % der deutschen Wähler die wesentlichen Teile ihres Einkommens in Form sozialer Leistungen vom Staat. Es gibt so gesehen also bereits heute eine riesige Wählergruppe, die tendenziell gegen eine Änderung der Verhältnisse eingestellt ist. Die für die Zukunft zu erwartende Erhöhung des Rentneranteils wird den Stimmrechtsanteil der Empfänger staatlicher Leistungen noch weiter in die Höhe treiben. Was die Chancen für grundlegende Reformen in Deutschland betrifft, kann man deshalb nur auf die Einsicht hoffen, dass die Fehlanreize eines überbordenden Sozialstaates zum Schluss alle mit hinunterreißen würden.

Im Vergleich zu anderen Ländern ist die durchschnittliche Steuer- und Abgabenlast in Deutschland hoch. Besonders hoch ist aber die Grenzabgabenlast, die aus der Progressivität des deutschen Steuersystems resultiert. Schon die Wertschöpfung des durchschnittlichen Industriearbeiters wird hier zu Lande mit einer Grenzabgabenlast von etwa zwei Dritteln belegt. So tief greift kein anderer Staat bei seinen Arbeitnehmern in die Lohntüte, wenn sie ihr Einkommen durch eine zusätzliche Anstrengung oder eine zusätzliche Qualifizierungsmaßnahme aufbessern. Eine Senkung der Einkommensteuer, insbesondere eine Rücknahme ihrer Progressionseffekte, ist dringend geboten.

Zugleich sollten Kapitalerträge geringer belastet werden. Steuern auf Kapitalerträge rufen beim internationalen Kapitalfluss massive Ausweichreaktionen hervor. Diese Ausweichreaktionen gehen zu Lasten der deutschen Arbeitnehmer, denn deren hohe Löhne sind im Wesentlichen auf den hohen Kapitalstock zurückzuführen, mit dem sie hier arbeiten können. Außerdem verletzen Steuern auf Kapitalerträge eindeutig das Postulat der horizontalen Gerechtigkeit, weil sie diejenigen, die ihr Vermögen später konsumieren wollen, zu einem prozentual höheren Konsumverzicht zwingen als andere, die nicht warten wollen.

Die ifo-Steuer

Eine Einkommensteuer, die diesen Postulaten Rechnung trägt und sehr einfach konstruiert ist, könnte folgendermaßen aussehen: Mit 0 %, 15 %, 25 % und 35 % gibt es nur noch vier Steuersätze und vier Einkommensklassen für das gemeinsam veranlagte Quelleneinkommen. Kapitalerträge einschließlich der impliziten Eigenkapitalerträge der Unternehmen, die keine Quelleneinkommen sind, werden aus der allgemeinen Veranlagung herausgenommen und nur noch geringfügig mit 20 % belastet. Mit der geringeren Belastung der expliziten und impliziten Kapitalerträge folgt der Vorschlag der dualen Einkommensteuer, wie sie in den nordischen Ländern praktiziert wird. Eine deutliche Senkung der Grenzabgabenlast der Arbeitnehmer und eine Senkung der Staatsquote werden auf diese Weise ermöglicht.

Unternehmensgewinne von Personen- und Kapitalgesellschaften, die über die reinen Kapitalerträge hinausgehen, werden einheitlich mit 35 % belastet, wobei zehn Prozentpunkte als Gewerbesteuer an die Kommunen fließen. Das Halbeinkünfteverfahren für ausgeschüttete Gewinne bleibt bestehen, wenn auch mit reduzierten Sätzen.

Die Gegenfinanzierung der Maßnahmen ist zum einen in einer radikalen Kürzung der Subventionen zu suchen, die ohnehin nicht zu einer Marktwirtschaft passen. Dabei sollte man mit den Subventionen im Bereich der Landwirtschaft und des Bergbaus zuallererst anfangen. Zum anderen muss Hand an den Sozialetat gelegt werden, der gigantische Summen verschlingt und, wie erläutert, großenteils sehr ungünstige Rückwirkungen auf die Bereitschaft der Transferempfänger hat, sich dem Markt als Arbeitskräfte zur Verfügung zu stellen. Das Ziel muss sein, das Staatsbudget drastisch zurückzufahren und der privaten Wirtschaftstätigkeit wieder mehr Raum zu lassen.

TOP 6: Mehr Kinder, mehr Rente, mehr Fortschritt

Von Frankreich lernen

Das schwierigste und langfristig wohl wichtigste Politikproblem Deutschlands liegt in seiner im internationalen Vergleich äußerst geringen Kinderzahl, die sich zu einer demografischen Krise größeren Ausmaßes auswachsen wird. Seit die Nazis die Bevölkerungspolitik missbraucht haben, wird das Thema in Deutschland tabuisiert. Aber dafür ist es zu wichtig. Unser Land braucht wie jedes andere Land Kinder, um seine Dynamik zu erhalten und seine sozialen Sicherungssysteme vor dem Ruin zu bewahren, ja um überhaupt noch eine Zukunft zu haben.

Um die Geburtenraten wieder zu steigern, kann Deutschland von Frankreich lernen. Frankreich, dessen Bevölkerungsgröße im 19. Jahrhundert gegenüber Deutschland zurückgefallen war, hat es seit dem Ersten Weltkrieg verstanden, die Geburtenraten durch staatliche Anreize hoch zu halten.

Frankreich verfügt im Gegensatz zu Deutschland über ein perfektes System an Ganztagsschulen und Kindergärten, das den berufstätigen Frauen die Entscheidung für Kinder erleichtert. Auch setzt es für zweite und dritte Kinder massive finanzielle Anreize, die auch schon bei Arbeiterfamilien ganz deutlich über den deutschen Anreizen liegen und das Nettoeinkommen für jedes zusätzliche Kind viel stärker erhöhen, als es in Deutschland der Fall ist.

Besonders hervorzuheben ist das Kinder-Splitting, bei dem Kinder, ähnlich wie Ehepartner im deutschen Steuerrecht, gemeinsam mit den Einkommensbeziehern veranlagt werden. Das Kinder-Splitting drückt den durchschnittlichen Steuersatz erheblich und schafft insbesondere bei den mittelständischen Familien, die ideale Voraussetzungen für die Kindererziehung mitbringen, Anreize, sich für mehr Kinder zu entscheiden.

Ein neues Rentensystem auf vier Säulen

Wegen der demografischen Krise muss die Rentenversicherung grundlegend umgestaltet werden. Eine Rentenversicherung nach dem bisher praktizierten Umlageverfahren ist eine Zwangsmaßnahme, die sicherstellen soll, dass Kinder ihre Eltern im Alter finanzieren, und sie ist zugleich eine Versicherung gegen Kinderlosigkeit, weil sie diejenigen, die selbst keine Kinder haben können, in die Lage versetzt, sich von den Kindern anderer Leute ernähren zu lassen. Die Sozialisierung der Rentenbeiträge der Kinder ist die rationale Entscheidung einer Gesellschaft, die ihre Mitglieder vor wirtschaftlichen Konsequenzen individueller Kinderlosigkeit schützen wollte.

Die Sozialisierung der Beiträge der Kinder hat aber den Nachteil, dass der Zusammenhang zwischen der individuellen Erziehungsleistung und der eigenen Rente ausgeblendet wird. Um im Alter auskömmlich leben zu können, reicht es, wenn andere Menschen Kinder großziehen. Auf die eigenen Kinder kommt es nicht an. Der Rentenanspruch hängt davon nicht ab, sondern nur von dem Geld, das man zur Finanzierung der Renten der Generation seiner eigenen Eltern beigesteuert hat. Die Folge ist, dass das natürliche ökonomische Motiv, Kinder in die Welt zu setzen, um sich von ihnen im Alter ernähren zu lassen, vollständig aus dem Bewusstsein junger Paare verdrängt wurde. Auch dies hat dazu beigetragen, dass die Geburtenzahlen in Deutschland seit der Einführung der Rentenversicherung unter Bismarck so dramatisch zurückgegangen sind. Die Rentenversicherung hat die demografische Krise, unter der sie nun leidet, selbst mit hervorgebracht.

Die Vollversicherung gegen Kinderlosigkeit, die das Rentensystem bietet, hat sich nicht bewährt. Sie sollte durch eine Teildeckungs-Versicherung ersetzt werden, die zwar noch gegen die Konsequenzen der Kinderlosigkeit versichert, aber doch einen Teil dieser Konsequenzen bei den Kinderlosen belässt. Die Eigenverantwortlichkeit für die Entscheidung über den eigenen Nachwuchs sollte gestärkt werden.

Konkret könnte man auf die bis zum Jahr 2035 anstehende Halbierung der Zahl der Beitragszahler gegenüber den Rentnern durch die Einführung eines auf vier Säulen basierenden Alterssicherungssystems reagieren.

Die erste Säule wird durch die gesetzliche Rentenversicherung alter Art gebildet. Für sie werden weiterhin die gleichen Umlagebeiträge wie bislang (circa 20 %) erhoben. Auch wird der Bundeszuschuss zur Abdeckung versicherungsfremder Leistungen fortgeführt. Indes unterbleibt die demografisch bedingte Erhöhung der Beitragssätze und des Bundeszuschusses, die bis zum Jahr 2035 nach geltendem Recht etwa 12 % der Bruttolöhne ausgemacht hätte. Wegen der demografischen Verwerfungen werden die Renten somit langsamer steigen, als es nach geltendem Recht der Fall gewesen wäre. Bis zum Jahr 2035 werden sich die Renten in Relation zu den Bruttolöhnen gegenüber dem heutigen Niveau halbieren, so wie sich die Zahl der Erwerbstätigen relativ zu den Rentnern halbiert.

Die zweite Säule wird durch Beamtenpensionen gebildet. Diese Pensionen bleiben vom Grundsatz her erhalten, wie es dem bisherigen System entspricht, doch werden sie mit den Renten aus der ersten Säule indexiert. Auch die Pensionen werden also auf die demografischen Verwerfungen reagieren und langsamer wachsen, als es bislang geplant war. Die Relation von Pensionen zu laufenden Beamtengehältern wird sich gegenüber dem heutigen Niveau bis zum Jahr 2035 ebenfalls etwa halbieren.

Die dritte Säule ist eine neue Kinderrente für Eltern. Sie wird unabhängig davon gewährt, ob diese Eltern gearbeitet haben, und steht unter anderem auch Beamten, Selbständigen und nicht erwerbstätigen Ehefrauen zur Verfügung. Bis zu einem Maximum von drei Kindern bekommt man pro Kind eine Zusatzrente. Die Höhe der Rente pro Kind ist nach der Zeitdauer bemessen, während derer man in Deutschland das Sorgerecht für dieses Kind hatte. Diese dritte Säule wird durch einen allgemeinen Beitrag aller Erwerbstätigen, also auch der Beamten und Selbständigen, finanziert. Die Rente sollte so austariert werden, dass der Durchschnittsverdiener bei drei Kindern zusammen mit der Rente aus der ersten Säule das Rentenniveau erreicht, das sich nach der heutigen Rechtslage ergeben hätte.

Die vierte Säule besteht in der Riester-Rente für Kinderlose. Wenn man weniger als drei Kinder großzieht, ist man verpflichtet, einen Sparvertrag für eine Riester-Rente abzuschließen, der die Versorgungslücke aus der ersten und dritten beziehungsweise zweiten und dritten Säule schließt. Die Leistungsfähigkeit für die Erfüllung dieses Vertrags ist vorhanden, denn das Geld, das man sonst für die Erziehung von Kindern hätte ausgeben müssen, steht für die erforderliche Ersparnis zur Verfügung.

Dieses neue Rentensystem ist gerecht, denn die arbeitende Generation muss wie schon immer in der Geschichte der Menschheit zwei Lasten tragen. Sie muss erstens ihre Eltern ernähren. Das tut sie mit ihren Beiträgen zur Rentenversicherung. Und zweitens muss sie für ihr eigenes Alter vorsorgen. Das tut sie, indem sie entweder Kinder großzieht, also Humankapital bildet, oder indem sie spart und Realkapital bildet.

Das neue Rentensystem sichert die Renten trotz der demografischen Krise. Darüber hinaus wird es einen Teil der natürlichen ökonomischen Motive für den Kinderwunsch wiederherstellen, die der Staat durch die Vollsozialisierung der Beiträge der Kinder vertrieben hat. Es liefert insofern einen ursachengerechten Beitrag zur Bewältigung der Rentenkrise.

Wenn wir Deutschen mehr Kinder haben, dann gibt es nicht nur mehr Renten, sondern auch mehr Fortschritt und Dynamik. Unser Land hat dann wieder eine Zukunft.

TOP 6+1: Neuer Schwung in den neuen Ländern

Die Politikempfehlungen unter TOP 1 bis TOP 6 gelten auch für die neuen Länder. Die Frage, ob Deutschland noch zu retten ist, stellt sich dort eher noch intensiver als im Westen, und folglich ist dort auch der Handlungsbedarf größer. Die Wirtschaft der neuen Länder wächst seit 1997 langsamer als die der alten Länder, obwohl auch die westdeutsche Wirtschaft kaum noch wächst und in Europa das Schlusslicht bildet. Die Relation der gesamtwirtschaftlichen Arbeitsproduktivität Ost zu West rutscht immer tiefer unter die Marke von 60 %, die schon vor Jahren einmal erreicht worden war. Die Ausrüstungsinvestitionen pro Kopf liegen um etwa ein Viertel unter dem Westniveau, obwohl sie viel höher sein müssten, wenn der Westen jemals eingeholt werden soll. Die Zahl der sozialversicherungspflichtig Beschäftigten reduziert sich Jahr für Jahr um knapp 2 %.

Dass der Lebensstandard der neuen Bundesbürger in realer Rechnung bereits 90 % des Westens erreicht hat, steht diesen Fakten nicht entgegen. Das liegt vor allem an den Transfers von West nach Ost, die über die Sozialkassen, den Länderfinanzausgleich und den Bundeshaushalt laufen. In den neuen Ländern übersteigt auch 13 Jahre nach der deutschen Vereinigung der Verbrauch von Waren und Leistungen seitens der privaten Haushalte, der Investoren und des Staates die eigene Wirtschaftsleistung immer noch um die Hälfte. Jeder dritte Euro, der in den neuen Ländern ausgegeben wird, stammt aus dem Westen. Von diesem Euro sind 75 Cent geschenkt und 25 Cent geliehen. Auch in historischer Perspektive wird es kaum gelingen, eine Region auf der Welt zu finden, die in ähnlich hohem prozentualen Umfang von einem Mittelzustrom von außen abhängig war und wo der Kaufkraftüberhang über die eigene Erzeugung solch riesige Ausmaße angenommen hat. Die neuen Länder sind eine Transferökonomie geworden, die ohne das Geld des Westens nicht mehr leben könnte. Da 47% der ostdeutschen Wähler die wesentlichen Teile ihres Einkommens in Form von Sozialleistungen vom Staat beziehen, gibt es überaus starke Beharrungstendenzen zur Fortführung dieser Situation.

Der historische Grund für das offenkundige Misslingen der deutschen Vereinigung liegt im Vorauseilen der Löhne vor der Produktivität, wobei das Vorauseilen selbst wiederum durch die langfristig bindenden Stellvertreter-Tarifverhandlungen der westdeutschen Konkurrenten im Jahr 1991 und durch die Sozialunion zu erklären ist. Man wollte zu schnell zu viel und hat dadurch den vierzehnjährigen Vorsprung verspielt, den die neuen Länder vor ihrem Ex-COMECON-Verbündeten hatten, bevor auch diese im nächsten Jahr in die Europäische Union aufgenommen werden.

Aktivierende Sozialhilfe zum Schutz vor Niedriglöhnern aus Polen und Tschechien

Die neuen Bundesländer leiden unter einer Massenarbeitslosigkeit, die mit einer Quote von knapp unter 20% ähnliche Ausmaße hat wie die Massenarbeitslosigkeit unter den gering Qualifizierten im Westen. Und in der Tat sind auch die Ursachen ähnlich. Zwar ist das formale Qualifikationsniveau der neuen Bundesbürger hoch, und gering Qualifizierte wie im Westen gibt es kaum. Jedoch ist die Produktivität der Arbeit immer noch sehr gering, da es erhebliche Defizite bei anderen, harten wie weichen, Standortfaktoren gibt, die von der Infrastruktur bis zur gesellschaftlichen Akzeptanz des Unternehmertums reichen. Wegen der niedrigen Produktivität sind die auf hohem Niveau egalisierten Löhne ein gemeinsames Problem der gering Qualifizierten im Westen und normal Qualifizierten im Osten, so unvergleichbar diese beiden Bevölkerungsgruppen in anderer Hinsicht sind.

Die gesamtwirtschaftliche Produktivität der neuen Länder liegt unter 60 % des Westens, und die Löhne liegen über 70 %. Das passt nicht zusammen und zeigt das Problem.

Die im Vergleich zur Produktivität hohen Löhne der neuen Länder werden heute im Wesentlichen nur noch durch die Lohnersatzleistungen des Sozialstaates erklärt. Die Tarifabschlüsse der Gewerkschaften spielen eine immer geringere Rolle, weil die meisten Erwerbsfähigen davon ohnehin nicht mehr betroffen sind. Insbesondere die Arbeitslosenhilfe erstickt in den neuen Ländern jedweden Ansatz für einen Aufschwung schon im Keim. Kurz vor den Massenentlassungen der Treuhand-Unternehmen, bei denen drei Viertel der Industriebeschäftigten ihre Stellen verloren, waren viele Arbeitnehmer noch einmal in den Genuss kräftiger Lohnerhöhungen gekommen, die nie eine wirtschaftliche Basis hatten, sich aber bis zum heutigen Tage in entsprechend hohen Leistungen der Arbeitslosenhilfe niedergeschlagen haben. Fast die Hälfte aller Arbeitslosenhilfebezieher Deutschlands wohnt in den neuen Ländern, obwohl diese nur ein Fünftel der Gesamtbevölkerung umfassen. Mit der Arbeitslosenhilfe als Anspruchsgrundlage warten die Ostdeutschen nun Jahr um Jahr vergeblich auf die Ansiedlung von Unternehmen, die noch mehr zu zahlen bereit sind. Die überzogenen Ansprüche zementieren einen beklagenswert niedrigen industriellen Beschäftigungsstand, der noch deutlich unter dem des italienischen Mezzogiorno liegt.

Die Politik kann Löhne nicht setzen, aber sie kann Rahmenbedingungen festlegen, die die Kräfte des Marktes zum Zuge kommen lassen. Dazu gehört die Abschaffung der Arbeitslosenhilfe, die von der Regierung ohnehin schon vorgesehen ist. Aber das reicht nicht. Zusätzlich muss die Aktivierende Sozialhilfe, wie sie oben beschrieben wurde, eingeführt werden, denn die heutige staatliche Sozialhilfe verbaut den Weg zu niedrigeren Löhnen, mit denen man der Konkurrenz der neuen EU-Länder aus Osteuropa widerstehen könnte. Das Geld, das heute als Arbeitslosenhilfe und Sozialhilfe in die neuen Länder fließt, kann weiter fließen, aber es wird in Zukunft für die Mitfinanzierung von Lohneinkommen statt für die Bezahlung des Nichtstuns gebraucht. Wenn der Staat seine Taschen für diejenigen öffnet, die ein Lohneinkommen erzielen, doch für jene zuknöpft, die kein solches Einkommen nachweisen, obwohl sie arbeiten könnten, dann wird der Arbeitsmarkt der neuen Bundesländer in Bewegung kommen. Der Anspruchslohn wird fallen, das wird den tatsächlichen Lohn senken, und wegen der Senkung des tatsächlichen Lohnes werden die Arbeitgeber mehr von den Arbeitsplätzen profitabel finden, die sie bereits in der Schublade haben. Dann gehen sie auch nicht nach Krakau, Posen oder Pilsen, sondern bleiben zu Hause und investieren in Zwickau, Chemnitz oder Magdeburg.

Zu dieser Reform gibt es keine realistische Alternative, wenn die neuen Länder den Wettbewerb mit ihren Ex-COMECON-Partnern bestehen wollen, die ab dem 1. Mai 2004 mit im europäischen Boot sitzen. Die unmittelbaren Anrainerländer Polen und Tschechien locken die Investoren mit Löhnen, die bei nur einem Viertel bis Fünftel der ostdeutschen Löhne und einem Drittel bis Viertel der ostdeutschen Sozialhilfesätze liegen. Auch wenn man kein Ökonom ist, muss man einsehen, dass es für die neuen Länder nicht die geringste Chance gibt, wirtschaftlich mit der Osterweiterung zurechtzukommen, wenn man das Sozialhilfesystem und die von diesem System erzeugte Lohnuntergrenze im deutschen Tarifsystem unverändert lässt. Die Abschaffung der Arbeitslosenhilfe reicht keinesfalls aus, ein Desaster zu verhindern.

Dabei ist zu betonen, dass die Aktivierende Sozialhilfe so angelegt ist, dass die jetzigen Sozialhilfeempfänger sich finanziell nicht schlechter stellen können als heute und in aller Regel sogar einen Einkommensgewinn verbuchen werden. Mindestens können sie für die heutige Sozialhilfe beim Staat Beschäftigung finden, der ihre Arbeitskraft meistbietend an die private Wirtschaft weiterverleiht. Besser ist es für sie jedoch, wenn sie sich, versehen mit dem Lohnzuschuss, einen Job in der Privatwirtschaft suchen, denn dort werden sie trotz der zu erwartenden Lohnsenkung schon bei einem Halbtagsjob das gleiche verdienen wie auf einer ganzen Stelle beim Staat. Den ärmeren Bevölkerungsschichten der neuen Länder wird es finanziell deutlich besser gehen, als es ohne die Reform der Fall wäre.

Mitbeteiligung: im Osten ein Auftrag von Verfassungsrang

Zur Flankierung der nötigen Lohnsenkung in den neuen Ländern bietet sich des Weiteren das partnerschaftliche Beteiligungsmodell an, das oben beschrieben wurde, also der Lohnverzicht im Austausch gegen eine Mitbeteiligung für die zum Zeitpunkt des Tarifabschlusses vorhandenen ostdeutschen Arbeitnehmer.

Neben dem Vorteil der Stärkung der Wettbewerbsfähigkeit der ostdeutschen Unternehmen hat dieses Modell den Vorteil, dass es den ökonomischen Grundfehler der Vereinigungspolitik korrigieren würde, der darin besteht, dass den neuen Bundesbürgern kein Eigentum am ehemals volkseigenen Vermögen zuerkannt, doch ein viel zu hoher Lohn versprochen wurde. Bedenkt man, welch hohe Sozialtransfers mit den hohen Löhnen kamen, so war der Mix für die neuen Bundesbürger zwar mehr als fair, aber dennoch war er unter Lenkungsaspekten völlig falsch gewählt. Eine gut funktionierende Marktwirtschaft hätte andere Startbedingungen gebraucht. Es hätte niedriger Löhne bedurft, um Investitionen anzuregen, und eines gewissen Vermögensbesitzes unter den Ostdeutschen, um eine bessere Zukunftssicherung und die Gründung eigener Unternehmen mit ostdeutschen Eigentümern zu ermöglichen. Eine Mitbeteiligung am Produktivvermögen im

Austausch gegen Lohnsenkungen würde eine gewisse Ex-Post-Korrektur des damaligen ökonomischen Fehlers ermöglichen.

Darüber hinaus würde die Mitbeteiligung der neuen Bundesbürger endlich den Auftrag des Artikels 25 Absatz 6 des Einigungsvertrags erfüllen, wonach Möglichkeiten für die Verteilung von verbrieften Anteilsrechten am ehemals volkseigenen Vermögen an die ehemaligen DDR-Sparer vorzusehen sind. Schließlich hat dieser Auftrag für die Bundesrepublik Deutschland Verfassungsrang.

Epilog

Einsicht oder Erfahrung

Der Patient ist krank. Der Arzt diagnostiziert die Krankheit und empfiehlt eine Therapie. Aber der Patient misstraut der Diagnose, weil ihm die Therapie nicht gefällt. Er neigt dazu, den Homöopathen und Heilpraktikern zu glauben, die ihn beraten. Doch ist er sich nicht sicher. Vielleicht hat der Arzt ja doch recht. Wenn er sich nicht behandeln lässt, wird er vielleicht immer kränker. Vielleicht hilft die Therapie dann irgendwann auch gar nicht mehr, selbst wenn er sie akzeptieren würde, weil die Krankheit schon zu weit vorangeschritten ist.

Unser Land ist der kranke Patient. Der Volkswirt ist der Arzt, der die Krankheit diagnostiziert und eine Therapie vorschlägt. Dieses Buch ist der Krankenbericht. Der Bericht wurde auf der Basis des Wissens der »ökonomischen Schulmedizin« erstellt. Ihm fehlt das Mystische des Heilpraktikers, und die Therapie bedient sich keiner homöopathischen Dosen. Vielmehr empfiehlt der Bericht das Skalpell und harte Medikamente. Die Behandlung wird kein Vergnügen sein. Sie wird schmerzen. Der Arzt ist dennoch von seiner Therapie überzeugt, und er sieht gute Heilungschancen. Er hofft, dass andere Ärzte, die seinen Bericht lesen, seine Meinung teilen. Er ist sich aber nicht im Klaren darüber, ob der Patient die Diagnose versteht und die Therapie akzeptiert. Das wird sich erweisen.

Nach der Meinung des Arztes hat der Patient die Wahl zwischen Einsicht und Erfahrung. Der Arzt hofft auf die Einsicht, denn der Patient liegt ihm am Herzen.

Persönlich habe ich mich schon einmal in einer ähnlichen Situation befunden, als meine Frau Gerlinde Sinn und ich im Sommer des Jahres 1991 ein Buch mit dem Titel »Kaltstart« zur wirtschaftlichen Vereinigung Deutschlands veröffentlichten. Damals haben wir die Privatisierungspolitik der Treuhandanstalt kritisiert und von einer Konkursverwaltung mit Sozialplan gesprochen. Wir haben die Hightech-Ideologie belächelt, mit der man in einem Satz über den Westen hinwegspringen wollte, und wir haben vor der Politik der Lohnangleichung gewarnt, die wir als industrielles Beschäftigungsverbot anprangerten.

Wir haben einen sofortigen Kurswechsel gefordert, stießen aber überall auf Unverständnis. Ich weiß nicht genau, welche Interessen es waren, gegen die wir damals argumentiert haben. Ich weiß nur, dass mir negative Konsequenzen für meine Karriere angekündigt wurden, wenn ich nicht bereit sei, meine Kritik einzustellen. Das hat mich bestärkt. Die Konsequenzen sind nicht eingetreten, aber Einfluss auf die Politik hatten wir mit unserem Buch auch nicht. Im Gegenteil hatte ich das Gefühl, dass die Politiker den einmal eingeschlagenen Weg noch energischer voranschritten, als unsere Thesen sich zu verbreiten begannen.

Es war aus der Sicht eines Ökonomen unbegreiflich, an welch vordergründigen Scheinargumenten sich damals viele Verantwortungsträger festklammerten, um den Unsinn, den man vorhatte, halbwegs plausibel erscheinen zu lassen. Und es war beängstigend zu sehen, wie schnell sich damals um die Scheinargumente herum ein gesellschaftlicher Konsens aufbauen konnte. Wir Deutschen sind eine Konsens-Gesellschaft, die sich um ihre politischen Führer schart, und das tun wir des Öfteren auch dann, wenn die Führer falsch liegen.

Leider haben meine Frau und ich damals mit unserer Diagnose Recht behalten. Statt des sich selbst tragenden Aufschwungs kam nur ein Strohfeuer in den neuen Bundesländern zustande. Man hatte dem Patienten Aufputschmittel verabreicht. Heute kommt er vom Tropf nicht mehr los.

Die neuen Bundesländer am Tropf zu halten, ist möglich. Wenn Deutschland als Ganzes dem Siechtum verfällt, wird es kritisch. Dann ist niemand da, der den Tropf füllen würde. Keiner gibt uns das Geld, das wir zum Leben brauchen, wenn wir noch einmal solche Fehler machen wie bei der deutschen Vereinigung. Deutschland hat keinen großen Bruder.

Diesmal führt an einem harten ökonomischen Erneuerungskurs, der die Sozialromantik beiseite lässt und den Realitäten ins Auge schaut, kein Weg vorbei. Eigenverantwortlichkeit und ökonomische Anreize, Leistung und Gegenleistung, Besonnenheit und Mut; das sind die Attribute des neuen Kurses. Hoffentlich trägt dieses Buch dazu bei, den Mut zur Veränderung beim deutschen Volk zu stärken und diesmal alles auf die Karte der Marktwirtschaft zu setzen. Der Mut wird sich auszahlen.

DANKSAGUNG

Dieses Buch ist das Ergebnis langjähriger intensiver Auseinandersetzung mit einer komplexen ökonomischen Wirklichkeit. Ich danke all jenen, mit denen ich die Themen dieses Buches diskutieren konnte. Dabei möchte ich die Kollegen im Wissenschaftlichen Beirat beim Bundesministerium für Wirtschaft und Arbeit, die Mitglieder des Sachverständigenrates zur Begutachtung der gesamtwirtschaftlichen Entwicklung sowie die Mitarbeiter und Kollegen im ifo Institut für Wirtschaftsforschung und an der Universität München besonders hervorheben.

Dankbar erinnere ich mich an die regen Diskussionen mit den Zuhörern meiner Vorträge und mit den Teilnehmern vieler öffentlicher Podiumsdiskussionen. Diese Veranstaltungen haben mir geholfen, schwierige ökonomische Zusammenhänge im Laufe der Zeit immer einfacher, direkter, unverblümter und wohl auch frecher zu formulieren, mit dem Ziel, wirklich verstanden zu werden. Für den Fachökonomen, der die Zusammenhänge sonst in mathematischen Modellen untersucht, ist das eine Herausforderung. Kompliziert zu schreiben ist einfach, doch einfach zu schreiben und dabei zugleich auf dem festen Boden des Fachwissens zu bleiben ist schwer.

Für die konkrete Mithilfe an diesem Buch gilt mein besonderer Dank Robert Koll, der die Datenbeschaffung organisierte und mein Sparringspartner in allen inhaltlichen Fragen war, Martin Werding, der verschiedene Informationen zum Sozialsystem beisteuerte, Meinhard Knoche und Wernhard Möschel, die mir die juristischen Details des Betriebsverfassungsrechts und des Tarifrechts erläuterten, Gebhard Flaig, der mir eine Prognose des langfristigen Wirtschaftswachstums und der Arbeitslosigkeit anfertigte, Rüdiger Parsche, der als Steuerexperte Rat gab, Uwe Christian Täger und Rainer Fehn, die mich über die Flucht der Mittelständler informierten, Wolfgang Ochel und Frank Westermann, mit denen ich Fragen der europäischen Sozialunion und der neuen Bundesländer diskutierte, und Ludger Wößmann, der mich über die Ergebnisse der PISA-Studie ins Bild setzte. Ich danke Herbert Hofmann, Robert Fenge, Wolfgang Nierhaus und Volker Rußig für die Beantwortung von Einzelfragen sowie einer größeren Zahl von Personen in verschiedenen Behörden und Instituten, die bei Anfragen behilflich waren. Ich habe nicht alles übernommen, was mir geraten wurde, aber vieles. Für mögliche Fehler bin ich alleine verantwortlich.

Wichtige Hilfestellung bei den technischen Arbeiten bekam ich von Elsita Walter, die die Diagramme erstellte und die neuesten Daten beschaffte, Wolfgang Meister, auf den ich mich bei den Rechnungen verlassen konnte, Christian Holzner, der meine Zahlen zur Sozialhilfe kontrollierte, Barbara Hebele, die ein zuverlässiges Lektorat nach den Anweisungen des Verlags durchführte, Tobias Seidel und Karin Thomsen, die mit verschiedenen statistischen Informationen und beim Stichwortverzeichnis halfen, sowie Marga Jennewein, Heidi Sherman und Alf, Traude und Jan Baumgardt, die allerletzte Korrekturen durchführten. Allen danke ich sehr herzlich für die Unterstützung.

Ich bin Jens Schadendorf vom Econ Verlag dankbar für eine vertrauensvolle Zusammenarbeit und viele gute Anregungen bezüglich der Präsentation meiner Thesen. Ich freue mich, dass mein Wunsch, das Buch mit farbigen Diagrammen zu versehen, erfüllt werden konnte. Bei meinem Thema ist die Farbe hilfreich.

Besonders bedanken möchte ich mich bei meiner Frau Gerlinde, die mir nicht nur den Rücken für die Arbeit freigehalten hat und mein ständiger Diskussionspartner war, sondern auch alle Kapitel mehrfach sorgfältig redigiert hat.

Dieses Buch ist unseren Kindern Annette, Philipp und Rüdiger gewidmet, um deren Zukunft es geht.

München, August 2003
Hans-Werner Sinn

Stichwort-, Firmen- und Namensverzeichnis

Abschreckungswettbewerb 434, 439 f., 444, 468
Adenauer, Konrad 276, 278, 355, 369, 375, 397
Aesculap 64
Ahlener Programm 20
Allianz 78
Altana 149, 457
Altenquotient 354, 366 f.
Alterspyramide 345 ff., 352 f.
Altersteilzeit 23, 144, 194 f., 464
Anspruchslohn 162, 164, 193, 196, 200, 251, 270, 424 f., 428, 463, 479
Arbeitgeberbeiträge 108 f., 168, 184, 288, 300, 358 f., 455
Arbeitgeberverband 95, 122, 130 f., 133, 135, 246, 248 f., 408
Arbeitnehmerbeiträge 181, 184, 189 f., 203 f., 288, 300, 358 f.
Arbeitnehmersparzulage 286
Arbeitsbeschaffungsmaßnahmen 175, 224, 278
Arbeitslosengeld 21, 144, 162–166, 186, 193, 250 ff., 257, 288 f., 419, 421, 425, 439, 452, 460 f.
Arbeitslosenhilfe 144, 162–166, 175, 185 f., 193, 202, 209, 250 ff., 257, 287 ff., 419 f., 425 f., 452, 460–463, 478 f.
Arbeitslosenquote 30, 106, 120, 171–174, 219, 224, 419 ff.
- qualifikationsspezifische 171–174
Arbeitslosenversicherung 108, 228, 287 f., 357, 431 f.
Arbeitslosigkeit 13, 23 f., 30, 42, 48, 52, 58, 66 f., , 69, 73, 85, 88–101, 106 f., 117–125, 132, 138–141, 144, 146, 160–166, 169–179, 186–189, 194–201, 206, 210, 224 f., 241, 245 f., 251, 269, 292, 314, 349, 367, 418–431, 433, 441, 452 ff., 457, 459, 461, 464, 468, 477
Arbeitsteilung, internationale 85, 103
Arbeitszeit 21, 94, 97 ff., 108 f., 123 ff., 128, 130, 132, 167, 236, 247, 253 f., 455 f.
Armutsfalle 87, 183
Audi 60, 68
Australien 125, 232, 286, 384
AUTO-UNION 220

Baden-Württemberg 426
Bahamas 313
Baring, Arnulf 276
Basar-Ökonomie 67 f., 72
Bayern 202, 426 ff.
Beamte 141, 143, 145, 226, 273, 282–285, 294, 332, 358 f., 394 ff., 460, 474 f.
Bebel, August 116, 123, 127
Behr 66

Beitrittsländer 413 f., 467
Belgien 41, 82, 125, 174, 232,
274 f., 281, 283, 286 f., 313, 338,
340, 384
Benz, Karl 39
Bertelsmann 149, 456
Beteiligungsmodelle 147–150, 260,
456 f., 480
Betriebliche Vereinbarung 130,
133, 135, 151 f., 458
Betriebsautonomie 134
Betriebsrat 130–133, 135 f., 152
Betriebsverfassungsgesetz 130, 135,
137 f., 152
Bevölkerungspolitik, aktive 369,
378–381
Bildung 42 f., 58, 173 f., 180, 285,
469
- sausgaben 285 f.
- ssystem 42, 179, 389
Binnenmarkt
s. EU-Binnenmarkt
Bismarck, Otto von 17, 117, 352,
372 f., 375, 397, 474
Blair, Tony 30
Blüm, Norbert 192–195, 197, 360
BMW 33, 60, 149, 220, 457
BRABAG 220
Brandenburg 228, 244
Brandt, Willy 276 ff., 281, 454
Brasilien 126
Braun, Wernher von 39
Brentano, Luigi 117
Breuel, Birgit 246
Brilliance 60
Bruttoinlandsprodukt 25, 37, 54,
63, 66, 73, 99, 218 f., 225, 229 ff.,
274–279, 283–288, 305, 469
Bruttosozialprodukt 32, 37, 54,
408 f.
Bsirske, Frank 273, 307, 311, 316, 334
Bulgarien 66, 405, 407, 410 f.
Buna 220
Bundesanstalt für Arbeit 165, 168,
367

Bürgerversicherung 359 f.
Busch, Ernst 126 f., 129

Cayman-Inseln 313
China 44, 57, 60 f., 86 f., 255, 342 f.
COMECON 256, 477, 479
Commerzbank 46, 78

Daimler, Gottlieb 39
DaimlerChrysler 59 f.
Dänemark 41, 93, 125, 174, 232,
237, 275, 283, 286 f., 300, 302,
313, 326, 328, 340, 384
DAX (Deutscher Aktienindex)
75–78, 111, 148, 347
DDR 21, 69 f., 216, 218, 223,
234–236, 241, 245, 259, 261, 272,
276, 295, 383 f., 481
Defizitgrenze 49 f.
Demografische Krise 361, 363, 369,
371, 391, 396, 472–475
Demografischer Faktor 192
Deutsche Bank 46
Diesel, Rudolph 39
Direktinvestitionen 59, 61, 65,
75 f., 111 f., 148, 230
DKW 220
Dresdner Bank 46, 78

Earned Income Tax Credit 202
Edscha 66
Eigenkapital 46, 75, 79, 83, 318,
320 ff., 335 f., 471
Einigungsvertrag 250, 259 f., 265,
481
Einkommensteuer 28 f., 36, 229,
271, 300 f., 304, 308, 313, 318,
322–328, 357, 386, 470 f.
Elf Aquitaine 248
Engelen-Kefer, Ursula 115
England s. Großbritannien
Entwicklungsländer 86, 90, 95,
297, 372
Erhard, Ludwig 20, 129, 276, 278
Estland 66, 407, 410

EU-Binnenmarkt 34, 80 f., 118, 163, 260, 469
EU-Budget 408 f., 442
EU-Kommission 298, 409, 445 f., 466
EU-Osterweiterung 65, 80 f., 84, 262, 298, 367, 405–409, 412–415, 427 f., 434, 440, 445 f., 453, 464, 466, 479
EU-Verfassung 436–441, 444 f., 467, 469
Euro 34, 38, 48 f., 80, 82–84, 104
Europäische Vereinigung 405

Familiengeld 389 f.
Familienlastenausgleich 391
Familiensplitting (quotient familial) 385 ff., 473
Fertilität (-sraten) 342, 344, 371, 378, 385
Finnland 37 f., 41, 79, 81 f., 87, 109, 125, 174, 232, 260, 275, 284, 286 f., 313, 328, 340, 384
Firmentarifvertrag 131
Flächentarifvertrag 122, 129, 131 f., 134 f., 137, 419, 428, 451, 457 f.
Fördergebietsgesetz 24, 216 f.
Franco, Francisco 413 f.
Frankenwälder 66
Frankreich 13, 25 f., 31 f., 34 f., 41, 51, 82, 93, 125, 174, 232, 236 ff., 248, 274 f., 281, 283 f., 286 f., 300, 302, 338 ff., 342 f., 379–389, 413, 436, 442, 444, 451, 453, 472
Fröbel, Friedrich 383
Frühverrentung 13, 21, 23, 144, 162, 192–198, 223, 250, 257, 360, 390, 451f., 460, 464 f.

Ganztagsschulen 384 f., 389, 472
Gastarbeiter 111, 244, 296, 418
Gates, Bill 75
Geburtenrate 342–346, 362, 369–374, 378–385, 399, 472

General Motors 112
Gering Qualifizierte 91, 94 f., 108, 164–180, 199, 201 f., 204, 206, 209, 241, 419, 428 ff., 446, 452, 461, 463f., 466, 477 f.
Gerontokratie 347, 350
Gerry Weber Gruppe 66
Gewerbesteuer 317 f., 324, 326 f., 471
Gewerkschaften 14, 16, 21 f., 28, 58, 89, 92 f., 95, 98 ff., 115–118, 121–151, 160, 162, 166–170, 173, 177 f., 180, 193, 196f., 205, 247 ff., 271, 273, 307, 311 f., 314, 408, 419 f., 451 f., 456–460, 478
Giscard d'Estaing, Valéry 405, 436, 442, 447
Globalisierung 19, 63, 80, 85–94, 118, 139, 163, 173 f., 262
Gorbatschow, Michail 36
Grenzabgabenlast 298, 300–303, 307, 323, 357, 454, 470 f.
Grenzbelastung 162, 299–302, 306 f., 324–328
Grenzebach 64
Griechenland 41, 79, 81 f., 87, 125, 174, 234, 244, 275, 281, 283, 285 ff., 338, 340, 406 f., 412, 417, 442, 467
Großbritannien 13, 25–29, 31–34, 41, 54, 93, 112, 116, 125, 174, 232, 270, 274 f., 281, 283 f., 286 f., 300 ff., 338, 340, 343, 383, 444, 456
Grundgesetz 115, 137, 156, 158, 351, 445
Guernsey 313

H & M 347
Haider, Jörg 415
Hako-Holding 66
Halbeinkünfteverfahren 318, 327
Hammer Fashion 66

Hartz (-Kommission, -Vorschläge) 15, 165, 184, 209 f.
Haye, Rutherford B. 403
Hensold 64
Heraeus 64
Hessen 202, 428
Hill & Müller 64
Hobbes, Thomas 267
Hochlohnpolitik 92, 116, 118, 123, 125, 127, 142, 145, 162, 196, 244, 259
Holland s. Niederlande
Holländische Krankheit 249, 257
Horizontale Gerechtigkeit 307–310, 328, 386, 471
Hugo Kern und Liebers 66
Humankapital 91, 362 f., 369, 372, 390, 394, 404, 475
Humboldt, Wilhelm von 39
Hutten, Ulrich von 40
HVB Gruppe 46, 78

ifo-Steuer 324 f., 451, 471
IG Farben 220
IG Metall 124, 132 f.
Immigration 120, 188, 412 ff., 418 f., 423, 425 f., 431 ff., 445
Indien 57, 60 f., 86 f., 95, 342 f.
Indonesien 59
Inflation 31, 73 f.
Infrastruktur 69, 175, 227 f., 230, 232, 234, 241, 259 f., 269, 280, 304, 315 f., 324, 365, 376, 432, 443, 466, 477
Inklusion (-sprinzip) 439 f., 467
Irland 33, 35 ff., 41, 54, 81 f., 87, 93, 125, 174, 236 ff., 260, 270, 274 f., 281, 283, 285 ff., 313, 317, 338ff., 384, 456
Island 125
Israel 120, 232 f., 419
Italien 25, 41, 82, 93, 109, 125, 174, 198, 216, 219–223, 232, 237, 244, 274 f., 281, 283, 286 f., 338 ff., 343,
384, 412, 417 f., 441 f., 444, 456, 465

Japan 41, 43 ff., 47, 58 f., 174, 198, 232, 274 f., 281, 283, 286, 338 ff., 342, 383 f., 406, 465
Jordan, David Starr 40, 54
Junkers 220
Kanada 41, 323, 384
Kapitalbesteuerung 307–311, 314–317, 358, 470 f.
Kapitalflucht 73, 107, 312, 314
Karstadt 59
Kartell 118, 121–145, 150, 162, 452, 457 f.
Kaufkraft 53, 67, 100, 102 f., 116, 234 f., 448, 477
Kiesinger, Georg 276, 278
Kinderfreibetrag 385
Kindergärten 383 ff., 389, 403, 472
Kindergeld 181, 189 f., 201 f., 204, 253 f., 286, 385, 387 f., 443, 467
Kinderlosigkeit 369, 372 ff., 391–394, 473 ff.
Kinderrente 389, 395 f., 475
Kohl, Helmut 14, 24, 215, 229, 278–281
Konjunktur 30, 44, 50 f., 83, 101 f. 107 f., 129, 143, 281, 321, 454, 460 - zyklus 26, 31
Konkurrenzmärkte 119 f., 122
Konvergenz 82 f., 218, 221, 225, 235, 239, 241 f., 411, 418, 449 f., 468
Korea 41, 58 f., 64, 125, 174, 232, 286
Körperschaftsteuer 313, 317–320, 323, 326 f., 336
Krankenversicherung 108, 158, 287 f., 301, 303, 357, 431 f., 455
Kreditanstalt für Wiederaufbau 49
Kreditklemme 46, 83, 136
Kreisky, Bruno 36

Krones 64
Kündigungsschutz 27, 44, 89,
139–144, 187, 451, 458 ff.

Lafontaine, Oskar 229
Länderfinanzausgleich 228, 476
Lassalle, Ferdinand 116, 123,
127
Lebenserwartung 339 f., 398
Leber, Georg 146
Leistungsbilanz 73–76, 111
- defizit 74 ff., 111, 230–233
- überschuss 73, 75, 79, 111
Leoni 66
Lettland 407, 410
Leuna 220
Liechtenstein 313
Lincoln, Abraham 402 f.
Litauen 270, 313, 407, 410
Lohnausgleich 108, 455
Lohnergänzungsleistungen 200,
428, 460
Lohnerhöhungen 93, 96-100, 115,
117, 125, 238 f., 246, 251 f., 417,
441, 478
Lohnersatzeinkommen 161 ff., 168,
200, 251, 427, 441
Lohnersatzleistungen 144, 163, 165,
173, 181, 192 ff., 197, 200, 250 f.,
257, 269, 292, 314, 389, 408, 419,
423–428, 452, 460 ff., 478
Lohnkosten 21, 36, 58, 65, 84, 89,
91–96, 104, 108 f., 168, 191, 206,
209, 218, 233–238, 247, 252 ff.,
258, 261, 292, 301, 410, 448, 452,
455 f.
Lohnnebenkosten 108, 145, 164,
352
Lohnsteuern 181, 190, 203 ff., 257,
318, 325, 386
Lohnstückkosten 97, 99 f.
Lohnverzicht 133, 137, 148 f., 261
Lohnzurückhaltung 94, 101, 104,
107 f., 113, 128, 149 f., 260, 456,
458

Luxemburg 275, 283, 287, 338, 340

Maastrichter Verträge 14, 47 f.,
278, 281
Mainzer Modell 189 ff., 204
Major, John 30
Malaysia 58 f.
Malta 405, 407
Marx, Karl 116, 123, 268
McDonald's 347
Mehrwertsteuer 108, 168, 299 f.,
310, 357 f.
Metro 59
Mexiko 125
Mezzogiorno 24, 215 f., 219,
221 ff., 232 f., 436, 441 f., 444,
468, 478
Microsoft 75, 111
Migration 414–417, 428, 432, 435,
464, 470
- sprognose 414
- Vorteile der 415–418
Milbradt, Georg 228
Minijobs 184–189, 425
Mitbestimmung 89, 147 f., 152 f.,
451, 456
Mitbeteiligung 259 ff., 451, 456,
480f.
Mittelstand 63–66, 88, 411, 473
Monopolkommission 132
Moody's 78
Moralisches Risiko 158 ff.
MTV 347
Müller-Armack, Alfred 129
Münchener Rück 78
Müntefering, Franz 19, 31

Nell-Breuning, Oswald von 146,
375
Nettoinlandsprodukt 274 ff., 323,
469
Nettoneuverschuldung 48, 281 f.,
330 f.
Neuseeland 125, 384
New Economy 61, 77

Niederlande 13, 31, 35, 82,
104–109, 118, 124 f., 174, 209,
232, 249, 255, 257, 274 f., 281,
283, 286 f., 297, 313, 338, 340,
343, 384, 420, 442, 455 f.
Niedersachsen 426
Niedriglohnkonkurrenz 22, 84,
163, 172, 255, 409, 461
Niedriglohnländer 67 f., 88, 92,
257, 411, 453
Niedriglohnsektor 42 f., 61, 165,
167, 169, 179, 183 f., 188, 204 ff.,
210, 257, 461, 463
Nokia 38
Norwegen 41, 93, 124 f., 174, 232,
286, 313, 328

OBI 306 f.
OECD 40 ff., 58, 87, 106, 129, 179,
274, 285, 306, 317, 332, 338,
342 f., 384, 470

Öffentliche Güter 269, 304, 431
Öffnungsklausel 135 ff., 428,
458
Ohain, H. Joachim-Pabst von 39
Ökosteuer 271, 288, 400
Opel 112
Ordo-Liberalismus 129 f.
Österreich 13, 31, 35 f., 41, 82, 93,
116, 174, 232, 274 f., 283, 286 f.,
313, 317, 338, 340, 343, 383, 406,
413, 442, 445
Osteuropa 58, 63, 65 f., 72, 80, 84,
88, 91, 95, 256 f., 259, 339,
405–414, 417 f., 427, 434, 441,
445 f., 467, 479
Otto, Nikolaus August 39
Otto 149, 457
Outsourcing 68, 80, 148

Pensionen 226, 283, 287, 289,
358 f., 392, 395 ff., 474
Personal-Service-Agenturen (PSA)
209

Pflegeversicherung 108, 287 f., 303,
357, 432
Philipp Holzmann 133 f.
PISA-Studie 40 f., 179, 348
Plaza Agreement 44
Polen 66, 84, 244, 255, 257 f., 298,
338, 340, 407, 410 f., 413, 427 f.,
440, 442, 450 f., 477, 479
Portugal 41, 79, 81 ff., 87, 93, 174,
232 ff., 236 f., 255, 275, 283,
286 f., 338, 340, 384, 412 f., 442,
467
Privatisierung 8 f., 108, 233, 246,
248 f., 259, 266, 484
Pro-Kopf-Einkommen 13, 33, 61,
69, 238, 271
Produktivität 59, 80 f., 91, 96–100,
107 f., 118, 127, 143, 149, 164, 175,
193, 217–220, 228, 236, 238 f.,
242, 244, 246, 248, 251, 259, 311,
314, 417 f., 423, 429, 433, 446,
455, 459, 466, 476 ff.
Progression 236, 303 f., 307, 313,
318, 327, 386 f., 470

Quelle 59

Rating-Agenturen 78
Rationalisierungsmaßnahmen 91,
97 f., 252
Rent Seeking 292
Renten 13 f., 21, 52, 147, 162,
193–199, 225 f., 283, 287 ff.,
350–366, 369–378, 391–397, 431,
439, 451, 472–476
- alter 164, 196, 271, 352, 354,
360 f., 375, 400, 465
- reform 192, 290, 360, 362 f.,
390 f., 400
- säulen 395 f., 451, 473 ff.
- system 13, 351, 355, 360 f.,
365 f., 370, 372 f., 375, 378, 390,
395, 451, 465, 473 ff.
- versicherung 21, 29, 108, 194,
225 f., 228, 277, 288, 301, 351,

354–366, 372–378, 389 f., 394 ff., 400, 431 f., 455, 473 ff.
Riester, Walter 194 f., 197, 290, 312, 350, 360, 363, 400
Riester-Rente 312, 360, 363 f., 389–397, 475
Rover 33
Ruland, Franz 394 f.
Rumänien 66, 405, 407, 410
Rürup-Kommission 360, 465
Russland 87, 120

Saarland 382
Sachsen 202, 220, 228, 244, 426, 428
Sachsen-Anhalt 220, 228
Salazar, Antonio José 413 f.
Schäuble, Wolfgang 229
Schiller, Karl 277
Schleswig-Holstein 202, 428
Schmidt, Helmut 277–281
Schmoller, Gustav 117
Schreiber, Wilfried von 375
Schröder, Gerhard 23, 273, 278, 281, 317, 426
Schuldenstandsquote 278–281
Schulwesen 39 f., 180, 348
Schumpeter, Joseph 87
Schurz, Carl 383, 402
Schurz, Margarethe 383, 402
Schwarzarbeit 167, 183, 200, 207 f., 244, 255, 271, 304 ff., 324, 360, 390, 413, 421, 440, 454, 462
Schweden 41, 93 f., 109, 125, 150, 174, 232, 248, 274 f., 277, 281, 283, 286 f., 300, 302, 313, 326, 328, 338 ff., 342 f., 360, 384
Schweiz 41, 232, 286, 312 f., 317, 338 ff., 343
Selbständigkeit 21, 28, 225, 258, 262, 359, 394 ff., 475
Siemens 59 ff., 81
Siemens, Franz von 39
Singapur 58

Slowakei 66, 68, 125, 383, 407, 410, 427 f., 442
Slowenien 407, 410
Solidaritätszuschlag 229, 301 f., 317 f., 324 f.
Solidarpakt 227 f.
Sonderwirtschaftsgebiet 259
Sony 248
Sowjetunion 36, 414
Sozialabbau 29, 205, 435, 444
Sozialabgaben 27, 36, 145, 167, 181, 184, 194, 201, 253, 273, 284 f., 386
Sozialausgaben (-quote) 287 f., 333, 435, 470
Sozialhilfe 21, 29, 144, 162, 165–171, 176, 184–193, 197, 200–210, 250, 252 ff., 257, 287 ff., 363, 397, 419 f., 425 ff., 439 ff., 443, 452, 460–463, 468, 479 f.
- Aktivierende 199, 201, 204, 207, 209 f., 257 ff., 324, 428, 451, 460, 462 f., 477 ff.
Sozialleistungen 187, 286, 289 f., 294, 431 f., 477
Sozialprodukt 20, 22, 27 f., 31 ff., 36 f., 44, 47–52, 60, 92, 94, 124, 128, 192, 206, 292, 306, 331, 416, 422
Sozialunion 249 ff., 255 f., 437, 441, 451, 467 ff., 477
Sozialversicherung 108, 181, 184 f., 189 f., 202 ff., 223 f., 303, 357, 359, 402, 429
- shypothese 374
Spanien 41, 82 f., 87, 93, 125, 174, 232, 244, 275, 283, 286 f., 338, 340, 343, 384, 412 f., 442, 467
Sparlohn 451, 456 f.
Spitzensteuersatz 29
Staatsbedienstete 218, 282 ff., 332, 469
Staatsquote 14, 29, 36, 273–279, 283, 285, 323, 329, 331 f., 454, 469 ff.

Staatsschulden 44, 47 f., 52, 228,
230, 273 f., 279 ff., 298, 331
Stabilitäts- und Wachstumspakt
14, 47–51, 230, 273, 280 f., 319
Standard & Poor's 78
Standortqualität 22, 37, 52, 237,
241
Standortwettbewerb 84, 257
Statistisches Bundesamt 178, 222,
275, 286 f., 332, 341, 354 f., 361,
381
Steffen, Jochen 21
Steilmann Mode 66
Steuern 14, 25, 27, 29, 36 f., 47–52,
62, 144 f., 164, 167, 181, 184, 194,
201, 215, 236, 253, 268–273, 288,
291, 293, 298 ff., 304, 306, 314,
326, 358, 365, 376, 429–433, 451,
469 f.
- erhöhung 14, 49, 273, 279, 298
- flucht 37, 312 f.
- quoten 273
- reform 44, 50, 281, 290, 301,
316–329, 451, 469
Stoiber, Edmund 426
Stundenlohnkosten 21 f., 93 f., 96,
104, 149, 236 ff., 252 f., 410
Subventionen 24, 89, 208 f.,
216 f., 251, 268, 294–298, 331,
462, 471
Südkorea s. Korea
Suttner, Bertha Freifrau von 54

Taiwan 58, 87
Tarifautonomie 134, 136 ff., 249,
451, 457 f.
Tariflohn 127, 131, 166–171, 461
Tarifpolitik 92, 121, 150, 160
Tarifverhandlungen 97, 121 f.,
132, 146, 148, 169, 247, 251, 477
Tarifvertrag 90, 130–135, 137 f.,
151 f., 249, 251, 458 f.
- sgesetz 130 f., 133, 135, 137 f.
Technischer Fortschritt 98, 121,
172 f., 348

Teilzeitarbeit 106, 198
Thailand 58 f., 348
Thatcher, Margaret 14, 28 ff.,
33
Thüringen 220, 426
Thyssen 78
Treuhandanstalt 24, 195, 216 f.,
221, 223, 234, 237, 241, 243, 246,
248–252, 259 f., 265, 331, 478,
484
Trumpf 63
Tschechien 62, 66, 84, 102, 125,
132 f., 232, 244, 257 f., 338, 340,
343, 407, 410, 413, 427 f., 442,
448, 451, 477, 479
TUI 149
Türkei 232, 407 f., 412, 417 f., 430,
432
Umverteilung 149, 156 f., 269, 272,
290 f., 293, 303 f., 316, 350, 361,
365, 429–433, 452, 466
Ungarn 66, 68, 244, 258, 338, 340,
343, 407, 410 f., 413, 427 f., 442,
450
Unternehmensinsolvenzen 45 f.
USA 41, 57, 61, 65, 72, 94, 104 ff.,
120, 125 f., 140, 174, 179, 198,
202, 232 f., 237, 274 f., 283 f., 286,
300 ff., 324, 332, 338 ff., 342 ff.,
349, 383 f., 406 f., 419 f., 435, 439,
469

Vattenfall 248
Verbrauchsüberhang 230 ff.
ver.di 307
Vereinigung, deutsche 14, 22 f., 25,
32, 34, 36, 47, 52, 70, 196,
215, 221, 226, 228–231, 233, 236,
243, 249 f., 256, 272, 278–282,
408 f., 437, 476 f., 480, 484 f.
Verfassungskonvent 436
Vermögensteuer 307–310, 313–316,
334
Verschuldung 48 ff., 75, 228, 230,
274, 280 ff., 298, 330 f.

Versicherung 142, 155–159, 162,
164, 199, 211, 250, 304, 372, 391,
473
Versicherungsfremde Leistungen
288, 355 f., 376, 474
Verwendungsfiktion 320, 326,
336
Verzögerte Integration 443 f., 446,
451, 466
Viessmann 132, 134
Vietnam 58 f.
VIVA 347
Vodafone 112
Volkswagen 19, 60, 68
Vollbeschäftigung 122 f., 140,
144, 172, 205, 209, 251, 423,
441
Vorruhestand 144, 192, 195
Vorschuleinrichtungen 383 ff.
Wagner, Adolph 117
Währungsumstellung 233 f.
Währungsunion 74, 218, 236 f.,
250, 259, 437, 441
Wassenaar-Abkommen 104,
455 f.
Wechselkurs (-risiko / -schranken)
31, 34, 38, 62, 70, 82, 85, 448
Weltmarkt 19, 26, 59, 63 f., 70 ff.,
88, 109, 172, 206, 255, 296 f.,
315

Wertschöpfung 68, 92, 99, 145, 163,
169, 192, 275, 292, 299–305, 323,
326, 334, 357 f., 416, 430 f., 470
- skette 67 f., 73, 411
West-Ost-Transfer 228–232, 258,
264, 280, 408, 476
WestLB 46
Wettbewerbsfähigkeit 22, 27, 44,
58 f., 69 f., 72 ff., 96 f., 103 f., 115,
132, 134, 143, 164, 238, 240, 255,
318, 349, 448, 455, 459, 480
Wirtschaftswachstum 26, 30, 43,
116, 216, 238, 322, 329
Wirtschaftswunder 13, 20, 28, 37,
70, 103, 216, 233 f., 406
Wohlfahrtsstaat 21, 267 f., 277, 445
Wohngeld 29, 253, 277, 287 ff.,
443, 467
WOM 347

Zeiss 220
Zumutbarkeit 207
Zuse, Konrad 39
Zuwanderung 14, 106, 178 f., 341,
354, 364–370, 413–436, 445 f.,
448, 451, 453, 461, 464, 466 f.
– in die Arbeitslosigkeit 106,
179, 418, 420 ff., 427, 429, 431,
453, 461, 464
Zypern 405 ff.

Stimmen zum Buch

»Deutschland braucht Aufbruchstimmung. In einer Zeit, in der über das Ob und Wie von Reformen heftig gestritten wird, liegt Professor Sinn mit seinem Buch goldrichtig. Mit seiner messerscharfen Analyse des Krisenbefunds und einer klaren Handlungsanleitung gibt er den Weg vor. Pflichtlektüre.«

Heinrich v. Pierer, Vorstandsvorsitzender Siemens AG

»Was Deutschland braucht: unkonventionelle Ideen, Kreativität, Offenheit und den Mut, unbequeme Themen schnell und offensiv anzugehen. Hans-Werner Sinn liefert all das. Lesenswert.«

Dieter Rampl, Vorstandsvorsitzender HypoVereinsbank-Gruppe

»Hier redet ein Fachmann Klartext. Deutschland hat keine Wahl. Die Wahrheit ist unangenehm und ohne Alternativen. Deutschland kann reformiert werden. Hans-Werner Sinn zeigt den Weg auf. Ob ihn die politische Klasse geht?«

Lothar Späth, Ministerpräsident a. D.

»Hans-Werner Sinns Analyse der Probleme der deutschen Wirtschaft, Probleme, die sich aus einer mittlerweile weit zurückliegenden Blütezeit ergeben, ist höchst sinnvoll und nötig. Es ist zu hoffen, dass seine Verbesserungsvorschläge schnell umgesetzt werden.«

Erich Streissler, Wirtschaftsprofessor, Universität Wien